长篇小说 1945

财主底儿女们（第一部）

路翎全集

第五卷 上

复旦大学出版社

本集获复旦大学"985工程"三期整体推进人文社会科学研究项目和上海文化发展基金会资助出版,为国家社科基金项目(22BZW134)中期成果

1948年10月在杭州,前排左起罗洛、朱谷怀、冀汸,后左起余明英、路翎、胡风、贾植芳、任敏

1948年10月在杭州,
前排左起贾植芳、任敏、冀汸、胡风,
后左起朱谷怀、余明英、路翎、罗洛

《财主底儿女们》第二版上、下卷书影

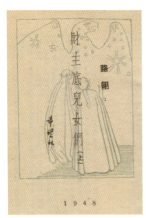

《财主底儿女们》
1948年版扉页

《财主底儿女们》1948年版环衬

目　录

序（胡风） …………………………………………… 001

题记 …………………………………………………… 001

财主底儿女们（第一部） …………………………… 001

财主底儿女们（第二部） …………………………… 455

序
胡　风

时间将会证明,《财主底儿女们》底出版是中国新文学史上一个重大的事件。

在这部不但是自战争以来,而且是自新文学运动以来的,规模最宏大的,可以堂皇地冠以史诗的名称的长篇小说里面,作者路翎所追求的是以青年知识份子为辐射中心点的现代中国历史底动态。然而,路翎所要的并不是历史事变底纪录,而是历史事变下面的精神世界底汹涌的波澜和它们底来根去向,是那些火辣辣的心灵在历史运命这个无情的审判者前面搏斗的经验。真实性愈高的精神状态(即使是,或者说尤其是向着未来的精神状态),它底产生和成长就愈是和历史的传统、和现实的人生纠结得深,不能不达到所谓"牵起葫芦根也动"的结果,那么,整个现在中国历史能够颤动在这部史诗所创造的世界里面,就并不是不能理解的了。

在封建主义里面生活了几千年,在殖民地意识里面生活了几十年的中国人民,那精神上的积压是沉重得可怕的,但无论沉重得怎样可怕,还是一天一天觉醒了起来,一天一天挺立了起来;经过了无数的考验以后,终于能够悲壮地负起了这个解放自己的战争底重担。人能够概括地对这提出简单的科学的说明,人更应该理解这里面的浩瀚无际的、生命跃动的人生实相。在那中间的青年知识份子，一方面是最敏感的触须，最易燃的火种，另一方面也是各种精神力量最集中的战场，因而也就是最富于变化的、复杂万端的机体。这种夹在锤和砧之间的存在，人能够简单地对它提出科学的分析和批判，但那里面的层出不穷的变幻，如火如荼的冲激，鲜血淋漓的斗争，在走向未来的历史路程上，却有着多么大的教育的意义。

在这里，作者和他底人物们一道置身在民族解放战争底伟大的风暴里面，面对着这悲痛的然而伟大的现实，用着惊人的力量执行了全面的追求也就是全面的批判。说全面的，当然不应是现象底巨大俱收的罗列，而是把握住精神现象底若干主要的倾向，横可以通向全体，直可以由过去通向未来的倾向。我们看到了封建主义底悲惨败战，凶恶的反扑，温柔的叹息，以及在伪装下面再生了的丑恶的形状，我们看到了殖民地性个人主义底各种形式，一直到被动物性主宰着的最原始的形式，一直到被教条主义武装着的最现代的形式。在这中间挣扎着忠实而勇敢的年青的生灵（们），虽然带着错误甚至罪恶，但却是凶猛地向过去搏斗，悲壮地向未来突进。这一切，被自一·二八到苏德战争底爆发这个伟大的时代所照耀，被庄严而又痛苦的民族大战争所激荡，被时代要求和战争要求鞭打着的这古国底各种生活触手所纠缠。

人没有权利怀疑作者为什么把舞台限在后方，为什么不正面地接触到劳苦人民底世界，因为这不是作者要在这里负起的任务，人却应该感受得到，在这部史诗里面所照耀的，正是劳苦人民底神圣的解放愿望和他们底伟大的战斗目标。人更应感受得到，作者底一切努力一切争斗，正是为了和读者们一道通向那个愿望，突向那个目标。

作者自己说，一切生命和艺术，都是达到未来的桥梁。正是这个把自己变成达到未来的桥梁或踏脚石的志愿，才有可能产生了把七十个左右的人物底运命旋转在那个愿望那个目标下面的磅大的气魄。从这里就可以理解作者所说的，他所追求的，"是光明、斗争的交响和青春的世界底强烈的欢乐"。

是的，是"欢乐"。但可以把这换写为"痛苦"，也可以把这换写为"追求"。欢乐，痛苦，追求，这些原是"我们时代的热情"（借用那个蒋纯祖底用语）还没有找出适当的表现语的那个 passion 所必有的含义。时代底 passion 产生了作者底 passion 和他底人物们底 passion。作者说，作为他底对象们底综合性的人物，那个蒋纯祖，是举起了他底整个的生命在呼唤着，然而，人不难感到，作者自己更是举起了他底整个的生命向他底人物们和读者们在呼唤着的。

原来，作者底对于生活的锐敏、感受力正是被燃烧似的热情所推进，所培养，所升华的。没有前者，人就只会飘浮，但没有后者，人也只会匍伏而已罢。没有前者，人当然不能突入生活，但没有后者，人即使能多少突入生活，但突入之后就会可怜相地被那裂缝夹住"唯物的"脑袋，两手无力地抓扑，更不用说能否获得一种主动的冲激的精神了。

不过，这些当是易于被人感受的，除非他是一段木头，但人也许不易感受到贯串在这里面的神经系统似的要素，作者底深邃的思想力量或者说坚强的思想要求罢。没有对于生活的感受力和热情，现实主义就没有了起点，无从发生，但没有热情和思想力量或思想要求，现实主义也就无从形成，成长，强固的。前者使教条主义狼狈地溃退，后者使客观主义不能够藏身。但若就一部作品底创造过程说，这三者总是凝成了浑然一体的、向人生搏斗的精神力,而这里面的思想力量或思想要求的成份,开始是尽着引导的作用,中间是尽着生发、坚持的作用,同时也受着被丰富被纠正的作用,最后就收获了新的思想内容底果实。人会吃惊于这部史诗里面的那些痛苦的境界,阴暗的境界,欢乐的境界,庄严的境界……,然而,如果没有对于生活的感受力和热情,这些固然无法产生,但如果对于生活的感受力和热情不是被一种深邃的思想力量或坚强的思想要求所武装,作者又怎样能够把这些创造完成?又怎样能够在创造过程中间承受得起?正是和这种被思想力量或思想要求所武装的对于生活的感受力和热情一同存在的,被对于生活的感受力和热情所拥抱所培养的思想力量或思想要求,使作者从生活实际里面引出了人生底悲、喜、追求、搏斗、和梦想,引出了而且创造了人生底诗。

正由于抱着了这思想力量或思想要求,所以作者能够创造出"光明、斗争的交响"。说交响,当然是在众声底和鸣中间始终有着一条主音在。人不难看到,被民族解放战争中间的时代要求和人民要求所照耀,被对于半封建半殖民地意识形态的痛烈的批判所伴奏,回旋着前一代青年知识份子底由反叛到败北,由败北到复古主义的历程,这一代青年知识份子底在个人主义的重负和个性解放底强烈的渴望这中间的悲壮的搏战。

在那个蒋少祖身上,作者勇敢地提出了他底控诉:知识份子底反叛,如果不走向和人民深刻结合的路,就不免要被中庸主义所战败而走到复古主义的泥坑里去。这是对于近几十年的这种性格底各种类型的一个总的沉痛的凭吊。而在那个蒋纯祖身上,作者勇敢地提出了他底号召:走向和人民深刻结合的真正的个性解放,不但要和封建主义做残酷的搏战,而且要和身内的残留的个人主义的成份以及身外的伪装的个人主义的压力做残酷的搏战。这是这一代千千万万的青年知识份子应该接受但却大都不愿诚实地接受,企图用自欺欺人的抄小路的办法回避掉的命运。不用说,和一切真实的心灵一样,作者是向着未来,为了未来的,所以他底热情的形象到了以蒋纯祖底传记为主音的第二部,就更凄厉,更激荡,更痛苦,也更欢乐而庄严。

在被丢掉了的初稿里面,相当于蒋纯祖的那个人物,是走上了比他更年青、更单纯、也就能够直线突进的,在这里的少年陆明栋所走的路,但这里的蒋纯祖却留在了后方,承受了痛苦的搏斗,而且终于倒下了。这是,人物性格底内在要求不能不这样,作者自己的思想要求也不能不这样。走向未来,当然有种种的路,那里面也当然有直线突进的路,但直线突进的路并不能变为对于此时此地的负担的逃避,而蒋纯祖底性格更不是这样的幸运儿。他得承受更大更大的痛苦的搏斗,从他底搏斗里面展示出更深更广的历史的意义。一个蒋纯祖底倒毙启示了锻炼了无数的蒋纯祖。就这样,作者完成了他底史诗底构成和他底人物底经历。

在我们底文艺领野,矗立着鲁迅的大旗。在今天,人会承认这面大旗,人更乐于自命是这面大旗底卫士,但人却不愿或不肯看见,多年以来(包括鲁迅在生的时候),虽然也有一些来自这个传统的真诚的战斗,但却有多少腐蚀这面大旗,淹没这面大旗的乌烟瘴气。什么是鲁迅精神?岂不就是生根在人民底要求里面,一下鞭子一个抽搐的对于过去的袭击,一个步子一印血痕的向着未来的突进?在这个意义上,不管由于时代不同的创作方法底怎样不同,为了坚持并且发展鲁迅底传统,路翎是付出了他底努力的。

自新文艺诞生以来,一直肯定着学习世界文学底战斗经验。

然而，虽然不能抹杀那努力下来的痕迹，但可悲的倒是太容易发现结构底模仿，主题底窃取，人物底抄袭……世界文学底战斗经验应该指的是，那些文艺巨人们虽然各各在时代底限制和思想底限制下面，但却能用着最高的真诚向现实人生突进，把人生世界里的真实提高成艺术世界里的真实的，那一种战斗的路径和战斗的能力。那么，由于人类解放思想底武装和我们伟大的时代底要求这些有利的条件而摆脱了他们底思想上的限制或苦恼，从战斗底需要出发，汲取甚至征服着几个伟大的作家（特别是 L·托尔斯泰）底现实主义，路翎也是付出了他底努力的。

但作者是二十几岁的青年，而且成长在生活在激荡一切的，伟大的民族解放战争时期，所以他底搏斗，人生上的和艺术上的搏斗都燃烧在青春底熊熊的热情火焰里面。人如果能够看出这灼人的青春底火焰的对于我们底人生、我们底文艺有着怎样的寄与，人就能够把作者自己所说的"失败"和"弱点"只当作青春的热情所应有的特点来理解的罢。

所以，《财主底儿女们》是一首青春底诗，在这首诗里面，激荡着时代底欢乐和痛苦，人民底潜力和追求，青年作家自己的痛哭和高歌！

就暂用这几节话当作对于这首诗和他底读者们的祝福罢。

一九四五，七月三日，记于渝郊避法村。

题　记

　　这部东西,是在一九四〇年就起手写的。最初并不长,因为对于生活和热情缺乏认识的缘故,写得凌乱而浮薄,它只是在急于倾吐什么这一点上有一点意义。后来它在香港底炮火下丢失了。我底导师和友人,并且是实际的扶助者,胡风先生,从炮火过后的敌人下面逃奔出来,来信说要结束一下过去。那时候的他底心情,虽然看来很沉重,却似乎是特别健旺的。感染了这种心情,我就又着手写起来了。因为时间底增长,又因了心情底沉重和斗争底迫切,它就有了现在的规模和份量。

　　但它仍然有些凌乱,并且有些地方还不免浮薄罢。我特别觉得苦恼的是:当我走进了某一个我所追求的世界的时候,由于对这某一个世界所怀的思想要求和热情的缘故,我就奋力地突击,而结果弄得好像夸张、错乱、迷惑而阴暗了:结果是暴露了我底弱点。但这些弱点,是可以作为一种痛苦的努力而拿出来的;它们底企图,仅仅是企图,是没有什么可以羞愧的。我一直不愿放弃这种企图,所以,也由于事实上的困难,就没有再改掉它们。

　　我所追求的,是光明、斗争的交响和青春的世界底强烈的欢乐。在有些地方,如前面所说的,这是失败了。

　　我所检讨,并且批判、肯定的,是我们中国底知识份子们底某几种物质的、精神的世界。这是要牵涉到中国底复杂的生活的;在这种生活里面,又正激荡着民族解放战争底伟大的风暴。

但由于我底限制，我没有能力创造一部民族战争底史诗。我只是竭力地告诉我设想为我底对象的人们，并告诉我自己，在目前的这种生活里——它不会很快地就过去——在这个"后方"，这个世界上，人们应当肯定，并且宝贵的，是什么。

我不想隐瞒，我所设想为我底对象的，是那些蒋纯祖们。对于他们，这个蒋纯祖是举起了他底整个的生命在呼唤着。我希望人们在批评他底缺点，憎恶他底罪恶的时候记着：他是因忠实和勇敢而致悲惨，并且是高贵的。他所看见的那个目标，正是我们中间的多数人因凭信无辜的教条和劳碌于微小的打算而失去的。

我们现在是处在一个亟待毁灭，也亟待新生、创造的时代。一切东西，一切生命和艺术，都是达到未来的桥梁。人们底生命是一个斗争底过程。在世界上，没有什么永恒的宫殿，何况我们周围的这些宫殿是纸糊的；没有什么恒久的监牢，何况我们周围底这些监牢是偷偷地掩藏着的。年青的生命，敢于轻视、摇动、击毁它们，这种轻视和攻击，在我们就等于创造：它们自然要，也必得和这个世界上的那种深沉的、广漠的，明确而伟大的东西联结在一起的。但假如这些年青的生命们前进了几步就期待着一劳永逸，艳羡起那些纸糊的宫殿和阴暗的监牢来了，那么，不管他们脸上是挂着怎样的笑容或眼泪，他们都必得被继起的人们，以那个伟大的东西底名字，重重地击倒。我希望告诉我设想为我底对象的人们，我希望我们都能够真的知道，是渴望着这个民族和他们自己底新生的人们，就必得有怎样的精神和勇气！

一九四五年五月十六夜。

路翎

财主底儿女们(第一部)

《财主底儿女们(第一部)》,重庆希望社1945年11月初版,上海希望社1948年2月再版,据初版排校,对再版改动情况加注说明。

第一章

一

一·二八战争开始的当天,被熟人们称为新女性和检①果子的女郎的,年青的王桂英,从南京给她底在上海的朋友蒋少祖写了一封信,说明她再也不能忍受旧的生活,并且厌恶那些能够忍受这种生活的人们;她,王桂英,要来上海,希望从他得到帮助。等不及得到回信,王桂英就动身赴上海。因为停泊在下关的日本军舰炮击狮子山炮台的缘故,熟人们都下乡避难去了,王桂英没有受到她所意料的,或是她底强烈的情绪所等待的阻拦。

王桂英底哥哥王定和在上海经营纱厂。因为王定和曾经企图强迫她嫁给自己底朋友和仇敌,上海金融界底某个有力的人物的缘故,兄妹间底感情差不多已完全破裂。王定和是有名的苏州蒋捷三底三女婿;大女婿傅蒲生缺乏野心和才能,二女儿还没有出嫁,儿子们则和父亲有着不愉快的纠纷,因此王定和看来像是百万富豪的蒋家底有力的支柱和正直的继承人。蒋家底儿子们和父亲的纠葛逐渐地更不愉快,王定和所承担的财富底幻影就逐渐地更强大;南京和苏州底那些闲谈的嘴巴,对于王定和和她底妻子蒋淑媛,是有利的。就凭着这种财富底幻影和这些嘴巴,王定和在上海底实业界获得了初步的胜利。王定和随处表明着他是被蒋捷三所支持;蒋捷三自己也愿意相信这个。

蒋少祖是蒋捷三底第二个儿子。由于某些机缘——这些机缘往往是决定人底一生的——他十六岁便离家到上海读书。这

---

① 原文如此,疑为"捡",下同。

个行动使他和父亲决裂。在这样的时代,倔强的、被新的思想熏陶了的青年们是多么希望和父亲们决裂。但这个决裂会给他,蒋少祖带来那么多的东西,却是他没有想到的。这个决裂带来了姊妹们底秘密的温柔的关切,大量的金钱,以及蒋家底叛逆的儿子的光荣的名誉。蒋家底姊妹们对他给予得特别的多,因为眼泪和回忆是必需的,并且秘密的温存是特别快乐特别深刻的;她们是那样的动人。

在这个社会里,庞大的财产和可爱的女性在各方面都具有着决定的力量。蒋少祖是蒋家——那样的蒋家底第一个叛逆的儿子,这件事是很重要的。在最初,蒋少祖还是一个单纯的青年,是不懂得这个的。那些为蒋少祖所崇敬的,进步的人们,迅速地接近了蒋少祖,用那种被财产迷惑了的眼睛注视着他,向他提示,他底继承财产,是可能而且合法的;有了这一笔钱,就可以奠定一个伟大的事业底基础。但蒋少祖,虽然有些动心,却觉得这样的想法是可羞的。他是有着那样的自尊心;他要叛逆得澈底,并且他爱父亲,不愿对父亲这样不正直。

"爹爹已经很痛苦!他会觉得我是自私的!我要自己走路,让他明白!"蒋少祖想。

无疑的,财产和叛逆造成了他底顺利的境遇。他渐渐地就懂得这个了,并且学会了去理解他所崇敬的那些人们了。崇敬的感情,就慢慢地淡了下去。他是聪明的,活泼的青年,有时露出那种女性的温顺,有时则古怪难测如权势的世家公子,而这一切都优美。渐渐地他就明白了自己底力量和优美,开始激赏自己。不容他自己有所思考,他卷入了政治活动,——他当时尚没有能够知道这件事决定了他底生活——大学毕业后他和朋友们办报纸,以后,环境有些灰暗,他突然非常的忧郁起来,跑到日本去。

他不能知道在前面等待着他的是什么。像大多数的青年一样,他只注意自己,娱乐自己。他非常厉害地忧郁起来,觉得时日业已消逝,一切都不可复返,人世底事情一无可为了。他觉得自己已经衰老,需要休息了。于是在去日本一年后便结了婚。

他底妻子陈景惠是他底同学。他们恋爱,他觉得她是朴素而善良的。去日本的时候,蒋少祖非常的烦恼,觉得她是难以使他满意的,用他自己底话说,难以理解他。但在逐渐浓厚的忧郁里,蒋少祖需要安慰;这件爱情便有了新的光采。并且蒋少祖觉得,日本这个国度对于家庭生活是最理想的。于是这件爱情便确定了,蒋少祖写了很多的信,陈景惠离开在镇江的家去日本,一切很单纯,并且很愉快,他们结婚了。

但半年后蒋少祖便懊悔,觉得这个行动太荒唐,觉得自己并无结婚的理由;正如一个前程远大的青年并无结婚的理由。他底心境起了变化,朋友们来信鼓励他回上海,他思索了在他胸中诞生着的事业的情热,认为这个结婚是痛苦的。他重新发觉到陈景惠不理解他。在婚前,蒋少祖被爱人底善良感动,在婚后却被这个善良苦恼。不知为什么,像很多人一样,蒋少祖觉得一个妻子像这样善良是不好的,不必要的。

九一八事变的前半年,蒋少祖回上海,把家庭生活底破碎了的幻想抛开,开始了他底活动,接近了那时候的所谓社会民主党。他并不认为他是属于这个社会民主党,虽然大家认为他是这样。他认为他只是和他们暂时同路——在他确定他底理想以前,暂时同路。他似乎即刻便明白他底理想是什么了。他觉得,所谓社会民主党,是充满呆想、空想的东西;而正在激烈的变化里斗争着的另一个政党,则是那些在现代文明里面迷失了的人们所组织的,一种表征着苦闷的东西;这些人们底迷失,是可以从他们底诱惑力上面明白地看出来的。蒋少祖认为,必需勇敢地走向现代文明,才能解决这种苦闷。蒋少祖需要激烈、自由和优秀的个人底英雄主义。

他觉得,所谓社会民主党里面的人们,是平庸的;他们不会懂得这种英雄主义。但另外的人们底那种组织和权力使他嫉恨;他觉得它是阴暗、专制而自私。这就使他暂时更接近前者。渐渐地,他觉得自己是单独地作战着。

但没有人知道他底心意。他是年青、优美、地位不固定，显得很单纯；大家都能够认为他是朋友。他有很多的钱。他惯常是谦虚、自信、微讽。他认为每一个激烈的态度都应该获得一个实际的效果。他一个仇敌也没有遇到便走到这个圈子里面来了，于是，在觉察到自己底力量的时候，他便开始寻找仇敌，公然表露仇恨。

蒋少祖，为自己，为那种政治家风度里面的不属于自己的性质，是作了很大的努力。

一·二八战争使他经历到空前的兴奋和紧张。先是热情的迷惑和骚乱，然后便有了傲慢的、冷淡的、顽强的心情。在这种心情里他愉快地认识到一切是怎样经过的；一切事情都留下了强有力的，严肃的印象。

蒋少祖，是在他底热情里，严肃地走到他底朋友们里面去的。他是尊敬着他们的，但终于不能忍耐了。这些人们底喧嚣使蒋少祖厌恶起来。蒋少祖已经在他底朋友们所经营的一家书店里获得了一个编辑的位置，并且很宝贵这个位置，因此，对这些人们有着义务，就是说，他应该使他们觉得他是忠实的。蒋少祖相信着他底朋友们常常宣称的他们在军队里面所有的政治力量，希望在目前的战争里能够有所成就。但两天来除了疲倦以外什么也没有得到，他开始觉得自己底那种热情是浅薄而可羞的。第三天清早起来，他便发觉到自己是有了傲慢的、冷淡的、顽强的心情。他觉得他能够，而且必须单独地行走了。在这种心情里面，他觉得他已经澈底地认识了，目前在上海进行着的一切。

他接到了王桂英底来信。

他在南京，在三姐蒋淑媛结婚的那天便认识了王桂英。她给他，一个青年，以愉快的印象，以后王桂英来上海读书，由他介绍读他底那个大学底附中。最初两年王桂英很用功，对自己底前途，她是有着抱负的。蒋少祖和她感情很好；亲戚们都觉得这个婚姻是最好，并且是毫无问题的。但某些机缘破坏了这个。

第一，是蒋少祖已经恋爱陈景惠。第二，蒋少祖在和王桂英的关系里感到某些拘束，而这和他底家庭有关。第三，王桂英热情而倔强，使年青的蒋少祖在烦恼中变得傲慢，故意地冷淡她。但奇怪的是，蒋少祖自己只抓住了一个毫不相干的理由，就是王定和要把她嫁给商场：他，蒋少祖，应该厌恶这个，他想。在当时，和很多人一样，蒋少祖是并无分析的能力的，他满意他自己底理由。陈景惠是给了他以甜美的青春底诗歌。

结婚底失败使他重新想起了王桂英，在复杂的感情里希望王桂英不会有幸福的前途。他忧伤地想到王桂英是在南京底美丽的湖畔生活着。他们已四年没有见面，这次的突然来信令蒋少祖激动。

但蒋少祖，面对上海的血与火，心情严肃而顽强，决定不回答。这个决定使他快乐。

王桂英热情地感觉到自己要在这个人间行走的是一条艰苦的，不寻常的道路。在感情底迷乱和孤注一掷的心情里——这是常有的——她预感到自己底生活将荒唐而悲惨；在不明了束缚着人们的实际的一切的时候，在幻想里预尝着这种甜美的荒唐和悲惨，她心里有大的欢乐。这种欢乐，在目前的这个时代，是很多人都经历到的。似乎整个的人类生活就是这样改变了的。王桂英底赴上海，是一·二八的光荣的、热情的战争所促成的多种行为之一。

三年来，王桂英在南京玄武湖畔教小学，经常地和蒋家姊妹们来往，生活平静而清淡。现在她突然觉得，这三年的生活，是空虚可怕的。青春的年华不是常常有的。特别因为这个思想，王桂英渴望试验自己底热情。给蒋少祖发信的那一天，她关在房里唱歌，唱得极嘹亮。她做了一些动作激赏自己。她觉得蒋家姊妹们底被炮声引起惊惶是值得鄙视的。她觉得她是从此和旧有的一切脱离了。

她觉得她来找蒋少祖是当然的；此外她没有再想到什么。

她搭着一艘运米的汽轮赴上海。汽轮靠岸的时候,从低空飞过两架敌机,全船惊叫起来;然后,在看到码头上的端着枪的日本兵的时候,全船是死一般的寂静。王桂英,凭着栏杆,紧张而矜持地凝视着日本兵,听着在寂静中发出的,渐渐缓和下去的,震颤的马达声。在寂静中,这马达声有特殊的意义,王桂英从它得到新的勇气,并觉得全船的人们都从它得到了勇气。王桂英觉得马达声美丽如诗歌。

王桂英看见了远处的火光,激动着。这一切都证明她必须到上海来;她,王桂英,怎么可能失去这一切!她冷淡地走过持枪的日本兵,觉得他正在注视她,不仅因为她是中国人,而且因为她是坚决而美丽。走到街上,她奔跑起来了。

想到她会找不到蒋少祖,她便凄凉而惊恐。直到晚上她才找到蒋少祖的家。她极端地严肃,眼睛闪烁,拖了一拖毛线外衣,提起绿色的短袍快步上楼。

蒋少祖不在家,楼门锁着。她喘息着。她的头靠在门上有半分钟。随后她下楼询问房东。得到肯定的回答,她再上楼,检查锁,取出自己底钥匙打开门。

窗上幻着奇异的微光。王桂英走到窗前,桌上①摸索,打开了黄罩的台灯。灯光骤然照在狼藉地堆满着书籍的红色桌面上,房间里映着谐和的,热烈的黄色。——王桂英站住不动,觉得这里面有着某些尚未发现的,不可理解的东西。她热切地,凄凉地凝视窗外,听见缥渺的人声和远处的炮声,同时看见了庄严地映在高空里的闸北底火光,明白了它们底意义。

她垂下头来思索着,丰满的下颔微颤。然后她推开内房底房门走进去,找到了灯,打开它,生疏地站着,她关上灯——她觉得这样好些——走向床,拖起被盖蒙头卧下,听自己心脏底强烈的鼓动声。她未意识到她底行为属于这个家庭底哪一种友谊。她未意识到这些;或许她认为蒋少祖夫妇是和她很亲切的(她见

---

① 原文如此,初版书后附勘误表更正为"前,在桌上"。

过陈景惠),或许她是过份的凄凉和痛苦。

她想到今天是旧历除夕。只在早上,在拥挤可怕的轮船上她想到过,后来便完全遗忘了。她想到往昔的除夕底景像,这些回忆令她更伤心。她忽然觉得她在人间已经是孤独的,可怕的孤独的了。

一个高身材的,有着忧郁而激动的圆脸的,穿着旧而厚重的黑大衣的男子迅速地上楼,笑着——好像觉得很滑稽——推开房门。王桂英掀开被盖跳起,惊惧而欢喜。暂时她未能看出来者是谁,但认为是蒋少祖。

她发出了某种喊声。来客笑出热烈的声音喊大嫂,王桂英怀疑地站了下来。

王桂英困窘,但热情地走出,亲切地看这个两腮有黑须的、不安的、年青的男子。

"我也刚来,我不知道,先生。"王桂英用北平话说,撩头发,露出亲切和庄严。①

来客奇异地笑着向她鞠躬,未问她姓名,未问她从那里来,准备退出。显然他觉得假若问这些就会和这位女子有太亲切的危险。他整理大衣,振抖它,好像他极欢喜这件粗糙的,笨重的黑呢大衣,随后他又向她笑,笑着转身。

"我从南京来!"王桂英,回答他底笑容,高声说,并露出那种惊恐的娇媚,希望他站下。无疑地她觉得他是朋友,善良的,亲密的朋友。

来客怀疑地看她,但羞怯地笑了。

"很严重的战争啊!"王桂英带着她所特有的热切说。

来客忧郁地点头,在手里抚弄礼帽。

"这样的战争,这样的,伟大!"王桂英笑,不安地环顾。

"打得很激烈……"

"完完全全只有十九路军吗?"王桂英嗅鼻子;"欺骗多可

---

① 再版本此处删去了"撩头发,露出亲切和庄严"一句。

恶！……我以前在上海念书。在南京,他们欺骗,像你是小孩。"她说,忽然脸红,露出洁白的牙齿发笑,以疾速而碎小的步子走至桌前。

"啊,先生,您有事吗?"她用漂亮的北平话说。

"没有……"来客笑,诚恳地回答。他是可以说没有事的,但是他宁愿留在这里,留在这个动人的,热情的,有理想的女子面前。战争扰乱了感情,并扰乱了对于现实的某些正直的屈从,人们相信奇遇;相信强烈的感情和迅速地获得的理解,并相信侠义和英武;这一切显然对于被不寻常的事变所惊扰了的人们,是那样的必需,并看来是很容易完成,一定会完成的。

这位年青的,有些稚气的男子是新闻界人物。显然他具有自己所特有的不安定的,但深沉的生活力量;他可以说是生活在那种宽大的、率真的瞑想里的,他觉得一切都好,一切都能使他底瞑想丰富,而主要的,任何人都无罪。因此时局底变化并未使他颓唐或神经衰弱(这是他们爱说的)。但现在的这个除夕,晚间的风雨,孤独的行走,却令他凄凉。像一切这种人物一样,他简直不明白他怎么会突然在这个晚间孤独起来的。但他很忧伤,相信这孤独是必然的。

他有着那种单纯的严肃态度,怕羞,怕错,显得严肃。但现在这个意外的女子却唤起他底怜悯和忧郁来。他觉得这一切不是偶然的,——这个美好的,神秘的女子出现了,她需要什么,她一定需要的;需要别人替她打开门,这不是偶然的。这是很可能的,并且好像是一定如此的。即这位姑娘有着凄凉的身世,她孤独,在战争旁边流浪,她底道路是人类底悲剧。

于是他轻轻地,忧郁地看了她一眼。他底这种眼光显示了他是有着怎样的精神生活。

"先生,您一定很忙。"王桂英羞怯地笑着说:"我觉得上海只有我一个人在闲着。"

"不然。"他回答。

"啊,先生,您贵姓?"

"我叫夏陆。夏天的夏,陆地的陆。"于是他用眼睛问她。

王桂英给了回答,并在手心里写字。来了沉默。这种沉默好像是虚伪的,王桂英不安,移动支在桌上的手,并且环顾。

夏陆拿着礼帽站在墙壁前面,单纯地看着她。

"炮声呢。夏先生以为我们中国人能打下去吗?"

夏陆笑。"能,也不能。"他用胸部的低音回答。

王桂英高兴他底态度,活泼地转动头部,并举手撩头发。

"当然可以打下去的。"夏陆单纯地、愁闷地说。

王桂英领悟完全不同的事,点头。

夏陆已经兴奋,这兴奋像他底每个兴奋一样,要继续下去。他底富于表情的眼睛和忧郁的,有须的,年青的脸笑着。

"很令人气愤。"他拿着旧污的帽子做手势,"我们只是不能工作,弄成了孤立的局面。昨天我看见一个老女人在路上被日本飞机炸伤,很快就死去了。看样子是很好的人家,她有一个五岁的小孩……"他说,激动。显然这件事给了他很大的刺激。

王桂英诚恳地听他说,因他底话语底组织和激动而同情他,并同情那个老女人和小孩。王桂英点头。

"是呀,很……多少生命财产啊!"

"奇怪的逃难,愚蠢的工作,散漫的,没有组织!……人时常有美好的希望。但希望很容易破灭。"夏陆用较高的声音说,走动了两步;高兴自己意外地获得了自由,人们即使在亲密的朋友面前也很难如此自由地表达的。

"简直不能想,啊!"王桂英女学生般诚恳地说:"夏先生,您请坐。"

"决不止此!中国人要过人的生活!"他说,做手势;未坐下,好像没有听见她。

他底态度很激烈。但觉察到她底不安和沉默,他善良地,歉疚地笑了。

传来了钝重的炮声。街上继续有车声和人声,但这炮声显得是另一种存在:威胁的、强力的、庄严的存在。炮声和人声不相关联,好像无论人声怎样高,它总可以听见。它是深沉的,好像从地底发出。炮声给房内的沉默以特殊的意义。

王桂英想到今晚底无着落,凄凉而苦恼,垂头坐在桌前,背向着灯光,忘记了夏陆。忽然她抬头,捉住了某一个炮声,觉得这个炮声是特殊的,它一定伤害了什么,毁灭了什么。这个思想令她感激,她热情地、凄惶地笑,拖毛线外衣,站了起来。

她看见了夏陆手里的礼帽,不知为什么这个礼帽增加了她底不安。

"夏先生,您不把帽子挂起来吗?"她急剧地笑,说。

夏陆没有动。他觉得周围充满炮声,清楚地感到每一炮所毁灭的生命,他底有须的、年青的脸上露出大的严肃和悲哀。

"啊,是的,"他用震颤的声音说,显然这个神秘的奇遇令他痛苦。"我听见。假若他们回来,请转告我来过。"

他凝视她,这眼光表示真率的、凄凉的爱情,但同时表示他必需走开,因为炮声;因为炮声是要毁灭爱情的。

在这眼光下,王桂英庄严;像每一个少女一样,变得不可渗透。

"外面不好走吧。"她用漂亮的北平话说。

"外面在落雨……"夏陆忧伤地说,未说再见,缓步走下楼梯。

王桂英抗拒苦恼,浮上一个顽皮的粗野的笑容。这个笑容好久留在她底因受凉而苍白的脸上。

二

蒋少祖和苦恼着的陈景惠在夏陆走后不久便回来。蒋少祖在一天内跑了很多地方,晚上到陈景惠底一个亲戚处去找到了陈景惠。这个亲戚底家毁在炮火下了,全家五个人逃了出来,没有带一件东西。两个小孩因受凉而生病,躺在稻草铺上。陈景惠给他们带了一些钱去,就在那里留了下来。大人们彼此没有谈话,小孩们底每一次的哭声都使空气更阴惨。陈景惠坐在小凳子上，想着自己，觉得蒋少祖是因战争和别的东西而远离了她，觉得毁灭将不会有底止，觉得再没有什么力量能使一切恢复转来了。蒋少祖在下午遇到了一个从火线后方来的军官，这个军官是简单的、快乐的、有些轻薄的人；因为战争的热烈和艰苦的缘故，蒋少祖想像他是直率而乐观的人；就是说，蒋少祖想像这个人是简单而快乐地忍受了战争底可怕的热情和艰苦的。这个军官说了一些事，其中没有新消息，但因为对这个人的这种善意的想像的缘故，蒋少祖觉得从这些消息里面得到了新的启示。随后，蒋少祖遇到一个朋友，这个朋友给他看了他的组织义勇军的计划和反对分裂的文章；在开始看这些东西的时候，蒋少祖便觉得自己底脸上停留着一个轻浮的、虚荣的、可厌的目光。蒋少祖在肉体底厌恶里颤栗了起来，没有能够看下去，但假装着看下去。这个朋友要求他底意见，他艰苦地笑着说他极高兴这两篇东西，走开了。这个朋友是帮助过蒋少祖的，认为蒋少祖是同志。他说他明天早晨要到蒋少祖家里来。

　　回来的路上，蒋少祖简单地安慰着陈景惠。在他底兴奋的心情里，那个家庭底苦难是没有留下较为深刻的印象的。他需要愉快，因此安慰着陈景惠，告诉她说，今天是过年，他们回去应该关起门来生火，弄一点好的东西吃。但陈景惠沉默着。

　　注意到楼门开着，房里有灯光，他们以为是什么一个朋友来了。陈景惠此刻特别不愿意有人来，露出了一个愤怒的表情。这个表情使蒋少祖不快。

　　"两个心境不同的人，为什么要拉在一起？"蒋少祖想。

　　王桂英站在桌旁，脸上有迷惘的、怯弱的笑容。台灯从侧面沉静地照耀着她。

　　蒋少祖认出了她，站下了。王桂英继续着那个微笑。蒋少祖脸上短促地有了同样迷惘的、怯弱的笑容。

　　"啊，是你么？"蒋少祖平淡地说，向内房走去，清楚地意识到自己底每一个动作，心里有迷惘的喜悦。

　　陈景惠已经忘记了见过几面的王桂英，但立刻便发觉她和王桂英是最亲密的；目前的苦难，特别是蒋少祖的态度，使她，一个单纯的妻子，有了这样的需要。对于在南京的蒋家姊妹们，陈景惠是无限地渴慕着，王桂英和蒋家姊妹们底诗意的关系，使陈景惠觉得自己底某种疑虑的感情是可羞的。于是她就特别地对王桂英亲爱起来。

陈景惠领王桂英进房，兴奋地和她谈话；她底观察的眼光，违背她底本意，长久地停留在王桂英底身上。在这种兴奋里——这种兴奋愈来愈强大——她底心情是完全改变了。蒋少祖蹲在地上生火，虽然不时因她们底谈话而笑出愉快的声音，他底表情却是异常严肃的；每次的发笑后，他的表情里就加上了新的严肃。房里弥漫着辛辣的烟雾，蒋少祖从烟雾里注意到王桂英底兴奋的、不安的笑容和陈景惠底观察的目光。他觉得这目光是冷酷的。

陈景惠更兴奋，蒋少祖更严肃。陈景惠觉得过着和平的生活的蒋家姊妹们是幸福的；她使王桂英不得不觉得她们是幸福的。

"啊，那么你说，淑华自己怎样想呢？她要结婚么？"陈景惠问，好像她不但见过蒋淑华，而且和她很亲密。她在房里活泼地走动着。

"她做了很多旧诗。"王桂英站在桌边，笑着回答。"她回过苏州一趟，又和你爹爹闹翻了！"她笑着向蒋少祖说，嗅鼻子。

蒋少祖注意到，陈景惠以观察的眼光看了她很久。

王桂英，感到温暖和幸福——虽然这一切和她底想像完全相反——轻轻地走到床边坐下，以手托腮，眼睛笑着。蒋少祖从火旁站了起来，脱开了那种迷惘的感情，嘲讽地笑着看着她。

"我们就这样的过年了！"陈景惠说，提示这个过年是特殊的，警告着蒋少祖。于是她忧伤地叹息，开始向王桂英说客气话。她说，没有菜，没有佣人；但蒋少祖觉得她在说："听吧，有炮声。我看见人们毁了！我们的生活里有这么多的苦恼，这总是因为我们中间有人犯了错；也许是我错！我伤心，什么都不敢信任!"

陈景惠下楼预备晚餐。蒋少祖拖椅子坐下来,看着火。

"我们底佣人昨天走了。"他特别严肃地向王桂英说。注释陈景惠底话。

倚在床栏上的王桂英点头,好像很明白这种严肃。

有了沉默。笑容留在王桂英脸上,她安静地凝视着火。蒋少祖在沉思,动着下颚笑了一下,于是在高额的、年青的脸上露出强烈的、冷淡的表情。周围没有了声音,人们好像藏匿了,但炮声频繁而沉重。天地似乎更扩大,更无边际了,而钝重的、无情的炮声充满了这个广阔的宇宙。这好像不是在战争,而是宇宙间在进行着某种非人类的、冷酷的、可怖的事。

王桂英底愉快的笑容骤然消失。同时,愉快的笑容出现在蒋少祖脸上。

"怕吗?"蒋少祖带着那种年青人的单纯态度问。

"不。"王桂英说,从腮上迅速移开手,笑起来。

蒋少祖发笑,因为她笑,单纯地看着她。

娇小的王桂英在那种羞怯的、慎重的、自爱的微笑以后显得特别动人。她底简单的、灵活的衣妆给人以温柔的、热情的、崇尚理想的印象。她支起腿,并挥开披到额上来的发。蒋少祖带着感动注意到她底小手底迅速的闪动。

"我收到你底信了。"蒋少祖温柔地说:"但是,你究竟为什么来上海呢?"

王桂英严肃地沉思着,看了他一眼,听见一个炮声,像前一次一样,感到这个炮声伤害了什么,毁灭了什么。蒋少祖希望得到她底热情的笑,但她未做这个。她沉思着。

"因为我不愿再蹲在南京。我觉得厌了。新的生活是应该的,再没有机会,而别人又要伤害我了。"她说,嗅鼻子,"我现在不再计较什么,我是为我自己生活的,就是说,我心里只有我自己。"她说,"我不愿为别人,并且不愿让别人知道。多少人都牺牲了,何况我!"她说,凝视他。

蒋少祖愉快地笑，觉得应该这样笑，因为王桂英底话唤起了他底苦恼，而掩藏某些情绪是他底习惯。"你心里没有我，并且不愿让我知道么？"在她说话的时候他妒嫉地想——这个思想警觉了他，于是他愉快地笑。他是惯于这样做，并因了不是老练，而是年青的、优美的单纯，他是做得很恰当的。

　　他笑，似乎满意她底话。那种重逢的热情和年青的幻想，和对过去的悔恨在他心里激荡，他敏锐地考虑到了它们，但他现在不愿承认它们，因为战争使他看到了现实的多面，并且，主要的，他现在在用全力在这个多面的现实里把握自己。

　　但他务必表现得使王桂英不觉得他在轻蔑她底热情，他没有这个意思。他必需对她保留很多东西，甚至保留某种爱情；这是他意识到了的。这是某些年青人，即便是已经结婚的年青人常有的情形，他们不能管束这种热望，相反的，他们觉得只有在这种热望里才能找到真实的生活。

　　他开始优美地、温柔地说话，替她解释她底志愿。他说这是应当的，人应该有要求在心里只有自己，并追求自己的权利。别人是没有权利要知道，更没有权利毁谤的，他说，但社会常常很冷酷；为了不使自己失望，他做手势说，应该一步一步地走。主要的，一个人，尤其一个女子，不要太相信别人。

　　他强调了这一点——他觉得他是在诚实地告诉王桂英不要太相信他——温柔地看着王桂英。

　　王桂英感动，觉得这个蒋少祖已不是从前的傲慢的蒋少祖，相反的，是体贴的、可爱的蒋少祖。这印证了她心里底某种想像。在他底温柔的注视下，她感到爱情存在，而无疑地，她，王桂英爱他。在他底平静的、温柔的声调下，王桂英心里发生了可怕的冲动；这种冲动不顾一切，要毁灭一切，而得到瞬间的满足：她在来上海前夜便充满了这种冲动，这是生活在动荡中的人所常有的。她看着他，脸颊发红，但她突然露出那种处女底羞怯的、自爱的、谨慎的微笑，于是一切都过去了。

　　她在这个可怕的印象下站了起来，走向火盆。

"你坐吗？你穿得太单。"蒋少祖说。

"我要站一站，坐久了。"她说，注意到蒋少祖底眼光未离开她底身体，迷惘和娇媚闪过她底脸，"啊，你告诉我，这几年你怎样？"

"你看，我结婚了。"蒋少祖说，沉默了一下，"活动一些事情，我怕这个战争打坍我。但相反的，我看见我可以站住。你呢，啊？"他生动地问。

"我常常很乱。但是现在到反而安静了。"她叹息，想起刚才的冲动，谨慎而安慰地注视着他底高额的、动人的、年青的脸。

陈景惠捧着汤糕走进，进门便笑，温柔地说客气话，声明她从来不会做菜，并说在这个苦难里，一切都缺乏，她底微薄的心意是受着委屈了，希望客人原谅。她感动着，说得很低，带着一种细致的感情。这种细致好像是很特殊的，蒋少祖严肃地看着她。

这时夏陆悄悄地走进来，拿着那顶旧礼帽，脸上有感动的神情，看了王桂英一眼，向蒋少祖兴奋地微笑。他说了什么，又笑，在微笑里他底有须的脸上的悲怆的感情更深沉。然后他瞑想地凝视炭火。显然的，灯光和炭火感动了他。

他底整个的身体说，他不知为什么会这样孤独，并且他又这样孤独地走来了；外面是风雨的、严寒的、危险的暗夜，这的确是令人悲凉，很不寻常的。他原来是并不想来的，但一切是这样的深刻而动人，他自己不能做主——他的表情说。

"我在这里过年了。"他说，瞥了王桂英一眼。

"当然。"

"有酒么？"

"都有。那么你先吃糕！"陈景惠可爱地笑着，说，跑了出去。

夏陆满意地叹息。

"我刚才来过……这位王小姐在这里。我找你：没有什么事，"夏陆笨重地坐下来，努力不看王桂英。"张东原说，他下午遇到你……你今天跑了一跑么？"

"张东原还说了什么?"

"他说他给你看了两篇重要的文章。但是他说印刷所垮了,因为某方捣乱。"夏陆忧郁地说。

蒋少祖在夏陆提到文章的时候轻蔑地笑了一声,然后皱眉,沉思起来。

"你对于这一切有什么意见?"他问。

"我?"夏陆疑问地看了他一眼。"我没有意见。"他非常忧郁地说。

"各人都说自己对的,但是要看谁真的做出成绩来。"

"对的。"

"你相信谁?"

"我不相信谁。"

他们沉默了。陈景惠拿来很多东西,把凳子拉到火边来,小心地摆好。夏陆打开酒瓶,他们开始喝酒。蒋少祖劝王桂英喝酒,王桂英喝了,夏陆希奇地看了她一眼。

陈景惠,明白他们的谈话要长久地继续下去,低声地劝王桂英吃菜,一面安静地织起毛线来。

"我听说,"夏陆说,"厂里有几个工人到前方去,两个被打伤,一个死了!"

蒋少祖沉默着,预示激烈的态度将要到来。

"有人说,郭绍清曾经表示,他不信任全民族的战争这一次会成功。"夏陆说。

郭绍清是被他们所注意的,一个有力的人物。蒋少祖严谨地沉默着。

"很多人都这么说。"蒋少祖说。

"是这样!"他突然激烈地笑着说,"我们不必管各方面的小东西吧,这没有影响! 罢工是一种示威,只要主要的是对付敌人! 我已经不再相信张东原他们了! 完全,完全露出了狐狸尾巴! 他们说张东原前天还哭了!"他说,激烈地,轻蔑地笑着。

"我知道,我知道!"夏陆大声说,激动地沉默很久。"他哭,说,我底祖国呀！这么多的阴谋包围着你呀，而……黑暗的……"夏陆激动地，混乱地笑起来，吃力地做着手势。蒋少祖愁闷地看着他，好像不知道他为什么觉得这样好笑。

"老百姓底生命财产啊！"夏陆严肃地说。但又笑了一下。"今天真茹空战，是南京的航空队。"

"我看见的，飞得那样高！"王桂英激动地说。

"哪里，根本是一个美国人自己飞出来的！"蒋少祖说。他沉默着。"你想想我们看见这里就是了！我不知道张东原们为什么看不见这一切！而且我憎恶那种左倾幼稚病！"他激烈地说，于是他沉默。特别因为王桂英在注意地听着他，他感到欢乐，像一切人一样，他觉得只有他自己才是无比的公正。"我们无需发什么宣言，无需说什么大话，我们只要像一切老百姓一样！应该看得远一点！我一向认为某方面的组织是现代文明底苦闷的产物，但是难道你能否认它底原因底存在么？"他雄辩地问，这是常有的情形，在兴奋中，人们只竭力说述自己的思想，而认为自己是在替对方解答疑难。"难道你想是么？"他抱着膝盖，问，"是的，现代文明的苦闷，问题是在于，把文化交给人民，这就可以免除现在的那种苦闷的形式，和一切专制、偏狭、机械主义的缺点！……是的，人们应该管自己底生活……应该多多地思索，管自己的生活……"他低声说，向着火，显然这个思想于他是极重要的。他温柔地笑，表示宽慰了一切。然后他严肃地站起来，走到窗边，打开窗户。冷风吹进来。

蒋少祖静静地仰头看着天空。夏陆站起来，沉思地徘徊着。王桂英不安地走向窗边，站在蒋少祖身旁，看着窗外。

夜已经很深，王桂英辨认火光底方向，想起了几年前读书的地方也在炮火中，浮上了安静的、悲哀的笑容。蒋少祖未看她，但感到她底呼吸和笑容。炮声在暂时间断之后又开始，起初是较钝重的两声，然后传来一个短促而深沉的吼声，接着又是钝重的一声，好像钢铁相碰击。蒋少祖忽然想起儿时和苏州的家庭，感到惆怅。

"那边的火光,你看,我记得……"王桂英低声说,但即刻沉默。

蒋少祖疲乏地、涣散地笑着看她。王桂英觉得他是故意地如此。

"你记得?"他低声问。感到这句话是不寻常的,他垂下眼睑,而疲乏的,涣散的脸起了变化;这种表情没有离去,但它变得强烈。这种强烈的疲乏神情使他底脸动人。他笑,眼睛微颤。

"十年一觉扬州梦!"他低声说,眼睛在动人地笑,"你倔强而蠢笨,我说你没有前途,你哭。啊!"

"我记得并不是这样。火烧去一切!"王桂英严肃地,讽刺地回答。

"不然。如果可能,你哭;如果不可能,你哭!"蒋少祖热情地,讽刺地笑出声音,"如果并不如此空虚,你哭;如果现实磨灭你底幻想!"他顿住,凝视她底被打动的、严肃的脸,然后笑着摇头,洒脱地转身离开窗户。

"如果这个世界还是苏州底后花园……"他说,向陈景惠和夏陆愉快地笑。

王桂英转身,依在窗槛上,抱着胸,动人地,迷惑地笑着。

"你错了!"她高声说:"你底好哥哥还在后花园!"

"那个花园很大么?"陈景惠不安地问。不知何故耽心王桂英会做错事。

"很大。有花、有树、还有宫殿!从前里面住了一个王妃!"蒋少祖拨炭火,露出嘲讽而悲哀的古怪的神情说,做了一个安适的、听命的姿势,抱膝在火旁坐下。

夏陆停在火旁,吸气,踮脚,看他,目光掩藏地变得幽暗。蒋少祖在窗边向王桂英说的话他和陈景惠都听见,这些话令他胡涂。这些话使他看出在蒋少祖和王桂英之间是存在着深刻的关系,感到渺茫的嫉妒。其次,他觉得蒋少祖有了那种他所熟悉的不可捉摸的感情。他以那种蠢笨的努力来适应朋友底这种状态,傻笑着掩藏地看着蒋少祖。蒋少祖向他愉快地笑,但他觉得蒋少祖是故意地如此。

蒋少祖开始觉得夏陆妨碍他。他向他说了什么,又转向王桂英。陈景惠加入谈话,谈起了苏州。他们底谈话使夏陆不自在。但他坐着,在扰乱里变胡涂,好久不能决定自己应该怎样。这种状况是很痛苦的。他疲乏地,沮丧地看谈话的人,不时发笑,好像他很安适。

他笑,点头,使对方满意,希望这个谈话结束。

"淑华又要回苏州。"王桂英说。

"是的。不知为什么。父亲原来很喜欢她。闺秀气派啊!"蒋少祖说:"花园后面有一座松林,他们大家认为这座松林是奇怪的,松林里有一个很小的池塘……"他说。远处的炮声给这些话以特殊的意义,唤起了对往昔的,对和平的生活的诗意的热情。人们觉得这些回忆是极美,极可贵的,因为毁灭已在进行。蒋少祖柔和地笑,用柔和的、低沉的声音继续说下去。

夏陆吃力地想了一下那个松林,急剧地笑着点头,希望蒋少祖已经满足。

"那么,没有人住么?"陈景惠惋惜地问。

"你怎么会想到没有人住?"蒋少祖忧郁地说:"他们都要去住了,假若父亲……怎么,那些太太小姐们不准备大大地去一下苏州么?"他特别忧郁地问王桂英。

"南京也很好玩哪。"王桂英说,顿了一下,思索地凝视炭火;"但是,在战争里,大家都牺牲了,人不能那么自私。有些人是宁愿投火的,好像飞蛾。"她低声说,摆了一下头,严厉地嗅鼻子。

蒋少祖嘲讽地笑,但即刻严肃,凝视着她。她未看他,下颔打颤。

夏陆感到可以离开关于他们的苏州的谈话了,严肃地看着蒋少祖。这眼光表示对过去的不幸的或甜美的回忆他是有着更深沉的情感的,但他不想在别人面前提起,因为现在空前的灾难正在进行。

"那么,你不预备回去了么?"蒋少祖问王桂英。

"我这样想。"

"真的,你不回南京了么?"陈景惠带着惊恐问。

王桂英简单地笑了一笑,然后看了夏陆一眼;他正在看她。夏陆羞惭起来。

"玄武湖还是那样么?"蒋少祖又问,脸上的那种疲乏的表情更强烈。

王桂英,觉得自己明白蒋少祖底情感,明白他为什么老是这样地向她发问,悲哀地笑了一笑。她抱着腿,把下颚搁在膝上,凝视炭火。

"这几年变了,这几年一切都变了,旧的东西变少,空地也变少,繁华起来了!"她叹息着。"一切都要变化。我想你不会认得你底弟弟妹妹了,你是蒋家底英雄哪!他们又还能怎样呢?"

陈景惠问弟弟妹妹怎样,王桂英简单地回答了她;显然王桂英不愿离开她和蒋少祖所共有的那种深沉的,凄凉的情绪。蒋少祖显得疲乏而苦恼。王桂英底坦率使他不安——这种疲乏的表情是他在不安里常有的。炭火很旺盛,水壶开始发出轻微的响声;灯光沉静地照耀着。夜深了,炮声更清晰;在钝重的敲击声里间有低沉的吼声。谈话间断,夏陆变得安静,听着炮声,想到在这个和平的灯光外面,血在涌流,觉得人类底生活是奇异的。

大家都觉得自己是失去了什么再不可得的东西,错过了什么了。在清晰的炮声中间,时间沉静地过去,人们觉得每一分钟都带来新的苦恼,新的负荷。王桂英沉静下来,渐渐地觉得委屈,心里有惶惑和凄凉;她现在不得不看到她底热情和幻想和眼前的现实是怎不调和了。另一面她有些无聊,她看着夏陆,觉得他有着一种说不出来的可笑。陈景惠用阴惨的、惊异的眼睛看着跳动着的水壶盖,但不去提它,沸水落进炭火,发出声音。

王桂英轻轻地提下水壶,随即恢复了原来的姿势;抱着膝,下颚搁在膝上。

"在我小的时候,过年的时候家里烧松树桩,老太婆说是吉利。"夏陆突然用低沉的声音说;感觉到王桂英在看着他,露出温柔的、天真的笑容。"我们是乡下人家,很穷!"他说,伸开腿,看着鞋尖,沉在回忆里。但随即他想起了蒋少祖刚才的关于苏州的回忆所带给他的困恼,觉得他已对别人犯了同样的错,歉疚起来。

王桂英有趣的、简单地笑了一笑。蒋少祖疲乏地,淡漠地看着他。

于是忧伤的、惶惑的夏陆站起来。

"好,我要走了。"他说。

蒋少祖站起来,沉默地看着他。

"夏陆,不走罢!"陈景惠忧郁地、怜悯地笑着说。

"张东原说是他要公开反对罢工委员会,虽然我们都赞成罢工,但是他说委员会落到那些官僚手里去了!"夏陆带着奇异的、解嘲的微笑说,因为蒋少祖那样地看着他。"而且,我听说,大家要召集文化界的会议了!"他加上说,温和地、怯弱地笑着;他觉得这些消息都是令人凄凉的。他眨着眼睛:他底心跳增剧。

他满意他能够在最后的时间说了这个。他怕自私。他拿起帽子来,好像很幸福地笑着,听着炮声。蒋少祖直率地,沉默地看着他。

"夏陆,不早了,不要走吧。"陈景惠感伤地说。

"不,要走,因为……"他说,瞥了王桂英一眼;他底潮湿的眼睛说了因为什么。

"外面在落雨……"送夏陆转来,蒋少祖恍惚地说。

"多么好的一个人啊!"陈景惠说。

蒋少祖看了她一眼,重新露出强烈的疲乏表情,坐了下来。

"桂英,我想你大概已经懂得一点上海底现实了吧?"蒋少祖突然用干燥的、严酷的声音说。——至少王桂英觉得是如此。"幻想是不行的!……"他加上说。这样地对待王桂英,扫除了他心里的迷惘。他感到骄傲的愉快。他觉得王桂英一定会服从他。

他笑着严肃的、强烈的笑容。

王桂英无表情地凝视他。"是的,我在别人底家里,受着委屈!"王桂英想嗅鼻①子,突然流泪。

"Miss 王!桂英,桂英,啊!"陈景惠叫。

王桂英揩眼泪,愤怒地看着蒋少祖。蒋少祖疲乏地假笑着,站起来,走到窗边。

"你伤了我底心,这么多年,无情义的东西!"王桂英想,毫不注意自己,冷淡地看了感动着的陈景惠一眼。她觉得这一切全是由于陈景惠。

"王桂英,在中国,生活是艰难的啊!"蒋少祖说,动情地笑着,倚在窗槛上。

从王桂英底眼光和面容,蒋少祖觉得她已被他征服。这个胜利是他所希望的,但同时他体会到深刻的苦恼。他不能明白自己底目的究竟是什么。

三

在战争期间,年青的蒋少祖每天得到新的兴奋,新的激励。他乐于告诉自己,王桂英已不可能成为他底苦恼;幻想的热情,不可能再迷惑他。经由夏陆底间接的介绍,王桂英得到了救护伤兵的工作;蒋少祖安心了,觉得自己严肃而坚定。

蒋少祖避免再见到王桂英。他告诉自己说这是由于王桂英和自己并没有较为深刻的感情的缘故,但同时他又并不相信这个理由。他模糊地感到自己底情绪,但不去想;他想他是没有时间去想。

在战争期间,蒋少祖在最近一年接近着的朋友们,一般地称为社会民主党的,是相信着自己们底力量的;他们认为他们是公正的。他们在正在从事战争的军队底上层中间有着力量,因此他们觉得,站在民族战争底最前面的,是他们;他们在一些进步

---

① 原文如此,初版书后附勘误表更正为"想,嗅鼻"。

的政客中间有着力量,这些政客们,是能够站出来说话的;并且他们有钱。

但那些关系,与其说是政治的,不如说是人事的,和因人事而产生的事务的。这些人们,是零零碎碎地干过一些事业,现在聚在一起,在权力底热情底支配下,企图建立一种政权了。这个政权,在后来的一年,在各种复杂的关系中间,曾经短促地在福建建立起来,但在目前的上海,他们不能比别人多做些什么。他们底那些零碎的事业,是在一个大的潮流里面暗淡了,这是他们觉得痛心的。

政府已经从南京迁到洛阳去办公。上海底情势是复杂而混乱的。前线底战争最激烈的时候,党派间底斗争也最激烈。社会民主党——大家这样称呼这一批人——的斗争底对象,是一般地称为左派的人们。社会民主党反对得最激烈的,是左派的人们底对文化界的垄断——他们觉得是这样。其次他们为罢工底问题争吵,因为他们底印刷厂被破坏了。

在战争中间,那些被称为文化人的人们,在各处兴奋地流浪着,有些便聚在一起了。这些人们,是比另外的职业里的人们更容易聚在一起的。他们希望在战斗里献出力量,大家觉得有在抗日战线里把各派的人们联合起来的必需。于是产生了一个著作者抗日会,发表了告全国民众的宣言。

蒋少祖参加了著作者抗日会。他没有提一般的意见;他底意见是,现在大家应该注意上海底买办资本家,这些买办资本家破坏抗日,抓住了老百姓底血汗捐款,企图把它交给万恶的市民维持会。蒋少祖说,这些家伙底目的,是要用这一笔钱来维持公债。他提议用暴力打击这些买办资本家。他底提议没有得到反响。但他仍然觉得愉快,因为他觉得自己底避免偏狭的纷争的用心和远大的、实际的目光是有大的价值的。

蒋少祖,在这几天里面,接触了各方面的人。他觉得他是一个自由的,单独地为理想奋斗的人,虽然别人认为他是社会民主党。他觉得某些人们在他面前讥讽社会民主党,是愚笨可笑的。

他保留着他对于他底朋友们,和另外一部份有力的人们的批判和看法,没有对任何人表露;这个秘密,像小孩们藏着糖果一样,使他喜悦。他确认他底看法是对的;从很多人们底身上,他看出了现代文明底苦闷。他憎恶他底几个朋友底那种昏热,觉得自己已经看到了远大的东西。他常常是兴奋的,但不骚乱。

这天,蒋少祖在和一个军官讨论了组织义勇军的问题之后,去看一个重要的朋友。这个朋友不在家,他意外地遇到了被他们大家所注意的那个有力的人物郭绍清。在这个短促的会面的全部的时间里,蒋少祖被各种狂奋的思想袭击着。

这个朋友底家位置在较为冷静的处所,蒋少祖是去商谈组织义勇军的问题的。夏陆昨天曾经告诉他,这个朋友底地位最近略有变化,张东原差不多已经和他决裂;夏陆并且说,这个朋友可以弄到一千枝枪。蒋少祖注意着这种变化了的地位,并注意着这一千枝枪。这个朋友是上海的政治界和文化界底最有钱,并且在地方上最有势的人物之一。

女主人回答蒋少祖说,她底丈夫出去了,大概很快地就会回来,蒋少祖在小沙发上坐了下来,想着各种印象,一面观察房间。房间底布置是华丽而幽暗的;有点嫌过于幽暗。沙发对面的墙壁上挂着一幅山水画,可以说是完美的,然而有些平庸。蒋少祖,对于这一切,是很有鉴赏的能力。蒋少祖想着,究竟什么东西,是这个可尊敬的主人底热情底中心;蒋少祖想到,新的人物,有时是会在多么奇怪的形式下生活着。这时门开了,郭绍清迅速地走了进来;一线阳光从外面的走道上面投到红漆地板上,闪动了一下,迅速地消失。

"王先生在家吗?"郭绍清,显然已经看清楚了蒋少祖,安静地向内室喊。

"啊,是郭先生吗?"女主人迅速地跑了出来,显然虽然知道了这个重要的约会,却不知道郭绍清究竟是什么人;"他马上就回来,马上就回来!请坐!"

女主人不安地看了蒋少祖一眼。郭绍清看表,笑着向女主人说他来早了一刻钟。蒋少祖曾经在另一个场所见到过郭绍清,发现郭绍清装做不认识他,感到屈辱。蒋少祖想到他应该同样的冷淡,但在兴奋中不自觉地站了起来。

郭绍清向蒋少祖点头,坐了下来。蒋少祖小心地坐了下来。郭绍清悄悄地开始抽烟,他们沉默着。

女主人喊仆人倒茶,然后踌躇地站着。一种苦恼的思索显露在她底敷着脂粉的瘦脸上。她认识蒋少祖,但不认识郭绍清。她底丈夫在早晨告诉她说,这个约会是很重要的,此外她便一无所知。对这个重要的来客表现了热烈的殷勤之后,她便有些苦恼起来,怨恨她底丈夫把她一个人留在家里。她化了很久的时间考虑着是否要给郭绍清介绍蒋少祖。假若是在交际场所,她是无需思索的,但目前的情况显然不同。

她没有决定应该怎样。在智力不够的时候,她用行动来决定;她是忧愁地站着的,使蒋少祖在他底大的兴奋中注意到她底戴着钻石戒子的洁白的修长的手指——现在她伶俐地笑了起来,走了一步。

"这位是蒋少祖先生!"她带着贵妇人底风度说,"这位是郭先生!"

客人们站了起来,又坐了下去。蒋少祖眼睛笑着,看着郭绍清。女主人对自己满意了,轻盈地走了进去;在门边回头看了一眼。

"我们见过。"郭绍清简单地说。

蒋少祖表情严肃,倾身向前。同时他想到,像女主人这样的妇女,和丈夫生活在完全相异的世界里,对于他底朋友是一件苦恼。先前,在观察房间的时候,他怀疑他底朋友底人生兴趣,但现在,因为郭绍清底来临,他就特别同情,特别怜悯这个朋友了。

但这种同情,像常有的情形一样,是含着敌意的。虽然蒋少祖明白围绕着这个朋友的复杂的一切,并明白他底处境底艰难,知道他是值得尊敬的,但蒋少祖却选取了那种基督教似的态度:他是宁愿同情,并且怜悯他底朋友的。

他眯着眼睛凝视着那张山水画,他怜恤他底朋友是在世俗的权势面前屈服了。他底表情里有着一点感伤。在他底这种诗歌般的心境里,郭绍清就成了世俗底权势底象征。他不觉地叹了一口气。带着一种奇特的谄媚,他希望郭绍清,这个世俗底权力,能够懂得他底这一切。

"我常常能够爱人们,因为理解,就是爱;我很容易原谅一切,我知道这是我底弱点。"蒋少祖甜蜜地想,眯着眼睛看着郭绍清,后者在安详地抽着烟。"我理解你,你以为你是权威,我却明白你底可怜的内心……你是这样一个,好像是很沉着的人,你不知道你只是一个工具,唉,我们可怜的人类啊!"

郭绍清拿开纸烟,向蒋少祖淡淡地笑了一笑,蒋少祖底这一切怜悯和轻蔑就都消失了。蒋少祖想:这个笑容是什么意义。

"这个家伙把自己膨胀得如此之大,他希望我先开口。但是我要明了,我是不能被任何东西动摇的。当心这一批可恶的年青人!"郭绍清想,不觉地淡淡地笑了一笑。

"我想我们应该理解别人,理解一切。"蒋少祖,顺着他自己底思索路线,说;好像他和郭绍清很熟识。经历了热情的思考,他的确觉得他和郭绍清很熟识。他是平静地说了这句话的,但刚说出口,就感到热情底袭来。

"这个傲慢不逊的青年!"郭绍清想,淡淡地笑了一笑。但即刻便露出一种欢悦的、活泼的态度来好像他是非常的热爱蒋少祖。这种态度使蒋少祖短促地迷惑了。

"近来好吗?"郭绍清用他底温和的、悦人的声音说,"我们还是三个月以前偶然地见到过……我读过你底文章!"他紧紧地接着说,他底眼睛灿烂地笑着。

"没有什么……"蒋少祖小声说,脸红了。

郭绍清底温和的、可爱的态度是使蒋少祖迅速地跌落到低劣的地位上来了。虽然他,郭绍清,是这样的温和可爱,但总显得优越;他自己练达地掩藏这种优越,因此这种优越就更雄辩。他很懂得,在他底地位上,和一个青年雄鸡似地对立起来,是不值得的：这些青年，是正在渴望着这种雄鸡似的对立。

"日本人放几炮，弄得我们多头痛啊！"他说，兴高采烈地笑了起来。

"我要使他明白那庄严的一切。"蒋少祖想。但他却说了别的。他说："是的，是的，我们都觉得。"并且露出了困惑的、诏媚的微笑。

郭绍清笑着。

"张东原他们，是没有实际的工作可作的！"蒋少祖说，觉得郭绍清底微笑向他问了这个。"现在又不能研究哲学！"他加上说。他希望讽刺，但他底声调过于呆板。于是他困惑地皱眉。

"是啊！"郭绍清说。

蒋少祖望着他，他脸上的那种安静，使蒋少祖有些愤恨。于是，在攻击了张东原之后，蒋少祖希望进一步地表示自己底独立性。

"罢工委员会底事，我不能同意……我觉得，"蒋少祖红着脸说，"对于真理，我总是敬重的！"他说。他觉得他已经严厉地批判了郭绍清。

郭绍清严肃地沉默着。

"郭先生到这里来，是不是为了那一千枝枪？"蒋少祖问，眯起眼睛。

"我正要跟你谈这个。"沉思了一下之后，郭绍清低声说。他抛开烟头，搓着手，露出精力来。他底脸严厉，在沉默了一下之后，又重新变得温和。显然他希望给蒋少祖一种印象。他说，在这一千枝枪上面，他正需要蒋少祖底帮助。

"我怎么能够帮助呢？"蒋少祖怀疑地、生怯地说。

郭绍清不答，友爱地望着他。

"啊哈，当心他底圈套！"蒋少祖想，眯起眼睛来。"他用权力、虚荣来激动我！他想收买我，一如他收买这里的这位主人！但我是蒋少祖！"他想。

"但是，郭先生，对不起得很，这一千枝枪，正是我底目的。"

沉默了一下之后,蒋少祖傲慢地,困难地说。

"你拿它们去做什么呢?"郭绍清平静地问。

"打敌人。"蒋少祖高贵地说。

"你有人么?"

"我有。"

"那么……我们联合地组织起来,怎样?"

蒋少祖,灼烧着,变得像雄鸡了。他不屑回答这个平凡的问题。他因激动而发白,在沙发上疲乏地躺着。

"我们应该明白大势!"郭绍清激动地笑着说。

主要的,郭绍清是被蒋少祖底傲慢激动了起来。于是他们中间的情形就变得不愉快了。郭绍清竭力显得平和,弯着腰,碰触蒋少祖底手臂,低声地说着;然后搓着自己底手,愤怒地笑着。

蒋少祖愤怒地、痛苦地笑着,躺在沙发里。

"蒋先生,在大敌当前的时候,应该顾全老百姓底利益。你自己刚才说过张东原是怎样的人。在我们这方面,我们最痛恨那种自私,那种幻想!"郭绍清说,愤怒地笑着,拉着自己底衣袖。

"但在这一千枝枪上面,我无论如何有优先权,王学植先生不能出卖朋友的!"蒋少祖说,严厉地称他底朋友为先生,在沙发上坐直。

"我不懂得你这青年何以如此顽固!"郭绍清说,迅速地站了起来,走到窗前。

"我的确顽固!我只爱真理,……"下面的话是:"我反对独断,我反对机械、麻木,我反对对人性的残酷的污蔑!"但他没有能够说出来。他站了起来,轻蔑地笑着,看着郭绍清底背影。

在愤怒里蒋少祖感到大的欢乐:他和权力宣战了。这时主人王学植迅速地推门进来,诧异地盼顾,并且匆促地笑了一笑。这是一个瘦小的、焦燥的人。

郭绍清谦虚地向王学植鞠躬,并且温和地、友爱地笑着。蒋少祖迷乱地笑着,他不懂得这个人底表情何以能够变得这样快。

郭绍清显得谦恭而可爱;他灿烂地笑着,小心地坐了下来,显得温良而优雅。他并且向蒋少祖温和地笑,好像刚才什么事情都不曾发生。

"我们刚才为那一千枝枪……"蒋少祖骄傲地说,站着不动。

"枪!枪!枪!"王学植跳了起来,愤怒地叫。"汉奸破坏了,破坏了,真是王八旦!"

蒋少祖快乐地笑了一笑。

"郭先生,请喝茶。"主人恭敬地说,郭绍清欠了一下腰。郭绍清皱眉,严厉地看着蒋少祖。

"再见!"蒋少祖冷淡而愉快地说,向他们鞠躬,拿起帽子,走了出来。

"官僚,权威,权威,官僚,投机,出卖!但是又在太阳下面行走,我觉得愉快!"蒋少祖想,走过充满了阳光的走廊。"是的,可怜的人类啊!"他想。

蒋少祖接着到印刷所去。他是那样的兴奋,以至于忘记了他为什么要到印刷厂来。他觉得到这里来是愉快的。印刷厂里除了一个办事员和一个在打扫着院落的工人以外没有别的人,四间房子完全寂静着。蒋少祖听着街上的缥渺的人声,继续想着和郭绍清的会面,在房间里坐着。阳光从肮脏的玻璃窗上照进来,照在狼籍着的废纸上。蒋少祖因某个思想而笑了一笑,然后更严肃。

"这个民族是在进行着怎样的战争啊!这个民族是在进行着怎样的战争——多么辉煌,多么复杂啊!……我,能够胜利!"蒋少祖想,站起来。在凌乱的纸张中间徘徊。

这时一个文弱的、相貌忧愁的军官走了进来。这个军官衣著不整齐,没有佩符号,左手裹着浸着血的纱布。

"张东原在这里吗?"他焦灼地、忧愁地喊。

"不在。"蒋少祖说,走出房。"哦,是你!怎样,你也下来了吗?"

"我有一点事。"军官忧愁地笑着说。

"你看战事会怎样?"蒋少祖问,没有觉察到对方底心情。

军官坐了下来,沉默着,阴沉地看着玻璃窗。

"我们用步枪打飞机。"他严肃地,疲乏地说。然后是长久的沉默。蒋少祖笑着,怜悯地看着他底文弱的身体和文弱的、忧愁的脸,这一切是和他身上的军服完全的不相称——至少蒋少祖觉得是如此。

军官突然站了起来,轻轻地在房里徘徊着。蒋少祖带着更显著的同情看着他底不健康的身体。

"我是来托老张带点东西给我妹妹的……"军官说。"光是十九路军,不能担负这个大的责任。"他说。

蒋少祖沉默着。

"是的。"蒋少祖感动地说,垂着眼睛。

军官站住,沉思着。然后向蒋少祖恍惚地点头,说再见,走了出去。

"是的,'我们用步枪打飞机',多么悲痛的声音!"蒋少祖想,"郭绍清们是不是能理解中国底军人底严肃的内心!他们能否理解这个民族底严肃?是的,他们底生活是那样的狭小,完全是一种苦闷的形式!"蒋少祖想,笑了一声。像很多人一样,蒋少祖严肃地体验到自己底内心生活,认为别人缺乏这种生活。

蒋少祖往外走,在院落里遇见了张东原。

这是一个身体极高,身体极瘦的[①],有着大的嘴巴和锐利的小眼睛的人。这双眼睛永远在窥伺着,很少向它底对象作直接的、坦率的凝视。这个人,有着傲慢的、感情的气质,常常要哄笑;嘴巴大大地张开,发出刺耳的、宏亮的声音,而小的眼睛快活地闪瞬着。这种笑声是对于全世界的一种浮薄的傲慢;它不是欢乐的。在这种哄笑里,这个人就享受着他底唯一的快乐了。而在静默的时候,焦燥和忧伤在他底脸上闪显;他静默着,运动着他脸上的皱纹,夸大着他底苦恼。然后这苦恼又疾速地被哄笑代替了。这个人,对自己底那些热情,是尽量地夸张、极端地

[①] 原文如此,初版书后附勘误表更正为"身体极高,极瘦的"。

轻信；对别人，则是极端地怀疑。他是那样地容易冲动。蒋少祖知道，在战争期间，他已经哭过两次。

蒋少祖已经有三天没有碰见他。在这些日子里面，蒋少祖对这些人的感情和思想已起了变化。他常常经历到那种他以为是自由而神圣的孤独感，他认为他和这些人就要分离了。这个内心经验是严肃地完成的：他，蒋少祖，爱真理；为了真理才接近这些人，所以也当为了真理而离开。

张东原已经听到蒋少祖对他的讽刺和批评，开始对蒋少祖怀着敌意。想到自己以前是那样的爱着蒋少祖——他以为是这样——他有些伤心；他认为他是非常的伤心。于是他底这种敌意，就变成了一种侠义的行为，像他所有的行为一样。

蒋少祖是有着严肃的、兴奋的心情，高兴遇见他。蒋少祖冷淡地告诉他说，某某找他，到他家里去了。蒋少祖冷静地站着，希望张东原能够明白他底坦直的、严肃的态度。

"没有关系，他会等的；我正要找你。"张东原说。

蒋少祖沉默着。他们走进房，坐了下来。张东原把皮包放在膝上，看着窗户，又看着纸张；但实际上他是看着蒋少祖。

他向蒋少祖疾速地瞥了两眼，露出了一个苦恼的、严重的表情。

"听说你去找枪，结果怎样？"

"汉奸破坏了！"

"详细情形呢？"

"没有听说。"

"啊！啊！"张东原点头，压了一下膝上的皮包，露出权威者底冷酷的表情来。然后是痛苦——他意识到自己是在为中国而痛苦。

蒋少祖以透明的眼光看着他。

"但是——郭绍清弄去了吧！"他说，快意地眨眼睛，于是突然地哄笑起来，仰到椅背上去。

"没有听说这回事。"蒋少祖冷淡地说。

张东原快乐地又笑了几声，充分地感觉到权威。

"郭绍清!"他愤怒地、刻薄地说,在椅子上骚动了起来。"我要澈底地打击他们!"他兴奋地大声说,颤抖着。

蒋少祖,在此刻的冷静中,判断在自己底面前的是一个可怜的人,感到快乐。

"我绝对地不赞成组织义勇军而被人利用!我准备在前方组织一个战地委员会,"张东原确信地大声说,"把战区附近的农人工人商人武装起来,成立一个新政权的基础!"

"是的,很好!"蒋少祖说,狡猾地笑着,希望张东原继续吹牛下去。

"而我要用这个来打击他们!不是吹牛皮,没有人能找到这种关系!"张东原兴奋得发冷,大声说,瞥了蒋少祖一眼。正是因为明白蒋少祖底恶意的怀疑,他底牛皮才吹得这样大;"而且我准备实现我底市民抗日政府的主张,老实说,没有人能够提出我这样的主张来!对那种骑墙派,我是深恶痛绝!"

"但是,有时候,中立可不可以?"蒋少祖,明白张东原是在攻击他,笑着问,因为张东原曾经发表文章声明自己底中立。

"《战旗报》和《红旗》都在攻击我底社会民主党底政治主张,但是没有攻击你们!"张东原大声说,显然因被攻击而觉得荣耀。

蒋少祖,在狡猾的用意下,赞美地笑着。

"所以他们欢喜说,中立并不存在。"他说。

"老兄,你要知道,中立是时间性的!"张东原,在权威的欢乐里面,忘记了攻击蒋少祖,或许正因为要攻击蒋少祖,欠着腰,伸长颈子,向蒋少祖耳语起来。好像他所说的,是大的秘密;好像他和蒋少祖很亲密。蒋少祖笑着点头。

"老兄,说来话长!"张东原愤恨地说,"在江西各地的农民运动建下来的基础,被方志敏屠杀破坏!在湖北讲习所的干部,被毛泽东弄进狱牢,而北方又被官僚破坏!现在呢,就是这样的文化垄断!叫人笑,叫人哭!啊,自由自由!"

"我听你说过。"蒋少祖冷淡地说。

张东原锐利地看了他一眼,露出冷酷的表情。

"好的,再谈!"他说,站了起来。"我是不怕别人破坏的!不管他怎样投机,怎样有势力,我是穷光蛋,又是小百姓!"他发出短促的哄笑,向外走。

蒋少祖,在这个攻击下,露出轻蔑的表情。

"我希望你底政府成功!"他讽刺地说,艰难地笑着。

张东原站了下来,毫不思索地发出短促的哄笑,随便地点头,走了出去。

"招摇撞骗的东西!"蒋少祖想,往外走,发现心里有苦闷的感觉,站了下来。"有人严肃地工作,有人盲目而机械地服从。有人在炮火里面死去,有人荒淫无耻,招摇撞骗!到了现代文明底岔路口了!"他想,懒洋洋地走过空旷的院落。那个打扫院落的工人,扶着大的扫帚,站在那里痴想着。……

四

十九路军底行动,实现了这个民族底意志。而在战争期间暴露出来的政治斗争,表明了这个战争底意义。

二月二十九日,中国军在各种压力下撤退。三月三日,由政府宣布停战。于是原来的生活迅速地恢复。经过更多的时间,中国人就更能明白这个短促的抗战底意义。

蒋少祖家里搬来了逃难的朋友。但他不常在家,因为这些朋友,尤其是一位太太令他厌恶。这位太太丑陋而粗暴,是某个书店老板底妹妹,她底丈夫是因为一个编辑的位置才娶她的。他们经常地在房里唱戏,打牌九,使蒋少祖烦恼不堪。

战争结束的这天,蒋少祖在跑了一些地方之后,去找王桂英。在这一个月中间,他们只见过一次面;蒋少祖问她对工作是否满意,她底回答是肯定的。不知什么缘故,蒋少祖对这个回答感到不满。

王桂英和一个朋友住在她底回了南京底大哥所留下来的舒适的房子里,每天到战时伤兵医院去工作。这个伤兵医院,像这次战争里的每件工作一样,是在复杂的政治环境里面组织起来的；但它本身，在艰难的工作里面，却热烈而单纯。一些男女们底自动的服役，产生了良好的结果。王桂英，在这个组织里面，和周围的空气调和，心情很单纯。她不懂得组织方面底复杂的、艰难的情况，她认为这个组织是极坚强的。她依赖，并且崇拜它。她底周围的那种献身的精神，深深地感动了她；因此她以她底同伴们底友谊为荣。医院里面的人们，特别亲切地体会到战争底痛苦和战争底热望，因此对于战争底结束感到惊愕。政治界底人们，每天都认为战争会迅速地在妥协中结束，在焦燥中生活着；但实际工作里面的人们，尤其是热情的青年男女们，在他们底宗教般的心情中，认为战争将无限地展开，无限地延长。

　　王桂英，和她底同伴们一样，被热诚的献身和单纯的工作感动，未曾想到在她底周围存在着的各种实际的力量。伤兵医院底艰苦的处境增强了那种宗教般的情绪。王桂英底幻想飞得很远，不时有狂喜的情绪。她觉得伟大的时代已经来临，她觉得她底工作是神圣的，她将要做一切。每次走进肮脏的病房，看到那些痛苦的，苍白的伤兵们的时候，她心里总有这种感情。那些伤兵们愈痛苦、愈可怕、愈不幸，她底感情就愈甜美。她觉得这样地遗忘，并且轻蔑蒋少祖——她心里的那个蒋少祖，是最好的。

　　辛勤的、苦重的工作，王桂英变得苍白而消瘦。但她觉得一切都愉快；在遥远的后来，她确认这是她一生最幸福的时间。上海底富人们底残忍，药品底缺乏，以及病房里的可怖的情况，未曾妨碍王桂英和她底同伴们底兴奋的、良好的心情。

　　这个临时医院里，原来有三位医生，其中的一位出发到火线上去，在炮火下牺牲了。这是一个身体衰弱的，冷淡的人——王桂英觉得他冷淡。第二位在劳苦的工作里病倒了。现在只剩下一位，照护着一百多名伤兵和病兵。

　　王桂英最后才知道，在炮火下牺牲的那位医生，和剩下来的这位医生，是有着政治信仰的。王桂英好奇地注意到，在同伴底死讯传来时，剩下来的这位医生并无特殊的表示。这是一个胖大的、好性情的人，喜欢幽默。在企图和他接近时，王桂英注意到,他底幽默是一种防御。

这位医生底献身,他底沉默的、温和的态度,他底严肃的幽默,加强了医院里的那种宗教般的情绪。从这个人,王桂英觉得这个医院要在世界上永远存在。

在这种浪漫的幻想和宗教的虔敬里,王桂英简单地回答蒋少祖说,她满意她底工作。

战争结束的前两天,王桂英从夏陆那里知道了医生们底历史,对医生们发生了无限的同情。从下午到夜里,王桂英自动地随着这位医生工作。看着他底弯在伤兵们身上的胖大的身躯,王桂英希奇地想到,一个医生,怎么能够有信仰。

夜里四点钟,医生离开可怖的病房。王桂英疲乏而昏沉。医生,因为过度的疲劳,几乎在门槛上绊倒。王桂英在他已经站稳以后惊动地去扶他,他向她笑了温和的、疲乏的笑。

王桂英怜悯地看着他,同时想到,这个人,是有信仰的。王桂英几乎从未想到蒋少祖是有信仰的,但频频地想到医生是有信仰的。她惊动地、怜悯地看着这个医生,好像企图看出来,在这个人底身上,究竟哪一部份藏着那个叫做信仰的东西。

"吴医生,您要喝开水吗?"王桂英,觉得对方已经发觉了她底目光,问。

医生迅速地摇头,好像开水是什么可厌的东西。他们昏沉地沿着潮湿的、昏暗的走廊走去。

"你今天还要回你住的地方吗?"下楼的时候,医生问。

"要回去。"

"夜很深了啊!"

"路很近。……我喜欢夜里走路。"

医生沉默着。

"吴医生,张医生的家住在镇江吗?"王桂英问,提起死者。

在幽暗的光线下,王桂英看见医生底疲乏的胖脸上有了深刻的感情。显然的,在苦重的职务后,在这样的深夜里,医生乐于听见一个单纯的女子提及死者。

"他家里有些什么人？"

"一个太太，还有两个小孩。"医生说，悲哀地笑着。

"啊，多可怜！"

"再见！"医生说。

王桂英底疲乏已经消失了，她踌躇地站了一下，兴奋地往外走。但没有多久又回转，因为忘记了围巾。她特意走过左侧的院落。冷风吹着。她看见房里有灯光，医生伏在窗后的桌上专心地写字。她站了一下，听见楼上有野兽般的、可怖的呻吟。

王桂英含着眼泪走出门。这是感激的眼泪。

战争结束，房主驱逐医院。这是一座两层楼的堆栈，主人是上海当地的有势力的人物。在战争期间，医院里的忙碌的人们损害了栈里的残存的、打包的货物。

蒋少祖来的时候，医院正接到解散的命令；遣散的工作已经开始。这个命令使大家底心情完全改变。这些男女们，对战争底结束感到失望，在这个命令下失去了忍耐，变得阴沉而愤怒。

是晴朗的日子。蒋少祖在路上得到了新鲜的感情。蒋少祖想到，战争已经结束，他可以沉思一下，开始新的努力了。战争已经结束，街上的忙碌的、时装的男女，疾驰的车辆，以及奔跑着的、锐声唱歌的小孩，给了他以生动的印象。

蒋少祖走近医院时，正遇着舁床抬着一个头部完全包扎的兵士出来。这个兵士觉察到了晒在身上的太阳，动弹着四肢，在呻吟。接着又是一个。第三个是一个断腿的兵，破烂的衣服上布满了泥浆水和血污，那只完好的腿，显然比断了的腿更痛苦，可怕地痉挛着。他没有呻吟。但睁着迟钝的眼睛，无血的、收缩的脸在打颤。只有他自己明白他失去了什么。

蒋少祖脱下帽子，静默地站下，让舁床通过。然后他向内走，眼里有泪水。

有人在院子里高声咒骂什么，但蒋少祖没有听见。他觉得他心里有了一个热烈的、静穆的东西。他慢慢地、轻轻地上楼。

有两个穿灰布棉大衣的女子跑下楼,接着,一个工人模样的有须的男子扶着一个衰弱的、断手的兵士下楼,他站下让路。

那个衰弱的、断手的兵士奇异地微笑着,好像对某件事情有些抱歉。

"他们打完了!"他低声说,衰弱地、抱歉地笑着。

"你当心!活生生的让人家骗你!"有须的男子回答,愤怒地看了蒋少祖一眼。

蒋少祖走进病房。没有看见王桂英,不知道谁是负责人,他向内走。外面的一间已经搬空,地上狼籍着血布和稻草。蒋少祖谨慎地、不安地穿过走道,走向另一间,那种浓浊的,药品、血污、和堆栈底酸气相混合的气息更重,他听到了动物的、痛苦的呻吟声。

伤兵和病兵分成两列躺在凌乱的稻草里。有人在中间走动。这个房间里居然容纳了这么多的兵士,令蒋少祖吃惊。蒋少祖不能明白他们是怎样睡下去的;他们没有翻身的可能。各处有呻吟。左边墙角有呼唤母亲的惨厉的声音。右边有一颗头抬起来,用愤怒的、痛苦的目光向左边搜索。

蒋少祖踮着脚走过去。这个呼号的兵开始哭泣,用手挖墙壁。蒋少祖突然想到,既然在人类里面有着这样的绝望而可怖的境遇,那么这种境遇便很可能即刻就落在自己身上。他苦闷地想到,为什么自己一向没有感到这个。不解决这个,为什么还能生活。

蒋少祖看到,在那个号叫的兵士旁边,躺着一具僵直的尸体。蒋少祖全身发冷,觉得自己底血液已经凝结。在死人底另一边,躺着一个年青的、肩部受伤的兵。这个兵抬起手来,向蒋少祖微笑,显然不肯承认自己底恐怖。

阳光衰弱地从天窗射进来,增加了这种惨厉。

"他死了!"年青的兵士说,恐怖地笑着。

"打倒日本帝国主义!"右边墙角,有人暴怒地喊。

蒋少祖脸打抖。是的,他死了。是的,打倒日本帝国主义。

是的,全上海底富户,对他们底为祖国而流血的兄弟们如此残忍!

那个胖大的医生带着怒容走了进来,在他底身边,是一个憔悴的中年女子。蒋少祖指他们看死人,他们站下,沉默很久。

"可怜……为了……谁?"女的说,哭了一声,去扶那个哭号的兵。

但她立刻便放弃了这个无用的企图,快步跑了出去。

"什么都没有,而上海是很有钱的,同志,这是仇恨!"医生说,苍白的,浮肿的脸上有愤怒的笑容。

蒋少祖听说过这个医生,严肃地看着他。

"搬到哪里去?"他问。

"总不会是大街上。最好是大街上,我说,同志!"医生说。蒋少祖感到亲切:医生和他很亲切。医生蹲了下去,温和地低声说话,把那个号叫的兵扶了起来。

蒋少祖悄悄地往外走。觉得所有的眼睛都在看着他;觉得犯罪——他,蒋少祖,穿得这样好,有着一切,从孤立无援的、濒于绝望的、为这个民族流了血的兄弟们身边逃开。

一辆无篷的卡车在门前停下,有人跳下来,愤怒地说着话。蒋少祖站住,看见了王桂英。

王桂英跳下车子,拍着大衣上的灰尘,向身边的身材修长的女子快乐地笑着说了什么——蒋少祖觉得她是故意如此——向蒋少祖走来。

王桂英兴奋而严重,走向蒋少祖。蒋少祖,在痛苦的心情里面,沉默着。

王桂英仍然在紧张的,兴奋的情绪里面,周围的一切使她骄傲,蒋少祖底出现给了她底工作以新的、庄严的意义。她不能感觉到蒋少祖。

"我到这里来看看。"蒋少祖平淡地说,企图打击她底兴奋。

王桂英匆促地笑了一笑,然后转身向她底同事大声说话。蒋少祖冷淡地微笑着。

"我们很忙。"她向蒋少祖说。

"是的,我知道你——但有什么用?"蒋少祖底眼光说。

"你们怎样?"他从齿缝里问。王桂英觉得他在愤恨她。

"我们被解散了!马上就要完了!我们用汽车送去。"王桂英冷淡地说。

"好,有空来玩。"蒋少祖点头,骄傲地走开去。

王桂英短促地站着不动,脸上有恍惚的微笑。她突然明白了蒋少祖为什么要到这里来。她突然觉得,眼前的一切是不重要的、遥远的。

那位因逃难而暂住在蒋少祖家里的书店编辑先生梁实如九点钟才起来。假若不是睡在地板上妨害走路,他还要起迟些的,因为他夜里睡得很迟,他有迟睡的习惯。

矮胖的、面孔狡猾的编辑先生起来后,便伏在自己底红色漆皮箱子上整理标准国语教科书底原稿。这个稿子他已整理了战争底全部时间;他底这种心情很使大家钦佩,在战争里他更会嘲笑,显得极安闲,除了整理这部稿子外便唱戏,说笑话,打牌九。

他屈膝蹲在从窗户照进来的阳光里,用红铅笔在稿页上划一些字,并且吃力地念出声音。他底丑陋的太太被另一位太太闹醒,看见他又在弄稿子,愤怒地皱眉。太太嫌恶梁实如底这个工作,好多次声明要把这些稿子烧掉。显然她觉得因为这,她才没有愉快的生活的。

另一位太太开始攻击梁实如,讥讽他贪财。丑太太披上皮衣,走向梁实如,夺下他底稿子。因为她要从箱子里取东西。丑太太披着衣服动手梳洗,在房里走动,头部凌乱,脸上有厌恶的表情。

另一位太太,娇小的太太要梁实如唱戏。

梁实如在衣裳上擦手,狡猾地看洗脸的太太。

"你唱,你唱吧!"丑太太大声说。在娇小的太太面前轻蔑地表示了对丈夫的威严。

梁实如笑,坐了下来。终于他选了一个没有被注意的机会唱起来。

娇小的太太披着大衣,露出了她底粉红色的衬衣,走进内房,又走出来,拍手看着梁实如。她对梁实如夫妇怀着嫌恶,她用这些行为来发泄她底嫌恶。

梁实如开始和这个太太接龙时,有名的情书圣手和恋爱小说家赵壁冬和夏陆上楼。赵壁冬狡猾地笑着看太太们。丑太太很喜欢赵壁冬,兴奋起来了。

这个赵壁冬,被这些太太们宠爱;不是没有原因的。他在战争中间还恋了三次爱,带女友上咖啡店。实在说,太太们批评他没有道德,而他底小说诲淫;但这并不妨碍她们宠爱他。这个年青人穿着合身的旧西装,长发,有高鼻子和苍白的、机智的脸。

他们开始推牌九。在战争期间大家很穷,所以每次以四角钱为度;娇小的太太坚强地保卫着这个原则。陈景惠在房里写信,没有参加。夏陆想不参加,但心情很乱,终于坐了下来。

夏陆已经听到临时伤兵院被解散的消息,以为王桂英会在这里。她底这个工作是他介绍的,所以他想和她谈谈。发觉她和蒋少祖都不在,他感到失望,扰乱起来。含胡地问了陈景惠后,他坐下来参加打牌九:每次都输。

蒋少祖这时走进来,向大家点头,走进房,然后又走出来,站在旁边看着。

"你哪里去了?"夏陆问。

"吴先生那里。"

"啊,那个家伙,"胖子梁实如大声说。"你这是恶魔派!"他大声说,因为娇小夫人夺他底钱。

"吴先生说,中国军队是恶魔派,日本军队是古典派!……不,六毛钱我决不来,赵壁冬!"娇小的夫人高声说;"我们顶多四毛,不像你。好的,胖子,你点?"

"我决不告诉你!"胖子狡猾地说。

"好的,浪漫派做庄,看你的!"丑夫人兴奋地说,并且拉拢皮衣。梁实如怀疑地看了她一眼。

赵壁冬含着笑容指胖子,掳起衣袖来。于是他摆开腿,含着懒意的、嘲笑的表情动手砌牌。

然后她点燃香烟,以明亮的、淡漠的眼睛看着大家。

"不要失恋!"丑夫人大声说。

"这要看。"赵壁冬说,"我们瞧瞧看,一块钱怎样?"

"不许,太大!"丑夫人叫。

赵壁冬挥开长发,嘴部有狡猾的笑纹,轻蔑地看着大家。

娇小的夫人是努力捍卫原则的,但被丑夫人底叫喊激动了嫉恨。于是不再是开玩笑了——这里面有了某种严肃的、阴沉的东西。

娇小的夫人轻蔑地笑,看定赵壁冬。

"好吧,看你,就一块!"她说,豪爽地放弃了她们底原则,因为丑太太保卫它。

她摔下一块钱去。瞥了丑夫人一眼。丑夫人迅速地放下钱,看定丈夫……。梁实如迟疑了一下,狡猾地笑起来,声明退出。

赵壁冬闭起左眼,用右眼看他,然后看钱。

"夏陆,你那是两块是一块?"他笑着问。

"呵,我放错了!……"夏陆不安地说,收起一块。

赵壁冬衔着烟,闭起左眼分牌。

"我的!"他说,欠腰看桌面,然后放下自己底牌。

他发出笑声,伸手掳钱,丑夫人粗声叫起来,打他底手。他求恕地微笑。

"这次非叫你!"娇小的夫人兴奋地高声说:"两块如何?"她摔下两块。

丑夫人迟疑,笑着,依然押了一块。但夏陆却跟着押了两块。大家沉默着。赵壁冬优美地分牌。

"你输了,好太太!"他说,仰起狡猾的、苍白的脸。

"胡说!"

"你看!"

"不,先看你底!……啊,不,你有鬼,赵壁冬,我只押一块!"娇小的夫人发笑,叫,但猛然脸红。

她夺起一块钱又摔下,好像烫了手。赵壁冬快乐地看着她,她脸红,眼里有痛苦的、羞耻的泪水,翻起衣领。

夏陆激动,看着蒋少祖,同时轻蔑地推自己底钱给赵壁冬。

蒋少祖在笑。忽然他挤开梁实如,坐了下来,笑着伸手取牌。

"我做做庄看。"他说。

"浪漫派,你押多少呢?"他懒散地问,懒散地笑着,霎霎眼睛。

这种神情使他底脸很不寻常。他底脸苍白,在懒意的笑容下藏着某种热情底冷酷和恶意。他点起烟,他底半闭的眼睛在烟里颤栗。

赵壁冬放下两块钱,笑着看他。蒋少祖轻轻地提衣袖,打开自己底牌。

"你们放开来,啊!"他压住牌说。

"你赢了,浪漫派!"他用特别温和的声音说,推过钱去。

"这次如何?"他笑着含着女性的妩媚,问。

"赵壁冬应该下五块!"夏陆哑声说。

"遵命!"

赵壁冬放下钱,向太太们笑。

蒋少祖面容特别温和。他含着奇异的、强大的欢喜开牌。他又输了。

"恭喜你,啊!"他笑着说,欢喜地摔过钱去。

他底对这个人所怀的厌恶和胜利的骄傲使他显得特别温柔:他底苍白的脸上有光采。显然他以输钱为欢乐。

娇小的夫人严肃,皱着眉,不再下钱。

沉默来临。蒋少祖感激地、温柔地看了她一眼。

"怎样,再……?"

"不,我们不来了罢!"夫人打断他,恼怒地说。

蒋少祖盼顾,站了起来,眼里有了冷酷的、憎恶的光芒。他假笑着走进内房。

陈景惠走出来,怀疑地看着大家。接着蒋少祖走出,面容严厉。未看赵壁冬。

"走,我们去吃一点东西。"他低声说。

"我,我请客。"夏陆快乐地笑着说,不看赵壁冬,向前走。

赵壁冬向丑陋的太太嘲讽地笑着耸肩,大家沉默地走下楼梯。丑太太在楼梯上拖住梁实如,向他笑,要他替她扣好皮袍底领扣,并问他她脸上的脂粉是否均匀。

黄昏的时候,娇小的太太和编辑先生夫妇搬走,陈景惠出去看朋友,蒋少祖和夏陆有了一次长谈。谈话是意外地生动起来的。最初,他们都觉得自己底心情恶劣。他们都认为对方底思想与战争底结束有关,而对于这个,由于在恶劣的心情里面的矜持的情绪,他们认为是无可谈论的,就是说,他们都觉得自己认识得最深刻,因此最苦恼。

夏陆提到那个伤兵医院。蒋少祖故意地不理会这个题目,谈到未来。对于中国底未来,夏陆抱着大的热情,而蒋少祖却用怀疑的口吻提及,于是他们开始辩论。夏陆兴奋地大声说话,蒋少祖了解地,但激燥地笑着看着他。他们互相做手势阻拦对方,表示自己对于对方所说和所要说的已经知道。并且深刻地想过。

谈话沿着曲折的路线进展,在谈到战争中间的某些事故的时候,他们体会到回忆底愉快的情绪。于是谈话以笑话为中心,他们觉得一切都是可笑的。有些他们认为可笑的事,他们重复地说了三次或四次;他们所强调的那些要点为什么是可笑的,只有他们自己能够明白,这个不自觉的回忆工作完结,他们沉默下来,有了愉快的、严肃的心情,特别亲切地意识到战争业已过去,新的生活已经开始。生活也许和战前并无不同,但他们觉得,过去的不可复返,时代已经划分,新的生活正在开始。

夏陆提起了王桂英。

"既然张东原那样对付我,我自然不客气的,"蒋少祖严肃地微笑着说,对以前的谈话下着结论,没有理会到夏陆底关于王桂英的问话,"我们将要分道扬镳。"他说。

"王桂英,是的,我很了解她。"蒋少祖说,愉快地笑着站了起来。

夏陆愁闷地笑着。

"战争完了,她怎样办呢?"夏陆问。

"大概还是回南京吧。"蒋少祖嘲讽地说;意识到,对于自己心里的那个王桂英,他是胜利了。心里的那个王桂英所给予的甜蜜的、忧郁的情绪,现在是被另一种甜蜜的情绪代替了。他觉得他已经看到了遥远的、悲壮的未来。他底工作和雄心将没有尽止。他,蒋少祖,在中国走着孤独的道路……

夏陆离开后,陈景惠回来,告诉蒋少祖说她没有找到佣人。她为佣人的事情很痛苦,她自己从来没有在厨房里忙碌过。

蒋少祖坐在灯前看报。蒋少祖移开报纸,对她底怯弱的、惊慌的表情不满,以陌生的眼光看着她。蒋少祖想到,面前的这个时装的、爱好虚荣的女子将给他生很多的小孩,变得愚笨而衰老,使他底雄心在家庭里面覆没。蒋少祖重新看报,未说一句话。

"她打扮得这样的鲜妍,是的,对于上海底妇女们,这就叫做战争结束了! 或者说,生活开始了!"他想。

"他不理我! 他一句话都不说,而他和别人说!"陈景惠想。走出去。

"是的,她走出去了! 因为我是不到太太小姐们争妍的场所去的! 而她,除了这个,没有地方可去! 而且扑克牌、跑马场!"蒋少祖想。

"我们到街上去吃点东西好不好? 因为我晚上要到 Miss 周

那里去。"陈景惠重新走进来,勉强地笑着了说。

"你先去吧。"蒋少祖说。"我等一下自己去,我现在不饿。"他加上说。

陈景惠苦恼地站着。她明白蒋少祖底故意的冷淡。

"但是,你总要吃东西呀!"她说,愤恨地笑着。

蒋少祖向她底身体迅速而锐利地看了一眼,低下头来看报。

"那么我就不出去好了!"陈景惠愤怒地说。

"你去。真的,你去。"他说,没有抬头。

"是的,你底心在别的地方,毫不希冀我!"陈景惠想,于是拿起大衣,冷淡地走了出去。在年青的夫妇间,这种情形是常有的,同时对这种情形,他们并没有较深的思虑。他们还是比较的单纯,他们常常觉得,各人底心是不应该有勉强的。但是渐渐地一切就不同了。

蒋少祖站起来在房里徘徊,忽然听到街上有嘈杂的,激动的人声。最初是微弱的,遥远的声音——这声音迅速地变得迫近而强大。好像洪水泛滥。蒋少祖走到窗口,看见了在大街上通过着的人群底洪流,房门被冲开,王桂英叫喊着奔了进来。

王桂英按住狂乱的胸口,激动地、迷惑地笑着,告诉蒋少祖说,中国军队已经克复了真茹。蒋少祖没有来得及表示意见,被王桂英拖出房。他们跑到大街上。

邻家底女儿在门口拦住蒋少祖,说消息是从法兰西来的。(她指法租界),王桂英更正说,是从前方直接来的。不知为什么,蒋少祖向这个陌生的邻女殷勤地鞠躬。

激动的,强大的声音。人群和车辆底汹涌的洪流。车辆浮在人群上,好像船只浮在水流上。有的车辆上飘着国旗。从附近的楼窗上,燃放着的鞭炮掷了下来。对于这个新奇的,狂烈的刺激,人群以狂热的欢呼报答。上海底屈辱的、烦闷的市民们在庆祝胜利。胜利的消息是间接地传来,值得怀疑的,但没有一个人愿意去怀疑。

蒋少祖被卷进人群,意外地重新有了顽强的、傲慢的心情。

他高兴看完他底同胞们底这种狂喜和陶醉,他乐于明白,这些人们是愚蠢而苦闷,麻木而荒凉,经营着可怜的生活的。在那个陌生的、怕羞的邻家女儿突然和他亲近起来向他热切地说话时,他底对目前的这个世界的态度便确定了。那个邻家的女儿使他有了甜美的、怜悯的、冷静而生动的心情。

他明白这些消息底虚伪,并且明白目前的这个激动的世界底真实——他觉得是如此。他觉得,在所有的人里面,只有他一个人如此的冷静。他顽强,傲慢,同时异常的谦逊。挤在人群里,他充分地意识到在他底肉体上发生着的平静的快乐。

他愉快地欣赏着王桂英。王桂英是有着狂热,或者是带着某种矫情追求着狂热。王桂英,在突然的瞬间,觉得自己是极幸福的。这种幸福感迅速地消逝,她有了疲乏,但立刻她又振奋起来,追求,或者创造这种幸福。人群,声响,特别美丽、特别热烈的灯光,成为王桂英的创造狂热的幸福的丰富的材料。她不能用另外的方式感觉它们;正如蒋少祖,在他底顽强的心情里,不能用另外的方式感觉它们一样。

医院已经解散——战争和她底不平凡的时代结束了,在到蒋少祖家里去的路上,她是疲乏而烦恼。她不知道她将要怎样;并且她对蒋少祖怀着骄傲和戒心。但现在她忘记了这一切。她确信战争是重新开始了。

王桂英和很多女子一样,是从小说和戏剧里认识了这个时代的。她不满意她底生活,因为她确信,只要能够脱离这种生活,她便可以得到悲伤的、热烈的、美丽的命运。像小说和戏剧里的那些动人的主人公们一样,她将有勇敢的、凄凉的歌。她觉得,在这个时代——多么惊人的时代!——人们是热烈地、勇敢地生活着的。因此一切平常的生活于她毫无意义,她不理解它们。

战争底热情和激动使她快乐,首先就因为平常的生活已经脱离。她认为她从此可以得到那种浪漫的生活了——由于热烈的想像,她把医院里的艰苦的服务认为是浪漫的。在深夜的街道上漫步,听着远处的炮声,意识到自己是自由的,这种生活是快乐的。在幻想底游戏里,王桂英体会到自己底心灵底无限的温柔。

现在,挤在激动的人群里奔跑,王桂英有着狂热和矫情,觉得自己应该做一件惊人的事情。她要使所有的人看见她,崇拜她。挤在人群里,想到自己是那样的美丽,那样的动人,王桂英眼睛潮湿了。她不懂得为什么在这里除了蒋少祖以外没有人知道她。

在他们前面,一个穿绿色西装的男子在人群里愤怒地挤动着,保护两个盛装的年轻女子,显然他有着骑士的感情和正义的骄傲。另一边,一个粗野的工人用胛肘乱捣,高声喊口号,并捶打一个戴小帽的、瘦小的人;显然这个工人企图用或种狂热的方式控制群众。人群涌起浪潮,蒋少祖和王桂英被推涌上前。从那个他们停留下了很久的熟悉的地域出来,他们觉得到了新的环境中,有了新的兴奋。但立刻面前的一切就又变成熟悉的、亲切的了。蒋少祖觉得一切是亲切的,特别因为他在顽强的、颤动的情绪中觉得自己了解这些人。对于王桂英,位置底变动,刺激了新的热情,她觉得她将在这个海洋里永远浮动向前。小孩们锐声啼叫着。鞭炮从高处掷下来。汽车喇叭狂鸣着。各处有浪涛和旋涡。王桂英脸上有陶醉的微笑。

"请您让一让,请您!"她向面前的一个高大的、穿西装的男子说,娇媚地笑着。

"是的,她用这样的声音说话! 因为她觉得自己是可爱的!"蒋少祖想。

面前的那个男人没有来得及回答,浪潮又涌了起来,他们向前漂浮。王桂英愤怒地捣动胛肘,突然她发觉面前的人群松散了。街道转弯的地方腾起了强大的欢呼声。王桂英松开了蒋少祖底手,陶醉地向十字路口上奔跑。蒋少祖快乐地笑着,跟着奔跑。

王桂英,陶醉在奇异的力量里,被这个力量支持着和诱惑着,突然地跳上了十字路口的岗位台。她战栗着,庄严地在岗位台上走了一步,明白了她是自由的。她做了一个动作——她掠头发在①那种肉体底特殊的快感里,感觉到这个自由是庄严而无限的。她明白了她底新的地位:她站在高处,群众在她底脚下仰面看着她。她明白了她底动人的庄严:特别因为岗位台上的热烈的红灯,她有了严厉的表情。

警察向她走了一步,向她挥手,要说什么,但顿住了,意识到群众底意志,凝视着她。警察底左腮在红光里打颤。

王桂英看见下面有波涛和旋涡,——先前,她是被吞没在这些波涛和旋涡里面的,但现在,她成了这些波涛和旋涡底目标了。王桂英庄严地凝视着人群,举起手来。

她底目光扫过人群。人群安静,她开始演说。

"各位同胞,一切都摆在我们面前!生和死摆在我们面前!死里求生或者成为日本人底奴隶,要我们自己选择!"王桂英愤激地大声说,并且做手势,"我们失去了东北!我们底同胞妻离子散,家破人亡!"——"我说了什么?我还要怎样说?"她微弱地、温柔地想;从这个思想奇异地得到了慰藉。——"我们难道还能够苟且偷生,贪生怕死!"她大声说——"他们感动了,是的!"她微弱地想——"我们要组织起来,为了我们底祖先,为了我们底儿女,为了这一片土地,我们要求生,要反抗,要胜利!"

"是的,我说得多么好!"她想,甜蜜地流泪。

人群里面爆发了强大的、激赏的喊声。大的波涛涌了起来。王桂英感到自己已经被爱,将要被面前的这个不可抗拒的,欢乐而可怕的力量卷去,在大的幸福感和甜蜜的烦恼里面慌乱了起来。她脸上有了迷惑的笑容,好像哀求人群——哀求它把她吞没或者饶恕她。

一辆小轿车驶近,冲散了人群。岗位台上红灯熄灭,同时绿灯发亮,照见了王桂英底失望的、慌乱的面孔。那个不可抗拒

---

① 原文如此,初版书后附勘误表更正为"发,在"。

的、欢乐而可怕的力量消失了,王桂英恍惚地、羞辱地走下了岗位台。

在王桂英演说的时候,蒋少祖对她有了不可解的、仇恨的情绪。他突然觉得一切都是无聊的;王桂英是虚荣而虚伪的,群众是愚蠢的。他未曾料到的那种强烈的嫉妒心在袭击着他,使他有了这种仇恨的情绪。他注意到面前的一个男子为王桂英底演说而流泪;他注意到周围的人们底感动的、惊异的面容。人群感动愈深,蒋少祖对王桂英的仇恨情绪愈强。

他开始反抗他底这种心理,但这反抗很微弱,然而在王桂英羞辱地跳下岗位台来的时候,这种情绪便突然消逝了。显然的,王桂英在纷乱中走下岗位台来时的那种寂寞的意味令他喜悦。

王桂英迷惑地走向他,睁大眼睛看着他,好像不认识。人们向这边跑来,蒋少祖冷淡地向街边走去,王桂英,好像被吸引着似的,跟着他。

街上奔驰着车辆,人群散了,蒋少祖冷淡地走着,不知要到那里去,但希望王桂英从他得到惩罚。他们去吃了东西,离开饭馆时已经十点钟,他们的脸上有着同样的冷淡表情;在这种看来极为坚强的冷淡下面,某种火焰燃烧着。他们自己充份地意识到,他们底一切动作都趋向某个目的。在每一次的反抗后,这个目的就更明显。

他们底心情已经完全变化,刚才的热情和失望,显得是很遥远了。蒋少祖已经在心里和王桂英和解。王桂英疾速地、紧张地走路,不时露出严厉的、焦燥的表情。街道逐渐寂静;潮湿的冷风鼓荡着;他们沉默着。沉默愈深,他们互相愈了解。

"是的,一个这样的女子,她是危险的,我也是!"蒋少祖想:"我们是不自由的。然而为什么我们不是自由的?怎样才叫做生活?为什么我底心这样柔弱?为什么?"

"我怎样办?我应该怎样!现在一切都过去了!难道就这样结束了吗?难道就又要回南京去过那种生活吗?那样长的日

子,那样呆板,无聊!命运是多么可怕呵!他怎样想呢?我能够屈服于他吗?不,怎么能够有这样的想头!"王桂英想,因羞耻而脸红,露出严厉的表情。

蒋少祖引王桂英走进一条小街,然后走进一个空场。他们走上一个土堆,灯光从左边的楼窗里照射下来。面前是一道破毁了的栏栅,再远些是沉寂的小街。小街的瓦房后面,竖立着放射着灯光的雄伟的高楼。

蒋少祖心情柔弱,这种柔弱可以是一种甜蜜,可以是一种惩罚。他底面孔冷淡,他乐于相信他是为了和王桂英谈话而到这里来的。王桂英恐慌着。看到她底火热的、明亮的、异常的眼睛时,蒋少祖强烈地意识到自己对她有错,而因了由这双眼睛所表示的那种不可抗拒的力量,蒋少祖觉得这种错误是幸福的。

蒋少祖捉住她底手。

"蒋少祖!"她严厉地说,把手缩回去。

蒋少祖柔弱地、侮慢地笑了一笑。

"是的,我要达到我底目的!我要使她明白我是对的!"他想。

"一切都结束了!我不懂得为什么刚才你那样的兴奋?"蒋少祖用假的声音说,然后浮上有罪的、懒散的笑容。他底谈话愈严肃了(他相信自己是为了一个严肃的,高尚的目的),他底心便愈柔弱,愈惊慌,"是的,你那样的兴奋,对于这些上海人,你期望更多的东西么?而你现在似乎很忧郁!"他雄辩地说,但他不知自己说了什么:他底柔弱的表情说了别的。他浮上了怯弱的笑容,沉默着。"要永远反抗生活,永远保持自己底明澈的心情!要大胆地破坏这个世界底法律,从自己底内心做一个自由的人!"他用痛苦的哑声说:他底柔弱的表情更明显地说了别的。

王桂英,被他感动,看着他。

"我,以后……决不做梦了!"王桂英说,脸红,可怜地看着蒋少祖。

"为什么不?"蒋少祖痛苦地叫。

"我会向他屈服吗?不不不!"王桂英想。

"我觉得很失望。说不出来为什么!"她严肃地说。

"是的,你预备留在上海吗?"

"怎样留法呢?读书或者做事,我都不愿意。"她说,可怜地笑了一笑,沉默了。"是的,我已经考虑了,我决定回南京,我现在决定了!"她坚决地说,她底明亮的眼光说,因为他,她才要回南京。"我现在觉得我喜欢一种闲散的生活,我要什么事都不做,我有钱,我要懒惰,我要欺骗一切人!而我觉得在南京我可以布置这样的生活!我要和太太小姐们周旋,我要整天的在湖里睡觉,我要忘记一切,好像我从来不曾有过什么热情,而我是可以快乐的,没有人妨碍……"

王桂英,在这个热切的叙述里触到了自己底内心底深处:那些描述使她甜蜜地忧伤,她流泪,在流泪里沉默。

"桂英!"蒋少祖温柔地喊。

"不,不能向他屈服!……是的,也许我爱他,是的,我可以说出来,没有什么妨碍!"她想。

"蒋少祖!"她说,流泪,下颔颤栗,"在四年以前,我曾经做过怎样的梦!我是一直做着怎样的梦!我到上海来,是做着怎样的梦啊!这个王桂英,是在梦里生活啊!然而她能够倔强!现在梦醒来了!看见那些受伤的兵士,听着他们在夜里叫唤,我底梦醒来了!但是或许我又做着另外的梦了!……我是凄凉的,我是……"她流泪,沉默着。"这个王桂英,她是等待着静悄悄的死亡了!她底灵魂是有了不可愈治的创伤!"

带着这个时代的矫情,用着这些字眼——这些字眼给予了无上的甜蜜——王桂英表露了她底最深刻的感情。在这个表露里,王桂英觉得自己是得到了无上的幸福;她,王桂英,美丽地生活在这个时代。蒋少祖抓住了她底手,她没有反抗。

她底这种表露澄清了蒋少祖底感情。他凝视着明亮的楼窗,听着王桂英,明白了王桂英底情感,他警告自己说他应该理智。

"我决不愿在一个女子激动的时候欺骗她的!"他严肃地向她说,抓住了她底手。

"是的,我向他屈服了! 而这就是人生!"王桂英低头,愤怒地想。

他们站在冷风里,沉默着。

"但是他为什么不说! 多可怕! 多羞耻! 他是多么自私啊!"王桂英想,战栗着;为了试探蒋少祖,她缩回了自己底手。

"但是有谁能够妨碍我们呢? 为什么我不是自由的?"蒋少祖想。

王桂英抬起头来,发冷,迷晕,以奇异的眼光看着蒋少祖。

"桂英,我希望你明白我。"蒋少祖说,嘴唇战栗。

王桂英浮着冷笑沉默着。蒋少祖环顾。然后低头吻她。但当他企图第二次吻她时,她把他推开。她底严厉的眼光使蒋少祖畏缩。

她无力说话,她向街边走去。

"桂英!"蒋少祖苦恼地喊。

她回头,痛苦地看着他。

"现在已经迟了!"她说,战栗了一下。"有空的话,你和你太太到南京来看我们……"她加上说,浮上一个凄楚的轻蔑的微笑。然后她迅速地走过街道。

蒋少祖看着她消失,脸上有迷惑的,愤恨的笑容。然后他沿空旷的街道走去。经过法租界的时候,他被巡捕扣留,因为已经戒严了。在恶劣的心情中,他向巡捕可怕地发怒。第二天,由于奇异的心理,他和陈景惠一路去看王桂英,但她已经回南京。时间流逝,没有机会去南京,蒋少祖乐于认为他和王桂英之间已再无纠葛,但这个晚上却留下了奇怪的,痛苦的印象。使他在极端的隐秘中思念着王桂英,企图获得,并且征服她。

第二章

一

蒋捷三家是苏州有名的头等富户之一,它底主人是晚清末年的显赫的官僚。由于三女婿王定和,蒋捷三在上海底某个纱厂里投了很多的资;他曾经声明要亲自经营那个纱厂,但他从未出门。蒋捷三很久很久都确信自己是厂主,命令王定和逐日地向他报告一切。他精细地记下这一切,发命令,拨款;但其实他对于这个纱厂并无所知。

老人和大房儿媳住在苏州。他打了前任县长一记耳光,并且他是对的,这件事使他在南京很有名。他底生活很刻板,像一切老人一样。在这个笼罩于权势底暗影和现实的财富下的古老的家庭里,老人底强力的性格无处不在,使得走进去的人要感到某种寒冷;好像他们遇见了某种东西,这种东西他们认为已经成了做恶梦的资料的。

六月,王定和和连襟傅蒲生同来苏州。傅蒲生在实业部以恶作剧和和事老出名。他是去上海玩的。在上海时所遇到的某些事情——尤其是昨天晚上的某些事情令他烦恼;这中间还有良心底烦恼,但他仍然愉快而自足。

真正使他烦恼的,是天气太热。下车的时候,他全身都汗湿了。他叫喊着要去吃冰,但同时站着不走。

王定和站下来等他,用左手抓住右手腕,然后弯屈右手;王定和皱眉表示烦厌。

"可爱的苏州姑娘不在苏州了。"傅蒲生说,他是指美丽的小姨:这个思想使他兴奋了。"可怜的,啊!"他看着王定和,希望他赞同。

在蒋家胡同里,牵牛花和蔷薇铺展在高墙上,在微风里摆动;青石地上着有可喜的投影。下午的胡同很沉寂,到处是暑热底严威。停下轿子,傅蒲生跃上高台阶。

但他并未即刻敲门。他举起手来又放下,回头看着王定和。做了一个活泼的、可笑的歪脸。

"你要揩干净脸上的灰。"他快乐地说,向门缝里张望,然后古怪地伸直身体敲门。

没有人答应,于是他推门。黑漆门笨重地移开,小院子里有了脚步声。

傅蒲生直视前面,愁闷地微笑着。

"啊!冯家贵,侬来,侬来!"他大声叫——显然有些装假:"看我长胖了没有?"

头发花白的老仆人冯家贵疾忙地掩着胸脯(他未扣衣服),露出惊讶的、快乐的表情跑进了门廊,看到王定和,他底发红的老脸变得恭敬。

王定和点头,垂下眼睛走过大厅(仿佛他不愿看见),走进厢房,未抬眼睛,把上衣抛给冯家贵,迅速地坐下。

"冯家贵,老太爷午睡吗?"他轻声问,没有抬眼睛。

"午睡,姑老爷。"

冯家贵出去倒茶时,王定和站起来,走到大红木椅子前面,弯腰看着窗外。有白色的影子在槐树底浓叶间闪耀,跑进来。王定和前额贴在窗上,浮上喜悦的、讽嘲的微笑。

年青而美丽的蒋蔚祖跑进来。他底白夏布长衫飘曳:在白色里露出了他底洁白的小手和红润的,快乐单纯的脸。傅蒲生跑近去,抓他底手,然后用力按他底肩。王定和点香烟,站在红木椅子旁,向他点头,微笑。

"好吗?"王定和用低缓的、温和的声音问。仿佛他很挂虑,仿佛蒋蔚祖通常都处在不好的情况中。

"啊,你们!"蒋蔚祖露齿微笑,不知说什么好,跑向椅子,然后跑向王定和,又跑向椅子。终于站在房中央,快乐地叹息。

"我嫌园里闷。"他说——显然选择了这句话——,笑着动手脱长衫,"我预备出去。啊,幸亏我没有出去。住几天吗?"他坐下,快乐地、兴奋地看着他们。

"要陪你喝酒……素痕好?"

"啊,不。"他笑。"我想……二弟好吗?"

"他有什么不好。一·二八打仗,他和……他给巡捕房关了一夜,说弄得……有趣极了,关了一夜!"傅蒲生说,愉快地霎眼睛,表示这中间有更有价值的事,需要等下详谈。

"他要办报纸。"王定和冷淡地说,他不时看着门。

蒋蔚祖摇头,又笑,然后变严肃,沉思着看门。

"南京他们……?"他不知说什么好。他又笑,这笑和他底话无关。

"一样的。"

"我要去南京,"他咬嘴唇,可爱地笑,环顾两位姐夫;"你们欢迎?"

"来了。"傅蒲生说,嘲讽地微笑着站了起来,王定和随后站起来,瘦脸皱蹙,好像在笑,露出恭敬的、愁闷的表情。

"贵客临门,有失远迎,罪过罪过!"妇女底嘹亮的声音在走廊里叫。穿宽袖的绸短衣和绿色绣花鞋的金素痕走进来,停在方桌前,即刻就伸手理头发。

"我责备你们,忘记了苏州!……请坐,啊!"她高声说,同时闪动至肘的宽袖走向傅蒲生,开始用低的、愉快而郑重的声音说话,仿佛她承认以前的话都是客套,现在才是正文,是她好久期待的。傅蒲生胡乱地点头,露出崇拜的表情表示极注意,表示对每一个字都了解。王定和踮脚走向蒋蔚祖,坐在他旁边看信,听见了金素痕底每一个字。

"啊,你看,这一点都不假,老人这样说。"金素痕愉快地低声说,皱眉加重话句底意义。"老人总是喜欢管闲事,"(傅蒲生点头。)"但他不注意自己底事;南京的事情弄得那样混乱,没有人收租,大家欺骗……我和蔚祖商量,我们去南京,我读书,蔚祖在实业部做事,顺便……总之我们不想依靠苏州,我们尽力。蒲生,蒋家谁是能够尽力的人呢?"(傅蒲生崇拜地点头。)"蒋家底事是这个世界上最严重的问题,少祖弟说,他在开我们玩笑。定和姐夫是一把有力的手,我希望你底厂顺利,"她向王定和笑。王定和适度地(他自己觉得很适当)点头。"然后我们在我们底河边……啊,我说得太多了,我们要去南京。姐姐好吗?妈妈身体好吗?妈妈年纪大……"(傅蒲生点头,好像他明白"妈妈年纪大"这句话底意义。金素痕说完,他底滑稽的脸从崇拜的表情里解放;他露齿发笑。)

"蔚祖,你陪姐夫,我去看阿顺……"她向门口走去。在门边转身点头,幌动美丽的宽袖走出。

"好啊,我底耳朵;刚才像八哥!……"傅蒲生叹息,向蒋蔚祖霎眼睛:"有福气,好老婆,老弟!"

蒋蔚祖羞怯地笑,企图制止这个微笑,他底嘴唇颤动着。在金素痕说话的全部时间里,蒋蔚祖未动,沉思地凝视着窗户。显然金素痕所说的,主要的,她底态度所表现的,于他非常重要,并且是他底苦恼。

王定和站起来,阴沉地徘徊,最后站在蒋蔚祖面前。

"你们要去南京吗?"王定和问;显然关心这件事。

蒋蔚祖点头,咬嘴唇,预备说什么,冯家贵走进来,通报老人底接见。

蒋蔚祖起立,领姐夫们走进邻室,老人习惯在这间房里接见别人,因为这里底家具,——不是最华贵,而是最笨重,最多。这个房间底特色是,椅子最多,但进去的人却觉得无处可坐。老人不愿别人安适。字画挂满墙壁,但刚刚走进去的客人却不能看,且不敢看它们,这些字画也令人局促。房里有檀香底气息和某种腐蚀性的气味。傅蒲生好久未来,走进去时愉快的面孔突然阴沉。他嗅鼻子,随着王定和坐下;坐在右边,这里可以清楚地看见走廊。

王定和穿好上衣,露出严肃的、冷淡的表情。傅蒲生发痴地思索地看着门。

高大而弯屈的白色的身影使走廊里的阴暗的光线变动。蒋捷三倾斜上身,大步地缓慢地穿过走廊,走进房,未看起立的、恭敬的女婿们,点头,把手里的大纸卷递给蒋蔚祖,走向桌旁的椅子坐下:他习惯坐在这里。

老人秃顶,头角银白,有高额、宽颚,和严厉的、聪明的小眼睛。脸微黄而打皱,但嘴唇鲜润。他架起腿,抬眼看着女婿们。他微笑,安慰女婿们:他觉得自己是在仁慈地安慰女婿们。

笑的时候,他底高额上的皱纹叠起。不笑,他底两腮的肉袋无生气地下垂,加强了他底严厉。

"住两天?"他说,取出手帕来揩鼻子,两腮下垂。

"不。想明天回南京。"王定和恭敬地说:"打仗的时候厂里亏的,这个月恢复些。托老太爷底魄力,总要支持下去。上海大家问候老太爷。"他说。

"老太爷要不要去上海看看?"

"我去上海,啊!"老人轻蔑地笑,然后恍惚地笑,"带来的东西,我看看,晚上看看,你底钱,这个月我不能拨。说了,不许再提……!"

"老太爷,你太把我当小孩了!"王定和高兴这个机会,愉快地说。

老人看着他,好象要亲眼看见他所说的。然后看着傅蒲生。

"你,怎样?"他含着显著的愉快问。在舒适的午餐和良好的午睡后,老人显然处在愉快的心情中,虽然他更看重王定和,这种愉快却只有在傅蒲生面前表露。老人时常古怪地亲善傅蒲生,因为傅蒲生是平庸的,好像人常常喜爱比自己弱小的人一样。

傅蒲生微笑着回答了什么,老人轻蔑地大笑。

"胡涂!"老人叫,盼顾,从冯家贵手里夺过扇子来,提起绸衣使力搧："我要叫他们跑给我看。你看你一脸汗——"

傅蒲生快乐地笑，揩汗。王定和看他，看老人，他刚才在沉思，未听明白谁为什么要跑给谁看。

"刚刚过去三个月，大家忘记了，什么打仗！拿年青人耍猴子！我要看见，"老人大声说，额上的皱纹叠起来，"他们在一起，你们，"他思索着，抛开扇子，"中国和日本是百年的冤孽！……"他愤怒地大声说，然后垂下眼睛，并把手放在膝上，做出失望的，严厉的姿势。他底两腮下垂。但显然他颇快乐。他开始思索。

"没有一件值得做的事，有一件，吃耳光！……你们就相信这些！哎，看见百姓底疾苦没有！水深火热，成千成万，几代的生命！交在谁的手里？"老人发火，在桌上支肘：他底小眼在浓眉下闪射如星芒。"啊，不远了，不远了！"忽然他动情地叫，起立，打落冯家贵手里的扇子，走向窗边。

"这不是谁个人底力量能够挽回的。"王定和用低而打颤的声音说。

显然这话触怒了老人。老人健壮而孤独，需要发火。

"谁的力量？中国这大的地方，这多人，几万年怎样活下来的？偏偏到你们手里，可怜的畜牲啊！"

"啊，老太爷，不必生气，罪该他们受。"傅蒲生温和地说。

老人未回答，大脸流汗。冯家贵走近替他打扇子，他大声清喉咙，左腮打抖。

"哪个该受罪？是你？是我？是穷苦的百姓？是他们干净的年青人？可怜啊！"蒋捷三用怪异的声音喊，两腮无生气地下垂，显出老相，向蒋蔚祖挥手，然后走出去。

儿子皱眉跟随他。冯家贵走在后面使力打扇。

二

老人回房，支肘卧在高榻上，唤姨太太烧烟，并教训儿子：他反对儿子去南京。他说女人要去，让她去，她借口娘家在南京，好去玩，因为她是女人。说话的时候，他摔白鹅毛扇给姨姨，但即刻又夺回来,注视她底脸,吓退她底假装快乐的、愚笨的笑容。于是瘦弱的女人露出忧伤,她底瘦脸显得忠厚而率真。在假装的快乐表情违反本意地消逝后,或在单独地对着自己底小孩们的时候,她底愁病的脸总是如此,忠厚、仁慈、而率真。

金素痕使女仆抬〔抱〕来两岁的男孩阿顺,她知道这个能打断老人底狂言。蒋蔚祖抱过小孩去,忧愁地沉默着,坐在椅子里。老人凝视孙儿,然后看着窗户。

"她自己不能带小孩吗?啊!"

他那样看蒋蔚祖和小孩,不看他们底脸,而看他们底头顶:老人在不快的时候看人总要看得高些。这总是如此的,蒋蔚祖不知道是否被看,不安起来。老人底灰色的明亮的视线好久都静止不动。并且他全身不动,除了他底多肉的,庞大的胸膛在起伏着。

姨娘看小孩,又看老人,觉得应该赞美小孩,露出虚假的、愚笨的笑容。

"拿来我抱!"老人忽然说,但同时侧身抽烟。蒋蔚祖皱眉放小孩在榻上,好像他是一件东西。小孩经不起烟,惧怕,开始啼哭。

姨娘抱小孩,同时虚假地微笑着看老人。

"啊,哭了,呆子,可怜!"老人推开烟枪咳嗽,大声说,他轻蔑地,但仁慈地看小孩。小孩不哭了,老人在烟灯上用肥大的、带刺的嘴唇吻他,他又哭。

"胡子刺……"姨娘小声说。

老人盘腿坐在榻上,轻蔑地、慈爱地搐动着大鼻子,企图逗小孩发笑。

"好,抱开,小呆子!"他忽然发火地大声说:"蒋家全是呆子!"

"要去南京,你自己赚钱!"他挥手,向抱小孩出门的蒋蔚祖说:"去就不回来,全是呆子,全是骗子!"

姨娘明白后一句话指蒋少祖。老人很少提这个儿子,但这些话总是指他,姨娘很明白。她沉思起来,忘记了自己底快乐底义务,露出忧愁的、善良的表情。

离开老人后,姨娘底忧愁更重,枯干的脸上皱纹深叠着。她底四个小孩围绕着她;小孩们脸上有某种严肃的东西,但母亲软弱而忧郁,那样单纯地愁苦,使看见他们的人觉得他们全体顶多只有两个人,并且两个人等于一个人。他们这个团体在走过大厅时总是无声的。虽然老人有时对小孩们极好,但他们总是恐怖。老人在他们是一切森严骇人的事物:读书,礼节,罚跪,爱抚,⋯⋯等等底神秘的来源。

母亲牵着最小的(三岁的女孩)走在他们中间,仁慈而严谨,用目光做暗号,带他们通过大厅和走廊;小孩们通常只在后园角落里玩耍,那时才有较大的、有生气的声音。显然母亲有一种自觉:小孩们将来的凶险是很明白的,他们将蒙受耻辱和不幸,因此她,可怜的母亲必需使他们知道严谨底必要,同时使他们在可能的时候多得到一些保护和慈爱,这些他们将来(说不定什么时候)都会失去,母亲在她底小孩们中间是仁爱而忧愁,有时她笑那种率真的笑,这只有一个母亲才笑得出,而在这种时候她底柔和的脸表露出:她从前是那样美丽。

黄昏,小孩们在洗澡后是红润而精灵,由女仆率领走过假山石,假的小河和小桥。女仆异常整洁,白兰花押在头上;苏州底女仆总是那样精致。男佣人在石路上洒水,并打扫草地,把微少的落叶积成堆。小孩们停在茅亭前等候正在洗澡的母亲。

母亲走过石桥,带着出浴的庄重拉着衣服,散发着香气,嘴部发红而打皱。

细瘦的、庄重的女人走近小孩们。最小的女孩向前跑,她抬起眼睛,露出了几乎不可觉察的忧愁而安慰的微笑。

"阿芳哪,看你底脚,阿是龌龊!"她抱小女孩,向最大的,十二岁的女孩叫。

"阿弟踢我!"

"踢,踢!啊!"她含笑说,取手帕揩眼睛,走进茅亭。

"听我,阿芳,侬弗要,"忽然她抓住大女孩底细瘦的手臂,恳求地微笑着说;洁净的额上有了皱纹,"弟弟总是弟弟,自家底弟弟,娘辛苦!昨晚怎样说来,你阿是顶大?十二岁要学做人,要辨神色,要做事;对长辈恭敬,弗是弟弟……啊!"她说,女孩愁闷无表情,她摇动她底肩头,带着假装的欢乐看着她:"啊,你答应,答应……你点头,说是!"她用力摇女孩底瘦肩,耐心地,振作地向她耳语。她惯常总向小孩们耳语。

母亲向女儿耳语很久,热切而振作地向女儿底耳朵反复说那几句话,恳求女儿回答一声是。最后她停住,面容严重,把自己耳朵贴到女儿嘴边。但女孩惧怕这个恳求所含的严肃;这种严肃要求她了解母亲课给她回答的那个字底意义,和目前这一切底意义。她显然不能明白这意义。十二岁的阿芳是有对痛苦的早熟的理解,但还无法明白母亲底耳语和要求,为何这样严重。她不敢回答。她怕错误,她知道母亲要为错误而痛苦。她脸红,呼吸频促。弟妹们严肃地站在旁边。

她底胸骨突出的瘦弱的胸膛艰难地起伏着。母亲底耳朵没有离开。

"阿芳,好阿芳,你何是乖,你可怜,你说一句,说,啊!"母亲又耳语。①

"娘,是……"她用窒息的喉音说,脸更白,流泪。"

母亲叹息着,抬起充血的、发红而光辉的脸来,大姐姐流泪,大男孩眼发红,因为觉得这一切由于自己,他踢了姐姐。小孩们严肃地站立不动,而母亲底脸充满了安慰和慈爱。显然这种状态是他们这个团体底特色,而这个团体是命运给老年的蒋捷三所留下的唯一的寄托。

看见傅蒲生和王定和,母亲底脸起了变化。两位男子走近茅亭,姨娘迅速地点头,向前走,露出假装快乐的、愚笨的表情。

---

① 再版本在此段下添加了一个自然段:"阿芳底美丽的眼睛苦闷地闪烁着,她底脸变白了。她凝视母亲底耳朵,嘴唇打抖。"

"姑老爷姑老爷……难得哉!"她愉快地盼顾,企图赞美黄昏。"阿芳阿五,叫姐夫!"她庄重地说,给小孩们让出位置。

十二岁的瘦女孩上前,——她是受过严酷的训练——垂下手来鞠躬。……

"好,好!"傅蒲生伸手至女孩下颔,抬起她底苍白的脸来,然后发笑。

"啊,风凉爽!"姨娘大声说。这个声调和恭敬同时,意外地叫出了愤怒,这似乎不可解,但这确是由于傅蒲生底淡漠的笑声和阿芳底困窘不安的脸:这些使她痛苦。她激动地笑着,并且盼顾,假装不看女儿。

姨娘领着小孩穿过假山石走开去,风吹起大女孩底白绸上衣。傅蒲生和王定和站在茅亭阶下凝视他们,然后对看,同时露出怜恤的,然而不快的笑容。

这个家庭在夏天底黄昏有着较愉快的生活:老人在洗澡后走进后花园时要听见小孩们底戏耍的笑声和叫声,到过蒋家的人决不会忘记两件东西:古董和后花园。前者是老人个人底娱乐,而这无疑是很重要的;前来告贷的穷亲戚都知道老人在摩挲古董的时候有好的心情,那么他们便明白应该何时说话,以及说什么。后花园则对于蒋家全族的人们是凄凉哀惋的存在,老旧的家庭底子孙们酷爱这种色调;以及在离开后,在进入别种生活后是回忆底神秘的泉源。这特别在蒋家底女性身上表现得鲜明。

后院大约半里见方,靠近正厅底左右侧建有旧式的楼阁,姨娘和她底小孩们住在左边,蒋蔚祖夫妇住在右边,但还空着很多房间,好像建设它们的人具有着强烈的对于繁荣的想像力和意志,好像他底强力的手臂要想完成更大的东西更大的楼宇和庄园:它们白昼时在江南的太阳下雄伟地闪耀,夜晚则灯火辉煌如宫殿——使他,这个沉重而森严的安心立命的主人,在世界上有了一个人所能有的最大的存在。但他没有完成。他做了千分之一,后来便把他底天才的大力化费到对那个不肯放松他的尘世的可悲的、流血的斗争里去了。

但这些楼宇并未颓败,这个主人还有力量保卫他底最后的东西。这些楼宇,它们底巨大的灰色圆柱,它们底森严的廊道和气魄雄大的飞檐,使这个庄园成为苏州最好的建筑,成为中国最好的古色古香的建筑之一。

花园是华丽的,人工的,但和屋宇底建筑相和谐,正如老主人底不自然的,高度的身体动作和他底庄严的头颅相和谐。园里充满华贵摆设,每件东西都表现出一种粗大的精细和一种对尘世的轻蔑来,仿佛蒋捷三在自己底园中建立了假的山峦和河流,假的森林和湖泊,是为了表示自己底对于他在少年时代的漂流里所阅历的真的山峦和河流,森林和湖泊①似的;他轻蔑它们,因为它们被别人所占有,充满了不洁净的足迹。

靠近园墙是仆婢们底住宅,住宅前有菜地,但一道假山遮隔了它们,人们只能看见仆婢们底平屋底屋顶,屋顶上经常地冒着烟。沿园墙往右走是一片高大的松树,松树间是荒芜的草地,并且有小的池塘。这里经常无人;老人只站在远处凝视它,这种凝视往往是悲凉静穆的。老人不更往前走。他不许在里面栽花,不许装饰这片阴凉的土地。对于整个花园,对于蒋捷三底老年的心,这片自然的、深邃阴凉的土地是一种必需。但蒋家族人们很少明白这,他们大半不高兴这块地方,认为它底存在是由于老人底怪癖。

但这片土地却加重了花园底神秘,而这对于蒋家底感情细致的人们是重要的。他们称花园为后花园,在这种称呼里他们感到自己们是世家子女。妇女们回家来总设法尽快地跑进花园,有时她们带笑地跑进,而肃穆地止住,站在花香里流泪;有时她们庄严高贵地走进去,站在柳阴下,浮上梦幻的微笑。蒋家的人们似乎都有这种气质。外人呼他们呆子,他们自己也这样喊。

---

① 原文如此,疑有脱漏,应在"湖泊"后加"的轻蔑"。

大姐蒋淑珍出嫁后第一次回家时曾闹了有名的笑话：父亲在睡觉，她没有喊醒他，迳直跑进花园，傍荷花池向金鱼缸跑去了，但失足落在荷花池里。傅蒲生拖起她来，她却全身水湿地仍然向金鱼缸跑，并且蒙脸啜泣。

　　老人娶过三位姨太太，另外两位已在五年前陆续故去。在这很远以前他娶过一位歌女，为了这个他把发妻送到南京去，以后她就一直住在南京。那时最大的女儿才五岁，蒋捷三伴那位歌女住在苏州，恋爱，并雄壮地经营产业。这确然是一次恋爱，虽然是奇特的恋爱，并且时间很短促。蒋捷三在一生里只有这一次痴狂，他凶猛地进行，好像要偿补青春时代的这一部份的损失似的。这对蒋捷三是那样的重要，他不许别人轻视这位出身不洁的女子，他竭力在家族中提高她底地位；假若可能，他要把她置在天上，那里一切损害都及不到；他声明他底产业是为她设置的，他要为她挥霍。

　　这位女子不美，势利，且生病。但痴狂无法遏止，后来它自行完结了。这位女子闹出了不名誉的行为，死在苏州。她弄了很多钱，但一文也未带出去。蒋捷三从腐蚀性的大悲哀和仇恨里醒转，但正因为族人底非议和苏州上流社会底攻击，他改变了原意，给这位不幸的女子安排了一个最阔绰的葬仪，并且强迫自己底亲戚们来苏州送葬……于是这个葬仪轰动了苏州。

　　第二年他接发妻回家了一次：以后开始讨姨太太。做这一切只是为了磨灭创痕和安慰老年。老年来临了，生活里再不会有什么新的东西，除了最后一次的风暴，而这要揭露旧的创痕……据说那位歌女给蒋捷三留下了很多纪念，最重要的便是园端那片里面有着池塘的松林，据说那片林木是为她底病而栽植的，松树都从十里外的山上移来。

　　那次痴狂幸而没有使他损失财产。想起这个他都要战栗。他在那以前和那以后都是以严格治家出名的人，他不能想像假若痴狂使他损失财产，他底儿女们要怎样生活，树底希望在果实，于是他老年的精力全化在儿女们身上，他教育他们，爱抚和责罚他们,感到风波是不留痕迹地过去了。但这个家庭总似乎是有深大的激动藏在里面的,它底儿女们是那样多情而优美,这便是不幸。后来的遭遇使蒋捷三倒宁愿在最初的风险里倾覆一切,因为在痴狂里毁灭自己总要比在清清楚楚地明白自己底失败时倒下要好些。

松树成林,覆盖着荒芜的草地和闪光的池塘,老人站在假山石后凝视它。蒋家的人们每人爱这个后花园的一部份:大女儿蒋淑珍爱大金鱼缸,三女儿蒋淑媛爱葡萄架,蒋蔚祖喜爱荷花池,蒋少祖,在他未离家以前(他十五岁离家)则女性地爱着松林里的那个小池塘。各人有各人的原因,这些原因很简单,但在他们自己是神秘而凄婉的。

老人洗澡后走进花园,吩咐在大葡萄架下开晚餐。老人摩挲着黄金大挂表走向玫瑰花丛。

他弯腰嗅花香,并用手指弹掉倒挂在枝上的败叶,满意新洒的水,跨过湿润的草地向金银花坛走去。他不愿大儿子去南京,并且怀疑媳妇,觉得他们在为了奇怪的原因争吵;他沉思着。他穿过假的山洞,皱眉凝视着另一道假山后的松林,松林顶上照着落日底金红光。他底眼袋下露出忧戚的皱纹。这种表情是很少让别人看见的。

最近的楼阁旁有孩子们的叫声和冯家贵底苍老的、快乐的笑声。他笑得像叫。另一处,水仙花坛旁有男子底愉快的、沉思的话声,老人听出是王定和和蒋蔚祖。老人在花丛中,向葡萄架走去。

王定和对蒋蔚祖很诚恳,他爱他;王定和不曾对别人这样。显然他们在密谈,花底浓香,湿润的晚风,近处小孩们底游戏声,松林和楼阁上照耀着的红光——江南底黄金般的黄昏给了他们底谈话以深刻的诗意。

蒋蔚祖倚在一株柔软的槐树上,抱着头,以微笑的、忧愁的眼睛看着王定和。王定和卷起衬衣袖子又抹下——反复着这个动作——轻轻地在草地上徘徊着;嘴部有固定的微笑,眼睛看着地面。这是自信的男子特有的姿势。

"啊,我底目的不在这里。我可以说没有目的,况且我做事,而不喜欢空洞地追究……"他沉思地微笑着,在草地上弯腰跨大步。"听,婆婆鸟,啊!"听见布谷鸟底叫声,他抬头,抹下衣袖,愉快地看着蒋蔚祖。

"还有一种雀子,在这种时候……"

王定和忧戚地摇头。

"我不懂雀子;除非住在苏州……你没有什么不舒服吗?"

"我,我很好。"蒋蔚祖回答,好像这个美好的黄昏要求他这样回答。

他们原来在谈蒋蔚祖去南京的事的,但他们忽然谈了这些;好像是,假若不是在这种可惊羡的黄昏里,他们便不会谈这些。

"那么你作诗吗?"王定和笑,弯屈左手。

"我拿给你看好不好?"

"不,现在不看。他们说少祖要做官了,但是靠不住。老人近来提他吗?"

蒋蔚祖未答,他未听清楚。他摇动身体,使槐树抖出愉快的声音,并且发笑。

"苏州,啊,"王定和说。蒋蔚祖点头。

楼顶上的霞光消逝了。空气澄明洁净,金银花呈显出素淡的惆怅的白色,王定和惊羡地看它们,觉得它们在白天里是没有颜色的(他在白天里并未注意它们),而只在现在才有颜色,这种白色,愁苦的、羞怯的白色。有妇女在花间走过,发出话声,话声特别嘹亮。这种黄昏,好像一切都是孤独而自由的,但是彼此爱抚而和谐。小孩们底声音听不见了,鸟雀在幽处啼鸣。树木和花丛底阴影丰满了,一种幽微的哀感和渴慕散播在空气里。从幽暗的叶隙间可以看见天上的最初的星。楼宇底暗影里,假的溪流闪着白光。

"啊,老人老人! 这是他底天堂呢! 我明白你们蒋家!"王定和讽刺地说,愉快地笑了出来。

蒋蔚祖离开槐树,轻轻地叹息,温柔地笑着。他整理白绸短衣,向金银花坛慢步走去;听见近处花丛里的妇女底喊吃饭的叫声,他站住。

王定和以令他吃惊的快步走向他。

王定和卷起衣袖,抓住他底手臂,匆促地微笑,露出牙齿,并且舐嘴唇。

"这对你说或许很有用,我相信,你要想一想;是你负担蒋家,不是我,太太底意见有详细考虑的必要,你太痴情,蒋家底痴情,而我们是……是外人,到时候只有你们自己!"他含着某种激燥顿住了。他抓住蒋蔚祖底手臂,凝视林木;"对于你们夫妻,外人没有资格说话,但是我看得见,……啊,你去南京,留老人一个人在苏州,并无不可。财主大少爷去做小事,可以的,这是现代的社会,我们是现代人!但是素痕说去读书,要学法律,我不能了解!她父亲是律师!"他说,放开妻弟底手臂,离开一步,严肃地看他。

蒋蔚祖忧郁地注视王定和很久,冷淡地摇头,向小路走去。

"到南京……再看吧。"在花丛中他说。

亲戚们对蒋蔚祖谈及家庭事件时总是用这种调子,好像他们在表示,虽然很同情,却不能负责,一切都在蒋蔚祖;但蒋蔚祖还不是主要的,主要的是金素痕,他们表示对蒋蔚祖底婚姻很惋惜。这种态度在愈亲近的人身上便愈明显,好像蒋蔚祖是小孩;他们说:"你要决定一切!"接着他们叹息,用叹息表达其余的。蒋蔚祖很厌恶这个。蒋蔚祖是无条件地,满意自己底婚姻,热爱金素痕。

蒋蔚祖在他和金素痕底关系里表演着一种单纯的,情热而苦恼的恋爱,这是命运给单纯的男子在遇到第一个女子时所安排的,他在那个女子身上发现一切,他觉得她是不可企及的,他觉得,他将完全幸福,假若这个世界上除了他们以外没有别人。

走近葡萄架,和看见明亮的纱罩灯同时,听见了金素痕底豪爽的笑声:傅蒲生在和她说笑话。傅蒲生搔着头,说了王桂英底故事,但未提蒋少祖,并不停地偷看老人。老人坐在大籐椅里,手放在膝上,脸上无表情。

仆人们站在座位后面打扇,驱赶蚊虫。葡萄架底阴影里有某种不确定的,魅人的香气。有几串葡萄从浓叶中沉沉下坠,显露在灯光里。金素痕发出笑声,老人悠闲地抬起眼睛来凝视着葡萄。

"蒲生告诉我桂英,啊!"王定和和蒋蔚祖走近时,金素痕温柔地说:"你底这个好妹妹和你一样,我愈想愈真!"她伸手取筷子,忍住微笑,嘴部可爱地突起。她底嘴部表情暗示这个故事里面还有某种她因为礼节的缘故不愿说出的秘密;但她底眼光却宣布了这个秘密。她闪动白手,金戒指在灯光下闪耀。

"去南京我要问丽英!她说安祺儿!她藏起她,啊!"她侧头,向蒋蔚祖说。

蒋蔚祖拘谨地微笑,看着父亲。

"要是没有这个宝贝,这顿饭要吃得多不舒服啊!"傅蒲生想。

"吃,啊!"老人以洪亮、淡漠的声音向女婿们说,用筷子点菜。

吃饭的全部时间里老人未再说一句话,金素痕则谈论不歇。两位客人很为难,他们不知道是否该赞同她,因此不时看老人。这种困难,是来蒋家的亲戚们时常要感到的。

饭后,仆人撤去碗筷,老人捧起水烟袋,淡漠而安静地环顾大家,然后抬头凝视下坠的葡萄串。他底这个动作表示他要说话了。他用小指底长而弯屈的指甲剔牙齿,弹出声音,并咳嗽,大家知道这个咳嗽是故意的。

"你们,明天走吗?"他用哑的、疲乏的、苍老的声音问。然后咕咕地吸水烟。

显然他要用这种声调和态度造成一种严厉的印象,封闭金素痕底伶俐的嘴。大家沉默着,听见仆婢们打扇子的声音。老人继续吸水烟,未抬眼睛。

他抬眼看着葡萄串,额上露出皱纹。

"爹爹，不要让他们明天走，留他们玩，啊！"金素痕忽然活泼地说，倾身向老人；她底态度是那样的自然而亲切；王定和了解地微笑了，凝视着老人。

老人垂下眼睑，在膝上弹手指。显然他在忍耐。

"爹爹，我想起一件事，"金素痕说，微笑着。

"素痕！"蒋蔚祖焦灼地喊，企图制止她。

"啊……"金素痕斜眼看他，但微笑着起立，"我就来！"她说。

老人做手势制止她，她笑，重新坐下。

她底态度时常令人惊异，因为老人底忍耐底限度是很小的。但她很自知；她底态度很和谐。她惯常用这些态度来破坏老人所造成的严厉的印象。并自觉有把握。她明白了，老人有几百种理由要打翻她，但有几千种理由要对她忍耐。

老人两腮下垂，在膝上弹手指。

"你们，明天回南京吗？"他重复地问，用同样的声调。

"是的，"王定和回答。迅速地霎眼睛。

老人沉思着。

"田租的事，冯家贵交给你，你清理过了吗？"他问蒋蔚祖。

"清理的。"

"有多少欠的？"

"大概……五百。"

老人沉思着。

"阿顺怎样？"

"他睡了。"金素痕回答。

老人轮流地，迟缓地问了这些，忽然皱眉环顾大家。

"我刚才想过，战事不会结束，中国人底灾难要来了！"他猛力握紧椅臂，抬头看天。"你们有力量负担吗？"他低沉地问，环顾男子们。

王定和，不知因为什么原故，胸中发生了庄严的微颤。他在他底同辈，所谓现代人中间还不曾听到用这样的声调问出的这样的话，而他是有这种渴望的。这是这样的：假若傅蒲生此刻也

071

感到这个,那只是因为受了这种情绪的感染,但王定和却觉得从老人汲取了力量。

王定和底表情强烈而深沉,他严厉地沉默着。

蒋蔚祖皱眉。

"那么蔚祖,"老人说,停住,等待儿子底视线,"你要去南京吗?"

蒋蔚祖看着他,不回答。

"你应该自己说话!"老人用重浊的声音说"自己"这两个字,然后宽恕地微笑。微笑即刻消失了。

蒋蔚祖坚持不看金素痕,但感觉到她底视线,并觉得这视线是热烈的。

"你要去读书?"老人忽然问媳妇。

媳妇笑了。

"不一定。看爹爹底意思。爹爹觉得怎样?"

"啊,啊,哼!哼!"老人说,然后站起来,向蒋蔚祖挥手,走出葡萄架。

"你们看,"老人和儿子离去后,金素痕坐到大籐椅里去,活泼地说:"爹爹底脾气多怪呀!啊,苏州真闷,我投错了胎!"

"你是才智双绝的。"王定和含着不可渗透的微笑恭敬地说。

"开玩笑,你这个人!"金素痕挥鹅毛扇,挺出胸部,大声说。

"我昨天读了《少年维特之烦恼》。我在苏州读这种书!"她笑出声音,一种幼稚的表情出现在她脸上;"蒲生,请你给我摘一串葡萄!"

傅蒲生愉快地抛去香烟,跳上桌子。

"我要一瓶酒!"他站在桌上向仆人们大声说,然后摘下葡萄来。

"这个夜多么美啊!"金素痕右手接葡萄,左手罩在纱灯上,含着惊愕的、有些天真的微笑向王定和说。王定和仰在椅子里吸烟,点头,并且微笑了。

蒋捷三心情焦燥,在郁热的房里,在笨重的家具间大步徘徊着,教训儿子。

"你坐,"他说,"你坐下听我说。你听了就忘记了,你要想想,没有多少时间让我们糟蹋,我是老年!……"他看了儿子一眼,"你又要去南京吗?啊!少祖给你出的主意还是定和?"他急剧地挥手;"少祖混得不错,小流氓,好,好!哼!哼!他要参加打仗,你是他哥哥,比他大一岁,你要教训他!"他在桌前站下来,喝茶,然后露出迟钝的表情。"那么,是素痕底主意了?"

"我自己的主意,爹。"

"不希奇,不希奇!你底老婆要读书,骗子!呆子!"他恶毒地笑。

蒋蔚祖恐惧地看着他。

"你底老婆多漂亮!你就黏住她一生,她比你高明!"

"爹!"蒋蔚祖摇手,痛苦地说。"不是我自己结婚的!"他庄严地说。

"胡说!"

蒋蔚祖凝视地面,闭紧的嘴部痉挛着。

老人徘徊着。

"淑媛,你们!"他说。"电影好看,牌好打……秦淮河有花灯!"老人出声思索,然后背手在敞开的大窗前站下,沉默很久。窗外,密叶丛底深邃处有灯光。凉风吹动老人底白印度绸衫。"那么,你是死心塌地,你去吗?"他用老年的声音问。

"啊,才歇了半年!下关的房子是为你买的!那时候你为什么又要回来?"①

蒋蔚祖怀疑地看了父亲一眼。

"你去,好!"老人用威胁的大声说。老人承认了。形势是很明显的,他无法把他底大儿子,他所最爱的大儿子留在苏州。"动乱的岁月吸引……"他说了这一句,走至榻边,坐下,脱下鞋子盘起腿,然后垂着头。

---

① 初版本此处未独立分段,与上一段连在一起,据再版本改。

他开始用一种安静、忧愁、寂寞的声调说话,眼角聚起松软的皱纹。

蒋蔚祖忧伤地凝视着父亲,注意他眼里的柔软的光辉,逐渐露出深沉的、凄凉的、聪颖地理解人世的表情。他在桌边托着腮,点头,并且叹息。老人说完,他以女性的姿势从桌上滑下手臂,大声叹息。这个叹息表示,他一切都了解,但事情常常是两难的。他底离家是不可避免的。父亲底孤独和痛苦,妻子底热情和愿望,他自己的需要……这一切,都是不可避免的。

听见他底叹息,老人向他凝视了几秒钟。希望和老年的孤独在挣扎,并且受骗,这个时间于蒋蔚祖底善良软弱的心是痛苦的。但老人忽然跳下床,燥急地穿上鞋子走向他,不给他以吃惊或理解的时间,伸手抓住了他底两臂,把他从椅子上拖了起来。

老人底腐蚀性的热气喷在他底脸上。

"那么你说。"老人说。

蒋蔚祖下颚打颤。

"姐姐过生我去。秋天回来看爹爹。"

"你要钱,我给你!"老人大叫,推他坐下,跑向窗户。

"当心老婆拿钱买胭脂……"老人愤怒地说。

"我自己会支配自己的……"蒋蔚祖痛苦地,柔弱地说。

老人沉默着,看着天。

"那么,我问你,"他说,"你们昨天怎样吵架?说一本书,什么书?"

这个争吵是这样的:蒋蔚祖发现了金素痕底《少年维特之烦恼》,发现那上面有谁的题赠字样,于是偷看了这本书,并且把它藏起来。金素痕在他底书房里找回了这本书,晚上夫妇间便口角。蒋蔚祖发怒,声明自己不去南京;但最后他哭了,求妻子饶恕他。这是这种致命的爱情底特色:这个男子所希望的并非饶恕,而是怜悯,他永远如此。

蒋蔚祖脸色苍白,看着父亲,然后垂下视线,摇头否认。

"哼!哼!去罢!"老人焦灼地说。随即他喊冯家贵。冯家贵带着那种与老年的身体不相称的活泼的态度(他总是如此),跑了进来,然后跑出去,往后院喊姨娘替老人烧烟。

"啊,你在苏州住一个月看,假若你不相信。并且我警告你……"蒋蔚祖在门廊外遇见金素痕和客人们;金素痕微醉地,娇媚地高声说:"你不大会相信这种生活除了六十岁的老头子……"看见丈夫,她微笑地止住,并且站下,站在树影里,厢房底灯光照在树上。傅蒲生肩着上衣,脸上光辉焕发,浮着快乐的幸福的微笑。

树影落在金素痕身上。她是多么可惊——那样美丽!她底头发凌乱地下垂或蜷曲,遮住她底洁白的前额。她底白手抱在丰满的胸脯上,显然是快乐而故意地,并且很精细地,做出那种微微吃惊的姿势。她兴高采烈地笑着,不想掩饰她底快乐,并且显然企图把这快意分给别人。蒋蔚祖惊讶而阴郁地看着她,最后把眼睛停留在她底赤裸的手腕上。

"你们喝酒?"他问王定和。

"蒲生负责!"

"对,我负责。怎样,禁止?"

"对天发誓!"金素痕笑了起来。

蒋蔚祖眼睛闪烁。他点头,走过他们,举手蒙住眼睛,走入槐树丛。

他向他所遇到的第一个仆人要一壶酒,兴奋地念着诗,跑过假山,跑到荷花池边,盘着腿坐下来。他高声诵诗,猛烈地喝酒。荷叶和荷花在静夜里散发着浓郁的香气,这香气和酒,和内心底惨痛混在一起,以后他永远记得。

第三章

一

在南京的蒋家底人们,在他们底亲戚和朋友中间是很容易识别的。熟人们喜欢谈论蒋家,酷爱对于蒋家底未来的命运的任何暗示,并编造和夸张它们。这不是没有原因的。蒋家底人们是呈显出那样斑斓的色彩,他们是聪明,优美,而且温柔多情;如傅蒲生所说,他们是"苏州底典型"。蒋家底女性是很自知的:她们相互间那样亲爱,她们无时不表露出她们底高贵的教养,并且,在她们底互相的爱抚里,是流露出一种对未来命运底高贵的自觉:她们要协力分担一切打击和不幸。因此人们很容易在很多人中间辨认出谁是蒋家底人。他们底令人注意还有一个原因,并且是很重要的,这就是京沪沿线底庞大的财产。

因为这个原因,蒋家底人们底各种表现和活动便鲜明起来了。照耀在财产底光辉中的,老家主底可敬的生涯和性格,金素痕底女性的英勇主义,或者野心,蒋蔚祖底软弱,以及蒋少祖底沉默,随时绘出关于蒋家底未来的命运的强烈的暗示,而蒋家底姊妹们在这中间所做的温柔的奋斗,是最令人感动的。

金素痕在蒋淑媛三十岁生日前来南京,但并非为了蒋淑媛底生日,而是为了进法政学校,并在南京长住下去。这件事令熟人们激动。蒋家底熟人们对金素痕总怀着戒备或敌意,他们认为这是由于金素痕是,用他们的话说,罪孽深重的女人:说这句话时他们总带着古怪的,但天真的嘲笑,好像他们觉得这句话是一种对大家的宽恕,或他们自己也并不相信这句话似的。

他们对这件事是这样看的:第一,来南京决非蒋蔚祖底意志,金素痕骗他出来,为了向老人要钱;第二,长久住南京,就可以用老人底心爱的大儿子来威胁蒋家,攫得田地房产;第三,南京底场面于金素痕是必需的:她在南京有情人。

这个判断直到蒋家底第三个女儿蒋淑媛生日那天为止还没有让蒋家姊妹们知道。她们之中,除了雍容华贵的蒋淑媛,是没有一个人注意什么判断的。她们是在全心全意地、怜爱地注意着她们底蒋蔚祖,反复倾诉,询问苏州,询问神秘的后花园;她们只在没有提及金素痕的可能的语势里才询问,蒋蔚祖究竟为何来南京住。蒋蔚祖回答说找事做,但她们摇头;她们不相信,并不能忍受这种委屈。

并且蒋少祖夫妇来南京,出现在他们中间,也是一件意外的事,虽然事前打了电报和写了无数的快信去,但大家肯定他们是不会来的;从日本归来后,蒋少祖就不曾来过南京。大家都说蒋少祖完全变了;大家觉得他以前是忧郁的,但现在却洒脱而欢乐,很欢喜说笑话。蒋少祖的确这样,他有这种性质,且这是一个从艰苦的事业里回到家庭,感触到那种温存和抚慰的男子所常有的,他们要尽可能地享受这个短促的休息。主要的,他们回到这种家庭里,觉得一切都良好,全无责任感;他们用虚假的允诺欺骗别人和自己,有时并承认这种虚假,露出嘲讽的微笑。

蒋少祖含着特有的愉快表情出现在这一部份熟人们中间。这种愉快是自觉的,它好像在说:"你们看这个蒋少祖吧,他在风险里获得了最初的胜利,你们底担忧和预料都错了!他现在回来,因为他高兴这样……假若他有愁苦,他也决不在你们面前表露。他底愁苦属于另外的世界,而对这个世界,你们是完全无知的。但我高兴你们底这种无知。没有力量的人需要愚昧。是的,完全是这样,很可怜,但是很欢快,"这种表情说,"你们享乐吧。"

常常是这样:人在自己底生活里扰乱地苦斗的时候,觉得自己差不多完全失败了,于是他心境阴沉,蒋少祖在一·二八以后两个月便是如此。但假如他由于某种机缘,离开了自己底生活位置,暂时离开那种关系,那个空间,而走进另外的生活,属于可骄傲的回忆的,但自己对它已卸脱了一切责任的生活,看见那些熟悉的,可爱而可怜的人们——在这种时候,他便经历到一种情绪,胜任愉快地回顾到自己刚刚离开,且即将回去的那个关系,那个空间,而觉得有力量,觉得自己底力量是生发在强固的基础上的,并觉得自己是完全胜利的了。

来南京,这种可贵的心情,于蒋少祖几乎是一种必要,他决定不想任何东西,不批评,天真地度过这几天。

但某种焦虑和惶惑藏在下面,虽然他努力压制。这是由于对王桂英的感情。在那个可纪念的,奇怪的晚上的第二天,王桂英便失望地回南京,以后几个月便一直对蒋少祖守着沉默。不知为什么,蒋少祖觉得这个沉默是不妥的。在蒋少祖底回忆里,那个晚上是可怕的,他觉得在那个晚上他做错了一些事。他希望补救。

在一・二八当时,蒋少祖满意在接到王桂英底来信后和她来上海后自己所感到的和所表现的,他认为那一切全是由于他底意志力;只在最后的晚上他感到惶惑,但那个惶惑被洒脱的态度和后来的英雄似的情绪所遮掩,他自己未曾特别考虑。事情过去,这个惶惑留下了,且那样深刻,蒋少祖含着一种不确定的痛苦明白了它。最近两个月,在王桂英底愤怒的沉默里,他不时想到那个晚上,明白了自己底限度,并且明白了自己在那个时候所怀的玩世不恭的恶意,——他觉得是这样——深深地感到不安。

王桂英沉默了,于是蒋少祖觉得自己对她是有罪的。他希望能有机会说明,并且赎罪。但显然这个说明和赎罪只在某种模糊的爱情希望里才有意义。

这是蒋少祖来南京的隐秘的目的,在现在他不复觉得自己在欺骗妻子;他认为这正是对她诚实,显然他觉得假若自己对王桂英的感情不固定,他才真的欺骗妻子。一个家庭有很多困难,很多风险。陈景惠善良,爱好表面的奉献,——她不能理解他底心,使蒋少祖深感痛苦。他能在这里找出对王桂英的爱情的原因。这种持久的爱情令他吃惊。蒋少祖还年青,有才能,和这个时代的这些进步青年们一样,企求过一种强烈的、壮大的、英雄的生活。他们还没有获得基础,但认为别人也并未获得,——认为中国还没有任何强固的基础,因此强烈的英雄主义将启示光辉的前途。

陈景惠极渴望来南京,极渴望和丈夫底优美的姊妹们会见,她久已知道她们,但尚未见过。她觉得只要会见她们,被她们理解,她底生活便毫无遗憾了;并且她底家庭便显得更坚实了。

做生日的前两天,王定和派人去苏州接老人和姨娘,老人拒绝了。老人说:生日没有什么了不起,无需铺张,蒋淑媛很痛心,要亲自去苏州,但被丈夫劝住。

蒋淑媛做生日的前几天,未出嫁的、忧郁的、生肺病的二姐蒋淑华从洪武街的母亲底老宅带着精致的玫瑰花束来玄武湖畔看妹妹。蒋淑华最近曾因病去苏州,去时充满忧郁的诗情,但只住了四天;她痛苦地发觉自己不能忍受老人。回来便未出门,未和因生日忙碌的妹妹见面。她们在黄昏的忧愁的台阶上见到,互相凄怆地笑着,好久不能开口说话。

"我昨天本要来看你,秀菊说你还发烧……"肥胖的,穿戴华贵的蒋淑媛说;"你还烧?"她用手背轻轻贴姐姐的额角,然后她踮脚,用肥胖的面颊去接触。

瞥见姐姐左手里的用绸巾包扎着的花束,她闭紧嘴唇,摇头,然后责备地叹息。

蒋淑华忧愁地微笑着,小孩般皱起嘴唇,轻轻地解开花束。

她高瘦,穿着宽大的白衣。她用她底特有的明亮的眼睛看妹妹,然后向里面走。

蒋淑媛困难地,快乐地跑进房,打开饰着华美的彩罩的壁灯,然后到镜台前取花瓶。蒋淑华放下精致的玫瑰花束,理好了宽大的白衣坐下来,以忧郁的女子所特有的静止的视线看着妹妹。这种视线使幸福的妹妹不安。她们中间常常这样,妹妹兴奋,企图将欢乐分给姐姐,但姐姐却疲乏而忧愁,使妹妹遗憾,憎恨自己。

蒋淑华侧头靠在左臂上,伸右手抚弄花叶。

"你都弄好了吗?"蒋淑华问,指生日的事。

"忙,头痛。"蒋淑媛嗅花,透过花叶瞥了姐姐一眼。姐姐阴郁地静默着。蒋淑媛沉思,然后想起了什么似地走进后房。

"是的,我要告诉她。我非要她答应不可。"她在后房的桌前坐下,兴奋地想。

她所想的是如下的事:最近表妹沈丽英向几个亲近的人提起了蒋淑华底婚事,因为她们不能看着她永远地孤独忧伤。对象是沈丽英的表亲,一个在海军部供职的性情极好的男子。她们认为这于蒋淑华是最后的,也是最好的。蒋淑华错过了一切机会,因为大家庭底女儿找寻对象有时特别困难,因为老人最初宝贵她,骂走一切求婚者,最后又和她决裂。三年前她便到南京来住,染了不幸的病,变得销沉。青春底最后几年,这些漫长难耐的日子里,她底唯一的寄托便是做诗,以及跟在苏州的大弟弟写很长的信,她和老母亲住在一起,但她于幼小的弟妹们才是真正的母亲,她照料他们,给他们钱,替他们做衣服。她底这种生活是姊妹们底最大的痛苦,她们在她面前觉得有罪。她们希望看见她欢乐,否则就看见她发怒,但她从不这样,她永远带着那种艰苦的温柔,那种高尚的安命态度出现在她们中间。大家都知道,假若她有悔恨的话,便是悔恨她和父亲底冲突。这是很奇怪的,父女间在最近数年从未和好过;这次回苏州显然又失败了。但她从不说这些,并且老人也不提这个,仿佛他们之间存在着某种惨痛的隐秘。

蒋淑媛在后房兴奋地思索着这些,把白而肥胖的、戴金镯的手臂平放在桌上,严肃地凝视着前面。

"今晚没有别人来,这最好,我要跟她说!"她热烈地想,"假若她不肯,我要想法子! 不,决不会不肯!"

她站起来,坚决地皱眉。她向外走,但又站下。

"姐姐,你到后边来好吗?"她喊。

这件事大家并未派给蒋淑媛做,大家是派给老姑妈的。但她现在觉得这是她底责任。她做这个也的确最好,因为在态度底坚决和机智上,她超过任何人。她在床边坐下,果决地看前面,然后露出悲苦的、严肃的表情。

蒋淑华走进来,坐在椅子上,环顾摆设华丽的周围,向她微笑,这个微笑,没有任何意义,但蒋淑媛认为有意义:她明白姐姐对一切幸福的家庭的谨慎态度。蒋淑媛有时对这种态度很不满。

"我问你,姐姐,你坐到这里来,"她要她坐在自己旁边;"苏州还是老样子吗?"

"蔚祖弟怎么说?"

"蔚祖说——但是他会说胡话。"蒋淑媛说,笑了一声。

姐姐露出忧戚的表情。

"蔚祖要做事,也好。"

"不,不好,姐姐。我们蒋家没有一件好事!"蒋淑媛坚决地说。

"你身子好些吗?"她又问。

"好些。你看见素痕没有?"

"她?"蒋淑媛冷笑。但即刻露出深的悲戚,表示在这种谈话里,这个她是不应该被谈及的。蒋淑华疑惑地看着她,同意她底悲戚,含着几乎不可觉察的忧伤的微笑站起来,轻轻地摩擦手掌。

"姐姐,你坐下。"蒋淑媛亲爱地唤,"有一件事和你谈,你看见过汪卓伦那个人吗?"

"哪个汪卓伦?"蒋淑华不关心地问。

"在海军部做事。姑妈底外甥。啊?"

"他怎样?"

"他是多么好的人,为了父亲,一直没有结婚。我们想做这个媒,你一定要不要叫我们难受。因为你不晓得我们多么替你难受,一天一天地,你自己当然也觉得。啊,汪卓伦是多么好的人!"她迅速地说,有了眼泪。

蒋淑华低头抚弄手指,然后阴郁地笑着。

"你看见过他吗?"

蒋淑华不答。于是蒋淑媛凑近她,握住她底手;开始向她用秘密的、烦恼的低声说话,只有妇女们才能这样说话,蒋淑媛几乎没有再说什么具体的东西,但她表达情感,蒋淑华也觉得妹妹说得很多,很中肯,因为她需要这种融洽的情感。

于是蒋淑媛条理分明地说了她们底蒋家,说了弟弟妹妹,说了父亲。最后她又说到汪卓伦。说到汪卓伦时,蒋淑华忽然露出特别阴郁的表情;因为她感到所提及的这个人与这件事和她底被前一段谈话引起的对苏州的诗意的回忆和对父亲的温柔的悲伤不适合。蒋淑华在孤独和近两年来的诗生活里培养了一个美丽的理想,且对这理想很积极;她企图在一切亲近的人里面实现它。这个理想是很难说明的,但它在回忆里存在。在忧郁的孤独的女子所特有的温柔而痛苦的感动里存在,在小孩们底笑声,杜宇的啼鸣,落日底霞光,潦倒的旅客等里面存在。

蒋淑华实际上还是那样地单纯,比她面前的这个妹妹单纯得多,她这次和父亲底冲突就是为了她底理想:父亲冷淡地抛开了她采给他的花。当然,老人不懂这个,老人觉得花原是在枝子上生长的,因为留在枝子上比采下来好得多。

蒋淑华理想一个纯洁而温柔的大地,像杜宇那么悲哀甜蜜,像落日那么庄严华贵。即使她有家庭底渴望,她也不愿别人提起,因为别人所提起的,总是一幅庸俗的图画。

她阴郁地注视着地面。

"姐姐,你不曾想到你需要一个家庭?一个归宿?"蒋淑媛温柔地、安静地问。然后紧闭嘴唇,露出坚决的表情,表示一切都决定于这句问话。

"一个归宿?淑媛,一朵云,一只雀子,它们不想到这些。前天我回来,站在江边,在月亮下,江水在月亮下流着,而一只小船漂开了……"蒋淑华用凄凉的小声说,垂着眼睛。

蒋淑媛习惯地眯起眼睛,坚决地摇头。

"那么,姐姐,你要同意我们。你同意了,啊?"

姐姐抬头,向她兴奋地、迷惑地笑了。这种表情蒋淑媛已好久未从她脸上看到。

"姐姐,姐姐!"蒋淑媛热切地唤。

蒋淑华凝视前面,眼睛明亮。她想起这个汪卓伦(她半个月前还在沈丽英处见到他),觉得这是不可能的,但同时感到希望和恐惧。她底面孔发热。

"你答应吗?"

"我?不,我不!……"她底唇打抖,"命运,人不能做主!"她站起来走向桌边,突然她哭,举手蒙住脸。她恐惧地想到在月光下漂离江岸的那只陌生的小船。

蒋淑媛感到自己是胜利了,走近去安慰她,然后觉得她需要哭一哭,谨慎地离开,喊仆人开晚饭。蒋淑媛是并不懂得那只在月光下漂离江岸的陌生的小船的。

蒋淑媛为生日忙碌,希望尽可能地节省,又希望最漂亮。她是蒋家底女儿们中间最有主妇才能的一个。她坚强,她吝啬,但爱漂亮,这个她处理得很好。蒋淑华觉得做人是艰难的,因为这是一个忧郁的、不洁的长途;大姐蒋淑珍觉得做人是艰难的,因为家庭很苦恼,因为丈夫不忠实,主要的,因为她软弱,她底无穷的慈爱时常白费;年轻的妹妹蒋秀菊觉得做人是艰难的,因为世界上好人太少,因为摆在她面前的东西是那样多;蒋淑媛觉得做人是艰难的,则因为在现实的家庭和社会里一个被人注意的女子太难取胜。太难恰如自己所希望的,同时又恰如别人所希望的那样生活。

在丈夫从上海归来前,她找厨子,配菜,发请贴,修饰庭园。其次她应付送礼者,坐车出去看亲戚,并和次长夫人打牌。她过惯那种悠闲安乐的生活,在日常生活里一切都有规律,无需怎样操心,但这次的忙碌是特殊的,且不时激动,因此她显著地消瘦下来了。宴客前两天的下午她未出门,因为王定和说好这个时间回来。她等得有些焦燥,露出怒容,穿着拖鞋在房里乱走。

住宅临近玄武门,从楼上的窗户可以看见城墙。宅后是植树区,大块丘陵上稀疏地栽植了矮小的树苗。左边是停车场。这个地带是南京最好的住宅区之一,周围几十丈见方原来都属于蒋家,但后来除了这座住宅底基地以外都被市政府买去了。楼房是四年前这对优秀的男女结婚时建筑的,王定和很爱它,因为它唤起一种可贵的满足和激励,这种心情是只有一个经历了风霜,有了自己底建树的男子才能理会的。楼房周围建设了西欧式的花园。楼窗全部装饰着印度绸的绿窗帘,夜晚灯光在空旷里照得很远;假若窗帘下垂,就显得神秘而美丽;一种柔和的、寂静的光漂在花园里,漂在整齐的杨树和草地上。

王定和自己有父亲留下来的房子,位在玄武湖正面左边的林木深邃的村落里,他嫌它地势不开朗,便没有翻修,现在留给弟弟和妹妹住。但这个房子却被蒋家姊妹们爱好,她们时常去那里,游湖,并和王桂英做一些妇女们所喜爱的游戏。这房子埋在果树丛中,低矮而开敞,果树丛里杂草茂生,整个夏季漂浮着那种为果树园所特有的甜美的浓郁的气息;夏末和初秋,果树看守者来往巡梭,企图捕捉那些行窃的学生们,而熟透了的果实发出沉重的声音,在炎热的空气里落入草丛。

王桂英被大家叫做安祺儿,叫做检果子的女郎,后来便叫做检果子的。她时常带果子给蒋家姊妹们;她在附近教小学,和果园主人相处得很好。

在蒋淑媛焦燥地等待丈夫的时候,王桂英戴着大草帽,捧着桃子跑了进来,在台阶上大声喊嫂嫂:有两个桃子滚下来,她放下其余的,蹲下去检它们。她穿着白花布衣裙,在草帽下有晒黑的、健康的脸,她底头发很乱。

蒋淑媛喜爱她,首先就因为她好像总是在恰当的时候来到,带来生气。蒋淑媛穿着绣花拖鞋疲倦地走出来,疲倦地微笑着。

"桃子,啊,"她打呵欠。说。

"听说你们跟淑华姐姐做媒,她,"王桂英卷起草帽用力搧脸,说,"啊!"于是她无故地发笑,跑到桌前去播弄桃子。

"梨宝,梨宝呢?"她问。梨宝是蒋淑媛底五岁的男孩。

"他睡觉。桂英,天气好困人!"

蒋淑媛没有提起跟姐姐做媒的事,没有问王桂英怎么知道的。她在王桂英面前总很愉快,但很少谈他们所谓正经事。这好像表示,对王桂英底生活,她是不大同意的,但这并不妨碍她们中间的愉快。

她们简单地谈到天气,后湖洲的故事,以及南京底各种离奇的纠纷,然后王桂英抓了两个桃子,跑上楼去睡午觉。

王定和和蒋少祖夫妇同车到南京,他们并且在门口下汽车时遇到蒋蔚祖和他底高傲的、美人的妹妹蒋秀菊。陈景惠立刻走向蒋秀菊,被她底美丽惊动,红了脸大声说话。蒋秀菊打量她,然后看了二哥一眼,灿烂地发笑。蒋淑媛穿拖鞋迎出来,于是在台阶上发生了妇女底愉快的、生动的话声。

蒋少祖站在旁边,露出恭敬的、微讽的表情看着她们。他底表情说:"你们包围了她,但她是我底太太。怎样,你们使我站在这里?但我高兴。"

姊妹间已两年未相见。但她们被兴奋而脸红的陈景惠惊动了,一时忘记了蒋少祖。这是很奇怪的,她们没有在心里替这个蒋少祖准备,她们并且好像觉得和蒋少祖谈话是很困难的。在她们底记忆里,蒋少祖是非常阴郁的,因此现在她们不知道怎样才能够适应他。

蒋淑媛最先向蒋少祖走来,脸打颤,笑着。

"弟弟,弟弟,你忘记了我们这些可怜的!……"她高声说,流出了愤恨的、甜蜜的眼泪。

蒋少祖感到强大的幸福,他未曾料到在这里得到这个的。于是那个温柔的、聪明而天真的蒋少祖在姊妹们底注视下出现了。

"啊,是的!"他说,看了年轻的妹妹一眼,她站在陈景惠身边,脸上有稀奇的严肃。他看她,觉得才看见她。她底美丽和精神底表现令他吃惊。在他底记忆里她仅仅是一个胆怯无知的女孩。

他们发出欢快的脚步声走进房。

蒋少祖脸上有了微讽的、幸福的笑容。他精神焕发地看房内,点头和摇头,并且无故地向哥哥发笑,好像说:"是的,我料到是这样!"

他跨着优美的、柔韧的大步走到桌边。妇女们在谈话。王定和上楼换衣服。蒋蔚祖坐在愉快的、单纯的姿势里,不时拘谨地瞥陈景惠一眼。

蒋少祖在桌边伏下来,抛开手边的火柴,支着面颊,愉快地看着哥哥。

"怎样,嫂嫂来南京了吗?听说你要做事?"

蒋蔚祖沉思地笑着。弟弟底话显然只是因为愉快,并无分担愁苦的意思,但蒋蔚祖却觉得弟弟理解他,只有这个多年远离的弟弟理解他;用蒋少祖这种声调说到自己底事,蒋蔚祖几乎还未听见过。所有的人都几乎是带着深重的忧愁和神秘说到这件事,他们提出责任,并加重责任,把它架在他,蒋蔚祖肩上,但这个弟弟底话句里却全无这个,这是使他感到意外,并且乐意的。

他决定找一个机会向弟弟倾诉一切。他觉得只有弟弟理解他。

他眼睑微颤,暂时未作答。忽然他动情地笑。

"这几年你干了些什么?"

"我吗?"蒋少祖笑。没有具体答复哥哥,转向妇女们。

"妹妹,我问你,"他愉快地大声说,"你读汇文吗?"

妹妹愉快地笑。

"你信基督教吗?"他快乐地问。

蒋秀菊脸红,眼睛明亮。

"少祖,秀菊是若瑟。"蒋淑媛高声说,"她受洗的名字是若瑟!"

"若瑟?"

美人脸更红,用小手巾掩脸。

"若瑟吗?"陈景惠欢乐地说,抓住蒋秀菊底手;"我有一个朋友叫做玛丽。马大拉底马丽。"

蒋少祖又转身,带着那种为年青的男子所特有的肉体的愉快转身,抓起桌上的王桂英底有蓝色丝带的草帽来,用它掩脸,同时愉快地、无意义地看着哥哥。

王桂英醒来,无故地感到颓唐,感到夏日的荒凉和空虚,像无故地感到那种年青的、佻激的、粗野的生之欢乐一样。她理头发,最后又忿怒地把它弄乱,疲乏地走了出来。在门外遇见用手巾揩脸的哥哥。她没有说话,继续向前走。

"桂英,"王定和用缓慢的、冷淡的声音唤。

她生气地站下来,看了他一眼。

王定和继续揩脸,凝视妹妹很久。

"蒋少祖在下面。"他用同样的声调说。

王桂英迅速地瞥了他一眼。然后迅速地转身走进房,关上门,跑到窗前。

王桂英从上海回来后,便经历到一种深刻的内心忧伤,颓唐好像从内部开始,她觉得以前有过的热情不会再来了。很明显地,她读过一些书,信仰过蒋少祖这样的人,并且她具有一种好像是乖谬的激情的性质,她不能照别人一样地生活。她所具有的不是普通少女的热情,而是某种精神活动,某种可贵的,然而时常显得乖谬的激情。自由的生活使她稍稍粗野。她自己无法找到一个活动对象,但她本能地在等待着这个对象,它一直到现在还是蒋少祖。她底女性的本能反抗他,但她底精神需求他。这里面就存在着无数的惊惧、烦恼、颓唐、憎恨,和可怕的、不可抑制的热情。王桂英在别人眼里,总是热情而活泼的,但她很寂寞,她觉得目前的生活平庸,一切男子都平庸——除了蒋少祖;她有些惧怕他。

她苦恼不知如何生活。她勉力去游戏,企图忘记这个苦恼。她最近生活得很糊涂,整天游玩,胡闹,陪太太们打牌,陪蒋秀菊弹琴唱歌,并且乱吃东西,胡乱地睡觉,但有一个惊惧伏在她底心中。刚才,在睡觉的时候,这个惊惧突然强烈,她颓唐地醒来。

听见蒋少祖底到来,她跑到窗前,重新感到这个惊惧,甚至恐怖,她奇怪一·二八在上海的时候她为何未感到这,为何在爱情底那些紧要的时间她却那么勇敢坦然,未感到这。

显然在大的热情和委身的意志里人不会感到这个,在那个时候人觉得一切是应该的,幸福而美好的,真正投入炮火的兵士不会有恐怖。恐怖产生于幻想,希望,产生于顾此失彼的平庸的生活。

在这种恐惧里,王桂英迷失了好久,呆站在窗前。她觉得,她是弱的、可怜的、无经验的——她是女子。

她底脸变白,肌肉紧张。她开始徘徊,喃喃自语着。

"这是多好!多好!"她说,猛然感到夏日的太阳和窗外的园林城廓已不再是荒凉的,它们都显得愉快而鲜美。她站住,凝视窗外,不解为何如此;"他为什么?……他怎样想到我?他痛苦不痛苦?"于是她重新徘徊着。

忽然她跑到镜子前面整理衣服,并且梳起头发来。

"啊,您是多么好啊!"她向镜子里的王桂英点头,并且迷惑地微笑。

镜子里的王桂英穿着西式的、白花布的、露肩的、有长折缝的短衣,脸上显出惊奇,呈显着特殊的迷惑和柔软。这个王桂英叹息,从镜子里消失,有力地、镇定地向门口走去。她打开门慢慢地走下楼梯,穿过精致的小厅,听见了蒋家姊妹底生动的话声。没有停止,出神地,专注地往前走。

王桂英心跳增剧,感到羞惭,但未停住,出现在愉快的房间里,未看蒋少祖,但觉得他,在进门时便知道他站在那里,以及用怎样的姿势——那种美丽的、自在的姿势是她所熟悉的。她最先看陈景惠,向她点头,带着那种迷离的、假意做出的疲懒的笑容。蒋淑媛说了什么,谨慎地看着她,又看着蒋少祖,蒋少祖脸上有同样迷离的、假意的笑,站在原来的姿势中。

蒋秀菊结束了自己底话,站起来跑到心爱的女伴身边。

"好哪,检果子的,你什么时候来的?"她伸手放在王桂英肩上,快乐地说,快乐地盼顾。显然王桂英是她底骄傲;显然她觉得王桂英底出现增加了自己底地位。王桂英未进房以前,她苦于无法表现自己;这是常有的情形,人们在和这一部份亲密的人快乐地在一起时,会渴望另外的朋友出现,以便快乐地招呼,向两方面骄傲自己底地位。而在妇女们中间,这种骄傲常常是可爱的。

"我四天没有看见你,检果子的!我要来玩,好吗?"她细致地整理王桂英领上的结带,笑着说。

蒋淑媛和陈景惠在笑,但有一种不安从她们散播出来。陈景惠躺在椅子里,垂着眼睑,矜持地、轻蔑地抚弄着皮夹。在上海的灾难中,她未曾对王桂英如此。

王桂英开始匆忙地、假意地和蒋秀菊说话;但不知自己说了什么。蒋秀菊点头,好像她明白。王桂英感到陈景惠的表情,假装寻找东西,盼顾着,瞥了一下蒋少祖。他在玩弄她底草帽,脸上有某种快乐的、不安的表情。

蒋少祖在这个时候不似在上海,那时他是包围在沉重的氛围中。在这里,他是愉快而自由的,这是那种强烈的、肉体的愉快,他未想到要克服它,相反的,他觉得它是生命;他好久便等待王桂英,认为这是某种精神的需要,即他要向她说什么,等等。他未更往深处想,他在快乐的本能上停止;想到他要向她说什么,他便感到神秘而迷惑的欢快,未见到她以前他感到惶惑,见到了她,他便忘记了其它的一切,觉得快乐,这是那种自信的、年青的快乐,蒋少祖想像它是赎罪的快乐。

王桂英进房,他感到自己有价值,并且光辉,感到那种强烈的、年青的欢快,强健而骄傲的青年的肉体的欢快。他觉得王桂英是为他而来,并且,显然的,王桂英迷惑而惊动,并未向他发怒。他只看到这个,在这种强烈的情绪中他无法注意陈景惠。

他看了她,但未说任何话,未做任何动作,他满意自己能够这样。

王桂英露出不安的、疲倦的神态和蒋秀菊说什么,注意了陈景惠底轻蔑的姿势,向谁点头,快步走向蒋少祖,好像她有很重要的事。

"请你把草帽给我。"她冷淡地说。

她脸上的颓唐的、愠怒的、野物的表情令蒋少祖吃惊。

"哦,它是你底吗?"他懒意地笑。"很好的草帽。"他轻轻地把草帽交给她。

"谢谢你。"她说,打颤的眼睛向着地面。

"我回去了,秀菊。你来玩。"她笑着说,显然努力不看蒋少祖,然后坚决地走出。

蒋少祖抱歉地笑着,随手抓起茶杯来玩弄,好像他底兴趣是一般的,并非特别喜爱王桂英底草帽;好像手里闲着使他很不安。

二

开始了关于家事的谈心,责备、惋惜、希望这样希望那样,然后坐车出去看亲戚,打牌,重复同样的谈话……

蒋家底姑母为侄女底生日从龙潭赶回来。她每年夏末都要去龙潭一个姨侄女处,她喜爱乡村,喜爱这个朴实的姨侄女,喜爱她底忠诚的奉献;她每年都从龙潭带回很多腊味和瓜果。今年她去得早些,并且因为和女婿吵了架的缘故,没有带小孩们去。

她把侄女蒋淑媛这次的生日宴会看得很重;这首先是一个过了五十岁的、全生活充满不幸的女子才这样看的。她底哥哥底家庭对她是世界上最重大的存在,她二十三岁就守寡,假若不是有这个显赫的蒋家放在她底后面,她便不能生存:族人们便会为财产的原故把她逼死,使她底一对儿女落入最悲惨的命运。其次,她本能地觉得三侄女底这次生日将是蒋家最光荣的、最好的场面,在这个暧昧的认识下面藏着不幸的女人底无穷的辛酸。

姑母年青时守寡,壮年时死儿子,其后是女婿底死,女儿底带着两个小孩的再嫁……她底生涯充满不幸。她是靠了蒋家底存在才生活下来的。她丈夫底家庭久已破散,不再留下什么。这是一个散乱的、无秩序的商人家庭,她底一房本来很富有,但后来破产了;后二十年她便和女婿女儿同居,期望过继给自己的孙儿女长大成人,和这个破落的家庭断绝了一切关系。

四十岁以后她成为刚愎的、精明的女人,对人世有了固定的观念,知道什么是自己底,什么不是自己底;什么是可得的,什么是不可得的,以及什么是好的,什么是坏的。而在这个观念里,一切种类的人格和道德感情,慈善和势利,利己和牺牲等等,都找到了一个权衡的尺度。

老人带着瓜果回来,进门便大笑大叫,因为孙儿女拦路抢劫。邻居们从他们各自底窗口伸出头来(姑妈住在南京底最复杂的地方)。女儿沈丽英抓着针线跑出来,然后快乐地大叫,跑进堂屋去放下针线。

她单纯地做出那种神秘的表情,重新跑出来,做手势指楼上。从楼窗里伸出女婿陆牧生底戴眼镜的大脸。然后传来粗重的脚步声。在这个时间里,沈丽英给小孩分了果子,提果篮走进堂屋去了;老人疲倦地,但快乐地走上台阶,伸头给女儿,女儿向她密语,并且发笑。

她从女儿底表情看出来女儿要向她密语;她愉快地伸头。

"你们说了没有?"她欢喜地问,同时做手势驱赶小孩。

"牧生在说。"沈丽英回答,笑着走开。

"啊,奶奶辛苦!"陆牧生大步跨出来,兴奋地红着脸,用他所特有的粗声快乐地说,并且露出羞怯。他五天前和丈母争吵了的,但他总是即刻便忘记,并且他现在处在愉快的心情中;他是那样的单纯。他笑着,看着果篮。

老人简单地笑了笑,表示并未忘记,但愿意忘记。于是她转身招呼另一个男子,她底外侄汪卓伦。她向他幸福地、宠爱地笑着。

汪卓伦跨着安静的步子出房来,温柔地向老人笑着,低声说了什么,显然他处在温柔而忧郁的心情中。他底身体很秀美,唇部有中年人的胡髭,穿着灰色的、朴素的中山服。在笑的时候他意外地叹息;觉察到这个,他笑得更温柔,踮脚走到姑妈旁边。

他未说话,或者他低声说了什么,姑妈怜爱地看着她。

沈丽英走出来,以明亮热情的大眼睛轮流地看着他们。

"妈,你洗脸。我们吃西瓜。"她快乐地说。

大家进房。汪卓伦在床边轻轻地坐下来,他底温柔的眼睛静静地追随着走动着的沈丽英。她在用她底姿势和表情宣示某种幸福。汪卓伦温柔地看着她,忧郁地摸胡髭,叹息着。他底叹息说:"你说的那个东西于我是不可能的,看吧,我什么都不能有,虽然我需要。"

老妇人匆忙地洗好脸,抛下了手巾,走向汪卓伦。女儿用眼睛向她做暗号,她未看见。

"卓伦,好儿子,你都知道了。你怎样想?"姑妈说。

汪卓伦看了她一眼,微笑着摇头。

"好儿子,我要看见!"她怜爱地、热情地说,做了手势。

沈丽英明白母亲不可能中止(她原想把这个话放在最良好的情势中说的),快步走上前,笑着,愉快地红了脸,凝视着汪卓伦。

她翻转平伸的手,摇头。她觉得她是在做暗号。

"明天淑媛请你,你一定要去,啊!"她以她所特有的嘹亮的高声说:"你一定要去,不然我得受罪。就是她们蒋家!"她说;在她眼里存在的是女性的蒋家。

汪卓伦站起来,柔和的、诗意的脸上有深重的悲悒。他轻轻地看了表妹一眼,两位女性同时说话,姑妈上前,抓他底手臂。他笑着闭起眼睛摇头。

陆牧生快乐地发笑。

"去，去，去，"汪卓伦疾忙地点头，好像怕她们；"不过……好，去去！"他站住不动，垂下眼睛来。他底黄白的脸上的深重的悲悒感动了沈丽英，她觉得自己有错，好像在别人底苦难前幸福总有错；她突然苦恼，用颤抖的声音说了一句什么，向后房走去。

姑妈快乐地感伤地揩眼睛，大声叹息。

"你们真会做媒，啊！"汪卓伦强笑着，说，脸上有某种软弱可怜的东西。"牧生，你有酒吗？你要请我喝酒。"他说，向快意地笑着的陆牧生看了一眼，开始徘徊。

"我们才会做媒！做媒还要请喝酒！"沈丽英在后房大声说，然后跑了出来。

第二天上午，姑妈底家庭在忙碌、叫嚷、找衣服、责备小孩子之后领汪卓伦去蒋淑媛家。人力车停下时大家遇到了蒋家底大姐蒋淑珍和她底大女孩傅钟芬。蒋淑珍在付车钱；装扮得像花的，擦得通红的九岁的傅钟芬，站在车杠旁，脸上有着对于强烈的快乐有所准备的、严肃而痴迷的神情，看见沈丽英底大女儿陆积玉，傅钟芬庄重地点头，好像成年的妇女。

沈丽英精明而迅速，奔向蒋淑珍抢着付车钱。她带着那样坚决的、无可怀疑的神态，以至于蒋淑珍毫未抗议便退开，认为应当如此。她退到女儿身边，露出她所特有的慈爱的、歉疚的、软弱的笑容。

"姑妈，你看！"她说，好像企图责备沈丽英。

姑妈迅速地搬动小脚向她走去。但她看见了汪卓伦，不知何故有些不安。汪卓伦严肃地向她鞠躬，她热情，不知如何是好，但向他走来。

"我说你要来，卓伦。"她用她底愁虑的、悦耳的声音说。"你好久都没有到我们家里来，……"

"我有些忙。"

"我盼得要死。"她笑，用那种眼光看这个严肃的男子，好像他是令慈爱的母亲焦心的小孩。

小孩们彼此招呼,走在一起。大家走进庭园,蒋淑媛和陈景惠最先跑出来,其次是傅蒲生和蒋少祖。姑妈尚未见到蒋少祖,她搬动小脚疾速向前跑,发出责备的、快乐的叫声。

"看哪,死东西,小鬼头,蒋家底祸害!"

蒋少祖点头,笑着。

"啊,是的,妈。"沈丽英叫。指陈景惠。

陈景惠快乐,来不及说话,脸发红。姑妈尚未见过她,她抓住她看了很久,满意,又叫起来。

"看哪,怪不得我们都老了啊!"

大家通过铺满树荫的水泥路走进前厅。厅里的客人全站起来了;陌生的客人们不知道是谁来了,但觉得来的是重要的客人。姑妈跑向蒋蔚祖,跑向金素痕,跑向老嫂嫂;厅堂里充满了生动的、快乐的叫声和话声。

乘着这种活泼的空气,大家把龙钟的、坏脾气的、穿着紫色的绸裙的蒋家底妈妈,和穿着黑缎子裙子的精明的姑妈,以及别的一些老妈妈们放在一起。老妈妈们,因耳聋而大声喊叫着,年青的妇女们缊缊地响着绸衣,谈笑风生地走进内房。

因为人数太多,她们大家都有些装假。她们在说客气话的时候温怯地笑着;她们在开玩笑的时候高声叫喊。她们互相观摩衣妆,其中以金素痕底袒臂的、黄底红线的绸旗袍最出风头。她们大半都穿着精巧的绣花鞋,少数的,穿着高跟皮鞋,显得很艰难。她们这样地彼此注意着衣饰,因为,只有她们,才懂得一个女人在衣饰上所受的痛苦。

"我们还是在表婶那里会过呀,表婶底那个舅爷来了吗?""阿福底病好了吗?谢天谢地!""他就是这一点不成气!""啊,我们老表亲,你不用客气,小孩子底事情,你万万不能破费!""你底衣裳多时髦呀!是上海底料子!""不,素痕,你这个小妖精!"

她们叫成一团,而后,她们安静了,重新有了绸衣底缊缚声。

接着她们就又叫起来了。

"我们底头脑是封建的呀!""淑媛姐姐才是维新派!""她是细皮白肉!""啊,我们老了啊!"

大家稍稍有点疲乏,空气变得自然了。不停地响着吃瓜子的声音。有人打起呵欠来,大家都打起呵欠来了。她们用她们底精致的、戴着钻戒的白手掩着嘴巴,她们眼里有疲乏的、愉快的眼泪。

在男客们里面,谈话生动了起来。这主要的是因为有新奇的、生动的、善于雄辩的角色在——这个角色是蒋少祖。

蒋少祖觉得,在他底身边的,都是一些平庸的人。这些人已经被生活所压倒,愚蠢而自满,蒋少祖愉快地对他们取着骄傲的态度,最初大家谈笑话:有一个留着小胡须的家伙是特别地善于诙谐。但在笑话里面,蒋少祖笑得很勉强了,他显得有点疲乏。接着,陆牧生攻击他,王定和用搜索的、含着敌意的眼光看着他,他活泼了起来。他底机智的讽刺使满座惊倒。

王定和轻视蒋少祖底信仰,但蒋少祖对这个显得毫不介意。在王定和底敌意的热情里——王定和毫不掩饰这个——蒋少祖就成了中心人物了。

蒋少祖,他并没有那么愚笨,来和这一批人辩论理想和信仰。他底花花公子式的愉快的机智,是足以应付他们的。从王定和底口里,大家都知道蒋少祖是年青的政治家,而对于所谓政治家,大家是怀着恶意的,于是,不管相识与否,都攻击起蒋少祖来了。蒋少祖应付这些攻击,是胜任而愉快。

"依你看来,中日会合作么?"陆牧生问。

"中日合作,像这样子:中国是马,日本骑马。"蒋少祖说,比着手势,懒洋洋地躺在椅子里,愉快地笑着。随后他滑稽地做了一个歪脸,好像在嘲弄这匹马,和这个骑士。大家笑了。

在大家底笑声停止了的时候,傅蒲生在电扇后面大声地笑了起来:他才懂得这个。王定和笑着看了大家一眼,对客人们底愉快感到满意。

然后他用搜索的、严肃的目光看着蒋少祖。

大家谈到民主、独裁、国际上的某某和某某。蒋少祖,以他底丰富的知识和机智,使大家不停地哄笑着。但谈话并不就这样结束:一种严肃的、兴奋的东西在王定和底身上表露出来了。这是,在对蒋少祖底批判里,痛苦的热情所产生的结果。严肃的内心斗争,是在轻松的哄笑下面进行着。

陆牧生说,他对一切感到悲观。他严肃地说了很多,但就在这种兴奋的叙述里,他安慰了他自己。王定和拦住了他,用尖锐的声音向蒋少祖说话。

和陆牧生所说的话相反,他说中国底前途是乐观的,但他却又并不是在反对陆牧生。他是在反对蒋少祖,虽然蒋少祖对于这个题目并没有说什么。

王定和,带着一种热切的感情,说他懂得政府底痛苦。

"我们知道,一个当家长的人,总是不被儿女们理解的,我常常这样想。"王定和用兴奋的、痛苦的声音说,愤怒地笑着,看着蒋少祖。"你知道中国底情形是多么复杂啊!"他说,忽然亲切地笑着,希望说服蒋少祖。"是的,只有实实在在地处在那个地位上,比方说,才晓得当局底痛苦。"他严肃地说;"你看看南京吧,这几年是进步得多快,但偏偏,比方说,有一些叛逆的儿女,对于这些个叛逆的儿女,一个家长怎得不痛苦,这个家长说'只要你回头,我总会为你杀猪宰羊,忘记过去的一切的……'而我们却自私,没有良心……"他痛苦地说,流出了眼泪。

"这是浪子回头啊!"蒋少祖严肃地、优越地大声说。他匆促地笑了一笑,企图遮藏王定和底眼泪所带给他的痛苦。

大家沉默了。电扇传出强大的声音来。坐了一下,王定和和陆牧生一道走了出去。

"卖弄小聪明的东西,可恶已极!"王定和愤怒地说。

"他根本是小孩子!"陆牧生说,快乐地笑着。

王定和又进来的时候,大家正在围着汪卓伦谈论中国底海军。谈话在一种拘束的、庄严的空气里进行着,王定和底进来使大家停顿了一下。显然王定和,他底那种违背做主人的心意,并违背老练的世故而暴露出来的激昂和痛苦,是这种拘谨的空气底原因。

在以前的全部时间里,汪卓伦带着他底温和的、忧郁的神情坐在蒋蔚祖底旁边,蒋蔚祖显得困惑而迟重,他们两个人都没有参加谈话。王定和走出去以后,为了打破沉默,那个小胡须的、诙谐的客人向汪卓伦问到中国底最大的军舰有多少吨,日本底最小的军舰有多少吨——他认为这个问题很聪明——等等。汪卓伦,带着一种轻柔的、严肃的笑容,用低而清楚的声音回答了他。汪卓伦回答这个问题时所有的严肃的表现,使诙谐家有些失望。但别的客人却因此关心地问起很多问题来了。

汪卓伦,他底明亮的、酸湿的眼睛轻柔地笑着,他做着优美的手势,柔和而清楚地回答了大家。他在说话的时候用他底美丽的、率真的眼睛看着对方,他底这种目光,以及他底柔和的声调和安静的、优美的手势,显示了他底严肃的、丰富的精神生活,感动了蒋少祖。

"这是一个诚实的人!"蒋少祖想。

"啊,他是孤独的,高尚的,毫不做作的!他是这一群里面的一颗珠宝!"接着,蒋少祖感动地想。

蒋少祖感觉到,在汪卓伦底一切表现里,有着一种高尚的孤独的自觉。他对别人是这样的亲切,但同时他又是庄重的;他保卫着他底孤独的内心。

谈话停止了,汪卓伦带着忧郁的表情坐在那里,眼睛半闭,凝视着窗外。这种忧郁的、瞑想的表情,在一个男子底身上,会有这样的美,蒋少祖从不知道。忽然汪卓伦轻轻地叹息,看着蒋少祖,向他笑了温柔的、忧郁的笑。

这时王定和底弟弟王墨冲进房来了。这是一个快乐的大学生,身体优美有如体育家。显然他丝毫都不介意哥哥底威严。他跑了进来。不管这里面是些什么人,跑向傅蒲生,向他说了什么,大笑了起来。

傅蒲生没有来得及明白他底大笑底原因,金素痕,闪着光辉,出现在门口了。金素痕,她是多么娇媚呀!

"你这个死东西!"她伸出她底赤裸着的手臂来,指着王墨。她嘟着嘴,然后笑了。"手巾还出来,死东西!"她说,响着高跟皮鞋轻盈地走了进来。

大家笑着站了起来。蒋蔚祖底困惑的脸发红,然后发白。

"搜吧!"王墨大声喊。

傅蒲生动手搜他。红绸手巾从他底衬衣里面落了下来,他大笑,跑了出去。

"死东西!气死人!"金素痕笑着骂。"对不起各位!……她们要行礼了!"她嘹亮地说,走了出去。

王定和愁闷地笑着向蒋蔚祖点头,他们走了出去。大家陆续地走了出去。但蒋少祖没有动。他做手势留下了汪卓伦,使他坐在他底旁边。

"我们底家庭不要从整个的方面来看,已经没有了整个!"蒋少祖说,雄辩地做了手势,"我们要个别地看它……尽是铜臭,啊!这就是现代中国社会!"他迅速地站起来关闭电扇。"……我很同情我这个哥哥,还有淑华姐姐!"他非常忧郁地说。

汪卓伦以柔和的、酸楚的目光看着他,同时笑了他底庄重的、忧郁的微笑。这微笑说:"我是一个孤独的人——我底善良有什么价值呢?"

"我要劝你一件事,淑媛妹妹!你们忘记了……在年轻的时候大家玩玩,但是你今天一定要答应我这个姐姐!淑媛妹妹!妈妈在这里……你们忘记了!"蒋淑珍忧愁地、热切地向她底做三十岁的妹妹说,并且抓住了她底手臂。她们是站在楼上的过道里,面对着后窗,可以看见花园底绿荫。

"大姐,究竟是什么事呀?"蒋淑媛烦恼地说。显然她极不愿意姐姐来干涉她底一切布置。

"淑媛,我们的家庭门第高贵,我们不必怕别人笑!"她说,觉得说错了话,烦恼地笑了起来。感觉到妹妹底冷淡和不满,她就说得更热切,更混乱了。"淑媛妹妹,你听我说一句,我们可不必假充时髦,我们蒋家就是这个样子的!……老实说,淑媛,我觉得一个女人还是守旧一点的好!"(蒋淑媛露出了冷酷的、烦闷的表情)"我不是说,妹妹,你千万不要误会我底意思……"

"你究竟要说什么呀!"

蒋淑珍可怜地笑了。

"我是说,妹妹……"和说话同时,来了眼泪,"妹妹,我心里真难受,我老了,虽然今天是好日子,我不该……"她揩眼泪,做出勉强的欢笑。"妹妹啊,我是要你点个香烛,替祖宗,替妈妈姑妈叩个头……也教训教训素痕。"她说,可怜地笑了。

"哦,这个!——行的!"蒋淑媛冷淡地说,以高贵的步态走下楼梯。

点了香烛,叩头开始了,大家吼叫着。蒋淑媛显得庄严而不可亲近,叩了头,接过了妈妈和姑妈底红纸包。然后她轻蔑地笑着走过金素痕,走进房。她进房便因悲伤而流泪。她露出富泰的样子重新走出来,看见了迟到的蒋淑华,对她表现了非常的亲热。

在这种亲热下,蒋淑华有些困窘;另一面,因为金素痕底在场,她露出了绝顶的孤高。她底头上,插着黄色的小花,使她显得深刻而动人。她提起宽大的白衣走进房。

于是,男男女女坐在一起,就开始了那种竞争了。

蒋少祖不觉地和王墨站在一边,和金素痕开着玩笑。这是很快乐的;他并且觉得,这是援助了他底悲惨的哥哥。喧哗的沈丽英和富贵的将淑媛联合了起来,企图压倒金素痕。但不觉地成了人们底注意的对象的,是孤高的蒋淑华和沉默的汪卓伦。

这种孤高,这种沉默,和即将发生的某一件事情,使一切种类的喧哗和风情减色了。蒋少祖,因王桂英底在场而不安,但仍然为他底二姐感动。他忽然带着他底那种优美的、机智的态度指着蒋淑华向大家介绍说,她是蒋家底公主。大家笑了起来,蒋淑华眯起眼睛,好像什么都没有听见似地,带着一种瞑想,凝视着窗外。汪卓伦困惑地笑了一笑:汪卓伦觉得自己有错。

"我告诉你们一个,一个公主底故事!"蒋少祖活泼地说。于是他说了起来。这个故事是,爱坡罗,和一个人间底王子,争夺一个公主;人间的王子胜利了。他希望这个故事能够使蒋淑华快乐;他并且希望,这个故事,能够给王桂英以某种启示。但他没有能够说完,小孩们冲进了房间,打断了他。

但汪卓伦是已经被那个王子深深地感动了。小孩们从后房跑了进来,九岁的、活泼的、擦得通红的傅钟芬跑在最前面。她突然觉得她喜欢汪卓伦,她向他扑去。汪卓伦抱住她,同时含着忧郁的、酸楚的微笑看着蒋淑珍。

"钟芬!"蒋淑珍责备地喊,但有了眼泪。①

女孩跳了起来,发出笑声,向蒋淑华奔去。汪卓伦含着酸楚的微笑看着蒋淑华,蒋淑华突然脸红。

"钟芬,你们出去玩!"蒋淑珍,替妹妹感到狼狈,喊。

小孩们跑过房间。沈丽英底男孩陆明栋,带着一种猛烈的神情,看了傅钟芬一眼,傅钟芬笑了起来。陆明栋底姐姐陆积玉最后走过房间,红着脸,垂着眼睛。

"多么文静啊!"一个女客叫。

陆积玉刚刚走到门口,一个穿短裤的、兴奋而粗野的少年跳上了门槛。他用明亮的眼睛看着大家,怀着一种敌意。看见陆积玉,他显得有些慌乱;他皱着眉头走了进来。

"啊,三弟!纯祖啊!你看是谁?"大家叫了起来。

"我请了假……走路来的,本来我想骑脚踏车,"蒋纯祖说,盼顾,眼前的五采缤纷的一切使他昏乱,他什么也没有看见。他来这里,主要的是为了陆积玉。在少年们中间有着做梦般的恋爱。

---

① 再版本此处删去了"但有了眼泪"一句。

认出了蒋少祖,他脸红了。

"二哥。"他说,善良地笑着。

"放假了吗?"蒋少祖快乐地问。

"没有。"蒋纯祖回答,羞耻地看了兴奋着的陈景惠一眼;然后盼顾,显然在找寻什么。

"弟弟,请叫人呀!"蒋淑珍走到他身边,小声说。

蒋纯祖困恼地皱眉。于是他痴呆地站着不动。蒋淑媛严厉地看着他,要他请叫大家,他恼怒地皱着眉头盼顾。

宴会开始了,大家谈笑着走了出去。蒋纯祖站在门边,戒备地看着他们。他带着困恼的表情,敌意地凝视着走过他底身边的金素痕。

大家出去了,他抓了一把糖塞在衣袋里,露出紧张的、狂喜的神情跑了出去。

"你看啊,那个家伙来了!"傅钟芬大声说,拖着陆明栋跑过太阳下的草地,躲到花丛里去。

"我们吓他?"男孩说。

"不,不许。要不然我就哭了。"

蒋纯祖在林荫路上走了出来,时而非常的忧郁,时而热喜地笑着,低声地向自己说话。陆积玉从楼房后面走了出来,谴责地皱着眉头,假装没有看见他。

他喊她,她愁苦地站了下来。她用眼睛做暗号,告诉他说周围有人;然后她向葡萄架走去。

"你恨我吗?"蒋纯祖跟着她,痛苦地说,完全像一个多情的男子;"你恨我吗?"

女孩不回答。走进葡萄架,她垂下眼睛;接着她流泪了,觉得恋爱太悲伤。

"你恨我吗?你不回我底信!……"

"你欺侮我……你晓得,我生活苦得很,我们没有钱,而且……"陆积玉说,委屈地哭了起来。

"啊,你多么像《草原故事》里的姑娘……《草原故事》,你看过吗?……我不管什么的,我也不怕,我只问你,你恨我吗?"蒋纯祖痴幻地、猛烈地说。

"我……怎么能够……恨你!"陆积玉哭着说,完全像大人。

"我们多么不幸啊!"蒋纯祖叫。他底心,是跳得这样的厉害;他颤抖着,他觉得他就要死去了。他很想尝一尝,他很想抱一抱陆积玉,但傅钟芬在花丛里尖利地叫了起来,使他恐怖地战栗了一下。

"讨厌!"陆积玉厌恶地说,然后看着陆明栋。

"弟弟!"她说。陆明栋,在她底严重的声音下面屈服了,跟着她走出葡萄架。

"明栋,我求你绝对不要跟妈说,又不要跟奶奶说,我以后要报答你。"站在太阳下,陆积玉可怜地说;"要是你说了,我就去,去寻死!"她说,遮住了眼睛。

"我不说。"变得惨白的男孩回答。

"小舅,你以后不许!"陆积玉严厉地向走近来的蒋纯祖说,迅速地走了开去。

失恋的蒋纯祖垂头丧气地走到花园里去。大家找他吃饭,好久好久才找到了他。

在宴会里面,傅钟芬唱了《可怜的秋香》。离开筵席,走上楼,傅蒲生得意地唱着"秋香秋香"。在宴会里,王墨和蒋秀菊瞎闹,使王桂英觉得很不快。王桂英并且因蒋少祖底不可捉摸的态度而觉得烦恼。王桂英和蒋秀菊一同离开正厅。她们走到花园里来。乌云遮没了太阳,凉风活泼地吹着,王桂英感到凉意,觉得悲伤,走过草地时低声唱着:"秋香,你底妈妈呢?"意外地流出了眼泪。①

"桂英,你是不是不舒服?"蒋秀菊忧愁地问。

---

① 再版本此处删去了"意外地流出了眼泪。"一句。

"没有……有一件事,我明天告诉你。不,我不告诉你。"王桂英说,坚决地抬起头来。

蒋秀菊委屈地沉默了很久。

"桂英,我们家里的事多么叫人头痛啊!"

"哪个叫你要这个家!"

"但是,桂英,我不理解你。"蒋秀菊委屈地、怯弱地说。

"秀菊啊,你理解我,我也理解你。我怎样才能够报答你底好心肠啊! ……秀菊,我觉得,恐怕我们以后再不会这样理解了罢。"王桂英说,有了眼泪。

她们并肩地坐在草地上,她们底美丽的头发在活泼的凉风里飞动着。镶着金边的、雷雨的云已经升到顶空了,风势渐渐地增强了。蒋秀菊,带着她底怜悯的表情,沉默着。

"秀菊,常常在深夜里,我醒来,我觉得世界很荒凉,我心里是多么悲伤啊! 我想,人总是自私的,我不爱别人,别人也不爱我!"

"愿主宽恕我们!"蒋秀菊,就是若瑟,凝望着雷雨的云,想。

"人生无非是梦境,荒唐的梦,享乐的梦,追求幸福的梦——啊,你看那云后面的金光多美,要下雨了——而我,是终于要从梦里醒来的吧!"王桂英以痴幻的小声说,"就是说,大家从此忘记我了,"她继续说,"我,生活过了,什么也没有得到,又消失了! 啊,我是一点乐趣也没有啊!"她带着一种激情,喊。

"桂英,你不能告诉我么?"

"啊,不!"王桂英坚决地说。"你是多么纯洁啊!"

"但是我并不像你所想的那样纯洁……桂英,雨就要来了。"

"我想向你借一点钱。"王桂英简单地,冷淡地说。

蒋秀菊脸红,打开包包来,拿给她二十块钱,并且谨慎地问她够不够。王桂英脸红了,接过钱来,沉默着。

然后她站起来,说,她要回去了。

"雨来了。"

"不。你明天来玩。"王桂英说,接着就跑了开去。

王桂英跑过林荫路,同时低空里起了雷声,暴雨狂乱地降落了。各处有了尖锐的、喜悦的喊声,雷雨更威猛。蒋秀菊跑到台阶上,在狂风里挺直身躯,高声地喊叫着。但王桂英已经消失。

"仁慈的主,你宽恕她罢……"蒋秀菊说,眼睛潮湿。

台阶里面,小孩们欢跳着,唱着歌:

风来了,雨来了,
和尚背着鼓来了!

蒋淑珍拖蒋蔚祖替她"挑水",走下楼来,在小孩底房间里找到了蒋淑华。小孩在睡觉,蒋淑华躺在椅子里看书。蒋淑珍少女般笑着,恳切地看了她一眼,问她看什么书,随即便向她提起了汪卓伦。

两姊妹谈了几分钟。这几分钟是难忘的,她们谈得那样融洽。好像因为窗外是雷雨,旁边是小孩底睡眠的呼吸,特别好像是因为蒋淑珍来得那么突然,而蒋淑华正在看书,她们才谈得那么融洽。雷雨、小孩底甜蜜的呼吸、蒋淑华所看的破的小说,和低声谈论的心腹话有着神秘的、美妙的关联,仿佛这个谈话一定是如此的。两姊妹带着感动的、庄严的神情走出房来。蒋淑华走进楼下的后房,坐下来,凝望着窗外。

"啊,卓伦,你来,我问你一句话。"蒋淑珍使汪卓伦离开留声机,微笑着向他说:"你看见少祖吗?"

"没有。"汪卓伦回答,不安地明白她并非真的问这个。

蒋淑珍歉疚地、慈爱地、天真地笑着。

"你有空,你来。"她说,领汪卓伦下楼。

汪卓伦走得很小心,好象每一步于他都是极重要的。他明白蒋淑珍领他到什么地方去。在楼下第一个房间前他心跳,感到那种温柔,发觉不是这个房间,他脸红。蒋淑珍没有注意到这个,没有说话,领他穿过正堂。

他感到软弱,想停下来,但仍然机械地跟着戴大耳环的蒋淑珍走着。这个中年男子不能用俗世的方式来应付这件事，因为他诚挚地明白他自己底无经验：他没有接近过任何女子，他是羞怯而善良。同时他并未坚强地具有那种失意者底安心立命的情感，因为他还是小孩，善于宽恕，人生里的一切于他都是神圣的。他是那样地扰乱不安，虽然他为在内心和外部应付这件事已经准备了好久。他想到别人在这种时候是怎么做的，想到一些客气话，想到冷淡的、强有力的表现，并准备这样做，但这个艰苦的建设在事情临近时便完全被遗忘了。穿过正屋时，由于羞耻和强烈的、扰乱的责任感，他忽然觉得他对蒋淑华是有错的，或将要有错的，他觉得艰难、不幸、和某种怜悯。

汪卓伦生长在贫穷的家庭，——原来也是那种大家庭，但在父亲一辈底手里便破散了。而因了由破散带来的独立的努力，慈爱的母亲便在新的小家庭里创造了很多光明的景象，因此，汪卓伦底幼年，虽然饱受贫穷底痛苦，却也充满了温暖。然而母亲早死，常常是这样的，慈爱的母亲早死，留下了孤独的、苦撑门面的、愤嫉人世的父亲。父亲辛劳到六十岁，最后十年便把担子卸给汪卓伦了。除了金钱以外，汪卓伦还需要负担父亲底坏脾气：伤心、嫉愤、酗酒。

早死的母亲留给儿子神仙般的印象，并留给他那种慈爱的、忧郁的、软弱的气质。牺牲了自己底青春，忍受着父亲底一切乖戾，汪卓伦把家庭担负了起来。认为结婚会使父亲更不幸，他便没有结婚。父亲希望在自己死去以前看见儿子成家，——这在汪卓伦看来是一个奇想，因为很多例子，都证明这是不可能的——但不幸他死得比自己所预想的还要早。

由于父子两辈底努力，家庭可观地恢复了，汪卓伦很早便能结婚的，但他有很多担忧，竟至于认为自己是不适于结婚的。在这种社会里，一个中年人底结婚，常常也是困难的，因为热情已经消失，犹豫是那样的多，对于他，世界上是不再有什么绝对的东西了。汪卓伦并且感到假若有任何女子到他底生活里来，那个女子便要不幸。

但他单纯如小孩,某种隐伏着的感情燃烧,他底世界便要完全改变。这两天他所感到的那种摇动使他觉得一切都不寻常:这种摇动并没有替他决定了什么,但却使他看见了,在自己内部,还有着什么。他承认自己将要做一件美好的事,但不知道应该在实际上采取怎样的态度。

"我应该答应呢还是不?不,我要看。"走进前房时他想,一度感到强烈的犹豫,但明白自己是带着最好、最宝贵的东西走进这个房间的。

看见洁白的蒋淑华,他立刻露出了那种单纯的、严肃的、欢悦的态度。好像他好久便准备了这个。

蒋淑华有些屈辱,有着那种悲伤的、冷淡的心情。这种心情底出现通常是不管对方是怎样的人的:一位孤独的、高尚的女子需要保护自己。她是带着这种冷淡的表情站起来的,但汪卓伦没有注意到这个,他进门,向白衣底所在鞠躬,然后带着极大的严肃凝望着窗外。

进门前他感到她在,并且感到了雷雨。他凝望着雷雨,向蒋淑珍严肃地、羞怯地笑着,好像告诉她说,这雷雨,是给了他以非凡的印象。他觉得一切都很简单,他有了最善良的可能——他在小沙发上坐下来,看着蒋淑华。

"南京常常下雨。"他说,带着极大的率真。

蒋淑华折好衣裳坐下来,玩弄桌边的白兰花,好像没有听见他,但她看了窗外,明亮的黑眼睛看向雷雨底深处。

蒋淑珍开始不安,不知如何是好。她欢喜而羞愧。她感到她骗了谁,而这件事假若结果不良好,那么这个谁便要痛苦。

"为什么我不和他说明白呢?淑媛说了什么?"她苦恼地想。"不明白总是不好的。"她想,坐下来,想到离开要好些,她便又站起来。

"我去找少祖。"她有罪地小声说,笑着,红着脸,轻轻地走出去。

蒋淑华和汪卓伦凝望着她走出去的门,感到精致的房内有了极大的安静,他们需要这安静;而雷雨在窗外。窗前的槐树在雨中摇荡着。

沉默了很久。这沉默是充实的。

"今天你没有打牌?你好像不喜欢。"蒋淑华说,意识到说得过于亲切,脸微微发红。

"不,我喜欢。"汪卓伦率真地回答,眼睛笑着。

"令尊前年归天的时候,我去你们家里过。你那时候不是很忙吗?"

"啊,混乱得很。父亲死了,儿子总不晓得怎样是好的。特别是我。"

"你底责任尽了。你……"她止住,嗅白兰花,觉得由自己一个人提出话来不好。

汪卓伦温柔地沉默着,这是被对父亲底回忆引起的。他底潮湿的、美丽的眼睛里面有了严肃的微笑;他坐得很安适,觉得从未这样安适过。忽然他觉得过去的一切是非常的遥远了。

"我们家庭很简单。早就破散了。你们家庭,现在正经历最大的试验。我觉得一切是没有头绪的。一个人是一个头绪。"他诚实地说。

"是的,是的。"蒋淑华感到他说得最适当;"早就有人声明了,各人走各人底路!"她笑着叹息,温柔地搁下白兰花,看着窗外。

于是他们都感到互相谈家庭是不好的,这显得太露骨;而他们已经意外地很亲近了。这种感觉证明了他们底亲近,于是他们企图拉开些。但一切已经确定了,那种温柔的安静,在充满着雷雨底辛辣的气息的空气里浮漾着。两个人脸上都有着沉思的、严肃的笑容。

"她,只是她在房间里,我没有想到,我是多么幸福!"汪卓伦想。

"你底病近来好些么?"他问。

"好些。"她笑了,"我不喜欢在城里住。我想到乡下房子里去；我派人去打扫……"

"我也喜欢乡下。"

他们互相看了一眼，好像惊奇他们底兴趣是相同的。

"这个人多么好！但是我不要和他说这些，不说！"蒋淑华幸福地想。

"下的好大的雨啊。"她说。

"你喜欢下雨么？"

"你怎么知道？"

"我也喜欢。"

蒋淑华脸红，抬起眼睛来看着雷雨深处。

"她会把那朵花拾起来。"汪卓伦想。果然她拾起了花。"我要给她很多花。我们在乡下，也是这样的雷雨，一切便会不同了。啊！"他吃惊自己想了这个，皱着眉。"不，不可能的，没有什么理由，不可能的！"

实际上他没有看见蒋淑华。他只感到崇高的白衣和她脸上的深刻的表情。他决没有用世俗的眼光看这个女子，而这是无比的幸福。风吹进雨丝来，落在这个女子底脸上：她未动，有两绺头发从她底头上飘了起来。在强烈的电光后传来了猛烈的雷声，汪卓伦耽心她受惊或受凉，想使她坐开，但又觉得就这样最好。

"我顶喜欢雷声之后的雨声，听见好像是很远的声音。"蒋淑华笑着小声说；"小时候，我们苏州园里有被雷劈倒的一棵树，我和蔚祖在那里玩。啊，好爽快的雨！"她露出振作的、受惊的神情，抖了一下纤瘦的肩膀，说。

汪卓伦点头，笑着；他明白这些话对于她的意义。

"啊，纯祖，弟弟弟弟，你过不来了吗？"她忽然站起来向窗外高声叫。她看见了蒋纯祖，他站在花棚下面。他疾速地跑出花棚，向葡萄架的方向跑去；但又转身，向这边的窗户跑来。

他跑到槐树下面站下。他全身淋湿了，年青的、稚气的脸快乐地发红。雨继续淋在他底身上，他抖着身体，快乐地、恶作剧地盼顾着。他底身体很强健。

他向姐姐荣耀地笑了一笑(他认为淋雨是光荣),然后又向汪卓伦笑了一笑。

他喘息着,闭起眼睛来。

"你进来,死像!"姐姐说。

传来了雷声。少年盼顾着,显然雷声是他底欢乐。

"啊,我……你听!"他说。

"你进来吗!"汪卓伦笑着说。

"好,好的。不,"蒋纯祖探身到窗户里面来,严肃地看着他们,突然明白了,笑了羞怯的笑,转身沿着墙壁跑开去。

蒋淑华叹息。

"他没有受过我们所受的那种教育。他们占了便宜。"她向汪卓伦说;同时她底温柔的笑容表示,无论如何她应该承认,她所受的那种教育毋宁是最好的。

"是的,年青人不同了。"

蒋秀菊无意中走进来,站住了,预备退出去,笑着,红了脸。

"妹妹,你坐。"蒋淑华羞怯地说。

"啊,不,该死,我找大哥!不,你们谈!"她脸红到耳根,笑着往外跑,活泼地跳出门槛。

"妹妹,你来,我要生气!"蒋淑华苦恼地高声说,追了出来。

蒋秀菊站下,好像犯错的小孩。

"姐姐,原谅我,我实在不知道。"她动情地、可怜地笑着说。

蒋淑华想说什么,但止住了。她伸手到妹妹肩上来;她底羞怯的、苦恼的眼睛里面有了晶莹的眼泪。

黄昏以前,牌局停止了,客人们陆续地离去,门口有车辆底声音,林荫路上不时有妇女们底愉快而疲倦的叫喊声。雷雨停止了,园里有着凉意和新鲜的、愉快的景象。雨云稀薄、流散,露出了澄碧的蓝天,水滴从浓绿的、发青的、垂着头的树上滴下来。水滴下,绿叶轻微地颤动着,好像生命在苏醒。人们可以嗅到玄武湖底清凉的气息,一切是愉快、明静、新鲜。

大家要汪卓伦去看戏,汪卓伦答应了,但轻轻地叹息。他觉得大家是忘记了蒋淑华:蒋淑华是决不愿意去看戏的。

"要是在苏州的话,她就绝对不敢!——时髦个屁!她一家子放白鸽!"沈丽英和蒋少祖走出林荫路,沈丽英愤激地小声说。显然他们在谈论着金素痕。

蒋淑媛和陈景惠走到花园里去。

"这里有水……你想,第一,骗钱,第二,要田,第三,恐吓,分家!"蒋淑媛兴奋地说。显然她们也在谈论着金素痕。

蒋蔚祖在草地上焦灼地走动着,好像被困的野兽。傅蒲生在他旁边嘻笑地说着什么。

在另一边,金素痕走了出来,招呼陈景惠到一起,兴奋地说着话。

"我希望有一个和我谈得来的人!我总希望遇到一个知识和见解比我高的人!"金素痕愉快地说。"你来了,真好!"她说。

陈景惠兴奋地笑了。

"你是在学法律吗?"她问。"唉,中国底法律……"她说,希望表现自己。

"你慢慢地就会知道他们蒋家了!唉,她们蒋家!"金素痕闭起眼睛来,忧愁地笑着摇头。

陈景惠赞同地笑着,一如她在蒋淑媛面前所笑的一样。

整整一下午,蒋少祖处在失望的、烦闷的心情中。晚上,大家去看戏,他没有去:他说他很不舒服。

"也许是受了凉,少祖。"陈景惠愉快地向他说。

"是的,受了凉!"蒋少祖愤怒地想。他愤怒,因为,在愉快中,陈景惠是这样的爱着他。他们底汽车刚刚开走,蒋少祖便披起衣服,跑了出来。他是去看王桂英。

他出了玄武门,迅速地走过热闹的湖堤,向黑暗的、僻静的小路跑去。他昨天上午还和蒋秀菊来过王桂英处,但现在,因为黑暗,他迷失了道路。他好久都不能找到那个湖湾(他记得那里有一只搁在岸上的破船),站在茂盛的杂草中。在他底附近有一座桃林,空气里有着浓烈的、迫人的、蜜饯般的气息。

他焦灼地、愤怒地找寻着道路。找到了湖湾,看见了那只破船,他突然经历到一种感觉,好像刚从昏沉的梦中醒来。

"我为什么这样热情?这里的一切,和那里的一切,难道不是同样的空虚?我为什么要欺骗自己,欺骗别人?但是我应该怎样生活?"他对自己说,一只脚踏在破船上,扶住头。

"多么痛苦啊!"他喊,向桃林奔去。

他看见桃林深处有灯火:这是一个农家。他跑过这个农家,瞥见里面有昏暗的油灯,一个老女人在桌子旁边静止地坐着。这个静坐着的老女人,给了他以非常的印象。

"她底热情已经消失了,她是多么幸福!但是我决不愿和她掉换位置!"他对自己说,在茂草中跑了过去。

他跑进了王定和家底旧宅底大门,看见了王桂英底窗上底灯光。他从院落里绕了过去,站在卑湿的草地上,远远地看着窗户里面的王桂英。周围是异常的沉静。

王桂英在激情中淋了雨,回来便睡去,此刻刚刚醒来不久,正在写信。她底衣服没有扣整齐,她底头上扎着一根丝带,在恬静的灯光下,她是显得非常的迷人。她写好信封,封了起来,以痴呆的眼光看着前面。忽然她底头落到桌上去:她哭了。

蒋少祖跑过去敲门。

"桂英,是我!"他小声说。

王桂英打开门,以一个愤怒的、坚决的凝视迎着他。

"哪个叫你来?我在这里生活,不需要任何人,没有任何信心,蒋少祖,当心你底姐姐!"她严厉地说。

"但是你已经替我打开了门!"蒋少祖不快地说,皱着眉头。他底这句话,含着对人世的不敬,是有着双关的意义的。"刚才你哭了,为什么?"他同样不快地问。

"因为要哭。你没有权力干涉我!"

蒋少祖突然叹息,并且悲凉地笑了。

"桂英啊!"他说,眼里有泪水。王桂英垂下了她底骄傲的头。"那一切对我都没有意义,我是为你而来南京,而且将要为你而走到任何地方!桂英,几个月以前我伤害了你,没有能够向你说清楚!"他掩上门,走了进来,继续说。"我觉得空虚,我底道路渺茫,这是实在话。我也许很有能力,我非常自负,但是我不幸生在中国,——和你一样。……桂英啊,除了你底心没有什么东西能够留下来,你也许能原谅我底罪恶的热情的吧!"他忧郁地笑着,说。

王桂英低着头,沉默着。忽然她抬起头来,以搜索的眼光看了他一眼。

"蒋少祖!我是一个孤独的女子,你不能欺侮的!"她用战栗的声音说,但她底整个的存在说了别的。蒋少祖拥抱了她。她挣扎,红着脸,痛苦地做手势要蒋少祖关窗户。

"你要,你要记着!"她可怜地说。她在黑暗中惊慌得流泪。在热情中,他们两个人都很痛苦。

"桂英啊,我将记着,我将……"蒋少祖说。但没有能力再说下去了。

蒋少祖怀着悔恨的心情走过湖湾。他告诉自己说,一切太可怕,他不能够去想,他迅速地走过湖湾,向黑暗的湖面瞥了一眼,同时看见了那只搁在岸上的,旧破的船。

"在孤独的老年,受尽了,并且解脱了一切的罪孽,迦逊死在破船底龙骨下面了,因为只有这只破船是他底朋友,而在年青的时代,它曾经伴着他做了一个英雄的航行!啊,我底金羊毛!"蒋少祖说。他底心要求和谐与抚慰,他意外地说出了这个美丽的思想,流下了孤独的英雄底悲伤的眼泪。

"这是社会底罪孽!"走进门,他想。

他刚刚躺下来,便听见了汽车在门前停住的声音。接着就有了脚步声和疲乏的、愉快的谈话声。"我懂得这一切!"蒋少祖想。

"睡着了吗?"陈景惠推开门,负疚地笑着问。

于是她站在门边和蒋淑媛谈话。

"她真笑死人,跌了一交!"她说。

"这是你不好!你看,素痕讲王熙凤好,她说凤姐说:'男人家,见一个爱一个,也是有的!'哈哈哈哈!"

"淑媛,你看见我底拖鞋吗?"王定和在远处以疲倦的、不快的声音说。

"都是一样,没有谁能够逃脱!"蒋少祖厌恶地想,转身向着床内。

第四章

一

宴会以后的第三天,蒋家底人们有了一次关于他们底家庭事务的长谈,但没有结果。男子们认为这种失败完全是由于妇女们在内的缘故:她们惯于把谈话引导到感伤的慰藉上去。蒋蔚祖和蒋少祖,由于不同的理由,对这个谈论持着沉默。

男子们后来又围着蒋淑媛谈了一次。他们最先提到财产问题,其次提到人力底影响问题。这次谈话,虽然还是没有结论,但大家认为已经把一切弄明白了。这次蒋少祖怀着阴郁的兴奋说了很多。

蒋家有着庞大的财产。但这个财产却是死的,大部份在田地房产上,其次在古玩珠宝上,十年来,老人搜藏了极为可观的古玩珠宝。但这些名贵的东西正在逐渐地被蚕蚀。女儿们拿走了一些,苏州底姨姨拿走了一些;族人们偷了一些;金素痕弄去了大部份。大家认为金素痕在南京藏有八万元以上的古玩珠宝,并且因此结识了一个年青的珠宝商人,造成了蒋蔚祖的不幸。

大家在谈话里最初没有提到姨姨。后来,在提到珠宝时,蒋淑媛提示说,姨姨家里已经靠这些零星的东西在镇江开设了店铺。大家沉默着。

姨姨很年轻,大家称她为小家碧玉。她是被老人用钱买来的。蒋家底女儿们,因为不常在家,所以对她颇好;但她在这种家庭里决无地位。金素痕好多次指着脸骂她,老人却装做不知道。

老人对待金素痕的苦心是大家都明白的。老人最爱蒋蔚祖,而蒋蔚祖是绝对地被操纵在美貌的妻子手里。他们结婚已经四年,最初几个月住在苏州,然后,由于金素痕底意志,他们便开始来往于南京苏州之间,每次住两三个月,最多在南京住过半年。

这种流动显然是有着不小的目的的。到南京,为了向老人要财产;回苏州则为了调查并监视财产。老人痛苦地和媳妇争夺儿子,甚至劝他再娶一个,但这一切毫无效果。

远在三年前,为了儿子,老人向媳妇做了最初的让步,在南京下关置了二十万元以上的地皮和房屋,暗示这是给他们的,把租钱划给了他们。老人底逻辑是,尽可能地顺从媳妇,使得媳妇尽可能地顺从儿子——最初是这个逻辑,以后还是这个逻辑;以后是不得不是这个逻辑。

但这个购置房产的行动招致了不幸。最初是,市政府大规模地动手建设南京,把下关底这一块地皮划为工厂区,出低价收买。老人焦急了,在运动和贿赂上化了很多的钱。市政府缓和下来了,但又不能收到租,因为房产地皮全为流氓光棍占据。这些流氓光棍承认蒋家是主人,但不给租钱。这里面有着复杂的、黑暗的、重利盘剥的关系,孤独的老人无力打进去,而光棍们发了财。大家知道这些光棍们和金素痕底父亲,有名的大讼师金小川有着血肉的关联。这笔财产就是由他介绍购置的。

其次,老人在购买这笔产业时,因为现金不够,向苏州底一家钱庄支借了十万。事情拖下去,每年要付一万元左右的利息,老人陷在困苦中了。

但这还不是什么不幸,虽然是很大的打击。不幸的是,金素痕并不懂得老人底逻辑。她不断地声明房租收不到,不断地向老人索取。有一次她跑回苏州,说丈夫生病,逼迫老人写支钱的字据;她推倒姨娘,劫取了老人底存折和图章。而这一切——老人底这一切容忍的结果是,蒋蔚祖因不堪打击而衰弱了,不时单独地跑回苏州求父亲饶恕,但在父亲坚决地扣留他时,他又啼哭,绝食——逃往南京。

最近一年,金素痕在南京生了小孩,回到苏州去,和平地和老人相处,老人因得了孙儿而快乐,情形似乎好起来了;但金素痕现在又回到了南京,并且要进法政学校。

蒋少祖在谈话中提到说,金素痕是用小孩来做新的资本,他说他以为金素痕底头脑是极腐败的。大家同意了他。

王定和说起了苏州收租的情形。他说他不大清楚,但大概是那样。其次他提到工厂。老人最初给了这个厂五万,以后又陆续地给了一些,但最近一年冷淡了,并且有了要收回那五万的意思。王定和说,实际上,老人已经收回了好几万。

蒋淑媛说,她对金素痕是不放松的。谈话就这样结束了。当天晚上,蒋少祖又去看了王桂英。第二天清早他和陈景惠离开了南京。

蒋家底人们认为金素痕在嫁到蒋家来以前便怀有财产底企图。他们认为她,金素痕是和自己底父亲商量好了,讲好了条件才到蒋家来的。以后大家发现她在婚前便有情人,于是补充着说,她是在和父亲讲好了,在夺到了蒋家底财产后便脱离蒋家,和情人私奔这个条件后,才到蒋家来的。

有一段时间大家商量到分家,但这显然是办不到的,因为金素痕也以分家为要挟;而倔强的老人无疑地是在有生之日决不容分家。于是大家又防备金素痕私奔——置蒋蔚祖于死地。

金素痕出生于没落了的,改变了原来的面目的富有人家。父亲金小川有着一小份财产,原来是讼师,最近几年,插足到南京底纷杂的土地纠纷里面去,挂起了律师底招牌。这一切是很顺利的;南京很多破落的富户便是这样又起了家的。这种家庭粉饰着新式的门面,好像它很可以存在了。但它里面是有着可怕的、可怖的混乱和堕落。

人们说过金小川有乱伦的事。但最近两年,这个小老头底全部心思是在财产底获得上。金素痕底姐姐一直未结婚,但交游广阔,有很多情人——沈丽英们称这为放白鸽。金素痕底年青的、时髦的、大学生的弟弟则娶了一个女子仅仅为了骗嫁妆。这是一个有钱而有名的律师底女儿;刚嫁过来半年,金小川底儿子便把她打回家,提出了离婚。但女人有了孕,不肯离婚,但也不回来,于是金家便弄到了价值数万的嫁妆。这个名律师起了诉,金小川用各种方法斗争,他们底官司整整地打了三年。而在这个期间,那个大学生的年青人又结婚了。

这个名律师会被骗,尤其这个精明的、严厉的蒋捷三会被骗,是很奇怪的。显然他们两家在缔结婚姻之前是并不知道这个家庭的。——酷爱老旧世家的蒋捷三在最初显然认为一切老旧的家庭都是和自己底一样;那个名律师则显然认为一切律师都要比普通人好些。于是他们就照南京人底说法,上了当了。

金素痕在这种家庭里长大,受了相当的教育,很快地便超过了同辈的妇女们,成为新式人物了。——但她底头脑却又是一回事。她谈法律、政治、谈张学良和汪精卫,也谈维特。但她底头脑却是呆笨而荒谬的。因为她是年青美丽的,所以她是聪明智慧的。

她认为她对蒋蔚祖的感情是无可非议的;她并非不爱这个秀美的,聪明而忠厚的蒋蔚祖。但他底软弱是她底苦恼,并且,后来的一切破坏了这个爱情。

蒋家底形势和她自己底生活范围注定了她底命运,注定了她不可能为什么一种爱情而进蒋家。从跨进蒋家的第一天起爱情便是不可能的了。而后来,这是当然的,财产争夺底进展、风头底追求使她不得不破坏了一切。在爱情上她很经历了一些痛苦。而这个痛苦造成了她底荒唐。

在苏州,她是穿得非常的朴素,但到了南京便完全不同了;她跳舞、听戏、出入宴会场所。

她哄骗蒋蔚祖像哄骗小孩。她总是把蒋蔚祖一个人留在家里。有时她天亮才回来,于是蒋蔚祖便天亮才能安静。在她不在家时他总是懊悔自己放走了她。他热乱、痛苦濒于疯狂;他哭,他在街上乱跑,他撕裂衣服——但一看到她,一听到她底温和的呼唤,他便安静了。

蒋淑媛做生日以后的第二天,金素痕又出去了,晚上还没有回来。黄昏的时候,蒋少祖单独地来看哥哥,被哥哥底哭红了的眼睛和昏热的脸惊住了。

蒋少祖是在看了朋友之后来看蒋蔚祖的。他企图弄明白哥哥生活在其中的这个环境,所以进门时便非常注意。金素痕和父亲、姐姐住在一起。这是一座新建的楼房,屹立在周围的密集的,污秽的瓦房和棚屋中央。蒋少祖在大街旁边下车,走进一个肮脏的、两边全是穷苦住户和小店铺的小巷子,怀疑地站下来,不相信有钱的金家会住在这个地方。但再往前走,便看见了楼房,昏暗的灯光现着律师底招牌。蒋少祖怀着厌恶走进门来。听见了左侧房内的哗笑声:显然那里在赌博。走进不洁的小院落,蒋少祖遇到了一个高瘦的、脸上有昏倦的神情的、衣服不洁的老人。蒋少祖站下来,询问他。

看见这个穿西装的、洒脱而表情阴沉的来客,老人便迟钝地站下来,把手弯到胸前,不自然地、卑贱地笑着。

他卑贱地笑着,同时探索地看了蒋少祖很久。蒋少祖厌恶他,低声地说了要找的人。

"他?他,在家!"老人在衣服上擦手,卑贱地笑着,说,眼光闪灼;"贵姓?"

"姓吴。"蒋少祖说。

"好,请您来。"

老人引蒋少祖穿过正堂,走上楼。一个丰满的、梳着高头发的、眼睛深邃的女子带着愤怒的表情跑下楼来,站住看了年青的来客一眼,同时迅速地举手理头发。蒋少祖严厉地看了她一眼,记住了她。

"蔚祖,吴先生!"老人推开门,说。"好,请,少陪……"他向蒋少祖鞠躬。

但听见蒋蔚祖唤客人为阿弟。他很狡猾地、会心地微笑了。看见金素痕不在房内,蒋少祖愤怒地关上门。

蒋少祖脸打颤。在小沙发上坐下来,厌恶地注意着房内的华贵的陈设。

"刚才那老头是谁?"蒋少祖问。

"她爹。"

"刚才在楼梯上,一个穿黄绸衣的,高头发的是她姐姐?"

蒋蔚祖点了一下头。

"底下房里打牌九的是些什么人?"

"不大清楚。"

蒋少祖点烟,严厉地看着地面。

"嫂嫂呢?"

"出去了。早上就出去,她去收房租,因为……"

蒋少祖浮上忧郁的笑;他明白哥哥为什么要辩解。

"我闷的很。"蒋蔚祖说;"你拢不拢苏州?"

"我后天走。还不一定去不去苏州。你知道,爹爹不愿见我。"

"不是这样的,阿弟。"

"怎样?"

蒋蔚祖凄凉地叹息;温柔地笑着,看着弟弟。

"你好几年都不回家了,阿弟。这回来的时候,爹跟我说你,他说你应该回来。爹爹年纪大了,阿弟。"

"对的,是这样。"蒋少祖冷淡而苦恼地说。"但是我被牵制了;你看。"他笑了一笑。想起了王桂英,他底脸打颤。

"你还记得苏州么?"蒋蔚祖更温柔地笑着问。

蒋少祖匆忙地笑了一笑。

"你记得么?但是河里现在不好玩了,河里现在寂寞了。"蒋蔚祖友爱地说。

"是的,我记得,我不会忘记,但我无需记得。"蒋少祖想;"看见他这样真是不能忍受的,一个女人使他不幸。但我却使一个女人……不，这是不对的。怎样从这间房离开呢？一切阴沉、痛苦，一切悬念压迫我；但是把他留在这里么？留在这个房中？是的，留下，但他是囚犯么？预备向他说什么呢？他能懂我底话么？是的，无需说，不必说，痛苦很容易忍受。"他想，压着手指。

蒋蔚祖含着悲伤的微笑凝视着弟弟。想到这个弟弟就是以前那个顽皮的，温柔的男孩，他就觉得非常凄凉。

"他在想什么？"他想。"阿弟。"他唤。于是蒋少祖抬头，惊异地看着他。

"少祖弟啊，什么都离开了我，什么都去了啊！"蒋蔚祖说，同时啜泣了起来。

蒋少祖动着下颚，眼部有虚假的、掩藏的微笑，看着他。

"不，不是这样说！"忽然他用哑的兴奋的声音说，猛力压下手指去："为什么要这样说？首先是你自己。……我想你爱嫂嫂。但是世界并不是这样简单的，唯一的办法！……"他顿住，露出激燥的，思索的表情。

"你应该安心，安心，出去玩玩，活动活动。"他说。

听到这个结论，蒋蔚祖就变得阴沉了。接着，那种愤恨的，冷酷的表情，就在他底眼里出现了。蒋少祖说要走，他没有作声。蒋少祖站起来，勉强地笑着说了什么，他冷酷地看着。

蒋少祖觉得难受，走到门边又走回来。

"我后天走了。明天你去吗？"他问，谨慎地、困惑地笑着。

蒋蔚祖冷冷地点了一下头。

但弟弟刚刚离去，他就感到可怕的孤单。想到金素痕还没有回来，他就痛楚地叫了一声，抓着头发，倒在床上了。

觉察到有人走动，他跳起来，打开了灯。但看见是金小川，他就厌恶地皱着眉头。

金小川喜悦地笑着看着他（他多半这样看他），自在地坐下来，开始吸水烟。他从烟里喜悦地看着他，好像他是令他高兴的、顺从的小孩。

"刚才来的，是你弟弟吗？"他笑着，安闲地问。

蒋蔚祖不回答,皱着眉头向梳妆台走去。

"是你弟弟吗?好新式的年青人!"

"是的!"蒋蔚祖愤怒地回答。

"他在上海干事……他每个月能收入多少?"金小川和悦地笑着问,在膝盖上擦着左手心。

蒋蔚祖再也不能忍耐,愤怒地看了他一眼,走出去,猛力地带上了门。

蒋蔚祖没有吃饭,没有睡觉,夜深时还在房里徘徊着。最后走到街上去徘徊,注意着每一辆车子。每一辆车子在远处,在昏朦的灯光下都是可亲的;但在走近后便变成可恨的了——它们载着别样的人们。车子陆续过去了,或在另外的门前停住了。空了的车辆发出轻微的响声通过着街道,卖夜食的小贩在远处用凄凉的长声叫喊,并且敲打竹板。空洞的街上,细雨飘落了。远处有呜咽般的、间断的、孤独的声音,很难分辨是什么声音。

痛苦的,灼烧的蒋蔚祖靠在电线杆上,仰着头。

雨落在他底脸上,他舐着嘴唇。他是发了怎样的誓,要惩罚金素痕啊,可是,看见了那辆辉煌的,张着轻蓬的包车——这辆包车终于来了——他底心立刻就恬静如婴儿了。

他跑近去,呼唤了一声,立刻就跟着车子走起来。

金素痕轻轻地在蓬子里面回答了他,——这种情况她是已经习惯了。车子停在门前,蒋蔚祖拉开了车蓬,她就庄严地走了下来了。车灯照见了她底浮乱的头发和苍白的、带着厌恶神情的脸。

"我在等你。你到哪里去了?"痛苦的蒋蔚祖问,小孩般皱着眉。

"替我拿,蔚祖。"她冷淡地说,指车内的包里,"死囚,你总是这样!谁叫你等!"她说,提起衣裳向里面走去。

蒋蔚祖愤怒地、痛苦地看着她。

"下雨你也不怕!"她在门廊里用谴责的、疲乏的声音说;"头发都湿了!生起病来,我怎么是好!"她说。

"都是为了你!"蒋蔚祖生气地回答。追了上去。

"死囚,总是!今天我一直跑到下关。……死囚,今天不许胡缠!"她低而疾速地说,走过照在微光里的院落。

二

金素痕进了所谓法政学校,有了整天不回家的借口。她总有很多地方可以去的。有时,从浮华里凄凉地惊醒,她便回到家里来,整理财产。这个工作总是给她带来了恬静的、忧郁的心情。

七月初旬,她和侵占了房租的父亲有了一次剧烈的口角。她回到苏州去,然后,因为很多房子需要修理,向老人要了一笔现款。临走时,她欢欢喜喜地向老人说,小孩长得很好,秋季他们要回来,于是她又弄到了几件古玩,据冯家贵说,这时候,老人打开了橱,她笑着自己动手来取。老人无表情地看着她,在她动手拿一件极其贵重的东西时,就红着脸撇开了她底手,愤怒地关上了橱。但她笑着说,爹爹错了,她只是要看看。等等。

这些情形,在南京的蒋家底人们都晓得;冯家贵总是即刻便把这些告诉他们——或者为事务来南京,或者写信,用他底拙劣的、崇敬的、可笑的文笔。但在南京的人们已没有能力再注意这些事:他们已不再为它们激动;他们觉得,较之未来的一切和失去了的一切,这些事都是细小的。

他们在这一段时间里,是在忙着蒋淑华底婚事:这是那样的令他们悬念。在全体底积极下,蒋淑华底婚事进行得很顺利。蒋淑珍领汪卓伦去了苏州,老人满意,答应了。老人是那样的满意,在无穷的烦恼中这是一件难得的快乐,老人并且答应了来南京主婚。

从蒋淑媛生日的那天起,汪卓伦便成了蒋家底亲密的人物。汪卓伦几乎每天都来,有时到蒋家母亲底老宅,经常到蒋淑媛那里。他做了在他底身份里应做的一切;他有礼,耐心,陪太太们看戏,应付冗长无味的谈话,并且给蒋家底老人和小孩们送礼。他做这一切显得很愉快,但实际上他心里很苦恼,因为这一切都是他所不习惯的,他常常要觉得羞耻,并且嫌恶自己。

他对于这件婚姻还是很害怕,首先,他朦胧地觉得,他将要酿成错误。其次,他觉得,这个时代,人们为金钱或别的什么结婚,但他,汪卓伦不能够这样——他很怕别人以为他是这样。他认为结婚所带来的金钱会使两个人都不幸福。最后,蒋淑华身体很不好,也许脾气也不好。

他对这些有着繁重的考虑。首先,这个婚姻底提起唤起了他底深重的悲哀,他觉得他,汪卓伦,不能够再适应别人。虽然多年来他在同事们中间生活,很有一些朋友,但他却是孤独的:很少参加宴会和娱乐。他孤独地、单调地生活着,对这种生活有着明白的意识;他想他自己是正在腐朽,死亡是逐渐地来临,他对这个思想已经习惯,毫不觉得它可怕。他对各种社会事变不大关心,他希望能在静穆的乡间,消度以后的岁月。因此,在那天和蒋淑华谈话以后,他对自己底幸福意识发动了强烈的谴责。他认为自己是不能忠实的。他认为较之家庭幸福,他宁是更喜爱那种死灭底自觉,——至少后者是于他更适合些。

所以在后来几次和蒋淑华会面时,他底沉默多于说话,快意地感到自己心中底阴冷。但别人使他做了一切——他惯于顺从别人。而他所做的这一切使他承认了他底幸福意识了。

他不明白他究竟决定了没有,不明白一切是怎样进行的:在蒋家姊妹们带小孩出现时他就送礼,在她们请他时他就去,而最后,在蒋淑珍邀他去苏州时,他认为这是应该的,就向部里请了两天假。从苏州回来,他继续考虑着,悲伤地明白了这一切正是他自己所要做的。

从苏州回来时天在落雨。和蒋淑珍分开后,他坐人力车回家,车子在雨里行走着,泥水在下面发响。凝视着灰黑色的房屋和低沉的雨云,不经心地看着就在眼前经过着的那熟悉的一切,汪卓伦感到悲哀和疲乏。想到等待着他的是空虚的、熟悉的房间,他感到满意,他想到他底用了五年的嗽口杯已经开裂,考虑是否要新买一个。这时车子滚过泥塘。

"不,不要买新的!一切旧的、破的,它们要留下,因为它们是我底!"他想;"无论怎样,我不能再过什么新的生活,耽误别人!我并没有向她们提半个字,这是对的,在还没有错误的时候——我留着我底嗽口杯,我不买……"他看着灰色的雨幕,对自己说。"我觉得心里安静,没有什么引诱我,这样最好!我没有错。我没有堕落。让我安静,逃开,死去。一切已经过去,……为什么还要再去看她?"车子走近时,他注意到了住宅左近的池塘:它已在他离开两天内涨满,并且变得清洁了:"多好,——是的,只有这个才是我底,只有这些才属于我,没有花开,但是秋天底萧条的树木为什么不好?……"

他走进门去,嗅到了熟悉的气味,看见一切都照旧,心里充满了感激,随后他就安适地睡去了。醒来时,已经下午,雨仍然在落。房间里的一切使他异常感动,他用手垫着头躺着,寂寞地继续着以前的思想。

有了轻轻的敲门声。他没有动。

"我不需要任何人……有谁来呢?他应该回去,因为他自己也是烦恼的。"他想。"哪个?"他低声问,坐了起来。

听见是蒋淑华,他皱眉了。他开了门,笑着,有礼地向她点头。

"实在是一回来就很累,太匆促,没有去你们那里。"他烦恼地微笑着,说。

蒋淑华坐下来,把绣着黄花的白色的提袋放在桌上,说了关于天气的话,沉默了。谈话不连续,蒋淑华不时脸红。显然她觉得她到这里来,是不对的。假若所遇到的汪卓伦还是那个温柔的,羞怯而忧郁的汪卓伦,那么她到这里来便是对的。但现在这个汪卓伦是冷淡、拘谨、烦闷。

"你,你觉得苏州怎样?"她用假的声音问,脸红了。

"很好。"汪卓伦回答,不安地看着她。"我还是头一次去。"

他说。

他底看向洗脸架的,沉思的眼睛说:"是的,破了,但是正因为破的,才是我的。"

蒋淑华顺着他底眼光看了看他底嗽口杯,又看了桌上的提袋。想说什么,但又止住。

"下雨,走路不方便的很。"汪卓伦说,忧郁地笑着。

"是的。"蒋淑华回答,环顾着。"你这个房间,好像动过的样子。"她说。

"没有。"汪卓伦笑着,"我喜欢老样子——一直是这样。"

蒋淑华感到失望,并且厌恶自己。于是她笑着站起来,说妹妹等她,她要回去。

"这里,"她说,打开了精致的手提袋:"我自己都不好意思,我跟你带来了两条毛巾和一个杯子,你看你底都用不得了。"她说,脸红到耳根,眼睛潮湿而发亮;她底手,因激动而慌乱,从提袋里取出毛巾和杯子来。

汪卓伦脸红,看着她,看着杯子,看着洗脸架。……于是汪卓伦沉重地叹息,他底眼睛潮湿了。

蒋淑华看着他,悲哀地笑着,他底美丽的睫毛在颤抖。

"你自己也很疏懒……"她怜爱地说。

"是的,我很懒,我过惯了,但是,你怎么……"汪卓伦激动地说,用泪湿的眼睛看着她:"是的,是的,谢谢你,因为我以为我——不,我以后再告诉你!"他说,垂下头来。

婚礼在九月末,在蒋淑华底生日那天举行了,蒋淑华对于自己底在秋天的生日感到特别精致的情意。

这个喜期是选得非常的适合。她底病没有什么变化,经常是那样,但精神好起来了。她向来不相信医生,她像老人一样嘲笑医生;但在婚前她顺从了蒋淑媛,到医生那里去做了检查。蒋淑媛事先和医生说好,要他向未婚夫妇"说一点鼓励的话"。因此检查底结果很好,蒋淑华异常的自信,开始对医生有了好感。

这对夫妇有他们底理想,但不明白他们是处在什么样的环境中——他们结婚了。

老人来南京给这对夫妇主婚。对于由蒋淑华底意志所安排的这种朴素的形式,老人已不能反对:他过去是对这个女儿反对得太多了,但蒋淑华对老人却很经过一番考虑。她很需要他来,因为她爱他;但同时她怕他对她所决定的一切不满。她自己底幸福和父亲底愉快是同样不能轻视的,特别因为她已经不幸了这么久,而老人底晚年是这样的——有些凄凉。

在姊妹们中间蒋淑华是特别倔强的。她很可以依照自己底意思去做,像蒋淑媛曾经做过的那样,但她认为蒋淑媛是为了俗世的利益,而她,是为了那个崇高的境界。事实上,老旧的婚姻礼节是完全被蒋淑媛推翻了,蒋淑华是可以很容易地做下去的,但正因为这个,她想她不该这样。

蒋淑华有着特殊的形式的爱好。照着她底意志,汪卓伦搬到蒋家底新修理的宽敞的房子里来;照着她底意志,他们买了东西,布置了住宅。汪卓伦觉得,顺从她,是幸福的。

但老人却根本没有想到要反对。实际上,在他底意志成了蒋蔚祖底不幸之后,他便考虑了另外的儿女们,对他们底自己寻求幸福的意向同意了。也正是因为这个——这中间的痛苦的挣持——蒋淑华底婚事才迟到今天。

老人给蒋淑华带来了庞大的嫁奁。

但这对于新夫妇是有些意外的,蒋淑华曾经向汪卓伦说,只要能够过活,此外她什么也不需要:爹爹底处境很困苦。汪卓伦,被她底坦白和高尚的意念感动,但同时觉得很惶惑。

蒋淑华是在苦恼地等待着要知道父亲将要给她什么。她很想要一些足以保障生活的东西,但同时觉得这是很可耻的。并且她想要一些宝贵的纪念品,梦想把它们留给她底未来的小孩们,但一想到父亲会不给她,她便要觉得恐怖。

老人比预定的早一天来南京,事前来了电报,蒋家全体赶到车站去迎接。但这个电报大家没有通知金素痕,因此也未通知蒋蔚祖。

　　⋯⋯⋯⋯⋯⋯

　　蒋家底多数的人们在听到汽笛和车声后从休息室里跑出来，挤在月台上。这个图景是很动人的。

　　他们底脸上是有着那样的紧张的感动的神情，他们不许小孩们说话，老年人看不见黑烟，向姑娘们笑着。在新夫妇脸上，是有着大的严肃，它表现了对于命运的高贵的容忍。

　　列车冲进了月台，猛烈的水汽使他们向后逃跑。但即刻他们又跑近来，注意着每一扇窗户。傅蒲生叫了一声，追着一扇窗子向前跑去，于是被裙子和长袍裹着脚的、惊慌的妇女们在纷杂的、愤怒的人群中跑了起来。

　　老人伸出了他底银白的头，妇女们锐声叫喊起来。

　　老人迟缓地走下车来，大家拥了上去。

　　老人慈爱地、温柔地笑了。发现蒋蔚祖不在，他皱眉，但即刻又笑了，眼里射出动人的光辉来。

　　老人轻轻地撩起蓝色的缎袍走过来。蒋淑珍伸手去扶他，他笑着摇头，一面向流泪的老年的妹妹用低沉的、温和的声音说话。然后向老年的妻子说话，然后笑着盼顾小孩们。

　　"啊，你们都好吗？"他用低沉的、温和的声音说，笑着，被大家簇拥着走了两步。然后他停住，吩咐佣人们取行李。

　　当大家发现所带来的东西一共有二十件时，他们是怎样的吃惊！——他们每个人是有着怎样的感想啊！

　　生病的、瘦弱的、诗意的新娘在回家的汽车里便哭倒在大姐身上了。她觉得对不起父亲，对不起姊妹兄弟们；她觉得父亲是在心里流着血，在整个家庭底厄难里给了她这些东西的。于是她决心什么也不要。

　　老人被拥进洪武街底宽敞的阴凉的老宅，显得很安静。吃了点心以后他吩咐佣人去找蒋蔚祖。于是他开始和儿女们谈话。他显出极大的和平与安静，显然他怕大家怕他。

老宅门口围满了邻人们。行李从人群底惊羡的眼光中运了进来。行李运完以后,老人唤苍白的、柔弱的蒋淑华走进后房。他关上门,查点行李,在房中慢慢地走动着。

蒋淑华是被这种东西压倒了。她严肃地、苍白地坐在靠门的大椅子里,看着老人。老人向她笑,她垂下了眼睛。

"这是一桩事。"老人低声说。

"爹,我想和你说话,晚上和你说。"

老人摇头,慈爱地看着她。她垂下美丽的眼睑,她底下颔颤抖着。

"爹,我想带你去看看房子,我弄好了。"她哑着声音说,移动着身体,想到父亲心里不会满意,她叹息了一声。

老人看着她。

"这些,我不要,爹。"忽然蒋淑华用兴奋的声音说,脸更白了;"因为我不能要,我也不需要,我只求过活,我在这十年里对不住爹爹!"她说,苍白的脸上有了严肃的、坚决的、矜持的表情,眼里有了泪水。

但老人摇着头向她怜惜地笑着。

"爹,我说了,我心里……你,你总该明白我不讲假话!"

老人笑出了讽刺的、虚假的声音。老人显然很痛苦。

"呆子,小孩子,啊!"他说,徘徊起来。

"我只要那个房子,只要——顶多,只再要水西门外的那一栋!我喜欢乡下,我们去修理。爹要是肯,就给这个。"蒋淑华固执地说,"另外,我要,我要苏州一点小东西。不过没有多大关系。我想将来这是很有价值的。爹,并不是钱。"她说,疲乏地靠到椅背上去,以火热的眼睛看着父亲。

老人站住,焦燥地做手势使她停止。

"呆子!"他说,"你要什么,我晓得。啊,不许再说!为什么你这个鬼像,哪个敢说你拿多了!哪个敢说!"他愤怒地大声说。

"不是,爹,决不是!"蒋淑华锐声说。

"傻子啊!你要的,我晓得。"老人愤怒地说,"不许再说,我给你看看,看是不是,看看!"他说,迅速地在箱子前面蹲了下来。

蒋淑华没有动,看着父亲底在箱子前面移动着的身躯。看见父亲从一口箱子里翻出了貂皮和狐皮一类的东西,她痛苦地皱着眉。

老人又打开一口箱子,同时笑出声音来。蒋淑华站起来,走了过去,立刻蹲下来,伏在父亲底肩膀上啜泣了。她啜泣,因为这口箱子里的晶莹的东西正是她梦想留给她底未来的孩子们的,因为父亲是这样的理解她,并且,她啜泣,因为过去的、黄金般的时代不可复返了,因为那个黄金时代是被各种错误和矫情损害了。

老人左手抓着一件东西,用右手轻轻地抚摩着这个回来了的,但又要离开的女儿。老人嗅鼻子,滚下了眼泪来。

三

老人对蒋淑华所精致地布置的一切很满意——至少在外表上是如此。因为在蒋淑华领他走进明亮的、洁白的、窗前挂着纱幔的房间,骄矜地、带着那种雅致的审美态度向他指示家具底位置和陈列,并且说明她虽然也喜欢父亲所喜欢的,但现在的南京妨碍了这个时,老人曾经愉快地笑着点头。他在蒋淑华底雅致的世界里站了很久,显出很大的耐心。

蒋蔚祖当时就来过,带来了礼物,这些礼物显出他底漫不经心。它们显然不是金素痕选择的。蒋淑媛问他买了好多钱,他不耐烦地回答了大概的数目。蒋淑媛兴奋地描写说,他一定是买东西时没有和店家算帐,不要找钱,掉头就跑。他烦闷地点头。回答说:"我不像你们那样小气。"这个回答使蒋淑媛不快,于是老人谴责了蒋蔚祖。

老人显然不愿提起家务。这次来南京,他对一切花钱的事表示了赞许。于是大家买燕窝之类的东西给他——这些东西他其实是并不缺少的。"够了。你们干什么?"他说,这句话在大家无疑地等于赞许,他深思地、但简短地提到蒋少祖,大家说这次蒋少祖夫妇有事不能来,已经来了电报,他就沉默,谈到别的上面去。晚上他向女儿中间的一个简短地说,他愿意蒋少祖夫妇回一趟苏州。"有些事情要交代。"他说。

第二天,年老的世交们来访,下午,金小川和金素痕来。老人在和世交们谈话时,谴责当代,预言未来,显得非常兴奋。但一和金小川交涉,他便显出涣散、沉闷、不愿意。

因老人底来到而淡妆了的金素痕,在问好之后便退了出来,金小川谄媚地看着老人——好像他是奴仆。金小川即刻便说到下关房产的事,说必须主人亲自去交涉。

老人抽着水烟,沉默地听着他,不时看他一眼。他说得愈久,蒋捷三便看他愈频繁,并且面孔愈沉闷。

"你看,亲家,他们全是有后台的。小陆家是如此,梁家也是如此。亲家,他们市政府底路子很通。"蒋捷三看着他,他恭谨地笑,沉默了一下。"有价钱,亲家,卖掉何如?"他甜蜜地,用温柔的假声说,欠着腰。

蒋捷三看了他一眼,两腮下垂,闭着眼睛抽烟。

"这回是铁道部。也是风闻,头绪却是很难!"金小川挺直身体,正直地说,"不过,这个数目……"他竖起两根手指,欠着腰,温柔地,甜蜜地小声说。

"怎样?"蒋捷三疲乏地说,小孩般皱眉。

"十四万,亲家,啊!丢开,丢开,让铁道部上当去,他们去打架!"

蒋捷三频繁地瞥他,沉思着。

"不卖。"他回答。

"亲家真是生性固执生性顽强,可嘉可佩,但是现在的南京可一日千变哪!"金小川摇头,大声说。

老人底两腮严厉地下垂。

"现在的南京可风云莫测哪,市政府一个计划下来,警察厅一道公事,再加上司法院……"

蒋捷三忽然压下眉头,眼里有了愤怒的光芒。金小川笑着沉寂了。

沉默了很久。

"你出去。"老人低声说,看着金小川。

金小川看着他,被他底眼光所支配,站起来,嘀咕着往外走去。在门口他转身,笑着鞠了一个躬。

"亲家,改日奉访,啊!"他用甜蜜的假声说。

婚礼时,快乐的,怕别人笑闹的汪卓伦在听到老人底祝词以后改变了心情。老人意外地说得很多,并且说得很广泛,使新郎有了严肃的、冷静的心情。礼堂就布置在自己家里,礼堂很小,但客人极多,除了老人底故交以外还有汪卓伦底准备笑闹的同事们——客人们一直挤到院落里。伴着新娘在笑闹声中走进礼堂时,汪卓伦怕错,快乐而羞怯。但老人使他改变了心情——使他变得冷静而严肃。

老人安静地,严肃地站在灿烂的颜色和辉煌的灯光里。老人在说话之先取出大的白手巾来揩了一下嘴。

"今天你们结婚。"蒋捷三用低沉的、安静的声音说:"你们底结婚要算很迟。不过结婚得太年青是不算好的,尤其在现在。在现在,你们脱离了我们所过的生活,同时你们须看到,在现在的时代,在你们底周围是些什么。是荒淫无耻,伤风败俗,不知道祖先底血汗,不知道儿孙底幸福;上不能对创业的祖先,下不能对后世后代。"老人停顿,两腮下垂,用手巾揩嘴,"我指望你们,你们都是干净清白的孩子,你们要小心。"他用更低沉的声音说,"过去的错处,你们推给我们,是可以的,但是未来的……那是你们自己。不过,这个话是和结婚不相干的,"他思索着,"应该快乐的时候,你们快乐。好。"他低声说,看着大家,然后严肃地鞠躬,走到旁边去。

"是的,他说了这个,但是怎么我没有想到这个?"汪卓伦想:"我从前是想到的,但是近来竟然完全忘记了,但是他说了什么?他说:要明白自己底祖先,而将来,那是在于你们自己!那么,怎样我只能想到我们两个人？不，不是两个人，是大家，是我们大家。我们在大家中间，生于今之世。"汪卓伦想。"为什么？"他在鞠躬的时候想。"是的，是的，是这件事。"他对自己说，叹息着，跟着被蒋秀菊扶着的新娘走动，避免踩着她底纱。

老人在第二天去看了下关的产业，然后回到苏州去。

蒋淑华底嫁奁使金素痕惊动，她觉得老人是在企图尽量地在自己死前用这种方式分散一切。

婚礼后的第四天，她和蒋蔚祖来看蒋淑华，快乐地、诚恳地请求蒋淑华给她看看"苏州货"——蒋淑华冷淡地拒绝了。但后一天，蒋淑华不在家，她单独来了，要求汪卓伦给她看。

蒋淑华忘记和汪卓伦说这件事。在新婚底快乐里，汪卓伦感到另外的一切是毫不重要的，他愉快地允许了金素痕，带她走到后房去。

金素痕惊羡地笑着，赞美着房间底布置，并且赞美他底诗意的夫人。汪卓伦幸福地单纯地看着她。

"老太爷，这个陪嫁轰动了南京城，为什么不展览一下呢？尤其我多么喜欢看一看啊！"金素痕生动地说，"总是，有一种怀念，我觉得过去是好的！啊？"她用力摇头。

汪卓伦站在房间中央（想到他是在这个房间里他便完全幸福），那样地笑着看着金素痕，好像说："你说的很对。但是过去，也许是好的吧，不过我不知道。我并不看重财产。我什么都不要，真的，但是你赞美，我仍旧快乐！"

"你多好的福气啊！"金素痕说，用力摇头。

"哪里。"汪卓伦柔和地说，眼睛笑着；"这些东西，我们并不需要，累赘得很，我自己都还没有看过。"他底笑着的明亮的眼睛说："我怎么有时间看这些呢。"

汪卓伦搬动木箱，打开最上面的两个。他蹲下来，把貂皮和绸缎撩了一下，站起来，皱着眼睛笑着，含着特殊的悲哀注视着金素痕。

"啊,这个……不过,我怎么好动?"金素痕活泼地说,活泼地笑着。

"你看吧。这是你们蒋家底东西——古色古香。"汪卓伦说。

"嗯,是的。爹从北京弄来,为了……现在是不容易看到的哪!看到这个,我就好像回到从前,很远的从前去了!……"

金素痕蹲了下来。汪卓伦不再看她,为了——对妻子的贞洁。但他仍旧笑着,而那种特殊的悲哀神情更鲜明。他觉得金素痕是应该悲哀的,因为他还追忆那个幽暗的,无可留恋的过去。

"这是二姨姨手里的东西,你看,这是二姨姨底针线,多么好!"金素痕喜悦地说,挑起一件小孩穿的貂皮氅来。"这个,你不知道,淑媛姐姐才想要,她为了这个还气哭过!"她笑着,继续翻开来。"你看这个,现在简直不能穿了,要改,没有这么巧的裁缝;爹上回说给我,我没有要,啊,连这也在!多巧多巧,看哪,红里面带黄色……"

蒋淑华走了进来,汪卓伦带着那种悲哀向她笑着,她皱着眉,注视着金素痕。

"哦,淑华姐姐,多好的福气啊!"金素痕回头,吃惊地笑着高声说;"我是一饱眼福!看哪,你记得吗?爹说这是二姨姨底针线?从前的旧式女子多会持家啊!"

蒋淑华冷淡地看了她一眼。

"新式女子也要持家的。"她轻蔑地说,走向桌子。

"可是我们是另外一种生活,另外一种头脑了。我们也许在别人眼里是罪大恶极的,不过,淑华姐姐,是社会风气造成人的啊!"金素痕站起来,娇媚地,抱歉地大声说,"我们总不免有时犯错,不过,人生是一场梦啊,我们总希望世界宽大为怀,……"

蒋淑华迅速地转头和汪卓伦说话,打断了她。她痛苦地笑着,沉默了。显然的,她此刻所处的这种不利的地位使她说多了话,伤害了她底自尊心。

蒋淑华靠在桌上凝视着地面,眼睛里有着轻蔑的、讽刺的微笑;然后这种笑容出现在嘴旁,她凝视着金素痕底脚部,用着那样的眼光,好像她在看地板。

"淑华姐姐,几点钟了?"金素痕问,困恼地笑着。

"不清楚——大概十一点。"蒋淑华回答,看着她底脚。

"啊,这样迟了?蔚祖在等我,又要急!你们多如意啊!房间真雅致!……"她说,笑着转身,向外走时她底面孔变得严厉。

汪卓伦温和地送她出去。

"尊夫人牌气大。"在门口她向汪卓伦说,同时亲切而怜惜地看了他一眼。好像说:"我同情你——你以为你很幸福吧?"

这个眼光使汪卓伦有了冷淡的表情。在现在他不能接受任何单独对于他的同情,更不能接受这种同情。他没有回答,他转身,以强韧的、自信的大步走了回来。

走进房,他感到了苦恼,他做错了事。但像人们常有的情形一样,他想说明他并没有错:他做这个是因为蒋淑华所给他的强大的幸福。

仆人在搬箱子。蒋淑华坐在桌边,在听到他底脚步声时看着门。

"这种东西!要不是为了弟弟……"她说,感到他底情绪,沉默了,看着他。

"她——其实很可怜。"汪卓伦温柔地笑着说。这几天他觉得别人都可怜。

"你不知道,她俗恶不堪!她全家堕落!而她自以为了不起,这是最坏的,我不能想到我会和这样的人同在一个世界上!"蒋淑华说,脸变白,显然不能抑制她底激动,"你不知道,她昨天就要看东西!我说,东西不在这里,"她露出自制的、忿恨的表情看了不安的汪卓伦一眼,沉默了。

汪卓伦站在她面前,苦恼地,小孩似地笑着。

"那么,我不应该,"他温柔地说,"我是太高兴,觉得看一看没有关系,而且这些东西毫无意思……"

"但是,这是我们父亲底纪念,你知道我底半生。"蒋淑华凄凉地说,低着头。

汪卓伦苦恼地沉默很久。他还不知道她有这个情感,在以前,她对这些东西是特别轻视的。

"我不应该,是的,我太喜欢,也许不应该太喜欢,但是我是这样……满意……我错,啊!"

蒋淑华认为他怀疑他底——他们底幸福。常常是这样,说话和听话同样是很难的。她底下颔颤抖着。

"你明白我们底家,你……明白我底半生。"她激动地说,迅速地播弄着衣角。

汪卓伦注视着她,有了怀疑。但同时他决定完全认错;不说任何话,完全认错。他恳求地,温柔地,凝视着她。在接触到她底哀愁的视线的时候,他就严肃地微笑了。

"淑华,我曾经想,我要做一个女人底最好的儿子,也要做一个女人底最好的丈夫!"他说,带着强有力的,激动的表情。

蒋淑华抬头凝视着他,流泪了。汪卓伦怕激动——他明白他说了什么——带着泪湿的眼睛走开去。

四

十月初的一天,金素痕和蒋蔚祖到下关去收租,大部份的租钱是可以收到的,但总要金素痕或金小川亲自去。收租以后,金素痕把钱全部地交给了丈夫,要他买一点东西,然后绕小路进城,她告诉丈夫说,她是去找一找表姐,蒋蔚祖看着她底车子走开,慢慢地走进城。

是晴明的,温暖的日子。蒋蔚祖安静地走着,挹江门内两边的斜坡上的变黄了的草木令他愉快。想到好久以来都淹没在女色和尘俗中,现在又能够感到自然界底变化——在尘俗旁边进行着的静穆的,端丽的变化,他底心里充满了新鲜的感觉。草色变黄,在暖和的、金色的太阳下,行道树在悄悄地落叶。在城市上面,是淡蓝色的,高远的天空。天上飞着什么,一定地、经常地飞着什么,——鹰或者鸽子;一切是这样好,这样和畅。

蒋蔚祖想到他底生活是那样的黑暗,那样的痛苦,是堕落得很深了。想到人类是堕落得很深了,但自然界却永远柔顺、静穆、崇高。他拾了一片落叶,嗅着它,带着温柔的,安宁的心情慢慢地行走着。

"我以前常常有这样的心境,那时候——多好。"他想:"我为什么不看见,不相信?她是没有错的,但为何她不看见这些——这些草,这些落叶?是的,总是责怪。但是产业有什么好处?要那么多钱做什么?人生短促,怎么能够为了金钱?留给哪个呢?留给儿子,像父亲留给我们一样,那是无益的!并且现在人是过着怎样的一种生活啊?她怎么能够不了解,以她底聪明,她何以能够不看到在这个太阳下,这些叶子变黄,而且落下来?"他兴奋地想。"她到底如何?"他想避免想到她底美貌,安静地向前走去。"多不容易互相了解,知己是多么难啊!人们底利欲的心,人们底搬弄是非的嘴是多么可怕啊!"他低声吟哦,抚摩着黄叶,"又是一度秋色,又是一岁年华!光阴催人老啊!"

他低着头,背着手,痴幻地走着路。走完草坡,两边出现了店家,他站住默思了很久。

他坐车子到新街口,怠忽地,懒散地买了东西。想到今天是星期六,妹妹此刻要回家,他便决心去看她,于是替她买了皮鞋。他抱着东西再坐上车子。车子离开闹市,迎着夕阳走去。他惆怅地凝视着落日底光辉,感觉到人世底无常。

洪武街底忧郁的老宅,是沉浸在落日底光辉中。落日通过它背后的草场照着它。瓦上,稠密的瓦松间有绸缎般的光影;院墙上有着光辉,另一边是潮湿的,阴凉的暗影。院内没有声音,因蒋淑华底离去而颓败了的花坛沉在阴影里,一切都显得颓败。

蒋蔚祖从蒋淑华搬开以后还未来过这里。他往里面走去,觉得有了变化,于是凄凉地想到白衣的蒋淑华已经离去,已经有了另外的家。他走近花坛,扶起倒下的,枯萎的花枝,想到姐姐从廊下提着洒水壶走出来的情景。他站住不动了。

但同时他好像看到蒋淑华正在走出来。她安静地、无声地提起衣裳跨出门槛,向他点头,明亮的眼里有那种他所熟悉的哀愁的、怜惜的微笑。她好像在走近花坛,但没有声音,没有占有空间。"淑华姐姐啊,连你也忘记了我!"他凄凉地说。于是看见了从廊下走出来的身体笨重的老母亲。

老人在女儿搬走后更易怒,她觉得她底生活完全被别人毁坏了。她是不识字的,愚笨的女人,她底一生,是完全败坏在粗暴的妒嫉里面了。她给蒋家生了这么多的儿女——傅蒲生称她为蒋家底功臣,但儿女们都远离了她,并且不觉得这是不该的。

蒋淑华离开后,她更寂寞,觉得缺少了什么,因此更易怒,时常要砸东西,打佣人。她底气力很大,她底举动使得女儿们悲伤而厌恶。女儿们有时来看她带东西给她,但很少有好的结果——她底怪戾简直令人痛苦。老人不信任,古怪的觉得一切都虚伪,亲戚们虚伪,儿女们虚伪,他们底衣妆和动作虚伪……

看见蒋蔚祖,她就愤怒地皱起脸来。蒋蔚祖喊了她一声,她没有答应,好像没有听见。她注视着蒋蔚祖手里的东西。蒋蔚祖再喊她,她皱眉,明白了这些东西不是买给她的。

蒋蔚祖很孝顺,但不比姊妹们细致;他惯常顺自己底心情做事,有时对某个人特别好,有时则不觉得他存在。他今天是来看妹妹的,因此,他虽然买了很多东西,却没有想到母亲。

蒋蔚祖走向母亲,笑着,不觉得有错,但老人露出怒容。

"你买这些干什么?"老人厉声说,掷响着拐杖。

"素痕买的。"蒋蔚祖不愿意地回答,沉下脸,往里面走去。

"站住,你!小畜牲!又是那个婊子叫你,又是……你钱多,你家里成千累万!"

"妈!"蒋蔚祖愤怒地喊,走进蒋淑华底空了的房间,愤怒地关上了门,他听见母亲继续发怒,发哼,听见椅子翻倒的声音,他站在房里咬牙切齿。不知何故这个愤怒特别令他痛苦。近来他特别不能忍耐,特别频繁地经历到痛苦。在痛苦中,他觉得生活再也不能继续下去,他觉得一切都荒谬可憎。他愤怒而恐怖,感到一切都崩溃、模糊,自己已濒于毁灭。

他想走开,但听到了轻巧的皮鞋声,皮鞋声消失在对面房里,然后,几分钟后又响近来。面容显得特别的庄重,甚至显得严厉的苗条的蒋秀菊走进房,用明亮的眼睛看着哥哥,走到床边坐下,然后她开灯,皱着眉,烦恼地看着哥哥。

"她们都这样对我。"蒋蔚祖想。"我给你买了一双皮鞋。"他冷淡地说,推过盒子去。

蒋秀菊敷衍地看了皮鞋,勉强地笑了一下,把它搁在床上。

"你买了多少钱?"她问。

"你不用问吧。"

"你买了这么多东西。但是,我自己有皮鞋。不过谢谢你,你关心我,在我们家里已经没有了像你这样的人……我不喜欢二哥,他不负责任。"她带着特殊的冷静说,淡淡地笑了一笑。显然她心里有着严重的事。

蒋秀菊再看皮鞋,这才注意到它,于是脱下鞋子试了一只。大了一些,但她没有说。

蒋蔚祖机械地看着她穿皮鞋。在她底刚才的冷静的表白后,蒋蔚祖已经不再注意皮鞋了;他看着她,希奇她底冷静,同时觉得这冷静使他自在。

"你今天没有事?"他问。

"朋友邀我去看电影,我没有去,今天我睡在这里。"她非常冷淡地说,穿上了原来的皮鞋;"淑华姐姐去了。"她机械地说,看着窗户。

"我刚才看到花倒了。她去了,这里没有人注意。但是刚才我好像看到了她,这是一种纪念——姐夫多好的性情,比他们都好。"蒋蔚祖说,热情地笑着。但同时搜索地看着蒋秀菊。

蒋秀菊忽然抬头凝视着他。这种凝视使他觉得可怕。蒋秀菊底脸上有了愤怒的表情。

"你今天到哪里去了?"她托着腮,看着桌面,小声问。

"下关,和素痕一路去的。"

"后来呢?"

"后来她去看表姐,先走,我就进城……"他惶惑地说,有了某种不幸的预感,但同时想到落日底光辉。他向窗外看了一眼。窗外已经黑暗了。

在蒋秀菊底脸上,出现了犹豫的痛苦,和某种不寻常的怜恤与温柔。她沉默了很久,看着桌角。她又看皮鞋,然后轻轻地放下它们。

"什么事?"蒋蔚祖不幸地问。

妹妹犹豫地看着他,看着窗户,摇着头。"你……我看见嫂嫂。"忽然她低声说,痛苦地避开了他底视线,"我在中山路看见嫂嫂,在汽车里,另外有一个男人。"她坚决地、迅速地说,凝视着他。这个视线于蒋蔚祖是残酷的。

"她,但是她没有坐汽车。……"蒋蔚祖变白,移动着身体说:"你说是什么样的……"他窒息,昏迷地环顾——没有任何东西可以拯救他——于是颓然地倒到椅子里面去,他底头撞在桌上。

他不动,再没有声音,蒋秀菊吓呆了;她冷静地考虑过这个消息底可能的结果,但没有想到会这样。在她跑向他以前他突然地跳了起来;她站住了,因为他底脸使她恐怖。她不知道会这样,不知道会这样——不知道这个爱情底致命的强烈,并且不知道爱情。

"蒋蔚祖,蒋蔚祖!你从此完了!"蒋蔚祖用非人的声音叫,然后向外面奔去。

蒋秀菊恐怖地叫喊起来,并且哭起来了。

"妈,拦住哥哥,拦住哥哥呀!"

她往外跑去,母亲走出来,怀疑地、愤怒地看着她。母亲大声叫她,但她不回答。她跑出门,不顾一切地大声地向哥哥叫着,终于她追上了哥哥,抓住了他。

她并且把哥哥送到金小川家里,深夜里她回来,跑到每个姐姐那里,把这个不幸的消息带给她们。

听到这个消息,蒋淑珍整夜不能睡眠。肥胖的、好精神的、然而悲观的傅蒲生睡得很酣。在他底均匀的鼾声里，蒋淑珍，抚摩着刚刚一岁的乳儿，把嘴唇贴在他底发汗的、凉爽的额上，想到了过去。她想到了父亲，二姨，想到了苏州，并且想到了蒋蔚祖底婚礼和蒋少祖底逃跑。一切细节她都想起来了。这些细节清晰地唤起了她当时所有的感情。

蒋蔚祖在苏州结婚的那天，她是特别感到幸福的；蒋少祖逃跑的那天，她是曾经跪在震怒了的父亲面前求饶——这些情绪好久就遗忘了，但现在又凄凉地出现在她心里。她想起了蒋蔚祖底婚礼底布置，想起了她少女时代所住的房子，于是想起自己底婚礼，她吻小孩底凉爽的额，凝视着帐顶。夜很深了，但院墙外面还有着小贩底凄凉的叫卖声，这个叫声使她悲伤地想到了于她不相干的很多事，想到了，在南京，很多人是睡得很迟的，他们过着堕落的生活。她听到了蟋蟀底寂寞的叫声。

她觉得大的不幸要来了，生活要崩溃了。她吻小孩。

"可怜啊！"她想，"就是我自己这样的家，也没有什么根据，种种不安使什么都没有根据了。假若蒲生再胡闹一点，再在外面乱玩女人，是的，就什么也没有了——谁能保住小孩们呢？在现在的时代，天天发生这样的事，不是男的就是女的，不能叫做家庭。"她恐惧地想，"为什么？什么使得人心这样堕落无耻？不能，不能这样啊！……在兵荒马乱里活过来的人。"她想，"他们总不安定，不能知道明天的事，于是弄成这样子了，可怜的爹怎样在兵荒马乱里支持这一份产业啊！这些年的中国，多么黑暗，杀人是多么多啊！那些人是多么可怜啊！谁能保住小孩子底将来呢？纯祖将来怎样呢？……总之，他们根本是这样堕落，"她想到了金素痕，"不可挽救了，他们底家庭多么丑！但是可怜的蔚祖！假若我是有力量的，我要喝这个狠心的女人底血！……为什么当政的人不想到这些人底生活，为什么还让这种人存在？为什么使我们这些弱者这样孤立无依啊！"她想。

第二天她带着柔弱的，悲哀的面容起来，竭力振作地向傅蒲生说话，——不让他为她底痛苦而不安——服侍他去办公。然后是女儿底嚣闹,要钱。女儿上学后,她安顿了小孩,带着那种柔弱的、悲哀的面容去找妹妹们。

蒋家姊妹们和沈丽英一同去看蒋蔚祖。这是很困难的,她们应该商量一下,但蒋淑珍底无主张的悲哀和蒋淑华底愤怒的悲哀好像已经确定了她们底态度,大家觉得没有什么可商量。大家觉得这件事情是很明白的,因此应该持着这样的态度,即两位姐姐底悲哀所显示的态度。

蒋蔚祖整夜纠缠如毒蛇怨鬼,天亮时碰在桌上昏厥,说着胡话睡去了。金素痕陷在纷乱和痛苦中,没有想到蒋家姊妹们会来。

这个夜晚于金素痕是可怕的,她几乎没有力量支持下去。她厌恶丈夫又怜惜丈夫。在她底行为仅只被怀疑的时候,她不觉得自己有错,但现在她觉得自己不能再生活了。她底一切是可怕地混乱,那在先前是鲜明的,快意的一切现在是显得混乱、黑暗、愚蠢。蒋蔚祖说到小孩,并且怀疑小孩不是他生的;他叫奶妈抱来小孩,把他交给她,然后跪在她面前,求她处死他。金素痕极端痛苦,逃出了房间。蒋蔚祖拖她回来,向她忏悔、哭诉,声明要回苏州去把父亲杀死,把财产全部交给她去享乐,——金素痕又逃出房间。但这次她自己回来,哭了,说他误会她。她咒骂造谣的人,说一切是由于别人底妒嫉。但现在说这些,蒋蔚祖已经不能相信。

金素痕痛苦到极点,于是用了最后的办法,以温柔来征服蒋蔚祖。这于她自己也是很残酷的,但色情底印象使蒋蔚祖恐怖——想到她能同样地拥抱别的男人,他撞在桌角上晕去了。

全家被惊扰了。金小川敲门好几次,被金素痕骂走,最后,天亮时,金素痕凌乱地披着睡衣走出来,敲姐姐底房门。姐姐房里有人,但金素痕不知道,她预备在姐姐房里睡一下。

姐姐穿着单薄的纱衫开门,用充满睡意的眼睛看着她。

"什么事?你们整夜闹什么!"

金素痕没有回答,她底疲乏的、苍白的脸在黎明底微光里打抖。她向内走,姐姐没有阻搁她,但她即刻退出来了:在姐姐底床上,睡着一个年青的男子。她用异样的眼光看着姐姐,看着她底半裸的身体,意外地在嘴边浮上了嘲讽的、怜惜的笑纹。

"你冷,进去吧。"她柔和地说,轻轻地叹息。

"不,并不冷。"姐姐说,向她笑了一笑,关上了门。

金素痕走回房来,那个嘲讽的、怜惜的笑容好像被遗忘了一样,好久都留在她底脸上。她勉强地睡了一下,蒋家姊妹们来到的时候她正在梳洗。……

这是一件刺眼的事情,这么多人来看蒋蔚祖。最困难的是她们并无显著的理由。但这只在走到金小川家门口的时候才被发觉了她们在心里觉得并无显著的理由——那种能被言词说明的、启示适当的态度的、增加勇气的理由。她们底理由是不能用言词说明的,假若光说是来看蒋蔚祖,那么特别在这么早的时间,对于这么多人,这个理由是不充份的。假若说是为了干涉某一件事,为了打击金素痕,那么——没有证据;并且对于夫妻底生活,这种立场是近于荒谬的。

因此蒋淑媛在门口停下来,向蒋淑珍说,她们最好先表示她们是来邀弟弟看水西门底房产的。但代替了回答,蒋淑珍用柔弱的、悲哀的眼光看着她,然后看着大家。她底眼光表示,对于这件事,她只有悲哀,强大的悲哀;她要用她底柔弱的心来评判世界;因此她们应该怎样做,是显然的。这件事不能用平常的眼光看——她底眼睛说——并且,它说,她准备了眼泪。

她底理由是不能用言词说明的,但能用悲哀的眼泪说明,而在悲哀里目前的这个世界是和谐的,因此它——目前的这个世界不能妨碍她。她提起长衣轻悄地跨进门槛。

她们通过院落——高傲的蒋淑华,严厉的蒋淑媛,发慌的、矜持的蒋秀菊和沈丽英。金小川在台阶前擦脸,好像不认识,用那种陌生的眼光看着她们,然后急速地拖着鞋子走了进去。蒋淑珍垂着头,用她底柔弱的悲哀保护,并领导着妹妹们,提着衣服轻悄地上楼,轻轻地敲门。

"素痕!"她柔和地喊:"素痕!"

金素痕打开了门,蒋淑珍悲哀地笑着,看见了睡着的,额角青肿的弟弟。

"我们来看蔚祖。"她柔顺地说,有了眼泪,向床铺走去。

金素痕挽着头发,用尖锐的、敌视的目光打量着她们。然后她走向梳妆台,露出厌恶的,冷酷的神情,继续梳头。

"看吧,人在这里!"她回头向蒋淑媛高声说。

"弟弟,弟弟。"蒋淑珍喊。

蒋蔚祖醒来了,看见了姊妹们,但寻找另外的人——寻找金素痕。他突然坐起来,看着姊妹们,又看着金素痕,他在梦里没有预备这样醒来的,他预备醒来时金素痕悲哀地坐在他底身边,向他忏悔,因此他凝视金素痕,希望她告诉他他应该怎样做,怎样生存。发现金素痕脸上有着愤怒和冷酷,他底眼睛变得幽暗。听见金素痕愤怒地向谁叫喊,他觉得一切都完结了,于是他抓头发,痉挛着,哭叫出疯狂的声音来。

他显得不再认识姊妹们。蒋淑珍喊他,开始了哭泣。金素痕愤怒地抛散了她底长发,冷笑着,走近来。

蒋淑华眼里有泪水,她含着眼泪轻蔑地凝视这个披发的、冷酷的美女。

"素痕,素痕,他怎样,他怎样?"蒋淑珍跑向金素痕哭着问。"素痕,可怜可怜他,可怜你自己!……"

金素痕避开她,抚了一下头发,向蒋淑华冷笑着。

"怎样?"她说,"你们蒋家眼泪多,到我这里来哭!"

"你当心点,金素痕!"蒋淑媛厉声说。

哭泣的蒋淑珍跑向妹妹,企图阻拦她,又跑向金素痕,可怜地,柔顺地,女孩似地向她说话。

"他怎样?他病了!你们可怜他,谁可怜我?"金素痕叫,停住了,下颔打抖。即刻她迅速地走向蒋蔚祖。"说,蒋蔚祖跟金素痕,生死潦倒,用不着别人可怜!"她坚决地说。

蒋蔚祖看着她,又看着姊妹们,他底灰白的嘴唇打抖。

"说,蔚祖!"

"我们,生死,用不着别人……"蒋蔚祖说,哭着,凄凉地看着姊妹们。他底朦胧的眼光说:"姐姐妹妹们,我们永别了!"

"好,高贵的蒋家,你们去办你们底罢。"金素痕说,挥开头发,重新走向梳妆台。

有了沉默。蒋秀菊跑向哥哥,蹲下来。蒋淑珍茫然地、悲哀地、不知道自己在做什么,柔顺地走向金素痕,抓住她底手臂,向她恳求,低语。

"素痕,好素痕,我们家里从来……"她向这个女人低语,这个女人,她夜里还想着要喝她底血——她低语,气促,又哭泣。金素痕厌恶地看着她。

这种景象伤害了骄傲的妹妹们。蒋淑媛厉声叫了什么,上前拖开姐姐,拖她往门外走。她无力地依在肥胖的蒋淑媛身上,哭着,向蒋蔚祖说着什么。

蒋蔚祖带着凄凉的、惊恐的神情看着她们出门。"她们走了。我们——分别了。"他想,用儿童的眼光看着金素痕。

金素痕在梳头,脸上有冷酷的,沉思的表情。

她转身向蒋蔚祖走来。

"你记好,蔚祖,除了我,你没有别人——你不许向别人说任何话!"她说。

蒋蔚祖看着她,没有声音,露出疯狂的、阴惨的笑。金素痕发慌,坐下,抓住他底手。

"怎样?你心里怎样?蔚祖,你心里……你认识我么?"她问。

"认识你,认识你,认识你。"蒋蔚祖重复地,单调地说,野兽般地抓住了她底手。她叫,脱开来,恐怖地凝视着他底疯狂的,阴惨的脸。

于是,蒋蔚祖就疯狂了,两天以后,金素痕带他回到苏州去。绝望的老人到上海去请了医生来,用了各样的方法,然而都没有效果。老人曾经要和媳妇拚命,但即刻便忍耐下去了,他很明白,儿子底生命,是维系在媳妇底身上的。

于是金素痕就又带着丈夫回到南京来。她向老人发誓说,她要医好蒋蔚祖,然而,很显然的,在这个世界上,是再没有人能够医好蒋蔚祖的了。一个月以后,蒋蔚祖底身体康复了,但他底痴狂,被这个世界刺激着,带着一种矫情,是变得更可怕起来。于是,绝望的,痛苦的金素痕便进一步地委身于荒唐的生活。

第五章

一

在这一段时间里,王桂英因自己底生活而疏远了蒋家,仍然在湖畔教着小学。疏远了蒋家以后,她底生活从外表上看来好像已经完全平静了。秋初的时候,她曾经参加了蒋秀菊所读的那个教会女中底募捐表演,大家去看了她底戏。但这以后她便沉默了,连蒋淑华底婚礼都没有参加。大家记得,在整个的上半年她都在说要离开南京,但现在她再不提这个了。并且,在冬天到来的时候,她辞去了小学底职务。这种冷静的、沉默的、含有无限的愁惨的变化使大家注意了起来。

她说她所以辞去学校底职务,是因为学校内幕底黑暗。学校内幕底黑暗是真的,大家都知道,但显然这不是她辞职的原因。她在学校里虽然倔强,关系却并不顶恶劣,并且她已忍耐了这么久。于是由于她底辞职,她底惨痛的隐秘便被揭露了。

募捐表演以后,王桂英发现自己怀了孕。因此她更不能忍受学校底纷扰。两个男教员追求她,一位女教员在校长面前播弄是非,王桂英和这个有后台的女教员吵了架,借口辞了职。很快的,她底隐秘便从小学里传到蒋家来。但大家都还不知道这是由于蒋少祖。

蒋少祖,由于他底理由,半年未来南京。王桂英给蒋少祖写了无数的信,最初是热情的信,后来是痛苦的,恐怖的信;最初直接写给他,后来发现了陈景惠底阻拦,便写给夏陆转交。蒋少祖回信很少——显然他不知道应该说什么——但给她汇了不少的钱。

整个冬天,王桂英隐藏在湖畔底寂寞的屋子里,有时披着大衣在湖畔散步。特别在凛冽的寒风里她到湖畔去散步,因为在暖和的、晴朗的日子里,湖畔有游人,他们总是显得很讨厌的。

　　王桂英在辞职以前开始了对蒋秀菊的冷淡。这种情绪于她自己也是很意外的。但因为最初她没有向蒋秀菊告白,后来便觉得再没有可能告白了。她现在觉得一切都是无益的,不需的。骄傲的蒋秀菊很经历了一些苦恼,怀疑她底生活,有两个月没有来看她。

　　王桂英断绝了一切关系,希望小孩快些出生,孤独而凄凉地住在湖畔。她觉得,只在小孩出生以后,她才可以稍稍被安慰,才可以重新计划生活。她底想法是很单纯的。

　　但她并不完全孤独。比她小两岁的王墨还时常回来。这个粗豪的,好出风头的,漂亮的青年在这里很表现了一些深沉的感情。他很快地便知道了姐姐底痛苦。他守着秘密,替她料理一切。他向哥哥要钱,替她买东西、修房子,并且有时小孩般地强迫她出去划船。王桂英多半是依从他的。

　　在晴朗的日子,弟弟撑着舵,说笑着,唱着歌,她坐在船头,发痴地凝视着水波——这种情形于她是难忘的。有时她觉得自己并不痛苦;相反的,她觉得她从来没有如此平静过,觉得以前是混乱的、不安的、空虚的,现在却是充实的。在某些良好的时光里,她清晰地感觉到自己底身体和精神底庄严的工作。

　　但在十二月末,因为弟弟好久没有来,因为好些日常事务使她疲困,最后,因为身体底显著的变化,她重新陷入恐怖。

　　她想到蒋秀菊是可以替她去上海找蒋少祖的,于是她送信去要她来。

　　蒋秀菊在星期日早晨来看她。天在落雪——从夜里起便在落雪。堤上积着雪,赤裸的,稀疏的树枝上好像包裹了棉花。积雪的、迷茫的堤上寂寞无人,蒋秀菊撑着伞,在雪里踏出愉快的声音,安静地、沉思地行走着。有时她站下环顾,带着严肃的、忧愁的神情凝视着在迷茫的天空下的、寂静的、铅色的湖水。

蒋秀菊在雪里行走着,充份地感觉到自己底年青,充份地感觉到自己底健康和善良。她充满严肃的思想——最后想到上帝。被皮鞋压坍的积雪发出了鲜美的声音,她除下了精致的白绒手套,又戴上,想着上帝,想着她以前是否感到过上帝,以及为何未感到上帝。

现在她感到了上帝——因为在落雪的、寂寞的堤上她特别地感到自己底健康、纯洁、年青。现在没有东西反对她或引动她,世界是沉静、鲜美,主要的,世界是这样的寒冷,而她底身体和她底心,是这样的暖热。

这种思想没有言语,这种思想是严肃而沉默的。她抖落小伞上的雪花,向前走着,凝视着远处的、在白茫茫的天空里显得不可分辨的紫金山。它,变白了的紫金山在落雪的天空里是不可分辨的,但它无疑地是可以感到的;上帝无处不在。蒋秀菊环顾,看见了身边的徐徐地飘落着的雪花。

忽然有车轮在雪上滚动的声音。一辆脚踏车飞速地驶过她底身边,车上的那个漂亮的、快活的青年转身看着她。向她微笑。那个青年底长围巾飘了起来,在徐徐降落的稠密的雪花里,那个青年向她笑,正如一个快乐的青年向少女那样笑。青年在远处又回头,然后消逝了。蒋秀菊脸红,但露出忧愁的、可爱的表情。那个青年是王墨。

"上帝,它在人们心里,但是人们自己不能救自己,人们自己是可怜的。"她忽然用言语想到她底上帝,——她刚才决未想到,这样地想到上帝是可能的——她凝视着新鲜的车辙,"但是,不会抛弃,我们终要得救。很远的日子。"她想,又看到了身边的稠密的雪花。"他去看他姐姐了。他为什么向我笑?"她想,笑了一笑。

蒋秀菊带着矜持的,严肃的表情收下雨伞,走入廊檐时,正遇着王墨从王桂英房里走出来。刚才这个青年还向她那样笑,但现在他脸上有悲哀的、愁惨的表情;眼里有泪水。他走着迟疑地看着蒋秀菊,好像不认识她,他点头,脸红,咳嗽,向院落走去。

蒋秀菊进房后,他还站在院落里,站在稠密的雪花底下看着房门。

他刚才单纯地向王桂英说了哥哥假若知道这件事,事情便会极讨厌等等的话。王桂英没有回答,脸色很难看,他感伤了,跑了出来。

王桂英包着大衣坐在炭火旁边的籐椅里。她无力地向蒋秀菊点了一下头,使她坐下。

她抬起眼睛来严肃地凝视着蒋秀菊。

"你晓得不?"她低声问,皱眉。

"不晓得。"蒋秀菊怀疑地回答。

"我要生孩子了。"王桂英低声说,垂下眼睛,拉好大衣。

她们沉默很久。

"你真的不晓得?她们没有宣传?……但是她们好像都晓得。"王桂英说,含着一种敌意。

"真的不晓得,真的。"蒋秀菊说,无故地红了脸。

"你知道,你知道是谁?"王桂英问,脸上有了颓唐的、然而愠怒的神情,下颔颤栗着。

蒋秀菊严肃地凝视着她,耽心她会说出很坏、很坏的话来。

"是蒋少祖!"王桂英轻蔑地说,然后,她底脸上出现了讥刺的微笑。

蒋秀菊更严肃,看着她,没有说话,她已经听说了王桂英底隐秘,但不知道这是由于蒋少祖——大家都没有想到蒋少祖。她凝视着朋友。突然她愤怒地皱眉,低头看着火,同时疾速地把膝上的手套抛到桌上去。

"我没有想到!——"她愤怒地说。

王桂英移动身体,悲哀地、讽刺地笑着看着她。

"若瑟,你坐过来,坐这里来,"她忽然亲切地说,喊了朋友底教名;"我告诉你,我总想告诉你,但是因为我心里……"她忽然停住,笑容没有离开,意外地有了泪水。"外面雪很大,是吧?"她说,哀怜地避开了眼睛,疾速地整理衣服。

蒋秀菊开始明白这个苦难,开始明白同情和怜悯底必需——她在进房前是并未准备这个的。她坐近去,单纯地仰起头来注视着朋友。王桂英叹息着,环视着,好像企图明白房间里有没有敌对她的东西;她不能弯腰,她请蒋秀菊拨火。以后她以不安的,兴奋的低声述说她底故事。

蒋秀菊注意地听着她。一面观察着她底表情,企图理解她。

蒋秀菊留心到了她底那个痛苦的、讽刺的微笑,不安地思索着,在思索中变得谨慎起来,这种谨慎,是无经验的少女们常有的。

"我不理解他。我和他很疏远……"王桂英说完,蒋秀菊谨慎地说,严肃地看着她底朋友。

因回忆底激动而脸红的王桂英凝视着窗户,思索着朋友底这个反应;忽然她笑了,眼睛半闭着,掩藏地、沉思地看着朋友。

"原来就无所谓理解不理解的。"她冷淡地说,笑了痛苦的、讽刺的笑。

"你想,他,他不应该做这种事,这多么不好!"蒋秀菊激动地说。

"是的,多么不好,但她是不懂得的,"王桂英想:"她们向来是这样,装得很神圣,说这个不好,那个也不好,安静地坐在这里,同情我,批评我……她在烤火,在想我这样犯错,而且,她底上帝说——好蠢,为什么我要去找她?不需要,一切都不需要!"她皱眉底站了起来,走向窗户,把脸贴在玻璃上。蒋秀菊严肃地凝视着她底腰部。

王桂英贴在窗上看落雪,有了冷酷的桀傲的痛快的心情。她觉得她是被埋在雪里;觉得她心里充满了洁白的、寒冷的雪,它们痛快地以酷寒烧灼着她。

蒋秀菊低下头来,思索着,替王桂英觉得可怕。很久之后,她低声唤王桂英。王桂英回头向她微笑,于是她意外地脸红。

王桂英笑着用那种赤裸的、挑弄的、讽刺的眼光看着她。她不知何故脸红,笑着,忘记了原来要说的严重的话。

"我想,多好的雪啊!"王桂英扬起眉毛来,说。她说这个,主要地为了帮助她底表情。

"是的,我刚才沿路来,没有人,那样大的雪。"蒋秀菊带着她所特有的那种骄矜的、动人的表现,说:"我想这时候大家都在家里烤火;我想不管是战争,杀人,这一切怎样,人都在家里烤火:快要过年了。好像一切总是这样的……不过我不知道自己怎样才好。"她严肃地思索着。"我大哥变成了那样,他怀疑一切人,人总是自私的,我也是自私的。"她说,用这样的方式表现了她对朋友的感情,诚实地看着王桂英,希望王桂英原谅她。

王桂英痛苦地笑着,疲懒地靠在窗上看着她。

"那么,你怎么办呢?"蒋秀菊叹息,问。

"不怎么办。"她回答。"等小孩生下来,我就再做事情。我要养活小孩。"她严肃地说。

蒋秀菊怀疑地看了她一眼,严肃了;她决未料到这个回答的。

"那么,你不怕吗?"

"怕什么?"王桂英说,讽刺地笑着。

"是怎样的环境,桂英!"蒋秀菊忧愁地说,"你那些亲戚,尤其你哥哥,他们不讲话么?"

王桂英不回答,疲懒地靠在窗上,玩弄着手指。

"你想想,桂英,怎么能够这样做!我们中国底环境怎么能够比别人?你总是——我想假若你给救济院底托儿所,那么沈表姐有办法,她有朋友在救济院做事,我可以替你托她……但是你……?"

王桂英撑住腰部,挺直身躯,看着窗外。

"但是我?我要照自己底意思做。"她阴沉地说,"我不会怕的,我要养我自己生的孩子!是的,私生子——但是我,我不怕!"她愤怒地说。

"并不是说你怕不怕……"蒋秀菊说,沉默了,想到了蒋少祖。"他居然做出这种事来!"她想,"不要名誉,不顾家庭,要是姐姐晓得,她们要怎样伤心啊!要是爹爹晓得了,多可怕!而且将来连我们都不好见人了!"她苦恼地想。

"我想,我还是劝你给救济院。"她庄重地说。

"秀菊,你想想,你假使有孩子,你给救济院么?"王桂英激烈地笑着,说。

蒋秀菊皱眉,露出特别忧愁的表情来,瞪大眼睛看着窗户。

"不要生气,我开玩笑,若瑟!"王桂英说,悲凉地笑着。

蒋秀菊忧愁地摇头。

"我不生气。但是我替你难受——而且,你这么久都不告诉我,不认为我是你底朋友……"她兴奋地说,红了脸看着朋友,"桂英,我希望上帝救护你……"她说,有了眼泪。

王桂英送蒋秀菊出门,并伴着她走入桃林。桃树底茂密的,坚硬的枝条被积雪压弯了;稠密的雪花在林间无声地飘落着。王桂英带着悲哀的、庄严的神情,慢慢地走在朋友底身边。蒋秀菊用小伞维护着她,雪落在她们底身上。

她们在被农家扫开的小路上慢慢地行走着。一个迎面走来的肥胖的农妇向王桂英笑着点头,王桂英站下来,笑着和她说话;蒋秀菊停了下来,觉得王桂英是故意地停下来和农妇说话。

蒋秀菊迅速地走过桃林,回头看时,身体臃肿,头发凌乱的王桂英仍然站在落雪的林间和农妇说着话。蒋秀菊并且听到了王桂英所笑出的,不快的、清晰的笑声。

二

夏初,王桂英生产了一个女孩,王桂英在生产以后的最初几天是处在极大的安宁里面,不时有喜悦的,幸福的情绪。在她底心灵中她是完成了最美好的工作的母亲,她未曾想到在她底这个世界旁边还有一个世界——那个正在注视着她的,险恶的世界。她好久都没有想到别人对她的毁谤和压迫是可能的;在她底陶醉中,她觉得别人即使对她不满都不可能,因为她并不妨碍别人。她根本不需要,不感觉到别人。

蒋秀菊直到最后还守着秘密,蒋淑媛曾经来看过她,听她说她底爱人是一个同事,便怜惜她,说本来不愿意她去做事的;并向她保证一定暂时瞒着王定和,然后在最好的情况中使他知道,但在王桂英生产后,陈景惠从上海来信向蒋淑媛诉苦,揭露了这个秘密。

蒋淑媛对蒋淑华和蒋淑珍隐瞒了这件事,为了避免传到父亲耳里。同时她打电报给王定和。王定和回家后,蒋淑媛冷静地向他叙说了这件事,没有附加任何意见。王定和找来了弟弟。王墨不肯说,但顽强地表示对这件事,无论如何是不该责备的。王定和发怒,和弟弟吵架,赶他出门。

兄弟吵架后,蒋淑媛显得非常的冷峻,表示虽然不愿干涉这件事,但对犯罪的,破坏家庭名誉的,不道德的人却不能原谅。同时她对王定和底发怒表示不满,认为他应该各方面都想到。王定和不能容忍她底冷淡的批评,和她拌嘴;于是她说她怀疑他们自己底生活,说王桂英底堕落使她联想到别的堕落,说她不愿孤单地、无保障地住在南京。……

她好久便怀疑丈夫底生活,这种怀疑使她有了冷峻的,毁坏别人的意念。不知为什么,她妒嫉王桂英,觉得王桂英太自由,太放浪——引诱了蒋少祖。王定和变得严厉,不和她说话,显然他企图做一件事给她看看,使她屈服。他们两人都处在极恶劣的情绪里面。

第二天清早,王定和派人去找王桂英。王桂英不肯来,于是他要蒋淑媛伴他去湖畔;但蒋淑媛又不肯去。

于是王定和单独地到湖畔来。

王桂英在知道哥哥底态度后,想起了以前所考虑过的一切,觉得果然不出预料,有了极度的愤怒。她拒绝去他家里,准备了最毒辣的话等他来。但她决未料到哥哥会驱逐她。

王桂英总是把一切想得太单纯,像一切年青人一样,把世界想得过于美好。以前她虽然有过华美的幻想,现在她却只想养活她底小孩,发觉了蒋少祖底困难后,她唯一的希望只是养活小孩:这个希望底意义只有她自己知道。生活对她有什么意义,只有自己知道——因此她不可能想像别人会不懂得,不尊重这个。因此她虽然听到,并看见过无数毁灭,但却不相信毁灭会临到自己。

就是这种信心使她还保留着希望;就是这种信心使她感到哥哥必定会蒙受羞辱。几个月以来的强烈的,真实的精神奋战使她决心抗拒一切,养活她底小孩;在她底这个最后的执着里,她相信,假若谁要来侵犯她,便必定会蒙受羞辱。

王定和来到以前,女孩睡在柔软的小被里,她坐在床旁的籐椅中,感到女孩在,感到她底柔弱的呼吸,以静止的、严肃的目光凝视着门。她靠在籐椅里,在膝上绞弄着手巾,长久地,不动地凝视着门。在失望的情绪里面,她安静地想到了过去的一切,想到了自己还是小女孩时候的一切,想到了一·二八、上海、朋友们,想到了蒋少祖——而在这种梦幻般的回忆里,她感到女孩在,感到她底柔嫩的呼吸。她不时看小孩一眼,伸手理她底小被,然后又紧张地、静止地凝视着门。她已经忘记了,她为什么要凝视着门。

她看到门打开了,蒋少祖笑着走了进来,嘲讽她底幻想,然后走过来吻小孩。于是她看小孩。"没有,没有他。"她想,盼顾,又看门。于是她听到了蒋少祖和夏陆争吵的声音。她悲哀地微笑着,觉得这种争吵是不必需的。

她突然地叹息了一声,露出绝望的表情。

"假若他离婚——可以吗?可以的,应该的,我要去上海。但是……最好不要想,现在不要想,她在睡,可怜的小东西!"她想,安慰着自己:"现在是这样的时代,她怎样长大,又怎样……不,也不想,日子是一秒钟一秒钟地过的,非常悠久,但是,停住在现在多么好啊,我没有别的想望!小时候,我们在乡间过活,在那棵树下,世界是很小的,有花草、田地、稻场,还有那个说笑话的老舅舅,他死去很久了——我们没有别的想望!怎样呢,我怎样长大的?是的,是的,这样长大。"她想,严肃地、吃惊地看着小孩。"谁来?"听到脚步声,她想。"人很健忘,可怕的热情——谁来?好的,让他来吧。"她想,于是她底激情暴发了。她坐正,愤怒地、惊悸地看着门。

王定和走进来,关上门,站在门边,冷酷地看着她,看着床上的女孩。

"好事情!"他细声说,脸打抖。"你想瞒哪个?"他说,愤怒地笑着。

王桂英靠在椅背上,手肘搁在两边,看着他,愤怒地、痛苦地呼吸着。

"你想瞒哪个?王家没有出过你这种女人!好事情,公然摆在这里,让大家看见!"王定和用细弱的声音说,好像有什么东西压迫着他;仍然站在门边。

王桂英底失色的唇边现出了冷笑,看着他。

"没有别的说,——早二十年的王家,你得死!现在替我两天以内滚出这个门!"王定和叫,上前了一步。

王桂英愤怒地站了起来。

"这是我底房!"她叫,战栗着。

王定和猛力地捶着桌子。

"闭嘴!"他以冷酷的、尖锐的高声叫;"滚出去,带着你底脏东西去找蒋少祖!限你两天以内走,这里是路费!"

"哥哥,你有儿子!"王桂英叫,愤怒而恐怖。小孩哭起来,她向床走,但即刻又跑回,在小孩底哭声里向哥哥冲去。王定和给了她两下耳光,她倒在桌边上,痛苦地颤抖着,不再能说话。

王定和走了出去,愤怒地带上门。

"为什么我一句话说不出来?不行,这不行……没有如此的容易!"王桂英向自己说,恐怖地跑了起来,随即跑向女孩,抱起她来,愤怒地摇幌着她。女孩大哭,她用奶头塞住了她底嘴,呜咽着在房里徘徊。

即刻,王桂英把女孩交给了仆人,忘记了身体底衰弱,向王定和家奔去。她带着那样的毒意、憎恶、和疯狂奔过街道,觉得这个世界,这些人们,对于她,只是卑鄙的、可杀的存在。她迷晕地奔上台阶,在门前站了一下,推开了门。

蒋淑媛和蒋秀菊坐在房里,显然她们正在谈她。蒋秀菊站起来了,惊吓地看着她。她问她们王定和在哪里,然后冲上楼。"哈,她们多自在!她们在谈我!"她想。

她推开门,凶恶地站了下来。王定和正在书桌前面写信,看见了她,掷下笔,伸手指着她。

"滚出去!"他用尖锐的声音叫,同时站了起来。

"没有这样容易!我要和你说清楚,从我们底爷爷说到我们,你总不会忘记!"王桂英愤怒地说,扶住门,免得跌倒;"你忘记你是怎样来的!你忘记爷爷是在田里爬过来的,你卑鄙龌龊地赚钱,骗钱,侵占我们底财产!你攀附蒋家,乘火打劫!你欺凌我,要把我卖给混蛋!现在,你忘记了爹爹底……"她痛苦地呼吸着,失色的嘴唇打抖,狂怒地看着王定和。

王定和疾速地霎着眼睛,带着冷漠的,顽强的表情在桌前徘徊着;显然没有听她。这种冷漠的,顽强的态度是王定和底最大的特色。——他知道自己应该怎样做。王桂英沉默了,他站下来,踮着脚,浮上了讽刺的微笑看着她。

"我决不能饶了他!"王桂英痛苦地对自己说。"你自以为你底生活美满,你自以为你前程远大,但是你卑鄙可怜!"她大声说。于是王定和又徘徊起来。"我没有用过你底钱,一切都是父亲底,你没有权利管我,我也不需要你底卑鄙龌龊的钱,我更看不起你底卑鄙龌龊的家庭!好幸福,好美满!"她冷笑,说,"现在,我马上就离开南京!你记好,我要报仇!我并不是怕你,而是我有自由!"她说,突然感到所说的是什么,流下泪水来。

王定和背着手站下来,冷静地看着她。

"自由自由!"他冷酷地笑着,低声说,同时踮起脚来。"好吧,就这么办。限你两天以内走,要钱来拿。"他霎眼睛,坐下来,点燃香烟。

"好，卑鄙的东西，记着！"王桂英咬着牙叫。她昏迷，靠在门柱上打抖，同时她流着眼泪。王定和皱着眉头看着她。她突然冲进去，拾起桌上的茶杯来砸他；他避开了，同时叫了一声。茶杯击碎在墙上，王桂英转身跑出来。

听见声音的蒋淑媛正在上楼。王桂英憎恶地看了她一眼，擦过她底肩膀跑下来。蒋秀菊带着愁惨的面容站在楼梯口，她走过了她，走进房，倒在藤椅里，蒙住脸，她底流着奶汁的胸部痛苦地起伏着。

蒋秀菊走近来，看着她底沾污了的胸部，嘴唇打抖。

"桂英，桂英！"她说，"不要着急，我要姐姐劝他，……"

"你知道什么！"王桂英喘息着，摇头，说。

"你不是我底朋友。"王桂英用颤抖的低声说，摇幌着走向沙发，倒了下来。

蒋淑媛带着烦闷的表情走进来，皱着眉头，向王桂英看了一眼。

"她怎样了？怎么这样？"她低声问妹妹。

"我怎样？我应该怎样？"王桂英说，挑战地看着她。

然后蒋秀菊要她喝水，她拒绝了。

"桂英，不要急，我帮你忙，你就暂时避一避。"蒋淑媛坐下来，冷静地说："你知道，这是名誉问题，你底名誉也要紧……"她冷静地说，露出烦恼的，不可亲的表情。这种神情是她底作为王定和夫人的最大的特色。

王桂英跳了起来，挥开头发，喝下了杯里的水，然后挑战地看着她。

"我不要名誉！你们才要名誉，你们是名门望户，大家闺秀！"她喘息着，愤怒地说："谢谢你们底好意。我不要帮助，我自己要活！你们是有名的人家，我哥哥是有名的人，你们才要道德，我看见你们底道德！"她说，露出了灿烂的冷笑，坚定地看着蒋淑媛。蒋淑媛看着地面，脸上有着那种冷然的，不可亲近的表情。

"你们多美满啊!你们多得意啊!可惜的是,现在,日本军舰就在下关! ——你们也有儿女!好一个卑鄙龌龊的王定和!"她说,站起来,骄傲地走了出去。

"不识抬举的东西!"蒋淑媛强笑着,说。

蒋秀菊憎恶地看了姐姐一眼——她没有想到这个姐姐会这样的。蒋秀菊愤怒地走了出来,追到湖畔去。

三

王桂英迅速地走着,有时跑着,她闯进了桃林里的农家,找到了那个她所熟识的,肥胖的女人,她正在灶前烧火;她抬起头来,惊异地看着王桂英。

王桂英扶住门柱,竭力地平静着自己。

"我有一件事求你,你一定要答应。我有一个女孩子交给你养,我给你钱。"她迅速地说,同时露出了怯弱的,可怜的笑容。

肥胖的女人站了起来,看着王桂英,一面搓着手。最初她显得不了解,虽然王桂英说得这样的明白;显然是王桂英底声调和表情妨碍了她底了解。随后她懂得了。从王桂英底声调和表情,她懂得了,这件事,是复杂而严重的。

她困难地,客气地笑了一笑,同时继续用围裙搓着手。王桂英觉得她底笑容是冷酷的。

"王小姐,你说哪里话,你们富贵人家,"她笑着摇头,"这种年成啊,我们是……唉,王小姐,你请喝茶。"她说,冷淡地笑着——王桂英觉得是如此——往外面走。

"不。谢谢你了。"王桂英冷淡地说,走了出来。

"她多么幸福,然而,多么可恶啊!"王桂英愤怒地想。她看见了向她走来的蒋秀菊,但假装没有看见,低头走着。蒋秀菊喊她,她不回答,走得更快。……

她走进房,带上门,倒在籐椅里,她模模糊糊地听见了蒋秀菊底悲痛的喊声,她同情这种喊声,同情蒋秀菊,她渐渐地就昏迷过去了。

深夜里王桂英醒来,一切都安静了,那个得了钱,受了蒋秀菊底嘱付的女仆——蒋秀菊嘱付她千万不要睡觉——也沉沉地睡去了。

王桂英醒来。电灯刺眼地在沉寂中照耀着,女孩在她底身边酣睡着。

"他们怎样了?"王桂英坐了起来,想,不信任地看着周围。于是那种失望的、烧灼的、痛苦的情绪重新出现,而且增强。"是的,一切都离开我了!"她咬着牙齿,说,眯着眼睛,痛苦地、辛辣地笑着:"一切都离开我们了!……我底不幸的女儿啊,你这个可怜的、无知的小东西啊!全世界都不容许你生存!而我,你底不幸的妈,不幸的母亲呀!"王桂英,含着微笑和眼泪,侧着身体,迅速地抚弄着衬衣上面的丝带,以悲伤的、激动的声音向酣睡着的女孩说,同时欣赏着自己。常常的,人们愈是不幸,便愈能欣赏自己;人们愈是觉得自己被欺凌,便愈能觉得自己美丽。像那些在这个世界上流浪着的失意的诗人和艺术家一样,王桂英底天才,是欣赏自己。"……亲爱的儿啊,你底母亲就要离开,儿啊,她将从此离开她少年时代的世界,到那样的远方去,在这个残酷的世界上,开始她底凄凉的漂泊!儿啊,你底罪恶的父亲遗弃了你,你底罪恶的母亲(王桂英甜蜜地微笑着)也要遗弃你!亲爱的女儿啊,从那最初的一天起,我们已经相处了一年,可是如今,我们不得不分别!我们互相深深地祝福!你还不懂得孝顺——让他们那些混蛋孝顺去吧——可是我却懂得了慈爱!女儿啊,我们必得承担命运,你是不必懂得人世底苦难,我们分别了啊!"王桂英以激动的、沙哑的大声说,甜蜜地笑着,流出了眼泪。她吻小孩,然后抬起头来。于是那种轻蔑的、坚决的神情在她底脸上出现了。

她下了床,披上了衣服,回过头来,带着她底轻蔑的、坚决的神情看着小孩。然后她决断地掉过头来,走到门边,打开了门。

她是在欣赏着自己,虽然她不曾意识到。她迅速地走了出来,站在台阶上,凝视着在夏夜底显赫的星光下浓密地,墙壁般地矗立着的桃林。凉风悄悄地吹着,周围充满了虫声,那种洪亮的、单调的虫声。

"夜很深了。"王桂英决断地想。她心里的痛苦的、恐惧的情绪毁坏了她底自我欣赏,使她不觉地走下了台阶。她踏着乱草,走进了垂着果实的、稠密的桃林,嗅到了那种浓烈的、迫人的气息。

她低着头慢慢地走着,用她底身体推开那些低垂着的枝叶,含露的、潮湿的枝叶拂在她底胸上和脸上。她底赤裸着的腿同样地也沾满了露水。她向桃林深处走去。在嘴里咬啮着一片叶子,然后又是一片。那种痛苦的,恐惧的情绪变得更强了。

"唉,这么多的果实啊!"她站了下来,以柔弱的、打颤的、可怜的声音叫。于是她轻轻地、低低地哭起来了。

"天啊!天啊!你们总要可怜我一点的吧!天啊,我得到这种惩罚,为了什么啊!"她哭着,说。她继续哭着,把头撞在树干上。接着她就焦灼地、疾速地在乱草里徘徊了起来,好像愤怒的野兽。她徘徊着,不时笑出那种讽刺的、痛苦的声音来。

"我应该怎样办?我把她丢到别人家门口去吗?不,不!"她说,笑了一声。"我就把她丢在家里,留一点钱,是的,这样顶好……但是这还不如把她丢在这个林子里,丢在湖里!是的,我要把她丢在湖里!"她说,笑了一声。"但是我……是的,我要杀死她!闷死她,她还小,不懂得痛苦(她寒颤了一下)只要一分钟就完了!"

"是的,我杀死我自己底女儿,我自己亲手埋葬她!这样最好!"她说,痛苦地笑了一声,抬起头来。

于是她迅速地奔出桃林。

她推开门,于是在灯光下站下来了。

她痛苦地看着酣睡着的女孩。

"不啊,我底女儿!"她轻轻地、抑制地哭着,说:"我怎么能够这样,亲爱的女儿啊,饶恕你底不幸的母亲!"她说,向她底女儿跪了下来。在这种情绪和这种表现里,她又开始欣赏自己了。她靠在床边,轻轻地哭着。

"但是我把灯熄了,可以的!她睡了什么也不晓得!"她迅速地站了起来,恐怖地看着她底女孩。"不,不用怕!"她向自己说。于是她带着冷酷的心情低头吻女儿。她吻着,她轻轻地吻着,就在这个接吻里,她压到女儿底身上去,勒紧了她,在两分钟以内把她杀死了。

"我杀死我底女儿……我自己亲手埋葬她!"她站起来,说,带着这种冷酷的、疯狂的表情。接着她倒到椅子上昏去了。她底年青的、丰满的、被乳汁浸湿了的胸部在轻轻地颤栗着。

四

这件事使大家非常的惊吓,大家整天地留在她底身边,防备再有什么意外发生。但王定和仍然不能原谅她。王定和听到这个消息,显得很冷淡,当天就回上海了。

王桂英整整地躺了一个星期,神情显得有些失常了,什么话也不对别人说。一个星期以后,她收拾了她底一切,就是说,丢下了她底一切,到上海去了。

她在上海的一家华贵的旅馆里住了下来。

第二天早晨,她到报馆去找夏陆,请他通知蒋少祖下午五点钟到他们以前常去的那个咖啡店去会她。在夏陆底不着边际的怜悯和惊异里,她没有说别的话,但请他避免陈景惠。

夏陆立刻就跑到蒋少祖家去,不知为什么异常的激动。蒋少祖听到这个消息后长久不作声,夏陆无故地愤激起来,走开了。

蒋少祖脱下了优美的、灰色的外衣(本来他爱好舒适和漂亮),上床睡下,但即刻又爬起来,穿着皮拖鞋走到桌前去,取笔写字。后来他揉去纸张,转动圈手椅,望着墙壁。陈景惠走进来,开抽屉取钱,温和地向他说到电影院底新片子,他瞥了她底怀孕的身体一眼,向她悲哀地笑了一笑。

"真要命呢,头又痛!"陈景惠皱着眉笑着向他说,然后走出去。

"在夫妻间有着怎样的关系?"蒋少祖想,凝视着墙壁:"她为什么要来?为什么早不来?为什么一切不更早一点?她怎样了?她底孩子怎样?她住在哪里?夏陆不说!可恶而愚蠢!啊,可怕,可怕,人生是这么多的纠缠!"他转动椅子,凝视着门。忽然他站起来,颤栗着、昏乱地徘徊着,"这样可怕,可怕,但是要解决,必需要解决!这几个月一切都变了,我怎样耽忧!"他站在床前。他底额上的皮肤灵活地向上游动,折出了皱纹,"最不幸的是有一个家庭,以前你觉得一切都是好的,至少可以敷衍,但是时机成熟,你就得收获一切!但是应该倔强,蒋少祖,"他想,额上的皮肤压了下来。"她一定把小孩带来,一定说:我交给你,我要生活,你是无耻的、罪恶的、不义……这我都承担,无耻,罪恶,不义,但是没有谁更好,要拯救这个,需得神圣的炼狱底火焰,而且我无疑地要生活,要争取胜利!——不能让别人知道,所以必需想法子!可是一切都已经想过,……啊,我心里是怎样的火焰,我底眼睛发热,烧啊!"他嗅鼻子,徘徊着。"做了恶梦,全中国在做恶梦,全人类在做恶梦!恶梦的世界,恶梦的战争,叛逆!——但是我并不想到福建去,我和我底事情留在上海!有一天一切全解决了!但是中国是造不出英雄的共和主义来的!但是她是多么不幸啊!大家已经知道,她怎样能住下去啊!过去的甜美的平静!但是我们好像没有一天平静,我记得我没有平静,我甚至于前两天还想去南京,我底孩子,我底爱人,——残酷的世界把这一切全粉碎了!覆没了!但是,很简单,以残酷回答,活下去!我们没有自由,专制的世界逼迫我们犯错——错?这些原是我们底权利!我们要留下自由的天地,用血肉生命,赤手空拳!不,我无需想,很简单,横竖是这样一个生命,怎样安排都是无所谓的,可以冲破!有谁敢向我投第一个石子?我没有智慧,热诚,忠实?那些可怜的混蛋和蠢货!郭绍清,他怎样?我知道他底娇滴滴的太太是怎样来的!……'你们要走到孩子们面前,向他们忏悔。'如此而已,这样黑暗的社会,崇高的理想沉没了!"他想,竭力压下兴奋,走到穿衣镜前面去,动手穿衣服,"我有这样的风度,这样的年青,这样的才干和魄力,——我要取得!"他想,系上领带,揩了脸,做了一个憎厌的表情。然后他啣着香烟在房里走着梳头。

他出去看朋友,谈闲话,消磨时间。四点半钟,他带着惊慌的,温柔而顽强的心情走进了拥挤的,灯光明亮的咖啡厅。

王桂英因复仇的,煊耀的欲念而穿得非常的华丽。她穿着深红色的绸衣,戴着发网,并且打了口红。她四点钟便到咖啡店来了。她叫了很多的食物,坐在内厅的角落里,通过屏风凝视着来往的食客们。流浪的白俄在咖啡厅里拉琴,她听着琴声,严厉地凝视着屏风外面。衣裳旧污的、可怜的白俄挟着提琴走进来,卑贱地向她笑着,侧着身体鞠了一个躬。她冷酷地挥手,驱走了他。

"是他!"她想,埋下了憔悴的、颤栗的下颔,以发光的眼睛凝视着食物。

蒋少祖一时没有能够找到她,并且在找到以后不敢认识她——他从未见过她穿这种衣服,同时她底向着食物的紧张的脸是这样的和以前不同。他在屏风外面站住了。

王桂英抬起头来,向他奇异地笑了,而从她底明亮的眼睛,他认出了她是王桂英,那个热情的、单纯的王桂英,"可怕!她变了!"他想,机械地向里面走。

"坐下呀!"王桂英嘲弄地娇声说,并且欢乐地笑,显然的,她企图用诱惑报复他。

蒋少祖脱下上衣来挂好,在小沙发里坐下来,看着她。她在蛊惑地,嘲弄地笑着,好像她和蒋少祖是非常的亲切。

"桂英,我向你辩解,为了我底忠实,我必需……"蒋少祖立刻迅速地说,移动着身体:"我知道你为什么来,是的,我不忠实,没有良心,不义,使你冤屈,我知道南京那些人底情形——你应该不原谅我,我希望你对我更残酷,因为世界残酷。"他停住了。望着地面,"孩子呢?"他低声问。

王桂英笑得更轻蔑,更欢乐,在白桌布上搓着手,沉默地看着他。

"她怎么这样?怎么这样?可怕!"蒋少祖想。"我能忍受任何残酷,"他说,看着她。"毁坏我底家庭也可以,我是有力量承担的,因为你也承担了你底一份,"他以兴奋的声音说,"宣布我底罪恶也可以,我不怕社会——我自信有力量支持!"他说,看着黄绸屏风,浮上了冷笑。接着他沉默很久。"那么,告诉我,一切怎样,孩子呢?"他迅速地瞥了她一眼,用温柔的低声说。

"死了——我杀死了她!"王桂英嘹亮地回答,迅速地举手搧了一下脸,笑容没有离开。

蒋少祖做出了强烈的,激动的表情。从王桂英底表现,他已经料到了要得到这一类的回答,但他仍然做出了强烈的表情,因为相信这是必需的。

"怎样,真的么?"他难受地、诚恳地问,下颚颤栗着。

"我不骗你,蒋少祖,我从来不骗你!杀死了!——我不能让她活在这个世界上,杀死以后,我就来上海!"她底呼吸变得急迫了,她底声音有些颤抖,她笑着那种痛苦的、讽刺的微笑。

蒋少祖痛苦地看着她。但同时感到重担已经卸下了。他底额上的皮肤颤栗地向上游动着。

"桂英——怎么……你居然……啊,是我!"他嘶哑地说,低下头来。"桂英,罪恶!怎样,究竟怎样……你请说详细!"他说,在痛苦已经不确定的时候夸张他底痛苦。

王桂英轻蔑地笑着盼顾。

"怎样?死啦!"她说,然后她迷惑地皱眉。

"那么,你……?"

"我要活!"她突然瞪大眼睛,抛下手里的火柴棒,露出愤怒的表情。"我来上海找你,要你告诉我怎样活,怎样?"

蒋少祖痛苦地呼吸着,望着屏风外。

"你说你能担负残酷,我却不能,我身上沾满了血,我在畜牲中间杀死了我底女儿,我从畜牲中间逃出来,我又逃到畜牲底世界!我很高兴,因为又看见你,而你居然痛苦!最好你哭,但是我不哭,我看着,我杀死……"她底头突然地落在手心里。她底瘦削的肩膀颤栗了起来。

"桂英!"

"桂英,告诉我——……"

王桂英抬头,咬牙,愤怒地看着他。

"告诉你什么?我并不是来告诉你,并不是来要求你,更不是来向你——要钱!我只是来看看你,就是这样看看你!"她以燃烧的眼睛看着他。——"你舒服,出风头,有名誉,事业成功,与我何关!你痛苦,忏悔,你羞耻,与我何关!已经迟了!生命不再回转,死人不能复活,我不能再是无知的孩子,你也不能再是拯救中国的英雄!也许你是的……"她停住,因为呼吸过于急迫,"也许你是的。"她说,冷笑着,"但是我——走过去了!"

蒋少祖眼里有了泪水,他看着屏风。"是的,她明白——走过去了!但是我爱她,我爱她的。"他想。

他凄凉地说了他所想的。

"不可能!"王桂英坚决地回答。"你能离婚么?"她问。

"这要看。也许……能够,不过我要说明……"

"算了吧,蒋少祖,我不过试你一下,果然如此!迟了,你要说明什么?你真看错人了,你想我是陈景惠么?"

"桂英,我忍受你底侮辱。"他低声说,额上的皮肤向上颤动。

"吓,你!你尽可以不坐在这里呀!"王桂英盼顾着,"虚伪的东西!那么,蒋少祖,怎样?"她突然娇媚地说,笑着蛊惑的、讥讽的笑。

"她高兴怎样就怎样。不能沾惹她。"蒋少祖痛苦地想。但他低声说:"我爱你的,桂英。"

王桂英笑着看着他。他皱眉,想到他底生活。

"不过,当然,你不再能让我爱你。同时我也有责任。"他说,看着鞋尖。

王桂英意外地露出了温柔的悲凉的神情,好像忘记了一年来所发生的和她自己刚才所说的。这种神情继续了颇久,她底美丽的眼睑颤栗着。她眼里有泪水。

"不,不,我不要!不可能。"她想。她刚才企图用诱惑报复蒋少祖,现在她却要抵抗这个诱惑了。

"桂英,我明白你。我要尽可能地为你做一切。"蒋少祖忧伤地说。

王桂英揩去泪水,看着他。

"你要为我做什么?"

"桂英,你告诉我。"

王桂英坦率地看着他。

"蒋少祖,你明白,一切都过去了,我说一切都过去,你应该高兴。我原谅你,你也原谅我——虽然我是对的!你记着,一个女子为你不幸——我很明白,无论怎样我也再不能挽回,你记着,她为你毁灭了一切,亲手杀死……再说一次吧,杀死了她底女儿,"她痛苦地呼吸着,"好,停住。话都说完了,将来再见吧。"她站起来,于是她痴呆地看着前面。

蒋少祖站起来,脸发白,向前走了一步。

"桂英,再坐……再坐一分钟,我有话说。我万箭钻心,多痛苦啊!桂英,桂英,请你……!"他表现出极端的痛苦,又向前走了一步。

"请你把钱付一付。"王桂英冷淡地说,抓起皮包来迅速地走出屏风。

五

第二天晚上,蒋少祖向夏陆询问王桂英底住址,夏陆回答说他不知道。蒋少祖明白他不肯说,露出了威胁的,轻蔑的表情,走开去。

但夏陆不再像以前一样怕错,不再像以前一样悔恨、扰乱、痛苦。在这件事上他坚决地信仰他是对的——他总有一次要立在实在的基础上,击退感情底侵扰,而信仰自己是对的。因此这个信仰特别顽强。

王桂英早晨来访他。那时他刚起床,还没有洗脸,显得狼狈而糊涂。他从宿舍走出来时,同事们和他开玩笑,快乐地讥讽着他。他觉得这件事是严正的,他底心更是严正的,因此别人底笑闹使他发慌,发火。但走向王桂英,看见了她底苍白的,微笑的脸,他就失去了信心,觉得自己果然是有错的了。他羞怯地、喜悦地引王桂英走进了会客室。"不应该和她到别的地方去,只应该在会客室——这是对的吗?"他想,引她走进了会客室。

王桂英向他说了一切。

"是的,我早已想到,……我看出来;尤其昨天,我想到一定有什么不幸。"他说,年青的,有须的脸皱了起来,眼里有泪水;"你怎么能支持!……但是我不愿意批评我底朋友。"他说,"谁都有错,我也有错……他底心灵太狭窄。"他加上说,他底眼睛说了他不曾说出的一切。

王桂英说她不能原谅蒋少祖。于是夏陆觉得一切都起了变化,一切都变得温柔、甜美、悲哀,而自己无错。于是他开始信仰自己是对的——他觉得他是第一次信仰自己是对的。

"我为什么而生活,我明白;我有我底见解。我坚强,我要向一切人表明,不是轻蔑他们,而是让他们同意我,因为骄傲是不好的!"他想。

于是他问王桂英需要什么,像一切男子在这种时候所问的;王桂英说住在一个旅馆里,一切还好。并且给他留了地址。

从这天起,夏陆有半个月没有来看蒋少祖。很快地他便决定和王桂英结合——王桂英答应了。

这天,夏陆决定了什么,来蒋少祖家。蒋少祖正预备和陈景惠到杭州去暂住。陈景惠蹙着额在检查箱子,听见夏陆来,以为夏陆又带来了王桂英底信,走出内房。

看见夏陆忧郁地坐在椅子里翻报,而蒋少祖在安静地继续写字,她抱歉地笑了一笑,问了什么,走回房去。

半个月以内,蒋少祖以极大的努力压下了扰乱和痛苦,恢复了日常的生活。他底面色显得疲乏而平静,但目光冷酷。在这些时候,他底思想似乎已经有了变化。他时常发表无根据的、出人意料的思想,态度阴沉而暴烈。在他最近的一切思想里,他强调最激烈,最极端的东西,这些东西里有一些是他以前所反对的,另一些则是被他观望的。在一篇文章里,针对福建底事变,他表示必需组织强有力的裁判委员会。……在随后一篇短文里,他咀咒中国,歌咏超人底悲观,号召一切人都"从这个中国走过去"。

夏陆来的时候,他几乎没有抬眼睛。他继续写着字,露出威胁的,阴沉的表情。夏陆带着艰辛的态度坐下,随手抓起报纸来。

陈景惠又走出来,向夏陆友爱地笑着,说他们准备去杭州。

"啊,去杭州吗?"夏陆说,笑着。"什么时候?"

"后天。"蒋少祖回头,冷淡地说。"有什么消息?"他问,因为说了第一句便必需说第二句。

"美国政府表示要用强硬的态度来解决失业工人和退伍军人的问题。"夏陆说,因为对蒋少祖底敌意,并且因为所说的句子太长,红了脸。

"这个!"蒋少祖说,干燥地望着朋友:"美国底事情,中国人是可以不必耽心的罢!"他冷淡地笑了一声,转身折上纸张。

"这个我不知道。"夏陆说,兴奋地笑着。

"还有消息么?"

"没有。"

"你看到我底文章没有?"

"看到了……"夏陆说,皱着眉头盼顾,沉默了。在他们之间,仇恶的情绪燃烧了起来。

"我不同意你底看法。"夏陆矜持地说,皱着眉,好像看见了什么可厌的东西。

"你当然不同意的。"

"为什么呢?"

"别人煊染你。对于目前,对于他们底看法当然应该尊重,但决不可一开始就被吓倒,相信他们是真理。我不相信他们是真理。"蒋少祖转动圈手椅,额上的皮肤向上颤动,露出眼白看着地面;"我近来很安静——从未如此安静过。"他说,压下手指。

"你当然安静!把一个女子弃在污泥里!……"夏陆想。"但是,我也并不相信你是真理。"他用细弱的声音说,避开了蒋少祖底搜索的眼光,他底脸部充血。

"怎样呢?"蒋少祖说,压制着愤怒。

"你说什么超人,因为你想逃避一些事……你想想鲁迅先生。"

"又是你底鲁迅先生——他要没落的!你这样想,因为你太老实!"

"就是吧。但是你想想在我们中国底愚昧的、善良的,我说是这个……或者你再想想欧洲,我知道你对欧洲很有研究,现在是怎样发展了?"夏陆痛苦地、软弱地说,看着他。

"你对欧洲怎样看?"

"要有风暴。"夏陆说,正直地看着蒋少祖,并且紧闭着嘴唇。

蒋少祖冷笑了一声。

"风暴,你总喜欢好听的名词,老夏,这是他们骗年青人的!"蒋少祖说,焦燥地看着夏陆,"欧洲倒是要有阴谋——风暴远着呢!你看吧,在欧洲,继续是克雷孟梭式的阴谋和麦克唐纳的阴谋!独裁者就要站出来!这是现实。说句笑话,我倒也许赞成拿破仑底方式的!历史底现实总是进步的,谁都无罪!但是中国底情形就复杂了!那些幻想和那些高调啊……当然,是进步的,不过有时候情形显得特别危急,比方福建……这方面再不向高处起来,我们看吧!"他停住看了夏陆一眼。"而一个东西,你不能抽象地看。你总是抽象地看的,所谓风暴就是这个。"他加上说,抿着嘴。

"那么,你底联合政府不抽象么?"夏陆问,同时他想:"是的,我们在谈这些,好像应该谈,但我们不再是朋友了!"

蒋少祖摇了摇手,站起来,露出阴冷的,厌恶的神情徘徊着。

"我们目前是要唤全国学生们起来。"他说。

"他们自己会起来,况且已经起来了。"

"但是需要领导。"

夏陆沉默,小孩般皱着眉,露出深沉的悲哀凝视着地面。

"为什么要说这些?他没有灵魂!……他能否看到最善良、最不幸的?而我们在这种关系里为什么还说这个?是的,和他说,然后立刻就走。"夏陆向自己说。

"我到你这里来,是想说,我知道了你和……那个女子的事。"他困难地低声说,看着地面。"我要责备你。"他更低地说,免得被房内听到。蒋少祖站下来,冷酷地看着他。

"夏陆,下去说。"蒋少祖说。

他们下楼,穿过房东底小厅,走入狭小的院落。

"怎样?"蒋少祖问。

夏陆激动地笑了一笑,然后,闭紧嘴唇。

"我以朋友底立场责备你。现在我告诉你,我准备和她结婚。"他坚决地说。

"我已经知道!"蒋少祖说,冷笑,走了开去。

"我本来无需告诉你。……"

"怎样!"蒋少祖走了回来,威胁地说:"你认为我不对么?我是对的!你把她检去吧!"他说,他底嘴唇打抖,"告诉你,她现在可以倒在任何人怀里!"

"你侮辱我!"

"夏陆,你从前不是这样的人!……为了一个女子,哈!"蒋少祖笑着说,"你并不能破坏我!你这些时候的鬼把戏我都知道!"

夏陆愤怒了,脸涨红,痛苦地闭上了眼睛。

"我不需要你相信我!我对得起……我并且……我来告诉

你,没有想到你居然,你……"他说不出来了,他发火,摇幌,看着蒋少祖,"我现在跟你说……你侮辱我,我们决斗!"他说,痛苦地笑着。

蒋少祖冷笑着,一面擦火柴点香烟。

"但是我不和你决斗……真是好一个骑士!好,再见!"他说,大步走出院落。

夏陆流泪了。"为了她,我要永远憎恨,一生复仇!"他向自己说,走了出去。

他跑到王桂英那里去。她正在午睡。他喊醒她,坐下,又站起来。

"我和蒋少祖说了!也许你不同意,也许你会伤心,啊,也许你仍然爱他!但是,我说了,我告诉你,桂英,我要憎恨他,我要复仇……现在,你做最后的选择,我底命运!……"他说,含着眼泪,混乱地、激动地看着她。

她坐在床边,轻轻地摇着她底赤裸的腿,严肃地看着地面。

"这有什么!"她抬起头来,说。

"但是……"

王桂英哀愁地、娇媚地笑着,站起来,赤着脚站在地板上,吻夏陆底有须的、年青的脸。

第六章

一

蒋蔚祖得病以后,金素痕便和蒋家姊妹们断绝了来往。夏天来到的时候,金素痕和自己家里不和,带着蒋蔚祖住到下关江边的房子里去。

她有时去苏州,有时各处去玩——她很苦恼——很少在家。蒋蔚祖对她纠缠愈凶,她便愈狡猾,几乎每次总能逃脱,事情逐渐变成可怕的:很多次蒋蔚祖睡在门口地上,不吃,不动,不要任何人,阻拦她出去或等她回来;等她可怜地俯腰呼唤他,等她向他微笑或流泪。有时蒋蔚祖在深夜里坐在附近的街上,假若她不出来,便坐到天明,或坐到无可奈何的警察到家里来报信的时候。

但金素痕已经没有了眼泪。这一切成了习惯,而这个习惯令她厌恶;这不是心理和生理健康的人所能忍受得了的。她不再顾忌他,她因羞辱而恼怒,告诉看热闹的人们说,蒋蔚祖是她家底穷亲戚。于是她把这个穷亲戚领回家,锁上门,又跑了出去。她过着难堪的、荒唐的、疯狂的生活。她有一个信念,就是,蒋蔚祖不会死。而假若死,她便要到苏州去冲翻蒋家。

一切医药都无效,一切努力都枉然,蒋捷三只有尽可能地给钱了。这些可怖的丑闻——它们传遍了南京——他还丝毫都不知道,女儿们瞒着他。他对于金素痕底悲哀还有着微小的信心(这是和他底世故经验全然不相称的);他认为儿子在养病。痛苦无尽止,事情愈来愈可怖了。处在这种境遇里,既不能离婚,又不能谋杀丈夫的金素痕相信连自己都疯狂了。某一个夜里她挥霍了两千元以上,烂醉地被她底情人带到最淫贱的场所去,——最后失去了知觉。天亮时她穿着薄绸的睡衣不顾羞耻地在外面跑,被警察拦了回来。

但蒋蔚祖在完全没有希望的时候却多少是清醒的。最坏的是他还有希望,最坏的是金素痕在最初向他流泪,而在每次出去和回来的时候总甜蜜地哄骗他。于是一切都无法挽救了。

在他们底行为成了习惯,而金素痕决然地表示厌恶时,蒋蔚祖变得狡猾了。他不哀求她,但偷偷地跟踪着她。第一次发现蒋蔚祖是幽灵般地追踪着她的时候,金素痕是异常的恐怖,那是在夜里,在一个小巷子里面。于是金素痕以后每次出去总坐汽车。

蒋蔚祖有很多诡计,很多思想,但总无法实行。秋天的时候,他底变狠毒了的脆弱的心做了一个大的决定;假若有证据,便杀死金素痕。这看来是很简单的——他动手做了。

第一天他出去买手枪。当然他不知道在哪里买,并且别人决不会卖给他的。他跑遍了下关的店家和黑市,于是想到夜里到警察底身边去偷。但他立刻便注意到街上的警察都是并无手枪的,都是大枪或木棍。

"哈,我是这样的痴,如此的蠢!刀子不是一样?刀子是街上都有的卖的!所以就不必急着买,而要先捉她!"蒋蔚祖向自己说。

一个星期过去了——这个决心持续了一个星期——,蒋蔚祖没有捉到金素痕。"让他们来家,最好让他们来家,我要发疯,就有证据了!"他想,于是换了清洁的衣服,向金素痕说要到姐姐处去住两天。天晓得他在哪里混了一天,夜里他藏着刀子回来了。但佣人说,太太在他走后便出去了,还没有回来。

于是他决心等一下。金素痕午夜以后,还没有回来。他走出、走进、撞东西、捶胸膛。

"我要睡在地上。我要睡在门口,啊,我又疯了,不,我没有疯,我永远不动,不听她,让她哭,喊我,我不动,她认为我死了,是的,我死了!那么她就伤心,自己把什么都说出来了!她要说她对不起两岁的儿子,她对阿顺说对不起我!就说另外的男人!"蒋蔚祖说,"啊,她现在在何处?是否和别人睡觉。但是我已经说过,我不管,我要死了!不,最好明天叫阿顺来,可怜的儿子啊!这是禽兽的世界!禽兽的父母!禽兽的夫妻!那么,我应该死了!但是她是不是还爱我呢?不,我顶好像庄子那样做做看!不过,假若我真死了!那么爹爹怎样啊?"他说,"不,这是禽兽的世界,我已经是禽兽!所有的诗书礼义,所有的人伦毁坏无余了!但是,假若我真的死了?那么我便看不见这个房间,好漂亮的房间呀!里面住着禽兽呀!我也就看不见她了!那时她便和别的男人睡觉去!我终究不能死呀!"

他在房里走动着,不停地摸刀子,他底眼睛燃烧着。

"我底名字叫做蒋蔚祖,我还有一个号,但是我底名字有什么用?我小时聪明温顺,在苏州没有人比我做得更好的诗文,写得更好的字了,但是我做了什么?大家都说我讨了好看的、天仙一样的老婆,大家都说我有了儿子,然而,我确实没有!这只有我自己晓得!那么,这个世上①所有的家庭不也是一样?但是他们好像有事做,不发疯!他们竟然不发疯!他们这些人,一天到晚来来去去哭哭笑笑,谈国事谈私事,好像是过得顶好!啊,多么黑暗啊!我记得从前我在一切地方都觉得别人好,我们是受了谦逊有礼的家教!……好了,够了!何时完结,我们太宽大了!女人有什么值得迷恋!但是,可怕呀!她多么迷惑我啊!怎样好,怎样好,禽兽地活着呢还是禽兽般死呢?我死了她会哭么?伤心呀!

"刀子刀子,我有刀子!但是,从哪里杀进去呢?从胸上,那样的胸上,不成啊!从颈子!不,不好,最好从背后?不过,我终归要死,让她活着快乐几年不也是一番爱情么?爱情怎么能够要报偿……不,我要证据,她也是可怜的,我要她说出来,那么我

---

① 原文如此,据原版书后附勘误表更正为"世界上"。

假装死了！但是人死了心是不跳的,怎样能叫心不跳?

"好,有了,最好把红墨水,泼在身上,泼在地上,手里抓着刀子,刀子上也要染点血,那么,她就来不及看心跳不跳就要哭起来了,要是不哭呢?啊,可怕呀!但是不哭便是证据——要把刀子抓紧!"

他找出两瓶红墨水来(金素痕常用红墨水写字),把它们打开,沾在指头上看了很久,满意地微笑了一下。然后他睡在地上试了一下。

他等待着。天亮时有了敲门的声音,佣人走过廊道去开门。于是他往胸上、地上、刀子上泼了红墨水然后把瓶子藏起,蜷曲着左腿在地上睡了下来。

他大口呼吸着,然后,在金素痕推门时屏住呼吸。在寂寞的灯光下,他底阴惨的脸是完全像死人。

"现在,她走进来了!她哭不哭?"他想。

金素痕在回来的路上很清醒,特别冷静地想到自己已经发疯——比蒋蔚祖还要疯狂。她冷酷地想到,这个疯狂,是很痛快,很有趣的。"真好,老天有眼睛,两个疯人住在一起——但是我是真疯,他是假疯!"进门时她向自己说。

推开门,发现地上的、血泊里的蒋蔚祖,她做了一个顺从命运的、悲苦的姿势站了下来。她底眼光闪射,苍白的下颌强烈地打着抖。

"要找张妈做证人,不然他们会认为我杀的!"她想,疾速地跑出去,叫喊了起来。

"怎么,她跑掉了!——没有哭?"蒋蔚祖失望地想,坐起来。"不好,她要喊人来……"他向自己说。

而正在这时候金素痕已经极快地拖着那个臃肿的、凌乱的女佣人跑进来了。看见了坐着的蒋蔚祖,就放开女佣人,发出了恐怖的尖叫。

蒋蔚祖被吓得打寒战,握着刀子慢慢地站起来,以发呆的眼睛看着她。

"你干什么?"惊慌的金素痕恶叫,退到门边,防御着自己。

"放下刀子! 不放下我马上就走,再不回来!"她叫。

刀子从蒋蔚祖手里落下了。在他脸上有疯人底尴尬的笑容。

金素痕疾速地跑上前去,拾起了刀子,然后吩咐女佣人出去,关上了门。她带着痛苦的、惊慌的表情,握着刀子,走到桌前去坐了下来。

"蔚祖,你干什么?"她严厉地问。

"我一个人无聊,在好玩。"蒋蔚祖尴尬地笑着,说。

"说! 不然我马上就走,你天涯海角都找不到我!"她厉声说。

"果然她偷人!"蒋蔚祖想,那种疯人底笑容没有离开。

"是谁指示你这样做的,说!"

"原是我自己好玩!"

"混蛋! 这也好玩! 谁指示你的! 吓,高贵的蒋家!"

蒋蔚祖看着身上和地上的红水,看着她手里的刀子,小孩般皱眉。

"这有什么稀奇! 你看,都是红墨水! 哪个叫你不用毛笔写字的!"

"混蛋!"金素痕叫,架起脚来;"我受不了! 我们都发疯! 我们两个疯人! 天呀,这种时间何时完结呀!"

"要完结就完结。要不完结呢,就当然不完结。"疯人笑着,低声说。

"混蛋,疯子! 哪个跟你说话! 啊,我也疯了,我也疯了! 世人哪里知道这样的金素痕啊!"她看着刀子,然后用抓着刀子的手蒙住了脸。

蒋蔚祖含着天真的微笑看着刀子。她以为他要夺刀子、惊吓地,向后退。

"这是禽兽的世界,禽兽的父母,禽兽的夫妻!"蒋蔚祖忽然用尖声发表思想了,他卷着衣袖,徘徊着,"你和我睡一次要和别人睡两次！你也许骇怕,但是你不得不这样做！我是无用的人,一点都不能使老婆快活,又不能使家庭美满！我是罪孽深重的儿子,偷了珍珠宝贝戴在媳妇身上,媳妇就把绿帽子戴在我头上！但是我真蠢,我不懂一个女人和别的男人睡过觉以后还能够回来向丈夫笑笑,哭哭,又亲嘴！真是多才多艺了！……"他说,轻蔑地笑着。

"住嘴！"金素痕恐怖地、严厉地叫。

蒋蔚祖天真的笑着看着她。但突然嘴唇颤栗,显出极大的苦闷和恐怖。

"好吧,你听别人说就听吧！好在我也快疯了！"金素痕冷笑着,说,同时站起来,"这些话亏你说的出口！好吧,我们离婚,懂吗？现在我马上就带这把刀子到苏州去！"

她抓起皮包往门走去。蒋蔚祖恐怖着,哭出了难听的声音,上前拖住她底手,跪了下来。

"我错了,素痕,错了,不要上苏州……"他哭着,说。

金素痕站下来。再坚持了一下,看见他已经完全屈服,便走回来坐下去。

蒋蔚祖蹲在她身边凄凉地啜泣着,脸部温柔、动情,像小孩。

金素痕大声叹息,脱下皮鞋。

"把拖鞋拿给我。"她说。"疯了啊,我们都疯了啊,两个疯子啊！"她说,叹息着。

二

金小川在做六十岁生日的前两天托大女儿来找金素痕,要她在生日那天一定带蒋蔚祖回家。金素痕向姐姐诉了苦,咒骂了父亲,但没有回答到底去不去；第二天她回家和父亲提起了房租的事(他们是为这个吵架的),其次又提起古玩的事,要父亲归还。金小川让了步,于是第二天蒋蔚祖夫妇回到家里来。

金小川有很多原因要女婿女儿回家。首先,关于蒋蔚祖夫妇的谣言传得很厉害,这些谣言多半是怪诞的,金小川怕苏州知道;其次,他正在和那个名律师为儿子底离婚进行诉讼,这次做生日的主要目的便是拉拢和这个诉讼有关系的某些人,而在这个场面里他需要金素痕底帮助。他并且需要蒋蔚祖底出现的帮助,因为那个名律师举了例,说他们家底婚姻完全是以骗钱为目的。——他想当众表示他对蒋蔚祖是如何的关切、严谨、慈爱。

这个宴会是非常的热闹的。头一天晚上金小川便开始摆设赌场,并且搜罗了夫子庙底名歌女来家。到场的人有法官、推事、律师和亲戚们。金小川奔跑得焦头烂额,当天早晨七点钟还跑到法院里去找客人:他怕他们不来。

最后,他指点了一切,换上了长袍马褂,笑容可掬地走进走出,向所遇到的一切人点头。遇到厨子,他说:

"啊,有了吗?配到了吗?好极了,干净点,有赏!"

他向西装毕挺的儿子说:

"啊,换了领带?好看!今天,记着,你要有礼貌。"

金素痕和蒋蔚祖来到时他特别笑容可掬,好像他们是客人。

"啊,好了吗?唔,长胖些了!要多吃东西!今天天气不错!"他说,拍蒋蔚祖底肩膀,实验他底关切和慈爱,这是他立刻就要表演的。

客人愈来多,屋里愈纷乱,他笑得愈紧张,愈快乐。

金素痕穿了深绿色的、长得拖地的旗袍,带着轻蔑的、不经心的、愉快的神情走了进来,向一切人点头,高声地说着话。她不注意任何人,但向任何人说话,因此感到这些人是一个流动的,可以控制的整体——这是她底战场。她开始笑得更愉快,向年青的推事先生说到日本武官柴山底滑稽故事;向律师先生说到日本飞机底速度和效能;又向某位穿长袍的老先生说到张学良。

然后她转向几位年青的太太。

"啊,真了不起,国家大事放在他们手里呀!"她挥手帕,笑着。

"你想,金小姐,国家大事怎么会在我们手里。真是!"留须的,瘦长的法官先生忧愁而滑稽地说,看着手。

"要打手心!"金素痕笑,表示谈话完结,迅速地走进正在赌博的房间。

金小川走近呆坐在椅子里的蒋蔚祖,向他笑着,使大家注意他(大家早已注意他),于是称赞他底文雅,并且拍他底肩膀。然后他坐在他底旁边,翘起了腿,向法界底人们提起他底诉讼。

大家带着忧郁的表情听着他。

"我金小川老了,这些事情也足以令我疲乏!"他以异常宏亮的大声说,笑着摇头。"小儿底婚事,原是他们自己做主的!他们在学校里恋爱,真的是如此!他们要离婚,当然就离婚!各位,现在是民国啊!又不肯离婚,又要说什么钱!各位,哪一本法律条文里有?哪一本里有?哪一位找出来我白送他十万!他还是律师!……我金小川这回是被告,我就不说话,看他们怎样解决!……没有路子,钱就没处花,"他小声向年青的推事先生说。"他底老人家就跟我说过,"(他指蒋蔚祖)"说打官司要正直,花钱也就正直!我这个人治家是向来让儿女们自由!我并不是老式人!"他大声说。

"是的,是的。"瘦长的法官先生说;"不过,清官难断家务事,私下了结怎样呢?"

"这个,要看他!——这种人家真是混蛋!这种混蛋人家!下回各位看吧,我一上庭就骂——现在是民国!"金小川叫。

法官先生笑了笑,站起来走进房。于是金小川凑近年青的推事耳语,并且霎眼睛,比手指;年青的推事先生不住地笑着点头,不住地从微笑变严肃,好像他极同意金小川所说的。房里有哄笑声,年青的推事先生露出快活的、好奇的表情,笑着,不住地向金小川点头,走了进去。

"唉,中华民国怎么得了嗷!"金小川说,顾盼,笑着看着蒋蔚祖。"啊,高兴吗?"他谄媚地笑着说。

在思索着什么的蒋蔚祖透露了疯人底微笑。金小川摇头,走向肥胖的律师,抓着这位律师底手臂向他耳语,并且推他进房。

　　蒋蔚祖狡猾地盼顾着,坐到另一张椅子上去,思索着。

　　"大家都看她,她是卖弄风骚! 这些人全是混蛋猪狗! 他们为什么要活在世上! 哈,他们有什么高兴要笑! 他们底老婆偷人,而他们自己敛财,他们真高兴! 我要指破他们,叫他们不敢向她笑! 叫他们哭哭啼啼,那么,我总得有个办法! 啊,想一个办法!"

　　一个妖冶的歌女从赌场笑着跑出来,看见这位年青的、衣著高贵的先生,便站下。

　　"哎呀,你一个人坐着吗?"她用手巾挥脸,走到他底身边,坐下来。

　　"哈,一个女人,一个妖怪! 不理她!"蒋蔚祖想,转过脸去。

　　"哎呀,真是,你好像顶愁闷! 你们这些先生!"

　　"她说什么? 骂她,骂他们! 不,等一下!"蒋蔚祖想。

　　"您有心事吗?"

　　蒋蔚祖转脸,向她怒目。

　　"啊哟……,好大的架子!"

　　歌女坐进了另一把椅子,沉思起来。蒋蔚祖继续思索着。

　　"一个男人要有脾气,有时候应该把桌子推翻!"他想,"有时候要打架! 有时候又要特别有礼貌! 为什么有时候这样有时候又那样? 是哪一个规定的? 不管它,还是想我底办法! 那么……啊,她在偷看我!"他转过脸去;"我年青,我好看吗? 为什么素痕不说我好看呢? 啊,她看我,因为我有钱!"他想,觉得歌女还在看他,站起来,走进赌场。

　　他挤在人堆里观看着,监视着金素痕。金素痕异常高兴,大声吵闹着,因为赢了钱。

　　"啊,九点,天门! 她是天门!"蒋蔚祖想,"这个混蛋胖子是瘪十! 这个小狗是红的! 这个叫花子(他唤这个人做叫花子,因为这个人用叫花子般的眼光看着金素痕),另外,这里两匹猪,一个小狗!"他看着哄笑的人们。"好,有! 他们赌钱,我去叫警察!"忽然他想。"不,要叫素痕出来!"

于是他挤过去碰金素痕。金素痕回头,叫他等一下。所有的眼睛全看向他们,金素痕脸红,恼怒地皱眉。

"素痕!素痕!"蒋蔚祖唤。

金素痕不回答。很多眼睛注视他,他向这些眼光怒目,转身走出来。

吃饭以前金素痕走出赌场,上楼化妆。蒋蔚祖出去找了警察来。

蒋蔚祖含着得意的笑容领着警察进来,把赌场指给他看。这位警察显然是热情的生手。看见那些华贵的先生们,便庄严地向他们鞠躬,推事先生跑进房去。大家哄然拥出来。金小川笑着,走向警察。

于是,迅速地,警察先生消失了他底强硬的庄严,狼狈起来了。大家包围了他,律师先生给了他一张名片,法官先生也给了他一张;为了要显显身份,法官先生就用他底尖锐的嗓子吼叫了起来。"这张名片给你们局长!说是我明天来看他!"法官先生说,拍了一下挺出来的胸膛。

"算了吧……这又不是……况且……唉,你这个警察!"妇女们说,骚动着。

警察满头大汗,红了脸,抓着两张名片,向蒋蔚祖看了一下。蒋蔚祖被围在人群里,困惑地皱着眉。

"他是疯子!"有人说。

"这个,你们请拿回去!"警察先生说,递出名片来,"我又不是……我也是,国家底,公务人员!"他说,绞扭了一下身子;"而且我,对于这个,是一种,责任!"他说,痛苦得流下了眼泪。

"算了罢!"金小川说,推着警察往外去。

"我绝对不能!"警察愤怒地抵抗着,在门边说;"这个,我绝对不要!"他说,从金小川底肩上摔下了两张名片。

金小川转来,拍着蒋蔚祖底肩膀,领他走进堂屋。金素痕下楼来,冷冷地向大家道了歉。

大家议论着警察,从警察议论到市政府;大家同情地看着金素痕,向她说笑,免得她过于伤心,金素痕笑着和他们谈起市政府底趣闻来。歌女坐在桌边媚笑,准备着表演——宴会因警察和蒋蔚祖而意外地生动。蒋蔚祖坐在位子里,思索着。他觉得这些人全和他敌对。

他看着金素痕,看着歌女,比较着她们;又看别的女人和男人,思索着。

"你们这些猪狗!你们是禽兽!"忽然他用憎恶的细声发表思想,轮流地看着大家,使酒席顿然沉寂,"你们应该羞死,你们敛钱,偷窃!赌博又杀人!你们简直吃人,你们吃的是人肉!"他大声说,咬着嘴唇。他底眼睛可怕地发着光。

金素痕叫了一声,跑过来拖他往内房走。他垂着头,顺从地跟随着她。金素痕把他推在床上了。

他愤怒地笑着,面朝内,继续思索着。

金素痕气得打抖。

"你要我死!告诉你,我死了你也不想活!……好一个蒋蔚祖!"她说,喘息着。

蒋蔚祖因思索人生而凄凉,没有听清楚她在说什么,做手势要她坐下。

"还不出来吗,搞些什么?"金小川伸头进来,焦急地问。

"滚开!"金素痕憎恶地叫。"你要死!你要死!"她向蒋蔚祖说,然后愤怒地走出去。

"她又去了!但是我等一下,我想一想——人生好凄凉!"蒋蔚祖想,流着泪。

金素痕带着恼怒的、轻蔑的表情走了出来,坐下,不再说话。她底愤怒使大家暂时不敢再看她。但她身边的狡猾的、年青的推事先生笑着向她低声说:

"你真能忍耐啊!"

金素痕冷淡地看着他底甜蜜的笑脸。

"你真大度,……"推事先生说,带着忠实的、伤心的神情。

金素痕皱眉,向着酒杯,眼睛潮湿了。随即她离开酒席,上楼去,走进了姐姐底房间。她坐到椅子里去,以痛苦的、痴幻的眼睛凝视着窗外的灰白的天空,她底身体不时抽搐,仿佛她处在烧热中。

弟弟上楼找她,被她赶走。

"是的,完结了!但是怎么办?他非死不可!但是苏州老头子要先死才行!是这样的,每一天,每一夜!啊,何时完结!"她悲痛地叫。她听见了楼下的笑声和歌女底歌声,觉得很遥远。"我年青,我漂亮,我聪明,我有钱,但是我却这样?是的,我年青……这些畜牲!"又听见了笑声,她骂。

三

暑期的杭州小住回来后,蒋少祖底各种社会关系有了大的开展。他开始和金融界底人们接触,其次又与官方底活动家接触。官方活动家要他编一本关于国际问题的书,他拒绝了。随后他自己编了这本书,交给商务印书馆出版。

一九三三年,全中国注视着北方。"满洲国"在东北成立,同时日本侵占热河,向长城各口进军。中国屈辱着——没有力量还击。一九三〇年以前的中国是处在内部底狂风暴雨里,一九三〇年以后的中国则在外来的凌辱里呻吟,昏迷摇荡。团结是一件艰苦的事业,它还得在几年以后。在这一连串的丧魂落魄的日子里,社会动荡,青年们不安。青年们向已成的道路走去,继续着他们底开辟。……

在复杂的,尖锐的,甚至怪诞的各种关系里面生活,蒋少祖已经不再是单纯的理想家。这些复杂的、尖锐的关系不时掩遮了他底目标。但活动增加,自信增强,他相信他可以突击过去。

从杭州回来后,怀疑和痛苦都过去,和外部世界的多面的接触使他有了新鲜的、愉快的心境;这种心境是一个人生活在一个地方,和这个地方的关联逐渐强固,不时从它享受到各种快乐、愤怒、思想,并且意识着这一切时所有的。他憎恶上海,不时发出愤怒的呼声,但同时他觉得,在上海生活,是最愉快的。他底一切习惯,癖好,都与上海不可分离。他不能设想他会过别种生活,即必须牺牲这些习惯和癖好的生活。

对一部份人殷勤有礼,对另一部份人冷淡骄傲,对第三部份人,即亲近的朋友们诙谐活泼,这给他以巨大的满足。同时,剧场、咖啡店、回力球场、游泳池、好的食物和衣著也对他不可缺少。他在读书的时候便有这种癖好的,后来的怀疑、贫穷、焦急和痛苦使他抛弃了这些,现在,境遇良好,他便又再回到这些上面来。

这个逐渐固定的生活使他较容易地抵抗了王桂英所带来的那个不幸底袭击。同时夏陆底行为也把这个痛苦减轻了许多。他底生活和夏陆底行为使他相信自己并未做错。

王桂英底事情过去后,家庭生活恢复了平稳。蒋淑珍和蒋淑华去年在老人底示意下所寄给他的一笔钱他现在还没有用完。他从报馆、书店经常有收入。去日本以前的那些怀疑和痛苦是过去了。生活业已建立,工作愉快地进行着——他底工作除了写作和翻译以外主要的便是,用他自己底话说,和一切人接触,试出自己是强者。

在和夏陆底冲突上,他试出了自己是强者。夏陆怀着极大的痛苦和仇恨攻击着他,他发表文章打击他,他是回击得更重。夏陆攻击他是机会主义者,他攻击夏陆害幼稚病。夏陆攻击他假颓废,他攻击夏陆不懂西欧文学。一个月不到,夏陆就沉默了。

蒋少祖精密地计算着金钱底收支,不再像少年时代那样草率。有些青年要改正这些毛病是很难的,他们苦笑,呻吟,简直令人头痛,但蒋少祖很自然地便做到了这个。他明白并爱好他底生活,他对自己底生活有着坚强的意识。同时这个意识使他注意到了父亲底旦夕不保的财产;他决定找机会回一趟苏州。

老人去年便要他回一趟苏州,但他总好像脱不开目前的生活和事务。他常常头一天忧郁地决定要回苏州,第二天一忙,各处一跑,便把这个决定打消了,同时王桂英底事情增加了他底迟疑:他怕老人已经知道。

秋季到来的时候,蒋少祖活泼地出现在集会场所和交际场所,被熟人称为姣小的王子。这个绰号是从大英帝国底外相艾登来的:蒋少祖为国联调查团底来华攻击过艾登。据说这个攻击李顿爵士看到了,并且很表兴趣。……

夏陆笨拙地,猛烈地扑击着蒋少祖,但很快地便在王桂英底困恼里沉默了。八月初旬,他接到了仅有的亲人,年青的、活泼的弟弟在江西战死的消息。接着,在十月末,加入了电影公司的王桂英离开了他。夏陆经历到大的痛苦;他底心好像特别惯于吸收痛苦。夏陆开始对一些不注意,整天睡觉,或者整天在街上乱跑。他不再能忍受任何东西,他常常喝得大醉。

在和王桂英结合的最初的一个月里,他是那样的快乐,对一切都显得温顺可亲,觉得人世并无灾害和痛苦,觉得不和平的生活是不可想像的。他到处都笨拙地发笑,对工作拚命卖力——只记住一件事:对蒋少祖的仇恨,他无疑地相信这个仇恨于一个正直的、有良心的人是必需的——中国人,是受了仇恨底教育。同时他相信这个仇恨对于他和王桂英底为人是必需的;唯这个[①]仇恨才能免除他底屈辱和王桂英底痛苦。但王桂英并不这样想。发现了这个以后,夏陆很苦恼;但仍然做下去,表现了可惊的顽强和执拗。

但事情坏下去。钱不够用,生活单调——王桂英不能忍受这种单调。她不再平静,她每一分钟都有新的不安。湖畔底不幸现在成为真实的痛苦和恐怖了。她最初认为夏陆底善良的、单纯的爱情可以使她平静,但后来发现这不可能。同时她觉得她所需要的并不是平静的生活。她奢华、享乐、企图忘记痛苦,并且,最坏的是,她不把她底痛苦告诉夏陆。很显然的,从最初

[①] 原文如此,据原版书后附勘误表更正为"唯有这"。

一天起他们之间便有着极大的距离。

夏陆痛苦地看着她底变异。她喜欢时髦的衣裳,常常要去看戏、跳舞。夏陆不会跳舞——什么也不会。夏陆拚命找钱。痛苦地向她隐瞒他底贫穷。王桂英交游增多后,夏陆开始和她吵架——他老实地向她承认他底妒嫉。十月初,王桂英走进了电影公司底迷人的大门,维持到月底,他们分离了。

忍受着王桂英底离去,忍受着痛苦,夏陆表现了可惊的顽强与执拗,他认为一切都是应该的,认为自己并未做错;他决不相信他们在结合底第一天便是荒谬的。他仍然相信王桂英底美好和善良,仍然相信爱情,因此他虽然知道一切,却不明白究竟是什么东西使他们分离。他永远不明白,这增加了他底痛苦,但他忍受痛苦底力量是可惊的。在痛苦中他顽强地思索追寻,他分析了一切,分析了王桂英底性格、历史、和他们底生活和需要,思索了全世界,但依然感不到他和王桂英为什么会分离。他能够把这个分离底原因说得极清楚,然而却不感到,不相信它们。

夏陆觉得无论如何,生活不能照原来的样子过下去了。必需理解一切——必需从上海跑开。他写信到北平和广州去。十二月中旬,广州底朋友来了信,夏陆向报馆提出了辞职。

辞呈迟迟未获批准。夏陆准备着离开上海,但由于奇怪的、残酷的心情,希望再看见一次王桂英。然而没有勇气去找她,在街上和剧场里又不能遇见她……

正在这时,蒋少祖加入了上海新闻界和金融界组织的平津访问团。上海各界对访问团安排了盛大的欢送。由于蒋少祖底引诱,夏陆在这个晚间用报馆底名义走进了热闹的银行大厦,意外地发现了王桂英。她和戏剧界底人们同来,坐在最引人注意的位置里。

夏陆没有能够支持到底;他半途离席,走进了喧嚣的街市。……

蒋少祖费了颇大的努力才获到访问团底位置。访问团里都是资望很高的人。他们是：政府主办的报纸主笔费正清先生，商报底金融栏主编、瘦长的、鸭嘴的方德昌先生，金融界和工商业界代表张明予先生，高杰先生，等等，等等。蒋少祖是他们里面的最年青的一个。蒋少祖底成功是得力于方德昌和高杰底推荐，后者在社会上以活动经费底最大和态度底泼剌著名，前者则以漂亮的、出身高贵的太太著名。

上海各界似乎对这个团体抱着很大的热情，他们确实想知道北方底实际情形。因为种种原因，提倡自由主义和信仰民主主义的蒋少祖便获得了特殊的注意。文化界底某一些人们拥护他；很多年青的学生们则认为这个访问团只有他加入才有意义。

启行以前的四天，上海各界假某银行大厦欢宴访问团。

这个宴会，除了尽义务的来宾以外，充满了上海底最活跃，最爱热闹的男女们。这些男女们有一个特色，就是，他们无论何时都温柔而感伤地表现他们是受不住了；他们到处向人询问中国底光明何时到来；没有光明，——他们就不能生活。特别上海底这些男女们有这个特色。他们天黑以前便到来了，坐在银行底华丽的客厅里，向别人伸诉或彼此谈论着，他们对于上海底浮华萎靡是再也不能忍受了。来了一个诙谐的、中国通的美国记者，他们立刻把他包围，供给他以各种消息，告诉他说他们希望国际底正义——他们是再也不能忍受了。

这时蒋少祖和瘦长的、鸭嘴的方德昌先生走进了客厅。有几个人鼓掌。方德昌除下了礼帽频频地点头。蒋少祖知道大家是在欢迎他（对于群众底欢迎他是早已习惯，获得了确定的意识，不再像生手似地热情而惊扰了），脸上有文雅的，但特别忧愁的笑容。这个忧愁说："我想到更多的东西，有更大的苦恼——事情并不如你们所想的那样单纯。但是你们底单纯是多么可爱啊！"他抓着礼帽柔韧而决断地走向中国通的美国记者蒂克，坐在他身边，翘起腿，忧郁地点着了烟。

"你们，"他向蒂克用温和的、打颤的声音说，"怎样看法？"

蒂克咬着雪茄，在胡须里面狡滑地微笑着，同时灵活地转动着他底眼球。

"我们相当乐观。你们怎样看呢?"

"在你们美国底政策上说——即使在这一点上说,你们也没有权利乐观。"蒋少祖露出柔弱的,极其耽忧的神情说,好像他是非常痛苦,并且受不了,"首先在你们底经济政策上说,你们美国也没有权利乐观。而日本,趁全世界经济恐慌底机会来掠夺,他是看得准的——啊,是吗?"他笑着转问方德昌。

方德昌强有力地点了一下头,然后带着匆促的、散漫的神情和身边的一个年青的女子说话。

蒋少祖在被人注视的时候总首先感到一种柔弱的、忧愁的情绪。最初他竭力克服这种情绪,显出那种骄矜的、严冷的表情,但后来觉得,这种自制是浅薄的,便在适当的时机放任这种情绪,用愁苦的、温柔的、非常耽忧的声音说话。而在这种表露里他意识到自己底意志力是更深藏,更强韧的。

他向狡猾的蒂克说了很多,转过头去,开始笑着和那些华美的男女们谈天。人继续到来,声音噪杂,烟雾更浓,电灯更亮,有秩序的谈话停止了。肥胖的高杰先生异常粗暴地冲进了客厅,攒着浓眉向方德昌叫骂什么。他底洪大的、粗暴的声音搧起了热情,使厅里更噪杂。在他之后走进了几个严肃的、瘦弱的人物,他们坐在角落里低声谈话。他们是新闻界人物,访问团底中坚份子。蒋少祖和咬着雪茄的蒂克走向他们。

"哈啰,你们迟到呀!"蒋少祖诙谐地、愉快地说,坐下来。"我耽忧的是我们会蒙在鼓里。"他皱眉,说。

"管他娘!"他们中间的一个回答。

"喂,蒋少祖蒋少祖!"高杰喊,胖大的身体挤过密集的桌椅;"听说你底太太要生产了,对吗?不然为什么不来?"

蒋少祖忧愁地笑着,未回答,但做手势使他坐下。

这时一位擦得通红的太太把椅子拖向这个团体,羞怯地笑着。她底头发,据她自己说,是梳成嘉宝底样式的。

"我听说,希特勒要重伸领土要求,你们怎样看?"她嘹亮地说,希望全厅都听见。没有要求回答,她笑着站起来,让大家看见她,并且喊:"密斯杨,这里来呀!啊,全世界都要黑暗了!"她坐下来,忧愁地看着蒋少祖。

"王子,你回答她。"方德昌嘲弄地说。

蒋少祖几乎是严厉地,用搜索的目光看了这位太太一眼,然后嘲讽地、忧愁地笑了。

客厅里更热闹。市政府代表来临,大家鼓掌。随后,在极大的嚣闹里,蒋少祖无意中看门,看见了从门口走进来的艳丽的、态度活泼的王桂英。在她之前走着另一位女子;她后面是两位穿皮大衣的、态度悠闲的男人。侍役迎上前去,王桂英活泼地脱下大衣来交给他,笑着盼顾,看见了蒋少祖(显然她知道他在这里)。然后向一位跑近来的女子嘹亮地说话,向最近的桌子走去。

穿皮大衣的、戴眼镜的俊瘦的青年替她拉开了椅子。

"谢谢您。"她笑着说。"啊,已经来了这么多人!"她说,托着腮,笑着凝视空中。

蒋少祖露出了严冷表情。

"她已经看见!是的,她假装!夏陆离开上海了没有?"他想;"很容易地,她变成了这样!啊,怎样是好,我有极大的悲哀,极大的感伤!"他向自己说,看着地面。

"停会你们讲话吧——我,什么也不想讲!我讲不出!"他愁闷地向大家说。

"当然你要讲。我们根本不会说话!"

"啊,好吧,再说,让我想想……"觉得王桂英在看他,他沉默了。

于是他露出特别愁苦的、柔弱的表情。

来客五彩缤纷,有长袍马褂的大商人,有名贵的仕女,最多的是忧郁的新闻界人物和活泼的明星和名流,因此客厅里虽然异常热闹,空气却并不统一。那些大商人围住胖高杰谈行情,并且迟钝地看女人;那些女人在那里旁若无人地哗笑——这些人,她们并不知道来这里干什么。而在这个五彩缤纷的场面后面,现实世界在继续地展开。……

大家走入大厅,坐进筵席,宴会开始的时候,夏陆带着涣散的神情走进来,悄悄地坐到记者们一起去,在市政府代表致词的全部时间里,他凝视着坐在首席上的蒋少祖,因看不清楚他底脸而苦恼。而在蒋少祖站起来演说时,他看着左边沉思——发现了王桂英。

他底脸变白,但凛肃而坚决。

王桂英始终没有发现他。他所看到的王桂英不是蒋少祖所看到的艳丽的、活泼的、卖弄风情的王桂英;他所看到的是带着强烈的悲哀和惊悸出神地聆听着蒋少祖底演说的王桂英。王桂英底这种神情使夏陆顿然地明白了过去错误底所在,他们底结合底荒谬(在王桂英底活泼和对快乐的贪求里,他不能明白这个),以及王桂英底严重的不幸。

蒋少祖带着严肃的、忧愁的表情站起来,用低的、打颤的声音开始说话,然后声音提高——尖锐、愤怒、富有魅力。他说到中国底情况;说到国际底形势和各大帝国底错误的、反民主的、违背了光荣的传统的政策。但最使夏陆记得的几句话是:"在这一段时间里,无论长江、黄河,无论尼罗河、密细西比河都流去了无穷的逝水——大家难道还想停在原来的地方?在这一段时间里,无论何处都死去了无数的人民,又诞生了无数的人民,死的不能复活,错误不能挽回,但生的却要活下去!"接着蒋少祖在全场底肃静里以打颤的声音说:"难道中国人底求生的意志是错误的么?"他停住,注视着场内。

而同时夏陆看到王桂英眼里的泪水,并且嘴部有酷烈的笑纹。

"他是虚伪的!在他心里有些什么?我们两人谁对?但一定是这样:她永远记着他,我不存在;我没有给她不幸,也没有给她幸福!我演了丑角,多么可怕!"夏陆想,嘴唇打抖;"但对于我自己,我……是的,我爱她!是的,她还爱他,而我爱她!这就是丑角,这就是不幸,不过,看着吧。"他想。但这些思想只是他底痛苦的、妒嫉的心灵对外来的打击机械的反应;他不明白他所想的。然而感到一切无疑是这样。他再注意蒋少祖底声音,感到了什么,又看着王桂英底强烈的脸。王桂英被她身边一位女子遮住了,夏陆低下头,慌乱地碰到了酒杯。

身边的一直在注意着他的一位朋友替他扶起酒杯,谨慎地,向他笑着。

"你底辞呈已经批准了?我们明天欢送你。"这位朋友说。

"我明天就走。"夏陆回答,愤怒地盼顾。

"她看见我没有?她看见没有?她能否知道?能否有这颗心?永远永远!"夏陆想:"假如是我在演说,她怎样想?假若我有这样的能力,这样,……是的,机会主义底能力,是的,她怎样看我?难道蒋少祖真的成功了?是的,错误不会成功,不理解人生底真实的人也不会成功,所以我是错的,下贱的,不理解,灵魂狭小,啊,这些想头多么可怕!但是我要赞美蒋少祖,我不应该妒嫉——他是对的!我要和他和好,唤起他底感激,我要在这个感激里面生活!"

遭到可怕的打击的夏陆这样想着,燃起了狂乱的情感,要见蒋少祖,要向他说一切。他挺直地坐着不动,面色死白。鼓掌声没有惊动他,宴会底喧笑没有惊动他——这一切与他无关。但正是这一切使他燃起了这个狂乱的热望。在王桂英向旁边的女子带着惊动的、疲乏的神情说笑的时候,他突然以燃烧的眼睛凝视着她,希望被她发见。

王桂英说笑了什么,又看蒋少祖底方向,沉思着,眼睛半闭。

"我要向他说一切,我要她看见我,我要她向我哭!"夏陆疯狂地想。

"你不吃么?"朋友问他。

"啊,是的。我有事,马上就要走。我要走。"夏陆回答。

"多可怕!不可能!一切都看不清楚了!不能脱离……对

自己底悲苦的未来没有认识,弟弟已经死去了!无论如何总可以,总能生存!那么,我马上走……但是要悄悄地走。"

"我走了,等下再谈。"他向朋友说,异样地笑了一下,站起来,看了王桂英一眼,垂着头,紧张地,悄悄地沿着墙壁走过去,挟在忙乱的侍役里面走出正门。

蒋少祖在走出来的时候没有找到王桂英,不知她什么时候离去的,感到失望。但对于周围的人们的礼貌和兴趣使他立刻便搁开了这。"等下我作一个详细的考虑,"他想,继续地说笑,握手,鞠躬,并且露出极大的热诚继续和一位年青的,戴眼镜的记者谈话。这个谈话是席间便开始的。这位记者目睹了春间发生的热河底失陷,愤慨地向大家描述一切。他说到军队底窳败,承德陷落时所发生的笑剧,人民底疾苦,和汤玉麟底逃亡。出门时他正说到溃败底情形。大家都走散了,只有蒋少祖一个人继续和他谈。蒋少祖站在门廊里,一面和大家鞠躬,握手,一面听着他。年青的记者说得很兴奋,甚至在蒋少祖和别人握手的时候也不停止。他霎着眼睛看着那些和蒋少祖握手的人们,不时愤怒地大口呼吸。这个年青的记者显然企图谄媚蒋少祖,但同时又想发现他底弱点。

他们走出门。蒋少祖在狂风里按紧帽子。

"那么,怎样呢?你说到汤玉麟部队底汽车。"

记者因狂风而沉默,主要的因为已经离开了人群,他冷却了刚才的热情。

"总是这样。我们三次被皮鞭打下来,跌在雪里。后来终于逃出来了。"他简略地说。"关于这有一本书。老百姓在溃败里表现了情绪!可耻的是冯庸大学底那些男女将军!"他加上说,愤恨地笑着,他搜索地看了蒋少祖一眼。

"啊!那本书,我看过。"蒋少祖悦意地笑了一笑。说,"好,耽搁了你底时间,再见,啊!"

他向记者伸手。记者短促地凝视着他,然后轻轻地触他底手(显然这位记者此刻特别不习惯这些),转身走开去。蒋少祖盼顾,下意识地希望看到王桂英,然后缓慢地沿路边走开。

他坐上人力车。车子抗着风暴艰难地行走着,他开始思想。最先他想到王桂英,这是他出门时便安排好了的,但像常有的情形一样,他即刻便发觉这种事并无可想:当时的感觉已经是结论了:他在当时感觉到应该等一下想她,这便是结论。他当时觉得好像有严重的思虑存在,但现在却不再感觉到这了——他觉得失望。他不安地微笑着,在车上移动身体。

"还有什么呢?幸而我们有一些经验。她过着什么样的生活,上帝!她和夏陆在一起不是要较好么?在现在,我是可以退让的。还有什么?她怎样想?但我今天是胜利的!并且在将来,我也愿意她胜利!"他慰藉地,自信地想。车子转弯,他机械地注视寂寞的百货陈列橱。

"很可能的……这是必然的,"他想,这些句子给他启示了重大的意义。特别因为风暴和寂寞的街道,这些空虚的字眼给他以重大的意义,他兴奋地笑着。藏在大衣底高领里,看着远处,想到一·二八时和王桂英在街上乱走的情形。"一切是怎样的不同了啊!"他想。

接着他想到陈景惠日内就要分娩的事,想到自己假若没有回来,应该怎样安排,减少她底痛苦。细密地考虑了这个以后,他想到父亲底来信:父亲要他回家一趟。

他想了很久不能解决。家庭底纷乱令他忧郁,其次,他怕父亲已经知道了他和王桂英底事。最后他想到金钱对他底事业的帮助——把父亲底财产考虑到自己底事业上来,这于蒋少祖是第一次。于是他又思索父亲底来信。

他感到那种兴奋,那种肉体底愉快,觉得一切都美好。他用快乐的声音催车夫快点走。

父亲来信底语气是忧伤而温和,显然不知道他和王桂英底事,而且,由于金素痕底贪婪,显然这笔财产是可能的。

"这是可能的!并且这笔钱比落在金素痕手里要有意义得

多!——这爹爹当然想到。……那么,这中间还有别的因素没有?啊,好大的风!"他快乐地喊车夫走快,亟于要把这个思想告诉陈景惠。"真是悲剧,老人是处在怎样的危境里!所有的人都剥削他——他们蚕蚀蒋家!——尤其是混蛋王定和!所以我怎么能够不伸出手臂去!我要使这个形势完全改变!是的,假若我愿意,我能够做到的!我要领一支生力军到我们底队伍里来!这个钱可以使爹爹满意,可以使我做很多的事!"他快乐地想,"是的,那么还有四天,我明天去苏州,后天再回来!是的……怎么以前没有想到!"

他下车,抛给车夫一张一块钱的票子(这于车夫简直是意外),按紧帽子迅速地跑进门。

"在这样的冬天,夜里起着风暴,有一个家,有一些愉快的计划,这是多么好的事啊!"上楼时他想。

他温柔地唤醒陈景惠,笑着扶她坐起来,替她披上衣服,然后替她倒开水——他细致地,快乐地走来走去,然后在床边坐下来,抓住她底温暖的手,向她低声说话。

半醒的,疲倦的陈景惠柔媚地笑着听他。显然她觉得意外,因为夫妻间近来因为蒋少祖要去北方而情绪恶劣。她好久不知应该怎样,但他愈往下说,她便愈显得温柔。

"我离开,大概一个月,我很耽心——你觉得怎样?将来我再不离开!……"蒋少祖说,笑着。

"没有什么,我高兴你去,真的。"陈景惠回答,幸福地笑了一笑。

"一切全过去了!现在是多么好啊!不阻止他,因此他会想得更多,更关心。"她向自己说。

"外面是在起风?"她问,倾听着。"能够这样,我真高兴。从前我们都错了。"她柔弱地笑着说:"我们有了孩子。以后我要帮助你,真的,我原是有兴趣的,要是生活好!对了,应该的,你明天去苏州,说我问候爹爹。……啊,少祖,好大的风!"她说,露出惊异的表情。她底对外面的风暴的这个惊异的表情保证了这个家庭底强大的幸福;这个幸福好久便应该到来的。

蒋少祖明白这个,带着有礼的,文雅的态度吻她底手;而觉得这种态度保证了幸福。

风暴摇撼楼房,玻璃打抖。

"风暴并不能摧毁我们!让它来吧,你看,今天那些人多可笑,"蒋少祖在房里来回走着,压着手指,兴奋地低声说:"我抨击他们!我说,你们难道不知道你们在怎样生活吗?"他说,额上的皮肤向上游动。

"不过,我觉得你不该招惹太多的仇人!像夏陆那样,多可惜!"

"没有什么。我为仇敌而存在。"他说,嘲讽地笑着看着她。

离开银行大厦后,夏陆认定自己应该明天离开,于是去码头问船。这个行动减轻了他底痛苦。必需有所执着才能减轻痛苦;想到他是去问船,即要离开这个邪恶可憎的都市,去到遥远的、陌生的南方,他底痛苦便缓和了。而在到达江边后,他感到蒋少祖和王桂英都是值得轻蔑的,恰如这个都市是值得轻蔑的;他觉得这个都市是蒋少祖和王桂英底化身。

船明天晚上才能有。夏陆考虑了一下,觉得明天晚上走正好,然后数了身边的钱,走进附近的酒店。离开酒店时便起了风暴。他毫未考虑,往江畔走去,降下了码头底石级,坐在栏杆旁的地上吸着烟。

黄浦江畔有灿烂的灯火。那在以前因汽艇底往来而热闹的江面此刻已经宁静,风暴在激怒的水波上呼着。灯火辉煌的江轮泊在江心里;灯光照亮激怒的水波。远处有汽笛底惊骇的尖叫,然后一切静寂了,灯光减少,风暴在低空里猖獗着。

码头石级上已经没有一个人。底下有寂寞的囤船底巨大的,沉重的黑影,夏陆觉得它正在猛烈地摇荡,并且觉得全世界正在猛烈地摇荡。他藏在衣领里吸着烟,不时盼顾——希望不让巡警发现。

这个风暴是令他那样的狂热、兴奋。他觉得,风暴是伟大的,因此他底爱人和仇敌都渺小,都值得轻蔑。想到两个钟点以前他企图和蒋少祖和解的软弱的心情,他就愤怒地嗅着鼻子。

夏陆因弟弟底死亡和王桂英底遗弃而顽强地思索了世界;他以前未曾做过这样的思索。以前他觉得一切都是自然的,简单的,甚至可以说是美好的,但在遭遇了不幸以后,他觉得他需要一个生活底原则。在他底眼前是混乱的自己,混乱的世界,没有这个原则他便不能再生活。他要思索什么行为是好的,什么行为是坏的;什么是高贵,什么是卑劣。他觉得在这个世界上还没有这样的原则。这个顽强的努力——没有结果——加深了他底痛苦。这个愈来愈抽象的思索每次总使他昏热混乱:在他眼前世界崩颓下去了。

他问自己他应该做什么。他不知道自己应该做什么。于是他多次地觉得自己已经毁灭了。但立刻他又顽强地爬起来,重新思索,重新搏斗。

现在,坐在冰冷的石级上抽烟,他又来做这个,他检查过去底成绩,反复地使用着他自己发明的几个术语,一层又一层地向上爬着。他跌了下来,又重新爬起,几乎每次总经过这样的程序。每次都从"我为什么生存?"这个题目开始,然后想到别人底生存,向上爬——于是跌下来。

他接连地吸着烟,凝视着激怒的江面,因严寒而打抖,问:"我为什么生存?别人需要我吗?"

"恐怕要有警察来!"他想,愤怒地盼顾。

但意外地,违背了习惯的程序,他堕入了深远的、恍惚的梦想。不再感到风暴、严寒、江水、警察。他觉得他看见了全人类,看见了它底活动。这个活动在灰色的透明的微光里进行着。他看见人类互相残杀,看见流血,看见动摇的家庭生活,并且看见了恋爱、失恋。他一瞬间看见这一切,而在他企图意识它们,把它们变成思索底对象时,它们消失了。于是他又感到风暴、严寒、江水、警察。

随后他重新沉下去,重新上升。他发了几个问题。他抱着头。忽然他听到音乐,神圣的、庄严的音乐,而风暴在指挥这音乐。"哈,多么好,这是心灵!"他想。在这个音乐里他又看见什么——看见一个壮丽的山峰,在峰巅上,一位庄严的,长胡须的老人坐在巨大的石椅子里,左手托着腮,右手指着前面。这个老人坐在崇高的光辉里,智慧地、坚强地指示着人类底未来。音乐更美,心灵更丰富,风暴更猖獗,老人更崇高。……

"我为这个生存!并不是为一个女人和一个男人!"夏陆想,同时音乐和老人消失了,周围好像在落雪。夏陆盼顾:没有雪。立刻夏陆震动,看见了狂怒的、执着武器的群众;这个群众奔向人类底未来,旗帜在风暴里招展。

夏陆英雄地凝视着江水,于是群众隐没了。

"我要做什么?应该做什么?"夏陆叹息着,想:"可能的,但不是必然的,本质上是如此……"他想,不知自己在思想什么。"怎样到达?对了,工作,工作,工作!为了弟弟底死!为了这一代的无数的鲜血头颅,不必记着女人和男人,多么简单!谁是对的?假若我工作,我便也是对的!我们生在怎样的时代!还要记着自己是可耻的!生命只能一次。是的,无论长江、黄河,都流去了无穷的逝水,我出生在那样穷苦的家庭,我们弟兄两个人到世上来探求真理,永远离开了破落的家,连年老的母亲都不顾,让她死去,而邻居募钱埋葬她!现在弟弟死了,为了什么死了?当然,我活着——那么我为什么活着,不是很明白?啊,妈妈和弟弟啊,你们底儿子和哥哥是好久都走错了路了!但是为什么?……"夏陆说,愤怒地摔去了最后的烟头。

"看黄浦江底怒涛啊!要生存,要活命啊!永远不忘记这个风暴的冬夜!多么冷!而假若要落雪!……中国啊,这是何等险恶的夜里!我们随时都可以死去!——总之,让一切不幸的人,残废的人,失去了人世底温暖的人,被夺去最后一文钱的人!让他们有个安身的地方吧!"

他站起来,留心着巡警,束紧了大衣,缓缓地走上石阶。

四

　　早晨落雪。车到苏州时,看见积雪的河岸和城廓,蒋少祖感动了。他想到,去年虽然经过两次,他却有整整四年未踏上这片土地了。一切都很不同了;没有想到地,一切都很不同了:现在,这片土地上,是静静地落着雪。……蒋少祖此刻所经验到的深挚的感动,是只有那些在外面斗争了多年,好像是意外地,好像仅是被吸引似地,突然地离开了自己把它当做生活、斗争、死亡的场所的外地,而回到故乡来的人们才能理解的,而因为这个回来是短促的,并因为故乡底土地上是落着雪的缘故,蒋少祖就特别地感动。他没有坐车子,沿着落雪的街道步行回家。他含着严肃的、感动的笑容观察着街市;无论街市已经怎样改变,每一个角落都能唤起他底回忆来。"是的,我们在这里跑过,阿菊跌倒了!我们是到文庙去看祭孔的!而这里,我在这里迷了路!真好玩,这样小的圈子里也会迷路!……是的,一切好像是昨天,但是没有从前的那些人们了!他们到什么地方去了呢?死了,还是跑出去了呢?啊,遗忘了,正如苏州的人们也遗忘了我们!我甚至不会讲苏州话了!不过,爹爹他们底生活是一定还没有改变吧;他一定愈发憎恶这样的街道店家,而不上街来了吧!从前他还干涉县政的!是的,这样!这里却还是那口井,在里面自杀过一个女人!是的,多残酷的时间啊!"蒋少祖想,两手安适地插在大衣荷包里,挟着手杖在迷茫的雪里行走着。

　　他带着显著的不安和畏惧走进门,但露出特别洒脱的风度在阶前站下,抖去了衣服上的雪,他没有发现他想要看见的人,就是说,他没有看见老态可掬的、卑屈而狂喜的冯家贵。他走上台阶,站下望着因落雪而更为阴冷的大厅,叹息着,压着手指。最先发现他的是年青的,但苍老的姨姨;在她前面走着她底大女孩阿芳;她们从廊后走出,走过大厅。

　　面对着陌生的男人,姨姨低头;女孩也低头。但女孩在偷看,认出了他,于是喜悦地、猜疑地喊叫妈妈。

姨姨站下来。蒋少祖忧愁地笑着,姨姨脸红了:蒋少祖没有说话,因此她不知道应该怎样称呼他。她受惊地笑着向前走。

"二少爷回了。"她低声说,希望不让蒋少祖听见这个称呼。随后,如她所常做的,她转身唤穿着显得过于宽大的皮袍的,瘦而苍白的女儿,要她行礼,并且喊二哥。显然她企图用这个行为减少她底委屈。几年来她特别强烈地意识到:假若没有孩子们,她便无法在这个家庭里生存了。

阿芳有礼地鞠了躬。她原来对这个优美的二哥底来临存着天真的喜悦的,但这个鞠躬使她变得畏惧而猜疑。她觉得妈妈所以要她鞠躬,是因为这个二哥带来了什么严重的事;她觉得妈妈又要向她讲述不幸了:妈妈底不幸无论如何是很可怕的。她鞠躬好像成年的妇女。

蒋少祖拉着阿芳底手,笑着拍她,然后笑着往内走——他明白应该怎样解除姨姨底困苦。转进走廊,他迎面遇到了冯家贵。冯家贵因耽心大门而发慌地奔跑着,看见他,站下,喜悦而天真地笑了,在衣裳上面擦着手。

在说话之先,他喊住一个过路的男仆,威严地吩咐男仆去照应大门。

然后他向少主人鞠躬,问好。他是特别狂喜,这在他吩咐男仆的态度上就可以看出来:在这个态度上,他表示自己也是家庭底主人——平常他并不这样的。平常,他和另外的仆人们中间有着微妙的感情关系,有时他甚至阿谀他们。

冯家贵极噜苏地向蒋少祖问好,问他近来怎样,身体怎样,饮食怎样,又问贤惠的少奶奶怎样。他引蒋少祖走进蒋蔚祖底书房。献茶后,如蒋家底人们所欢喜做的,动情地笑着,伸出花白的头来向蒋少祖耳语。

蒋少祖忧愁地笑着听着他。

"大少爷简直不得了!他疯得那样!大少奶奶狠心呢——,再有么,老太爷近来身子坏!当然,精神怎么会好呢?怎么会呢?"他向蒋少祖生动地耳语着,同时做手势。蒋少祖,在老人底口腔和颈部底腐蚀性的气味里,愁苦地笑着。"下半年又欠租,三姑爷又蚀本!老太爷近来跟县府里一个科长谈得来!那个科长又借钱,早上还在这里!那个科长大烟抽的凶!"

这时阿芳羞怯地走到门边,说爹爹等二哥去。

冯家贵因发觉疏忽了职务而发慌(他以为唯有自己才能通报这个消息的),不安地笑着,大声叹息。

"唉,二少爷,去吧,去吧!这是多少年了啊!去吧!"他哭了,不害羞地看着阿芳。阿芳站在门边,给面色激动的蒋少祖让路。

"不羞,你哭!什么事情你哭!"阿芳愤怒地向冯家贵说:她怕不幸,因此冯家贵底啼哭令她发怒。

"你懂什么啊,小姑娘!"

"我不懂,你懂!……"阿芳愤怒地说,呼吸急促,并且眼睛发红。

于是她可怜地啜泣起来,跑开去。

蒋少祖带着严肃的,激动的面容走进父亲底卧房。在门边听到老人吸水烟的声音。跨进门感觉到父亲射过来的尖锐的目光,露出了苦恼的微笑。他镇压着自己,尊敬地鞠躬,然后站住不动,苦恼地笑着凝视父亲。他底笑容说:"我现在回来了,但只停留一天,我只是为你而痛苦,我没有做错,随便你怎样吧!"

在父亲简单地微笑,垂下眼睛后,他才能观看父亲;虽然他一进门便看着父亲,但父亲底尖锐的目光使他什么也不能看到。于是他看见了坐在火边的衰老的、苍白的、甚至在衣服底折纹里都表现了大的颓唐的父亲。他走到桌边坐下来。

"找你回来,有几件事谈谈。"老人低声说,无表情地看着儿子。

"是的。"

沉默很久。

"你,媳妇要分娩了吗?"

"是的。"蒋少祖回答。"是的,王桂英底事情他不知道。"他想。

"在上海,过得怎样?"老人说,用老人所特有的,极其简单的目光看着儿子底衣着。

"还好的。很忙。夏天想回来,又有朋友邀到杭州去了。"

"啊,那么,等下详细谈吧。你应该明白家里现在的情况。"老人忽然凄凉地笑,扬动眉毛,眼里有慈爱的光辉——他明白儿子,他饶恕了他。

他明白儿子底逃避、戒备、和谎语。他明白儿子为何几年不回来,为何现在又回来。在他底巨大的厄难里,他饶恕了这个儿子和叛徒。无论如何,较之所爱者,这个叛徒使他所受的痛苦要少得多。

并且这个儿子给他展示了一幅令他痛心的图景;给他展示了年青人底独立的生活和成就底图景。特别在现在他对这个图景有着智慧的,强烈的意识。老人顿然明白了半生的错误,向这个叛徒凄凉地、慈爱地笑了。

蒋少祖没有料到这个。在父亲底单纯的微笑下面,他底心不可抑止地微颤着。他沉默着,低着头,然后,不自觉地向父亲笑了温柔的微笑。在这个微笑里有女性的妩媚。

"雪下的很大了。"他说,笑着。

老人看了看窗外,在火上搓着手。

"你晓得你哥哥底情形么?"

"晓得。"

"他不回来,也由他去。这是冤孽……。你看这个苏州吧。"老人顿住,没有说出他底孤独和忧伤来。"你住几天?"他问。

"我想明天走,隔一个月的样子再来。景惠要分娩,其次我还有点事要到北平去一下。"

"你做些什么事?"

蒋少祖忧愁地笑了笑。

"在报馆里做事;报馆里派我去北京一趟。"

201

"啊,北京!"老人突然峻烈地皱眉——老人忆起往昔。"日本人要打到北京了吧!有趣,有趣!"他愤怒地发笑。

"是在抵抗。"蒋少祖悦意地笑,说:"现在打过了长城,假若不抵抗,北京早要丢了。有很多的军队在那里,政府一定可以抵抗的!"他诚恳地说,在父亲面前,衷心地感到了政府底艰苦。

老人不回答,显然不感到兴趣。老人皱眉,沉默着,让这个谈话底空气逝去;这个谈话是他引起的。随后他叹息,用忧郁的、低沉的声音叙述家庭情形。他说这两年什么进款也没有,假若再照这样过三年,小孩子们便不会有的吃了,换句话说,他便不能再活下去了。

他异常冷静,但带着极深的颓唐说,在这样的年代,这样的情况里,他宁可早死。他说他并未真的活着;他没有死,只是因为小孩们。他说到他对小孩们底希望。他分析了小孩们底性格、兴趣、和天资,说希望他们能够自立,并且能够狠心。"再过几年,他们就能够狠心的;不然他们会没有的吃。"他说。

随后他从抽屉里取出蒋纯祖底来信来给蒋少祖看,问他注意到这个弟弟没有。

蒋纯祖在做练习的格子纸上拙劣地、歪斜地写了一大篇。他写信像做文章。显然他也不知道应该向父亲说些什么,但他底感伤和狂乱的热情令他写了一大篇。首先他描写学校周围底风景,随后他回忆在苏州度过的儿时,于是,很快地,预言了他底悲凉的命运。信就在这里草率地停止。蒋少祖忧愁地看完,觉得这封信他是可以理解的,但对于父亲却等于什么也没有说。

老人接过信去,简单地笑了笑。

"字写得太坏!"他说。"他很像你。"他加上说,搁开了信。

蒋少祖不安,因为父亲说破了这个秘密:洞察了他底往昔的热情,说破了他底心灵底秘密。他极不愿意弟弟会像他,——极不愿意承认他过去曾经这样的幼稚。

他极不愿意父亲说破他在读信时所有的不安的感觉。

"弟弟很天真。"他说。

老人简单地笑了一笑。

"他底心要深。有些像蔚祖。"

"他总看出来像谁——这有什么意思!"蒋少祖想。因为某种不安,他又看信。"这不过是极其一般的,在现在的青年里面。"他对自己说。

"纯祖倒相当聪明。"他说。

"还是蠢!太蠢!总做蠢事,不讨好,没有人喜欢!"老人皱眉,说,两腮严厉地下垂。"在你们这个国家,人不能老实!"他说。

然后他提起家务,用简单的、冷静的、严厉的目光观察着蒋少祖底反应。他说到田地房租等等底近况,说预备提出一部份东西来给小孩们及未出嫁的女儿。说到这里他停止。他未提金素痕,并且未提对目前这个儿子底要求。他没有问话,但等待着回答。他咳嗽,望着窗外的雪,然后又拨火。

从这些表现,蒋少祖明白父亲底目的是什么,并且被感动。他笑了蒋家底儿女们底那种感伤的、怯弱的笑,开始精细地询问家务,并且询问父亲底健康状况。

像一个人回家后所常有的情形一样,蒋少祖感到必需站出来整顿家务,使父亲减少困苦。父亲今天所表现的一切令他感动,他未料到父亲会这样的;未料到父亲会如此冷静、颓伤、而慈爱的。老人今天显然避免着激动,极显著地掩藏了对这个世界的愤怒。

蒋少祖想像了自己底叛逆和对父亲底爱心,特别因为他昨夜还处在上海底豪华和雄心壮志里,特别因为现在是苏州底落雪的、寂寞的冬日,他底心颤抖了;他觉得他要哭。父亲底健康是显著地损毁了;在这个寂寞的苏州,在愁惨的老年里,儿女们都远离,没有慰藉,父亲该是如何痛苦!但父亲仍然屹立着,表现出这样的冷静和智慧,并且注意到了小孩们底天资和性格;不注意自己底健康,但注意小孩们底天资和性格!——他是怀着怎样的心,企图把剩余的儿女们送到这个他已不能了解的世界上去搏斗!

老人以简单的目光严厉地注视着蒋少祖。

"你在想什么?"他问。

"我想,……以后我要尽力帮助弟弟妹妹,假若爹爹能放心的话……"蒋少祖说,眼睛潮湿了。

老人转过脸去。

"我想,爹爹要把财产找一个地方藏一些,为了小孩。其次,对于大嫂。"

老人摇手打断了他。

"是的,当然这样! 不过你对于家里面,这些年;"他顿住,皱眉看着他。老人怕激动。

这时,意外地,冯家贵通报老姑奶奶底来到。老人没有听清楚,又问了一句。随后他明白了,面色陡然改变,颤抖着从火旁站了起来。蒋少祖感到不忍,在他之先跑出房。

"哥哥,亲哥哥,哥哥!……"老姑妈在门前激动地喊,小脚乱闪。老姑妈带着十二岁的孙儿陆明栋。她和小孩身上都还有雪。

蒋少祖闪到旁边——姑妈未能认识他。老人走出来,以手扶住门。

"什么事吗?"老人以颤抖的、宏大的声音问。

蒋捷三并没有料错:果然妹妹是为了蒋蔚祖底事情来苏州的。蒋蔚祖夫妇底丑闻已经传到了姑妈这里;因正义而愤怒的陆牧生忘记了蒋家姊妹底警戒,昨天晚上全盘地告诉了她。夜里姑妈未能睡眠,半夜起来向女儿说她要去苏州。天在落雪,沈丽英哭着劝她,但她异常的执拗。她不能不挺身拯救蒋家;年老的哥哥在他心中像神。

老姑妈唤醒了放假在家的孙儿,深夜里坐车到和平门。陆牧生焦急而怨恨地送她上了火车。然后,在天刚亮的时候,陆牧生夫妇便跑到蒋家姊妹处。这个消息唤起了她们底恐怖。

老姑妈带孙儿同行,因为爱孙儿,因为希望神仙般的哥哥被这幅图画——她底老年的孤苦和孙儿底幼小无依——感动。

老姑妈进门便激动地喊哥哥。苏州底大而空洞的住宅现在特别令她凄凉,她忆起了蒋家底最煊赫的时代。陆明栋畏缩地跟着她走。祖母在车上曾经教他怎样行礼,怎样说话,但现在他已经完全忘记了。他觉得到苏州来是最痛苦的事。

"哥哥,哥哥,可怜苦命的蒋家!"她哭,跑到哥哥底巨大的胸前。

老人脸变得苍白。

"你说,什么事,说!"老人痛苦地呼吸着,可怕地看着她。

老姑妈揩眼泪。开始叙述。老人离开门(现在他已经能够站稳),愤怒地看着她。

"非教训素痕一顿不可!非痛打她!叫蔚祖回来!"姑妈说。

蒋捷三冷笑了一声。

"蒋家这样凄凉,哥哥!这样老年的苦境,你一生忠厚,为儿孙做马牛!……"

蒋捷三仍然冷笑着,但眼里有了泪水。忽然他看妹妹和小孩,在眼泪里闪出了光采的、怜爱的、怜恤的微笑。

"明栋,叫舅爷!"姑妈说。

陆明栋畏缩地站着,脸死白。祖母捣他,他用发亮的眼睛看着她。然后他用鼻音低低叫了一声。姑妈痛苦地、愤恨地叹息了一声,又捣他。

"不要叫了,小孩子!"蒋捷三悲凉地笑着说,叫他们进房。

而姑妈发现了蒋少祖。

"怎么是你!你怎么回来!"她惊骇地叫,同时看着老人。老人皱眉,走进房,显然老人不愿意妹妹说出他底弱点来。"啊,好少祖,你看你多好!你多有志气!可怜蔚祖呀!少祖,你要救救他,救救我们大家!……"姑妈又流泪,走了进去。

他们进房时老人正伏在桌上,疾速地写字。他们没有做声。姑妈在火边坐下来,低声谴责孙儿,因孙儿不懂事而痛苦着。冯家贵捧着茶走进来,谦卑而忧愁地向姑妈笑着。老人喊他站住。

老人疾速地写完了信,转身向着冯家贵。老人底脸色激动得可怕。

"马上去南京,把这个信交给大少爷!他认得字——看他记不记得老子!"他说,咬着牙。

冯家贵好久不能懂得这个使命,迟疑着,愁惨地笑着。

"要不要给大奶奶看呢?她要看……"他问。

"混蛋!不许她看!先亲自交给大少爷,看他是我底儿子不是!"老人咆哮,站了起来。

"是,是。"冯家贵发慌,鞠躬,退出去。

但他在门外向蒋少祖做手势,蒋少祖走了出来。

"二少爷,叫我马上么?"他忧愁地问。

"马上去。"蒋少祖,看了父亲底出诸绝望的愤怒的信,震动了。"就去。不要给大奶奶看。——看也不要紧。"他加上说。

"不,不!拚死都不给她看!写些什么?"他低声问。

"叫大少爷回来。"

"啊,对,他回来!"冯家贵叹息,露出哭相看着蒋少祖。接着就宝贵地捧着信,自信地、坚决地走开了;他底老腿在跨过门槛时颤抖着。

老人躺到床上去,用手垫着头,不说话,看着空中。老人脸上有迟钝的、痛苦的、颓唐的神色。佣人端来参汤,这原是他吩咐的,因为他心里虚慌;但现在他不理会。姑妈喊他,他不回答。姑妈伏在床边安慰他,摸他底发冷的额角,要他喝汤,他不回答:好像一切都不存在,他凝视着空际。姑妈恳求地看着蒋少祖,好像要蒋少祖,为人子者,跪下去恳求——至少蒋少祖是这么觉得。蒋少祖轻轻走到床边,站住不动。

"烧口烟,叫姨娘烧口烟好不好?"姑妈说。

老人摇头,但指柜子。姑妈打开了柜子,不知哥哥要什么,情急地看着蒋少祖。

"抽屉。"老人说,摔出钥匙来。

蒋少祖开了抽屉,取出文契,老人点头。然后老人指床边的小柜子,姑妈取出烟具来。

老人抽烟,翻着文契。他检出两张来在烟灯上烧掉,大家惶惑地看着他。他所烧的是两张租契,这家佃户业已破落,不能偿还了;严格治家的老人原来是并无烧掉的意思的:只在现在他才完成了他底宽恕。想到这家佃户底惨况,在烧的时候他大声叹息。以后他要参汤,并要儿子到床边来。

"这七张,镇江跟昆山的,先交给你。"他用低的、打抖的声音说:"素痕知道。无论她怎样吵——不许拿出来!你要早些回来。"老人停住看着他;"有些东西你下回来拿到上海,不,最好拿到镇江去!记住你底弟弟妹妹。……"他停顿着。"我要写好,那都是他们的。"他说。

"是的……。"

"你要争气,不许自私自利!"

蒋少祖看着文契,想到了各样的困难,并且考虑到了父亲死后底纠纷。父亲底死亡是很可能的,他想最多不会超过一年。

他严肃地看着父亲。

"我想,爹爹最好请一位律师——我上海有熟人——最好把一切都弄清楚。"他皱着眉头说。他底意思是指遗嘱。

但老人皱眉,严厉地看着他,不回答。

"我有我底办法。我活了七十年!"他说,转向着妹妹。显然故意地如此。"那么,你们在南京怎样?"

"说来话长,哥哥。"姑妈叹息望着窗子,在膝上摆好手,说,"自从您妹婿去世后,一串痛苦的光阴!儿子死得早,……女儿呢,又是这样!现在他们底生活呢,说良心话,倒还好,不过牧生脾气坏,我在他们身上用了那么多,现在他们好,不把我放在眼里了。房子房子给他们化去了。哥哥,孙儿孙女要长大成人,成家立业,我呢,也不久,怎么能忍受现在这种样子!哥哥,一串痛苦的光阴,您知道,您救了我,不然我活不到今天!借出去的钱收不回来,从前的南京人都死光穷光!您想,可怜吴家大房那样惨,老头子讨饭!我们还沾亲!"她说,揩眼泪;"二房三房做了官,儿子留洋了,就那样狠心!哥哥,我们这辈子人这样命苦!"

"你住两天罢。"蒋捷三说。"我要给小孩子一点东西。我先给你两付手镯看。"他说,指蒋少祖开橱。

"是的,就是这个盒子。"他打开盒子,取出两付巨大的绿玉的手镯。"这是宋朝进贡的。要好好留着啊!"他恳切地说。在他心里,这手镯是留给妹妹的纪念。

看见手镯,姑妈又流泪。

"哥哥,可怜!"她说,"妹妹收了。要留给孙子娶媳妇。……"她忽然笑着像少女,看着发呆的陆明栋。

老人凄凉地笑了笑,然后看着儿子。

"少祖,那橱里还有一个盒子,带给景惠。叫她分娩以后就回家来住。她是好心人,你要细心。"老人说,然后转身烧烟。

饭后,蒋少祖抽起了上海带来的烟斗,想起了上海底一切,觉得它们在半天之内变得遥远了。他有些凄凉,坐在哥哥底书房里翻着哥哥底诗稿;窗外是蒙雪的、寂寞的花园。他丢下了诗稿,挟着手杖懒散地走进花园。

花园底纯白与宁静,那种肃穆的、深沉的宁静令他感动。他含着忧愁的、怯弱的笑容走过披雪的树木,来到荷花池边。池里已经结着薄冰了。

他在池旁站了很久,凝视着楼宇,凝视着父亲底这些蠢笨的工程,觉察到它们底旧朽与纯洁,就柔弱地笑着;有了那种特别忧愁,特别优美的情感,觉得自己是洞察了人世底一切苦恼和不幸。随后他向松林走去,继续抽着烟。他少年时代底生活是与这个松林不可分离的。

松林在雪里矗立着,比四年前他回来时显得更高大,更孤傲了。他踏着雪走过去,嗅着潮湿的树香,来到了池边。松树顶上,有喜鹊噪叫而鼓翼,拨下雪来。

他冷静而忧愁,想到自己底生活,想到昨夜所见的王桂英;开始意识到她底杀死小孩的行为是可怖的,因而现在的生活是可怖的。

他峻烈地皱眉,凝视着池水。池水静止无波,冷风吹着,树上的雪花轻轻地飘到水里来。

他毅然地转身走回去,在松树间踏着雪踱走着,苦笑着。

"这有什么留恋,这有什么!因为社会对我们冷酷,所以我对她(王桂英)应该冷酷!我也许对不起她,但不是已经报偿了么?她不再能蛊惑我!"他想,苦笑着,"也许吧,也许我能够安慰老人一点……啊!好蠢的性格,好蠢的工程!他每年冬天要赒济穷人,今年他干不干呢?"他说,于是愉快地站下来,望着树顶上的喜鹊,向它吹着口哨。

"多么动人的苏州啊!真好玩,所谓故乡!喂,小雀子!"他向喜鹊大声说,随后吃惊地笑着盼顾。他拾起石子来投喜鹊,喜鹊飞开了。"不过,很可能的,"他徘徊着,继续想,"假若二十年后,我底事业成功,那么,我就要住到这个地方来!在落雪的冬天,几个朋友,一盆火,还有我底孩子们!多么好啊,能够休息是多么好啊!这个世界,能够奋斗,原是多么好啊!年青的幻想和错觉,应该过去!记得幼时爱喜笑……,但是苏州的那些姑娘们呢?莎士比亚说:'我们的小小的生命,都是做梦的资料'……"

他走回池边,回过头来,苦笑着看着自己所踏出的凌乱的足迹。……

他忽然看见老人底庞大的躯体升上了假山石,向着松林。老人支着木杖,缠着大的围巾,凝视着寂寞的园林。

老人在落雪的庭园中幽灵般地升上假山石,这种情境,令蒋少祖吃惊。

蒋少祖看着父亲,觉得父亲看见了他。蒋少祖迟疑地向林外走来。

但老人没有看他。老人凝视着松林底高处。蒋少祖转身望高处,看见了覆雪的树顶和炫目的、胀雪的天空。

"他在看什么？看见什么？"他想,一面向假山石走去。

老人不动,垂下眼睛来看着他。老人目光明亮,眉心里有轻蔑的,愠怒的表情。

蒋少祖忧愁地笑着。

"爹爹不冷？看什么？"

老人哼着。"看看。"他说,重新看着松林高处。

整个下午,姑妈和姨姨长谈。姑妈同情姨姨,向姨姨说了南京底情形,说了她自己底生活和苦恼,然后询问姨姨自己家里的情形。

姨姨迟疑了很久,她觉得向蒋家人说自己家里的情形是不对的。姑妈唤起了她底屈辱,她开始哭,说她家里穷,说她是卖到蒋家来的,说她已经两年没有回家。她和家里人都不识字,不能通信,她不能知道父母底存亡。她哭得像女孩,说她这样的女人是该受雷殛的。她底小孩们恐怖地站在旁边。

于是姑妈跟她出主意,说可以请蒋少祖写信。但她回答说她不想写信。

姑妈不忍,说她自己回南京时可以去镇江看看。但姨娘怀疑,拒绝了。姑妈流泪,一定要把钱币分给小孩们,和姨姨坚持了很久。以后姑妈盼咐孙儿伴小孩们去玩。但不幸的小孩们不肯出去,他们要站在母亲身边,守卫母亲。

姑妈回前厅以后,姨姨就倒在床上。已经黄昏了,房里映着雪光,小孩们和仆役们在房里阴惨地走动着。姨姨叫大女儿关上门,然后唤小孩们到床边。

她坐起来,开始向小孩们说话,然后向阿芳耳语。

阿芳知道这个不幸要来临。她觉得这个不幸是已经确定了。她恐怖地、痛苦地站着垂着手,眼睛发闪。

"今朝知道么？阿哥回来,姑妈回来,商量家里头的事,家里头快要遭难了！"母亲向女儿耳语,"大哥疯了,大嫂嫂要分家,要抢东西！阿芳,你大了,长成大人,要懂事,娘心里头难过,活不久,阿芳,弟弟妹妹要靠你!"

阿芳恐怖地抓着自己底手,嗅着鼻子,忍住了啼哭。

"阿芳,要带好弟弟妹妹!要学大人!阿芳可知道,娘是爹爹拿钱买来的!阿芳要知道……阿芳,说一句,说一句……"

阿芳恐怖地抓手,哭出了愤怒的声音。全身搐抖着。小孩们啼哭。

母亲抱起小女孩,把她压在胸上,又抱男孩。阿芳哭着跑到窗边,不要母亲抱。

"妈妈,妈妈,我不许你说!你再说我就死!"阿芳跳脚,哭着,愤怒地大声叫。

姨姨倒到床上去。女仆推门进来,掌着灯。

第二天上午蒋少祖回上海,应诺父亲年后一定带妻子回来帮忙料理家务。老人不适,发烧,没有起床。晚上,冯家贵完成了任务,带蒋蔚祖来家了。

老人喊进了痴呆的儿子,严厉地斥骂他。蒋蔚祖站着不动,好像没有听到,但忽然跪下来哭泣,请求父亲饶恕。

然而第三天蒋蔚祖便又要去南京。于是愤怒的老人锁上了蒋蔚祖。

第七章

一

蒋捷三在绝望的愤怒中锁起了蒋蔚祖,接着就准备用毒辣的方法打击金素痕。他觉得,他做这一切是为了小孩们。然而事实上,他所走的每一步都引向毁灭,摧毁了小孩们。他预备揭发金素痕底丑行,驱逐她。为这个,他考虑了蒋蔚祖和孙儿阿顺。他认为蒋蔚祖已经没有理智,时间一久便会忘却;而阿顺,他现在是并不怎么顾忌了,因为蒋少祖已经有了小孩。

于是他向女儿们写信询问媳妇底情形。女儿们的回信使他扰乱。她们随即来苏州告诉他说金素痕不知怎么已经知道了蒋蔚祖被锁和蒋少祖来苏州的事,准备对蒋家起诉。

女儿们回南京后,蒋捷三写信给南京底世交们,准备应付诉讼。他最初预备和女儿们一同去南京打击金素痕的,女儿们,尤其蒋淑媛愿意他这样做,但他不能离开,因为耽心蒋蔚祖。这样过了一星期。蒋捷三整理了财产,在每一口箱子上都贴上了标记,指明它们属于哪一个小孩。但他决未想到蒋少祖所想的,即写下一个确定的,能在法律上生效的东西。老人头脑里没有法律,没有现代的政府,主要的,老人要活,没有想到某一个严厉的、冷酷的东西会比他走得更快。

金素痕并没有做什么,但无疑地老人已处在不利的、被动的地位。别人总觉得老人不应该那样做,因为大家后来证明,老人走的每一步都引向毁灭,但老人却只能如此。这些严寒的日子于苏州底有名的蒋家是极可怕的。全宅死灭无生气,里面关着疯人。

时常有世交们来访,安慰了他。这些绅士们像每年一样地筹划冬赈,蒋捷三像每年一样地出了钱:以前几年这件事都是由他领导的。

但打击到来了,第一个打击是他底世交,有名的苏州风景区底主人底破产。这是由债务致成的:这个主人为了使他底家宅永远成为风景区化费了无数的金钱,并且他底不长进的儿子在经管产业的事情上欺骗他。这个老人慈善、软弱,爱好高洁的享乐和名誉,他底华丽的庭园和珠宝玩物摧毁了他,他希望被人敬爱,被天下人知道,这个善良的愿望毁坏了他。事情是很悲惨的,他已经偷偷地,用苏州人爱好的说法,从后门卖了两个月的古董。

现在他坍倒了,县政府封锁了他底煊赫的庭园,并且要封他本人底住宅。

第二件打击是蒋蔚祖底逃跑:蒋蔚祖破坏了窗户,深夜逃跑了。

早晨,蒋捷三处在大的痛苦中,战栗着,到处乱走。他在前厅里遇见了那位破产了的,美髯的世交张述亭。张述亭昨晚深夜才离去,现在又来,求蒋捷三向县政府动用他底权威。

两位老人脸上都有着强烈的痛苦。两位老人都阴惨可怕。蒋捷三暂时没有说话,他引世交走进房。

"怎样?"他用残酷的声音问。

张述亭坐下,托着腮,以火热的小眼睛看着他,然后叹息,捻胡须,看着窗外。窗外,阳光照耀着晶莹的积雪。

"你陪我去找县长好不好?"美髯公说。

蒋捷三射过残酷的目光来,轻蔑地笑着。在这种目光下,美髯公有罪地,软弱地,小孩似地微笑了。

"那些光棍流氓,那些光棍……"美髯公笑着说,脸痛苦地打抖。

"老兄,我们各人碰命了。……我不能替你出力了,我也没有力气。……蔚祖跑掉了。"蒋捷三用深沉无情的声音说,注视着张述亭。

张述亭沉默,笑着,瘦而洁净的老手在桌上打颤。他笑着站起来,又坐下,突然抱头哭泣如小孩。蒋捷三残酷地看着他。

"老兄,我们都完了,等着进棺材。"蒋捷三无情地说,搓手,并且微笑。

"我一生罪过难数,我是自招的,但是捷三啊,你难道也是的么?"美髯公哭,说,"捷三捷三,我们都是过去的人了。儿孙是儿孙啊!……"他抓住胡须,小孩般号哭了起来。

他用衣袖揩眼泪,预备走开。

蒋捷三无情地笑着看着他,美髯公走出时他没有动。但在美髯公跨出门槛时,他就突然站起来,大声喊他。

"我陪你去县政府!"他坚决地说。

"你自己……我也不想去了,我下乡到女婿那边去。你自己……?"美髯公说,有罪地笑着。

"我陪你去,我陪你去!"蒋捷三挥手,扶住桌子站了一下,快步走出来。

特别在自己不幸的时候能够安慰别人,是一桩快乐和幸福。因为这证明了自己有力量,证明了自己底不幸并非由于自己无力。

并且这里还有友情和正义底幸福。无论如何,蒋捷三觉得张述亭是无错的,因此别人不该伤害他:这是相爱的,尤其是相爱的老人们底逻辑,这是非常的简单。两位老人踏雪去县政府。

蒋捷三严厉地走进县政府,通报会县长。中年的、秃头的县长笑着迎下台阶,在鞠躬时用手按着胸请他们进客厅,坐下后,蒋捷三愤怒地看着县长,立刻开始说到本题,他说债务当然应该解决,一定可以解决,产业不该封。

县长冷静地,恭敬地回答说,这是诉讼底手续,他是奉了命令。

美髯公焦急地皱着眉,看着蒋捷三,又看着县长。失望使他说出了屈辱的话。

"县长,"他说:"我是老人,我一生在苏州……我求……"

"什么话!"蒋捷三愤怒地说,"我清楚,我要收拾这批光棍,哼!你县政府包庇他们!"

于是蒋捷三发火,把自己底一切怒气都发泄在这个不幸的县长身上。美髯公着急地笑着,希望蒋捷三能够说得和平一点。美髯公不时向县长笑,好像说:"他总是这个样子的,我们拿他有什么法子呢!"

在蒋捷三的愤怒和张述亭的友善的笑容下,县长先生就非常的为难了。他被弄得激动了起来。他一时痛苦地、愤怒地笑着,一时又忍耐地、陪罪地笑着。渐渐地他就懂得了什么,被张述亭感动了。回答张述亭底笑容,他了解地,亲切地笑了一笑,好像说:"我晓得他总是发火的,你不要急,没有关系!"

张述亭感激县长,流下了眼泪。

蒋捷三,似乎已经发现了他们底暗号,变得更愤怒了。而且,他责骂起张述亭来了。张述亭,在这个责骂下,向县长亲切地、可怜地笑着,好像说:"你看,他连我都骂!"

县长再不痛苦,他快乐起来了。县长愉快地笑着,而且忽然地流下了眼泪。

张述亭小孩般哭了,同时又笑了。

"蒋老先生,……我觉得,做官难,做人更难啊!"县长说,做着手势。

于是蒋捷三底愤怒平息。

"是的,是的!好了!封园子,住房不能封!"蒋捷三说,站起来,走了出去。在门外他有了眼泪。

蒋捷三迅速地走过在阳光下闪耀着的积雪的街道,张述亭跟着他。在巷口他们停了下来。

"捷三,麻烦你了……我回去看看。"美髯公说,有罪地笑着。

蒋捷三无表情地看着他。

"捷三,我耽心你底蔚祖!"美髯公说,可怜地笑着。

215

蒋捷三遗憾地叹息了一声。

"各人有命，老兄！"他用冷淡的大声说，走了开去。

他回来，立刻有了决断。

"冯家贵！"他在大厅里大声说，"你替我马上上南京！……记着，明天早车赶回来！"他说，走过冯家贵，走了进去。

蒋蔚祖在被锁的一个星期里完全疯狂，不吃，不睡，在夜里唱诗，啼哭。以前他还思想，现在他只是绝望而焦急，除了想见到金素痕以外没有别的欲望，他为了孝顺父亲来家，现在为了爱恋妻子而离去。他现在毫不怨恨金素痕，他只想见到她，被她责骂，诉说自己因无能而受的痛苦，求她饶恕。

他化了两天工夫偷偷地破坏了小窗户，深夜里逃了出来。

金素痕已经从苏州底朋友那里知道了一切，放出了要起诉的空气，但实际上并没有做什么。蒋蔚祖被锁的这个消息令她愉快，她觉得她可以不被骚扰了，因此她除了尽量快乐以外一点都没有想到要做什么。她无需做什么，因为事情是于她有利的。这个愉快，一直到今天还没有过去。就要过年了，她异常的忙碌。

褴褛的、冻得发青的蒋蔚祖到家时，她正和姐姐及一个漂亮的律师从院落走出来。她穿着皮领的、细腰的大衣，因冬天的阳光而微笑，和律师高声地笑着说话。蒋蔚祖跨进门廊看见了她，闪到门旁去。她发着笑声走出，蒋蔚祖突然冲出来，使她举手按着胸部，发出了恐怖的、尖利的叫声，律师急忙地上前保护她。

但在认出是蒋蔚祖之后，律师就不快地笑着，缩回了手臂。

蒋蔚祖如乞丐，以乞丐底狞恶的目光凝视着律师。

"进去！"金素痕严厉地叫。

蒋蔚祖凝视着律师。

"哈，我捉到了！"他想。

金素痕脱下皮大衣转身向内走。蒋蔚祖向律师笑着点头，跟着她。

金素痕领他进房,猛力闭上门。

"怎么又来了,锁得不舒服吗?"她说,坐下,托住面颊看着空中。

蒋蔚祖无表情地在房里走了一圈,偷看着她,看见她眼里有泪水,感动了,忘记了刚才那个律师,蒋蔚祖冻饿得异常虚弱,但企图感伤,假装地思索着,忽然他向金素痕温柔地笑了。

金素痕瞥了他一眼,她预备说什么,但他已经在她面前跪下,抓住她底衣服了。他带着虚假的痛苦啼哭了起来。

"什么!什么!你不换衣服吗?你不要吃东西吗?"金素痕嫌恶地推开他,叫,"阿顺要你,你不去看他吗?"她叫。她站起来走向门,蒋蔚祖跟着她跑。

"你坐一下,我找东西给你吃。"她说,走出去。

她在门口遇到了在手里抓着算盘的父亲。这个父亲向女儿谄媚地笑着。

"蔚祖来了!"金素痕低声说。

"是的,是的,怎样呢?"金小川弯腰谄媚地问。

"我不晓得。我要去苏州!"

"啊,那么,你问过他吗?"

"什么?"

金小川按住算盘珠,不让它们滚动,拖女儿到窗边。

"你要问清楚再上苏州,好儿子,啊!"

金素痕嫌恶地向父亲底笑脸看了一眼,脱开他底手,走到另一扇窗子面前,在太阳下抱住头。

"人生好痛苦,好凄凉!"她想。"你叫佣人弄点饭!"她说,疾速地走进去。

"蔚祖,我问你,你到南京来,爹爹准你吗?"她笑着问。

"我逃的。"

"爹爹知道吗?"

"他当然不知道。"

"你身上带的有钱吗?"

蒋蔚祖摇头。

"好极了!"金素痕击桌子,笑着,迅速地转身走向窗边。

"蔚祖!"她笑着说,但蒋蔚祖走近来,要吻她,她小孩般皱眉,推他,最后要他把脸揩干净。

他们接吻。金素痕跑出去,又跑进来,要蒋蔚祖吃东西,换衣服。

下午,金素痕带蒋蔚祖到奶妈处看小孩。蒋蔚祖抱住小孩痛哭。以后金素痕带他出光华门,领他走进一座旧污的、阴暗的房子。这是金素痕婶母底房子,婶母底儿子不在家,他底房间空着。金素痕和婶母商议了一下,领蒋蔚祖走进房。

蒋蔚祖不惯陌生的地方,在房里乱走乱碰。但金素痕底抚慰令他安静。金素痕向他说她要去苏州,因此这两天他必得在这里住。

她向他说好晚上再来,把房门上了锁。蒋蔚祖被安慰,没有注意到房门底上锁,睡去了。

这是一串急剧的,充满自信的行动;在这个行动里金素痕显得生气蓬勃。她知道她要做什么,她明白她决不会失败。

果然不出她意料:到家时,黄昏,她遇到了冯家贵。

蒋家底老仆焦急地、茫然地站在院落里,看见她,向她鞠躬,并且向她卑微地微笑。

"大奶奶! 有封信,有封信……"

金素痕轻蔑地看了信。

"你来干什么?"她把信摔在地上。

"大奶奶,我找大少爷,信里写的,大少爷!"冯家贵说,捡起信来。

"大少爷? 他在苏州锁着呀!"

"啊啊,大奶奶,发慈悲,"仆人鞠躬,开始哭泣;"老太爷底命根,大奶奶,今天早上来南京的,大奶奶,找一找,发慈悲。……"

"我哪里找去,叫你底老太爷来找!"

冯家贵蒙住脸大声啼哭着。金素痕冷笑,抛给他五块钱,走了进去。

冯家贵看着她走进去,咬牙齿,随即撕毁她底钞票像她抛信一样把它抛在地上。

冯家贵老腿打抖,露出了不可侵犯的愤怒的、庄严的表情,走了出去。

金素痕冷笑着回到房里来,坐在桌边。笑容未离开,她热烈地流泪。她是非常地激动:从此她要胜利,压倒有名的蒋家姊妹们,从此她要走一条险恶的道路了。她流泪,觉得她同情而且怜悯老人。"爹爹啊!"她温柔地喊。她流泪,因为人生太凄凉。

忽然一颗石子击在窗框上。接着又是一颗,跃进窗户落在地板上。并且滚到痰盂边。金素痕向窗户转身,看见了立在菜地里的冯家贵。夕阳底金红的光辉照耀着菜地,和菜地后的溷浊的小河。冯家贵仰视着窗户,他底银白的光头在霞光里发闪。

红光照在金素痕脸上。金素痕向山边的落日看了一眼,静静地站了起来。

冯家贵仰着头向她仇恨地笑着,垂着手,手里有石子,冯家贵底笑容表示,他现在是什么都不在乎了。

"这个老头子这几十年怎样过活的?"金素痕严肃地想,看着夕阳,"我们是怎样过活的?我们活着,吵着,为了什么?"她想。

"冯家贵,你回去,说……"她停顿了,因为,在庄严的落日里,有了放弃一切的柔弱的心情。她凝视着下面的白发的老人。"冯家贵,你回去,说我就来苏州!"她大声叫,猛力闭上窗户。

她在窗户里凝视着冯家贵。白发的老人放下石子,拖衣袖揩了眼泪,转身向泛着红光的宁静如梦的小河蹒跚地走去。她大声叹息,颓然坐下。

晚上她去安慰蒋蔚祖。她明白,给他的抚慰愈多,他底忍耐力便愈持久。她告诉他,为了试验他底心,她要锁上他,假若他这两天内要逃跑,那么她便永远和他分离。

好像她是为了爱情而锁上他;因为老人是为了爱情而锁上他的。于是,发疯的蒋蔚祖从这一把锁逃进另一把锁。

219

金素痕,洗去了脸上的脂粉,穿上了黑衣,头上戴了白绒花,妆扮得像寡妇,乘夜车到苏州去。

二

冯家贵在车里打磕睡,午夜到苏州。蒋捷三没有睡,招他进房,老仆人气促,不能说话,蒋捷三带着冷酷的笑容看着他。

冯家贵显然不能说出一句中肯的话来;情绪窒息他,并且他不敢判断。

"大奶奶说要来苏州,她说,那时候我在……"

"哪个要来苏州?"主人轻轻地搥桌子。愤怒地问。

"她,大奶奶。"

于是冯家贵说了一切,说到他怎样抛石子,看大少爷在不在房里,因为金家的人不许他进房。说到他怎样地撕去了钞票:他激动地笑着,觉得这是替主人保持了威严。最后他说,小姐们说,一定在大奶奶那里。

蒋捷三无表情地听他说完,挥他出去。但随即又找回他,要他坐下来。

冯家贵迟疑地坐了下来,坐在板凳边上。

"冯家贵,你跟我有三十年了,你自己记得吗?"老人在桌边走动着,低声说。

"记不清楚了,老太爷!……"冯家贵大声回答,甜蜜地笑着。"老太爷,你不坐?"他问。

"嗯。你家里现在还有人吗?"

"没有了,老太爷,旱灾水灾,兵荒马乱,……"他大声说。

蒋捷三徘徊得更焦燥了。

"冯家贵,将来你打算怎样?"

"啊,将来吗!"他大声说,"还不是——跟着老太爷!"他坚决地大声说。

蒋捷三几乎不可觉察地皱了皱眉,走到灯台旁边站下来。

"冯家贵,不要这样想!"他感动地说。"冯家贵,你看我又怎样？……我们还不是一样,我们是老朋友!……"他说,沉思地笑着,即刻便变得严肃。

"你在我这里还有两千块钱,现在你要吗?那回你那个侄子来,他不说要买田吗?"他又走动起来,说。

"哪里,老太爷!老太爷目前为难!"冯家贵说,发慌地笑着。

"也罢。……我要留给你,冯家贵。我给你田好不好?"

"都由老太爷做主!"冯家贵说。"老太爷请睡,人一定在,不要急。"他说,笑了一笑。

蒋捷三拨火盆,然后继续徘徊着。

冯家贵离去后,女仆端进参汤来,然后姨姨来。蒋捷三没有向她说话,她在烧烟以后便离去。

蒋捷三躺了一下,又开始徘徊。他持着木杖走出房来,在家宅底各处徘徊着。

他走进花园,走过静静的枯树。是晴朗的、寒冷的夜,积雪未融,园里有着宁静的、寒冷的白光。蒋捷三走上假山石,仰头观看星座。

"四十年来家国——啊——三千里地山河!"蒋捷三大声唱,然后哭了起来。

金素痕早晨到苏州,她作寡妇的妆束,对这个异常的感动,在这个接近年夜的、严寒的、积雪的夜里,她有凄凉的心情,沿路她没有睡,她伏在车窗口底刺骨的寒风里,对自己轻轻地说话,怜恤着自己,想着自己底未来。

到苏州后,她底这个对自己的怜爱使她心情冷酷。

"我不下手,别人就要下手了!那么就死无葬身之地!"进门时她对自己说。开门的仆人用惊慌的眼睛看着她,但她没有注意。

"老太爷呢?"她问,有些慌,迅速地跑上台阶。

老人迎出大厅,在神座旁边站下。老人用那种目光看着她,在这种目光之下,金素痕不能看见老人自身。金素痕慌乱,笑着盼顾,立刻就悲伤地哭了起来,对于她自己底命运,她的确是异常悲伤的。

"爹爹,我要蔚祖!"她哭,说:"阿顺要蔚祖!"

蒋捷三站在香案旁,可怕地审察着她底妆束,在她底哭声里笑出了痛苦的、辛辣的声音。

"爹爹,我要蔚祖呀,你把他埋在哪里呀!"金素痕跳脚,叫。

老人愤怒地笑着。

"蔚祖在南京。"他说。

"哪个说他在南京呀!我都知道,我好苦命呀!……你们合伙欺我……老太爷,你还我蔚祖!你不能欺侮孤儿寡妇呀!"

蒋捷三疯狂地、愤怒地笑着,突然地转身走进房,把金素痕关在门外。

仆役们拥在走廊上。姨姨牵小孩挤出来;她要向金素痕表示她们母子底存在。金素痕捶门,然后站住不动。

她明白她这个表演是不够成功的。她止住哭声,愤怒地看着大家,下颔战栗着。

"滚开,你们这些混蛋!"她叫,但大家站着不动。

"非得报仇不可!想一个法子!一个法子!"金素痕向自己说。

"爹爹,你要再躲着,我就上街去喊,蔚祖怎么就死了呀!"她捶着门,尖利地叫了起来。

突然地,老人打开了门。老人想到,儿子可能已经被媳妇害死。他打开门,闭紧了嘴,痛苦地呼吸着。……

"你要什么?"他用微弱的声音说,痛苦地笑着。

"我要蔚祖!孤儿寡妇要活!我要蔚祖呀!"

"泼妇!……"老人微弱地说,笑着,看了大家一眼。

"没有!"忽然他厉声吼。好像这个声音是从他底整个的身体里面发出来的。他猛力闭门。金素痕拚命地抵着门,冲了进去。

姨姨底小男孩恐怖地大哭了起来。

老人喊仆人们。大家向前跑,但金素痕砸出茶杯来。老人冲出来,喊仆人打她,但她把老人关在门外。

　　老人死寂地扶着板壁站在门前,传来了男孩单调的、恐怖的哭声,仆人们在恐惧里站着不动。忽然门打开,苍白的、凶恶的金素痕站在门内,在腋下挟着田契文件,在手里抓着砚台。她准备搏斗。

　　老人看着文契,看着打开了的橱,于是向她扑去。她闪开,跑进大厅。

　　"抓住她,抓住她!"老人叫,抓住了门柱。

　　冯家贵向她跑去,但被她推倒了。

　　"你还出蔚祖来,法院里面见!"金素痕叫,跑出了大厅。

　　蒋捷三扶着门柱,垂下光秃的、巨大的头颅,昏迷了,姨姨跑过来,哭着。抱住了他,冯家贵大声地啼哭起来。

　　阿芳迅速地走过来。阿芳脸色严厉,走到父亲底脚边跪下。

　　为了儿女们,又为了身边的这弱小的一群,蒋捷三支持住了。他在第三天,就是农历除夕的前一天动身到南京来。

　　文契几乎被抢光,儿子生死不明——这个家庭是破散了;小孩们是不能生活下去了。但他,蒋捷三底老命还在,他必需最后一次地站起来。于是他站起来,——去做他底最后的一掷。

　　在动身以前,他命令冯家贵向上海、南京发了电报。他要女儿们寻访蒋蔚祖,要王定和和蒋少祖去南京。

　　优秀的女儿们又一次鹄立在下关车站,又一次跟着火车奔跑,尖声呼喊。老人带着冯家贵下车,沉默着走过月台。

　　想到一年前抬下二十口箱子来的情景,蒋淑华哭着。

　　大家到老宅来。蒋捷三迟钝地坐在椅子里,静听着大家底意见。大家一致地认为蒋蔚祖在金素痕那里。

　　蒋秀菊说她买通了金家底一个佣人,这个佣人曾经看见过蒋蔚祖。

　　蒋捷三吩咐仆人去找金小川和金素痕。

下午王定和赶到,当着大家交给老人一笔钱。大家觉得,在老人底厄难里,王定和底这个行动是光荣的。

蒋家底人们全体聚在老宅里;熟人们都赶来了,小报记者也混在中间。在如此优秀的女儿们和如此时髦的女婿们中间,蒋捷三坐在大椅子里,好像是一件奇迹;好像蒋捷三是从另外的世界里来的。大家预料要发生什么可惊的事。全宅充满了热燥和不安。蒋蔚祖所爱的花坛被毁灭了。

金小川来,说女儿不在家。但他还未谦虚完毕,作寡妇妆束的金素痕便牵着三岁的儿子静静地走进门来了。

父亲和女儿原来都很犹豫:父亲要女儿去,女儿要父亲去。父亲觉得是应该自己去,上车了,但女儿跟着便上了车。

她已获得了一切,在她后面有官僚的朋友和法律,她无可惧怕。但她有些不安,觉得需要考虑一下。终于她底野心胜利。想到蒋家姊妹们在她面前所处的狼狈的地位,她便异常快乐。

金小川明白蒋捷三底愤怒。他显得很卑屈,想证明这件事是不值得大做的。蒋捷三点着头。蒋淑媛走出来骂他,……于是大家看见了金素痕。

蒋捷三瞥了金素痕一眼,看见苍白的、戴孝的孙儿,就移动身体,垂下眼睛。

金素痕注意地看着老人,牵着惶惑的小孩走了过来。

老人凝视着孙儿,忽然他向孙儿招手。小孩恐惧着,于是金素痕低声向他说了什么,推他上前。

蒋捷三弯腰抱起小孩来,愤怒地拆下他头上的孝带,抛在地上,然后他使小孩坐在膝上,露出了不可觉察的微笑,吻了他一下。

"阿顺,告诉爷爷呀!"金素痕说。

孱弱的小孩不能忍受这么多的人,这种空气于他是残酷的,他试着挣扎,咬着手指。

蒋秀菊突然绕过桌子,笑着抱过小孩来。她做得很迅速。

她向小孩笑着,准备问话,但金素痕凶狠地把小孩夺了过去。小孩啼哭起来。

"把阿顺抱到房里去。"老人迅速地低声向女儿们说。

"不行。"金素痕回答。

"抱过去。"

蒋秀菊上前抱小孩,但金素痕狠狈地笑着推开她。小孩哭声更大了。

金小川恼怒地皱着眉,站起来抱小孩,向小孩发出呜呜的声音。但王定和接到了蒋捷三底眼光,迅速地、愤怒地劫过小孩来,挤进房去。蒋淑珍和蒋秀菊走进房。

金素痕冷笑着,脸变白了,老人命令关大门。

金小川提起皮袍向蒋捷三走,有罪地笑着;蒋捷三冷酷地看着他,并且猛力击桌子。这个衰老的躯体此刻以前一直死寂地坐在椅子里,但现在它震动了。

金小川做出不以为然的笑容,坐下来。

"亲家,我看你是……"他大声说,好像唱歌;显然他故意大声说。

但金素痕愤怒地打断了他。

"怎么样?怎么样?我要人,老头子!"金素痕叉腰,大声说。

老人看了她一眼,使她沉寂。全宅静寂无声。

在这种目光和这种沉寂下,金素痕觉得自己刚才讲错了。她觉得她不该讲刚才那种凶狠的话,而应该讲悲哀的话。她又预备讲什么,但老人喝住了她。听见房内的阿顺底哭声,她痛苦得打抖。

她嘴唇发青,向前走了一步,老人又喝住她。

"跪下来!"老人吼。

"放屁,没有这么容易!"金素痕叫,"你谋害蔚祖!谋害阿顺!……"

"跪下来!"

金素痕盼顾,瞥见了愤怒的妇女们和抱着手臂的男子

225

们——没有援助。她看父亲：金小川坐着,好像在打瞌睡。

她战抖,跳脚,向房里冲去——被男子们挡住。她暴乱像野兽了。

忽然她放声大哭。

"捆起来！"蒋捷三吼。

"哪个敢！……"金素痕叫。

但接着她跪下来了。

她开始了哭诉。她好像不觉得周围有人,——好像这是一个悲哀的,神秘的境界,她哭诉她底悲苦。她说她后悔不该嫁给蒋家,她说她所受的欺凌和痛苦在这个世界上没有一个人知道,蒋捷三冷酷地凝视着她。

忽然金小川激燥地站起来,向蒋捷三打躬。

"罢,罢,罢！算我对不住你！算我对不住女儿！"他带着执拗的表情大声说,"小事化大事,弄成这样子了,再下去大家不好看！"

"你滚开！"

"好的,好,我滚开,人命在你手里！"金小川说,提着袍子跑了两步,"喂,你们要开门让我走呀！"

"爹,不放他！"蒋淑媛叫。

"没有你的话；跪下！"蒋捷三拍桌子,向站起来了的金素痕叫。

金小川提着袍子往外走。女儿又跪下,他回头看了一下,大声叹息,眼里有了泪水。

"我们大家都是可怜人哪,蒋家老太爷！"他往回跑了两步,做揖,叫。然后全身发抖（显然他故意如此）跑了出去。

金素痕又站起来,大声喊父亲,要父亲叫警察。但门已关上。蒋淑媛冷酷地走上前来,推她跪下。

金素痕冷笑着,带着不寻常的冷静跪了下来；好像她是用这个动作来轻蔑蒋家。

蒋捷三沉默了很久。

"说,蔚祖在哪里?"他问。

"我怎么知道?这要问你们蒋家了。"

"在哪里?"蒋捷三厉声吼。

"不知道!"金素痕厉声回答。

蒋捷三沉默着,两腮下垂。

"你抢的东西在哪里?交出来!"

"不知道!三条人命在你们手里,好一个蒋家!"

"跪好!不要脸的东西!伤风败俗,强盗人家!"

金素痕冷笑着,觉得自己已经不必再跪,就站起来,冷笑着盼顾。

蒋捷三站起来,摔下了绳子。蒋淑媛弯腰拾绳子,同时喊仆人,于是,绝望的金素痕就向她冲过来了。

妈妈、老姑妈扑了过来。蒋淑珍冲了过去,又退了回来,一半是因为愤怒,一半是因为恐怖战栗着。蒋淑华愤怒地笑着站在旁边,不停地向男子们叫着,但他们,男子们,显得非常的犹豫。看见了蒋淑媛脸上的血,蒋淑华就冲过去了;但即刻就被金素痕推了出来。

她们,叫着,喘息着,充满了杀气。男子们叫喊着,跟着她们打转,但没有人能够解开她们。……

苍白的、愤怒而荣耀的蒋秀菊从房里跑了出来。

"大家听好,刚才阿顺说他看见过爸爸!"她高声叫,同时,在大家底注视下,显得羞怯而骄傲。

听见了这个叫声,痛心的金素痕就挣开了撕着她底头发的蒋淑媛,埋头向蒋捷三撞去,和他一同倒下了!

大家发出了叫喊,然后寂静了。

. . . .

男子们扶老人进房,并且拉开了妇女们。汪卓伦带着怜恤的,厌恶的表情扶起金素痕来,好像她是什么可怜的,污秽的东西。金素痕叫着要小孩,汪卓伦就把小孩抱出来交给了她。

金素痕紧紧地抱住了啜泣的小孩,忘记了另外的一切,俯下了她底流血的脸,热切地,带着强大的饥渴,吻着他,然后哭起来,低声喊了"儿啊!"显然的,小孩对于她,一个母亲,有什么意义,只有她自己知道。

"想想你底儿子将来会怎样。"汪卓伦怜恤地说——他不能从他底感情脱开,因此不能注意到金素痕底心——然后轻轻地、确信地走向发白的、瘦弱的蒋淑华。

在这个灼烧的病症后,悲哀和温柔来到了蒋家底妇女们中间。金素痕离去了,大半的熟人们离去了,仆人们收拾了刚才做为战场的堂屋。男子们谨慎地走来走去,妇女们坐在后房,于是无限的悲哀和温柔来临。

她们觉得,刚才的一切是可怕而可耻的。她们觉得,她们从来没有做过这种事情;在这个世界上,这种事情是不应该发生的。

"其实是不必的,其实可以想办法。即使没有办法,我们也能够照旧活下去。可怜的是父亲,对于他,是一点办法也没有了。我们总该为了他。"她们想。

大家不说话,躺着,或坐着。

蒋淑珍叹息了一声。

"明天过年了。"她轻轻地说。

大家不回答,好像没有听见。

"过年了,又是一年! 争来争去又有什么呢? 金素痕就是抢光了又能怎样? 她会过得好些么?"她们想;"是的,从此以后是完了,多么惨,而且多么凄凉! 究竟为了什么呢? 为了孩子们么? 晓得他们将来怎样!"

"我们要留爹爹过年。……"蒋淑华说,蒙住脸,表现出无限的苦楚。

忽然沈丽英站了起来,痴迷地笑着。

"一朝春尽红颜老,花落人亡两不知!"她高声唱,流着泪,迅速地走进前房。

蒋淑华哭了。

老人在烧热和昏沉里想到了心爱的、聪明的、孝顺的儿子蒋蔚祖。

"他大概没有出事,是的,一定平安,然而晓得他现在在哪里,也许他又在街上乱哭乱跑了,也许他逃到什么地方,也许他挨饿,受冻,老婆会把他赶出来,他又没有钱回苏州!我晓得儿子,他不疯,他很知耻,不会来找姐姐妹妹!那么怎么办呢?啊?啊?"老人想,转身朝内,不理走到床边来的人。"可怜忠厚的人,可怜一生忠厚,娇生惯养,哪里知道人世底艰辛!可怜少年时多聪明伶俐!啊,不要脸的女人一定会把他赶到街上,叫他来向我胡说,但是他不会来!他心里多么纯洁多么知耻!他在哪里啊?又冻又饿!"

蒋捷三昏沉地想着,不停地转着身体,驱去一切到床边来的人。人们常常有奇特的想像,爱情和仇恨燃烧这想像,使它迅速地变成真实的——蒋捷三此刻凄凉地想到儿子在街上流浪的情景。立刻他觉得这是无疑的。他闭着眼睛,看到了儿子底可怕的样子。他看到儿子乞丐似地睡在街角。他反复地想着金素痕底话,觉得这是无疑的。

他睁开眼睛:蒋淑华站在床边。

"淑华,刚才素痕不是说,人家说蔚祖在街上讨饭吗?你们看见过他没有?"他问。

"爹爹,没有这话——你听错了!"蒋淑华惊骇地回答。

老人沉默着。

"他一定在金家!"

老人用简单的目光看着女儿。

"女人已经抢到了东西,还留住他干什么?她们不会害死他吗?"他问。

"爹爹,不会的!……禽兽都不会这样做的!"蒋淑华说,有了眼泪。

"你们就不能出力吗?"老人说,转身向内。老人看见:天落雪,儿子在街角冻死。"完了!完了!"他大声说。

蒋淑华轻轻地哭着。蒋秀菊走进来,脸上有怜恤的、愤怒的表情。

"叫卓伦来!"老人说。蒋淑华走出去,蒋秀菊坐下来替他捶胸膛。

"卓伦,你去找八府塘吴洞宾先生,找他带你去警察局。"蒋捷三说,闭上眼睛。"你问局里看见蔚祖没有,在大街小巷,火车站轮船码头,你请他们留心。"他说,一面在衣袋里摸索着。"这是蔚祖底照片。"他用打抖的声音说,看着照片。……

汪卓伦轻轻地走到门边,老人又喊他。

"要是他们没有看见,你请吴洞宾先生叫局里派几个警察给我。挨年近节的,……好,卓伦,你快回来。"

蒋捷三闭上了眼睛,摇手叫女儿停止捶胸。

"纯祖没有进城吗?"他问。

"他明天早上才准进城。——爹爹,你过过年回苏州。"

老人不回答,脆弱地颤动着。蒋蔚祖受冻的幻象又在侵扰他了。

"啊,儿孙儿孙!啊,儿孙儿孙!全靠你们自己啊!能记着,你们就记着,安乐时记着灾难!"老人大声说。

女儿们中间有了低的、抑制着的啜泣声。

老人假睡,在幻象里战栗着,直到黄昏。老人吩咐女儿们暂时回家。王定和夫妇最先离去,其次是蒋秀菊。她需要回学校。

剩下蒋淑珍和蒋淑华。汪卓伦回来,带来了三位警察,老人坐起来,吩咐开饭。老人陪拘谨的、年青的警察们一同吃饭,饭后老人吩咐女儿女婿回家。

老人显然要带警察上街。汪卓伦请求代替他做,但他拒绝了。大家坚持要陪他,他就发怒。女儿们异常痛心,在她们眼里,父亲是因受伤而怪戾,不近人情。但大家无法挽留。蒋淑珍请警察进房,说了很多,请他们关照老人。

蒋捷三围上大围巾,扶着木杖,携带了大手电,天黑时领着警察们上街找寻蒋蔚祖。

人类底最大的特性便是常常在热情的想像底支配下作种种劳碌。这些劳碌有的增进生活,有的破坏生活,但大半徒然。看见一生的辛劳,看见老年的破灭,看见坚强的、森严的、安心立命的老人底心脆弱得像在恋爱的少年,看见他底脆弱的心底最后的幻象怎样燃烧,又怎样熄灭——看见这些是苦恼的。

在这个晚上,熟人们假若看见蒋捷三,便不能认识他。他高大,裹在卑微的黑衣服里,脸上有某种异常的颜色,和一切人们无关,走过一切人们身边,像一座活的纪念碑。更特殊的是在他身边走着三位黑衣的警察,他们像在守护这座活的纪念碑。

他脸上有那种颜色。他底脸整个地显得发黑,显出憎恶、疲乏、兴奋和焦灼。他向人堆里迟钝地眺望着,证明了那里没有蒋蔚祖,便迟钝地移开去。警察们焦灼地跟着他。他们希望休息,觉得这个老人是在发疯。

蒋捷三迟钝地,冷淡地,执拗地走进了金小川家,不理会堂屋里坐着的人们,向各个房里张望,最后领警察们上楼。

全宅的人们都跑出来,涌在楼梯口看这个有名的老人。老人慢慢地上楼,猛力推开每一扇房门。没有看见第一间房里的妖冶的女人,没有听见她底笑声和吃惊的叫声,走向金素痕底卧房。

他用同样顽强的姿势猛力地推开门。他底心因希望而发抖。

房里亮着灯,但没有人。他走进去,看橱后,看床下,又打开橱来搜查。看见周围尽是苏州底古董,他动手搜查文契。

他向金小川要钥匙。金小川说钥匙在女儿身边。他点头,看着周围的古董,没有说话,迟笨地走出来。在楼梯口遇到了那些好奇的眼光,他就愤怒地皱眉。

警察们莫名其妙地跟着他走出来。

他是非常的失望,他四肢软弱,头眩晕。他又看见他底蒋蔚祖在寒风里倒在路边。他沿小路走去,用手电照射着;时常照见躺在屋檐下的、无家可归的穷人,他在惊骇里好久地照着他们,于是给他们抛下几块钱。他们穿过大街。已经过了九点。小巷子里黑暗而静寂。寒风在哭咽。

　　这个不幸的老人就是这样沉默而顽强地走下去。他每次总觉得蒋蔚祖躺在街角,但每次总失望。失望和痛苦已经超过了限度,但他顽强地在寒风里走下去。

　　又走了一个钟点。警察们不能忍耐了,公推他们中间的会说话的一个和他交涉。

　　"老先生,"这个瘦长的警察毕恭毕敬地说,手贴在裤缝上,在寒风里抖索着,"其实你明天来还是一样的。我们明天都来。小姐们等您回去。再么,我们好销差。"

　　蒋捷三用手电照着他,他流泪,霎眼睛:他害眼病。

　　"我给你们钱。"蒋捷三顽固地低声说。

　　"啊,哪里话,老先生,我们职务……"警察笑;同时他底两位伙伴帮着他笑。"冷哪,老先生,您老不冷吗?"他说,接住了钱。

　　"老先生,要过年了,凄凄凉凉的。"警察活泼地说,随着电光跨着大步。

　　蒋捷三照射每个门廊,每个壁角,向前走去。他少年时曾经和这一带地方很熟悉,妹妹底家原来就在这一带的。少年时他曾经带着骄傲的、顽强的心情走过这些小街,——它们到现在还没有变样子。这些灰砖砌成的老式的房屋已经矗立了一百年——时间是流驶得如此之快。在走过一个颓败的庭园时,蒋捷三看见了他所熟悉的那棵巨松。这棵伟大的树竖在天空里,在寒风里发出粗糙的声音,黑压压地覆压着,守卫着颓败的庭园。

　　"这是乌衣巷,这是宰相家!"蒋捷三想。

　　他怀着恐惧的情绪看着大树和寒天底星斗。走开这座废墟时他哭泣——他自己不知道他哭泣。他又回头看着树。寒风尖利地吹啸着,巨树发响……

"这是乌衣巷,这是宰相家!"他低声说,站住不动了。近处有狗吠。

"老先生,大树,三百年了!"警察快乐地说,显然有些恐惧。

蒋捷三站着不动。寒风吹起了他底围巾。突然他看见树上坐着人,并且吊着人。他看见树上吊着戴乌纱帽的宰相和一个女人。他看见他底蒋蔚祖坐在树上,在笑,腿在树枝间摇摆。

"他是死了,我底蔚祖!"老人想,他底手电落了下来。

"有鬼,"他说,"有鬼,有鬼,那里,你们看!"

警察们挤在一起,假装不在乎。

"老先生,不是……啊,快些,你拿手电照!照呀!"

蒋捷三站着,颤抖着,警察们互相抢手电,但手电已经跌坏。

"老先生……;我说……我们走……"警察之一说。

"怕什么呀!"瘦的,害眼病的,活泼的警察说。"我就不怕,看吧。"于是他两腿抖着向颓倒的围墙走去,并且叫出声音来。他在逞强,但他在和自己开玩笑,这个好人!立刻他恐怖地跑回来,抓着他底伙伴。

"不要怕!"蒋捷三以空洞的大声说。

年青的警察们发觉他是最勇敢的,就围住他:有人抓住他。可怜的老人伸手保护他们。他继续看见鬼们底活动,继续看见他底可怜的蒋蔚祖:他底腿在树枝间摇摆。他站着,信仰自己全生涯底正直,向鬼们祷告着。寒风吹嘘,狗们远远近近地呜咽着。

"各位死人,各位尊神,我蒋捷三就要来了!"蒋捷三以空洞的大声说。警察们恐怖地看着他,在他身边战栗着。

"走呀,走呀!倒楣!……"

"怕什么?"蒋捷三厉声说。于是继续以可怕的,非人的声音向大树说话。

他把警察害得回去生病。他究竟看见什么?他究竟想些什么?他究竟怀念什么?说些什么?——没有人知道,警察们不敢听,并且不能懂得。他说了很多。显然他确信自己要死了,而这是解脱和安慰。

他是和这棵伟大的树一样,在严寒的黑夜里产生了奇异的,可怖的,迷人的东西。

蒋捷三看见自己底瘦长的,黑须的父亲走下树,向他走来。

"你不要找蔚祖,他平安。你也苦够了——这个世界完了!"父亲说。

"我一生有错吗?"蒋捷三问。

父亲笑而不答,然后点头,隐去。

"我一生有错吗?"蒋捷三问。

"老先生,那边有人来了!"警察说。他们互相挨紧,现在已不是鬼,而是蒋捷三底发疯令他们恐怖了。看见有灯笼走近,他们高兴起来。

但蒋捷三站着不动。不看见灯笼。

"蔚祖!蔚祖!这是乌衣巷,这是宰相家!"蒋捷三说,转身迅速地走去。"蔚祖!蔚祖啊!"他喊。

午夜后,恐怖的,发烧的警察们送蒋捷三到家。老人惨白,冰冷,不停地说着话,倚在两位哭着的女儿身上走进房。

"给警察一点钱,多一点!……"老人做手势,"他们骇死了!……蔚祖啊!儿啊!"

瘦长的,害眼的,活泼的警察在堂屋里向汪卓伦高声讲鬼。他们都确信他们看见了鬼。他们敢赌一只鸡。

蒋淑珍走出来,哭着,数钞票。

"谢谢各位。"她可怜地说。"没有预备东西吃,家庭不幸……"她说,揩着眼泪。

但警察们不接受,因为他们已经共同经历了这个家庭底苦难。他们跑掉了。

三

蒋捷三第二天坚持要回苏州,他想像蒋蔚祖已经回苏州。

在不幸的父亲追逐着他底幽灵奔跑的时候,蒋蔚祖依然被锁在那间房里。金素痕每天来看他,有时带着小孩。在这些争闹后,特别在妆扮了寡妇后,金素痕对小孩及丈夫发生了凄切的感情;并且有了某种热爱。在小孩被蒋家底人们抢夺后,她发现了小孩在她心上的存在,感到痛苦。以前她只是出钱养小孩,和养一匹狗没有什么分别,但现在她觉得小孩对于她底凄凉的心和悲惨的生活是异常的重要。于是她把小孩从奶妈处带回家,好几夜抱着他睡在身边!醒来时感到他底柔软的小躯体,每次总热烈地感伤。她百般抚爱小孩——一切是已经铸成了,她对小孩发生了几乎是肉体的情爱。她发觉自己年岁增大,华美的时代已经过去,于是这种急剧的情爱给她以安慰:但又给她以新的痛苦。

在金素痕底生涯里一切都是急剧的,她所从而生长的是一个多变的、荒唐的世界。她是逞强的女人,她底愚顽的心里有着一些可悲的东西,这些东西支配她一生。

在这次的争斗后,一切已经无法挽回,她是确定地胜利了。她很痛苦,感到悲哀,常常想:怎么会变成这样呢?为了什么呢?而最不幸的,是她此后必得担负蒋蔚祖底命运。蒋蔚祖此后除了是她底发疯的丈夫外,不再是别的什么了。

常常的,在某种非人力所能战胜的,残酷的形势下面,人们底意志力变得无用,人们就求助于坦白的、谦逊的心灵;每个人底心里总有这一份东西的。现在,这个以残酷著名的妇人开始求助于这一份东西。她在深夜里醒着,静静地躺着,觉得自己底毁灭了的良知正在复苏。

她好几天孤独着,除了去看蒋蔚祖。她好像已经忘去了她底美丽的思想和感情。她穿着凌乱的衣服上街,忙着替小孩买东西,并且对一切朋友冷淡。蒋家底人们随后便知道了这些,然而他们讥笑她虚伪。

初一下午,她带小孩去看蒋蔚祖,给他带去了年食和一个平凡的妇人所能有的爱心。她在蒋蔚祖房里坐了很久,看他以令人难受的姿势抚爱小孩,对他说一些最简单的话。

她问他觉不觉得有病,问他想吃什么。最后问他这几天想些什么。

蒋蔚祖思索着,他总是思索着。他不回答,走来走去。他这几天在想着父亲。他对金素痕持着傲慢不逊的态度。

现在他觉得他对金素痕是很有权威的。他觉得金素痕已经向他屈服了。

"一个女人算得什么!在这个世上[①]最大的恩爱是父子!"他走来走去,想着,"我简直是禽兽,她在骗我!她这两天倒不开玩笑,但是为什么她让我关在这里?我要出去,我要出去,海阔天空!我是记得那一对燕子的!它们明年春天一定要飞回苏州!"他想。

他露出愁惨的,柔弱的表情。

"你要怎样?要不要下乡去住?我想你隔几天回苏州看看。你回苏州的时候就说你三十晚上才到我这里,好不好?"金素痕说,恳切地看着他。

蒋蔚祖露出凶残的表情。

"不回!不回!"他说。"但是为什么我要说谎?混账东西!"他说。

"哪个叫你说谎呀!随便你好了,又不是我叫你来的!"金素痕说,痛苦得颤抖。

"你要怎样?"蒋蔚祖暴戾地说,看着她。"哈,我们底儿子!"他说,看着阿顺。然后他凶恶地走向衣柜。"我一天不死,你一天也不要想快快活活地嫁人!有本领你毒死我!"

于是他又开始思索。他瞥见桌上的软糕,就站住不动,开始怀疑那上面有毒药。他笑,摇头,抓起软糕来。

"阿顺,吃!"他说。

金素痕恐惧地看着他。看见她底表情,他更就确信。小孩畏缩地伸手接糕,他缩回手来,递给金素痕。"你吃!"他厉声说。

"何必呢,蔚祖!……"金素痕说,流下了羞辱的眼泪。

[①] 原文如此,初版书后附勘误表更正为"世界上"。

"吃！"

金素痕接过糕来，痛苦地吃了一口，然后看着他。

"啊，啊！这次又上当！"蒋蔚祖说："能生能死，是大丈夫！"

"蔚祖！蔚祖！"金素痕痛苦地叫。"多么伤心啊！"她哭，跺着脚。

小孩恐怖地哭起来。

"你伤心，我不伤心！不许哭，我死了你才不哭！"他厉声说。"阿顺，不哭，不要学她，她不要脸！"他温和地，然而威吓地向小孩说，"不要学她，也不要学我，做强盗，做贼，杀人放火都好，就是不要学我！你底父母是禽兽，你是小禽兽！"他在小孩底哭声里大声说，"这是畜牲底世界，你是小畜牲啊！我真高兴，你是小畜牲，将来你当兵，一枪打死！"

金素痕，像一个母亲应该做的，惊恐地抱起小孩来，并且蒙住了他底耳朵。她惊恐地可怜地看着蒋蔚祖，同时想起了汪卓伦底话："想想你底儿子将来会怎样。"

"蔚祖，"她说，她底嘴唇打抖；"你可怜我，你可怜我一点……"她难受地转过身子去。

她抱着小孩站起来，严肃而悲哀。蒋蔚祖站着不动，没有表情。他们听见了四近的繁密的鞭炮声。

他们听见了庆贺新年的、繁密的鞭炮声。在南京这个平坦的大城，在这些和平的年夜，鞭炮声密集如激浪，辽阔如海洋。安详的、和平静穆的香烟笼罩着这个大城。

于是在金素痕底丰满的唇边显出一个虔敬的，凄凉的笑容。接着她低低地哭了。

而蒋蔚祖走向窗边，凝视着楼下。

"啊，这样密的灯光，这样浓的烟气；又是一年在异乡度过了！"他含着泪水向自己说："这个世界多么和平！我要回苏州啊！我要回去，在祖宗底坟墓旁生，又在那里死啊！"

金素痕离开时没有再锁门。蒋蔚祖睡去，梦见了苏州底落雪的庭园:梦见父亲张着两手如黑翅,在这个庭园里奔逐着。随后他梦见父亲穿着珠红袍,走上了一辆华美的马车,而从车窗里探出二姨底慈善的、悲哀的脸来。在半醒里他继续做着这些梦。他突然坐起来,继续着他底永无休止的思想。窗上有安详的微光,近处有嘹亮的鸡鸣。

他觉得他是处在一个奇异的世界里,他觉得鸡鸣是一队矮小的兵士所吹的喇叭。他最近常常想到这一队兵士:矮小,活泼,庄严,灰色。他觉得这个奇异的世界正在进行着什么神奇的事。

黎明的微光感动了他,他底脸温柔而羞怯。

那种渴慕的、温柔的光辉,如黎明时初醒的小鸟,飞翔在他底脸上。小孩般的微笑出现在他底脸上。他想到苏州底落雪的庭园,想到花怎样开放,他怎样酒醉,一瞬间他意识到他底生活里的所有的温柔。他想到和平的、灯烛辉煌的年夜,以及妹妹所唱的歌……

他在心里唱着这些歌。同时他听到鸡鸣,那队矮小、活泼、但灰色,严厉的奇异的兵士在破损了的道路上开了过去。

他皱着眉,带着疯人的狡猾盼顾着。

"够了,够了!看她找不找我,她跑不掉,一定的!我要回苏州!"

他带着恐惧的、愤怒的神情穿上衣服,冷得打抖,走下床来,打开了门。

"世人都道神仙好,只有娇妻忘不了,君在日日说恩爱,君死又随人去了!好了好了,好便是了,不好便不了!"他说,看着房内,然后蹑手蹑脚地走下了楼梯。

他东张西望,偷偷地打开大门走出,跑过街道。

街道寂静有霜,空气鲜美,地上有鞭炮皮。天上有暗红色的、稀薄的霞照。

"好极了,这便是自由!"被冷气刺戟得兴奋起来的蒋蔚祖想。"好极了,简直算不了什么,通达人生,我一无挂碍,回苏州,我就上山出家！哈,多么冷！多么好！自由！"

头发和胡须凌乱的、惨白的、穿旧皮袍的蒋蔚祖沿着熟悉的道路走去,太阳升起时到达了和平门车站。

他站下,迟疑着。他没有钱,从苏州来南京时的那个经验令他恐惧。他站在柔弱的、发红的阳光下,站在栏栅边,看着站内的人群；他惧怕人群。他喃喃自语,希望想出一个法子来。

他觉得所有的人都认识他,并且企图侮辱他,他狡猾地、苦楚地笑着,不敢进车站。

"啊,有了,顶多两天,我走路！"他想,笑着。"滚开！"他向身边的肮脏的小孩说。

周围是忙碌的、喧闹的、因早晨而新鲜的人群；一列火车过站了。公共汽车绕着大圈子在阳光下面停住,车窗闪灼着,发出了悦耳的铃声。人力车在圈外奔跑着。白袖的、年青的警察严厉地守卫着种植着花木的圆坪……

蒋蔚祖机械地看着从公共汽车上走下来的人们。

他看见一个穿着草色呢大衣的,胖脸的少年在一个妇人之后挤下车来。这个少年提着包裹,愤怒地、傲慢不逊地和一个中年男子拥挤,好像他非先下车不可,好像每一秒钟于他都是极可贵的。下车后他就束紧大衣向前奔跑。他底头发覆在额上,他底脸上有着狂热的表情。

"啊,纯祖弟！"蒋蔚祖想,移动了一步,用那种目光凝视着弟弟,以致于弟弟立刻便回头看他,认出了他。

蒋纯祖底大衣是旧污而破损。他把腰带束得极紧；显然他爱好那种苗条的风韵。

他向哥哥急剧地笑,即刻便露出极其严肃的表情来。他不知道怎样才恰当,因此他底表情带着少年人惯有的夸张。

"哥哥。你,你怎么在这里？"

"我要回苏州。"蒋蔚祖看着他,不满意,冷淡地说。

"他们找你呀！"

"哪个找我？"蒋蔚祖严厉地说。"你上哪儿去？"他问。

"我去看同学,在那边。爹爹前天才回苏州呀!"

"我晓得。"

蒋纯祖把包裹换一个手,焦灼地瞥了一下要去的方向,怜悯地看着哥哥。少年人底特色便是同时有很多心愿,很多表现;他们永远不知道应该怎样才好。

"多么快乐的早晨!看,别人走到我前面去了!怎么办呢?啊,多么不幸!"他想。

"哥哥,你这些天在哪里?——你怎么不买票?爹爹说你没有拿钱,你有钱么?嫂嫂给你钱么?"他不停地问,以兴奋的眼光看着哥哥。"啊,多么快乐的早晨,太阳鲜红有霜,唱歌是多么快乐!"同时他想。

"我没有钱。"蒋蔚祖露出厌恶的神情来说。弟弟底兴奋的脸令他厌恶。

蒋纯祖看着哥哥,于是脱开了他底混乱的激动,开始了严肃的思索。

接着,带着他底严肃的、坚决的神情,他取出了钱,递给哥哥。

蒋蔚祖感动了。

"阿弟,你告诉他们,说蔚祖哥去了!"他温柔地说,靠在栏杆上。

"好的。"蒋纯祖回答,严肃地看着他。"你要吃东西么?"蒋纯祖问。

"说我到苏州做和尚去了。"

蒋纯祖沉默着。

"哥哥,"忽然他说,带着他底那种激烈的表情,"你不应该这样想!而且你不能这样想!只有你一个人……是爹爹底安慰!"他说,好像饱经忧患的成人,但同时带着那种女孩似的单纯。"……并且我们大家都爱着你,并不只……"他想说:"并不只是一个女人!"他流出了眼泪。

蒋蔚祖悲哀地哭着。

"弟弟啊!"他说。

"我替你买票吧!"蒋纯祖说。

"不,我自己买!"蒋蔚祖怪戾地说。"你走吧,我自己买!"他说。

蒋纯祖悲伤地笑了一笑,看着远处。

"哥哥,告诉爹爹,我记挂他!"他说,含着眼泪笑了一笑。显然他从来没有说过这种话。……"是的,但是唱歌有什么快乐!"他想。走了开去。

由于自尊心的原故,蒋蔚祖又开始仇恨弟弟,而且心里非常傲慢,他走进车站,在人群感到恐怖,又退了出来。于是他决定步行回苏州。……是严寒的、冻结的、晴朗而无风的日子,他底这个荒唐的旅程开始了。

他底这个旅程给蒋家的人们以可怕的不幸,他们多年以后还要为它战栗,随后多年,他底这个旅程在南京和苏州这部分社会里成了有名的故事。

发觉路程遥远无穷,他并不失望,那种强大的内心渴望引导着他向前。没有一个好心肠的人能想像他是怎样走下来的:严冬,生病,无钱。人们设想他在钱用尽了之后是饿了几天的,有些人设想他曾经讨过饭,住在破庙和化子窝里。……

他的确在过镇江时便讨饭,但还有另外的遭遇。某一夜一个老年的车站旗手收留了他,给了他炉火和食物。另一夜他躺在一个农家底屋檐下,结果被农家收留。刚刚过年,而在这些较为平安的岁月,施舍是较易得到的。但他是异常的怕羞,每次总要给钱,或者临走时向别人啼哭——并且他总不肯说出他底姓名、来处和去处,他怕羞辱他底父亲。

过镇江时他开始乞讨。在这种较大的城市里,生活纷扰,蒋蔚祖不再遇到古朴的怜悯和善良。他知道镇江有亲戚和佃户,但他不去:他怕羞辱父亲。

但到了开始乞讨的时候,向陌生的,无善心的人们乞讨,蒋蔚祖倒并不羞涩;他宁是异常的顽强执拗。

过镇江后,他因偷窃面饼而挨了打,随后他失去了皮袍。

一方面他羞耻,怕别人知道姓名,怕见到熟人,怕上火车,一方面他有了一颗为一个乞丐所有的、狠毒的、执拗的心。

他觉得自己已经走了无数的路,他相信苏州已经不远。然而同时他觉得他永不能回到苏州。他,蒋蔚祖,已经在地狱里无耻地活过,因此再不能回到往昔的天堂。

想到父亲底可怕的痛苦,他不愿回苏州。然而他还是继续行走,因为,在这个世界上,他无处可去。无数的列车驰过他底身边,在地平线上或黑色的林际留下了烟云。他偶然地注意到周围的农家休耕的、积水的田地,和某一株树。他偶然地注意到了它们,便觉得它们是熟识的,或是梦见过的,于是它们永远生存在他底心中。天阴,冷风吹着树木。每个早晨都有鲜红的、短命的太阳,地上有霜——这些蒋蔚祖永远记得。而每次的鸡鸣使他听到那队矮小、灰色、严厉的兵士底喇叭。

他不再能行走,躺倒在常州站上了。

同时,南京和苏州电报交驰。首先是蒋淑珍打电报回苏州,其次是那个惶恐的金素痕,她底电报说:"蔚祖已回吴,身无半文。"

老人打电报询问详情,并且托车站通知各站。但各站都说不知道。于是冯家贵又开始奔波。他找到南京,又沿路找回来。

黎明时车过常州,两眼发红的、憔悴的冯家贵蹒跚地走下车来。冷风吹得他摇摆着。

他在待车处的角落里发现了成为乞丐的蒋蔚祖(老人底幻象变成了真实!),抱住了他,脱下厚重的棉袍来覆在他底身上。蒋蔚祖在肮脏的稻草上醒来,看见了这个抚育自己长大的老人,哭着像小孩。

冯家贵在站上打了电话给苏州。

蒋捷三在接到车站底通知后便迅速地往外走。他看不清楚门,看不清楚台阶和通路,好几次几乎碰倒。他在阴郁的冷风里跑过了小院落,他环好围巾,跑出门廊。

他底脸发青,他哮喘着。显然,不幸已经超过了这个坚强的老人底限度;显然,他是用最后的精力来作这个行动了。

他站在台阶下面,嘴唇打抖,看见了蹒跚着的、穿着内衣的冯家贵,和冯家贵身后的轿子。他向轿子扑去。

轿子停下来,冯家贵冷得打抖,扶出了臭污的、浮肿的乞丐蒋蔚祖。

蒋捷三把大围巾给冯家贵,同时接触到了儿子底可怕的目光。

这个目光说了一切。蒋捷三可怕地寂静着,看着儿子。蒋蔚祖挣开冯家贵向父亲走来,显然要跪下,于是老人放声大哭把他抱住。

蒋蔚祖在父亲底手臂里大哭。

"爹啊,你不锁我啦!……"蒋蔚祖大声叫;响澈街道。

"不锁,儿,不锁……好惨啊蒋捷三!"

蒋捷三脱开儿子奔上台阶,撞在门上,然后抓住门框,垂下了他底白发的、巨大的、流血的头颅。

第八章

一

蒋捷三在蒋蔚祖到家的第二天黎明逝世。

蒋捷三昏迷至午夜,呼吸困难,喉管里有断续的、微弱的响声,午夜后,姨姨领小孩们跪到床前来。麻木的、骇昏了的蒋蔚祖跪在踏板上。冯家贵在厅里招呼医生们。全宅各处点着灯火。

仆人们带着显著的兴奋,带着强制的庄严表情各处走动着,时而聚在过道里,时而穿过在枝干上挂着汽灯的,弯屈而枯萎的树木,互相传递消息和命令:这些消息和命令都是他们自己创造出来的。他们动情地相信谣言,装做忙碌,互相发怒;他们觉得自己底生活只在这个晚上是最美好,最有意义的。除了一个最高的东西外,一切规律都破坏了:他们兴奋,自由,庄严,汽灯挂在树间,冬夜显得神圣,生命显出意义。突然有人造谣说金素痕来了,于是大家向外跑;同时有人走进姨姨底卧房,在古旧家器底神圣的暗影里进行着偷窃。

世交们来探访,坐在大厅里,没有人招待他们。冯家贵变得悍厉而阴沉,他觉得有声音在他心里呼唤他,他是在捍卫着这个颓败的蒋家。他觉得他已是蒋家底主宰。他卖古董,和一切人接洽,他发命令,捉拿偷窃……他请出姨姨来招待客人。

他严厉,阴沉,觉得濒死的主人必能同意他所做的一切。

姨姨萎缩地走出房门,低着头向客人们说话,啜泣着。所说的话是无意义的,但这个行动使她动情地从麻痹里醒来,意识到自己已经是这个家宅底主人。她迅速地走向冯家贵,好像要问他她底这个觉醒是不是对的。冯家贵严厉地看着她。

"我问你,怎么样,怎么样了?啊,菩萨可怜见……"姨姨说。

冯家贵表示不信任似地摇头。

"没有钱,姨娘,我卖古董。"冯家贵大声说,凶狠地盼顾。

姨姨失望了。冯家贵底态度使她失去了自信。但她立刻又动情,施展出女性底感情的才能来,因为目前所处的地位于她是第一次,也是最后一次。她少女般笑着,拖老仆人到墙边,叹息着,向他耳语。

"冯家贵,你自己清楚,你办的可是对!蒋家全仗你!……"

冯家贵攒着眉毛,并且眼睛发闪。

"唔,唔……可不是要给南京发电报?"他阴沉地说。

姨姨望着他。

发觉这个家宅另有主人,姨姨想起了老人底悲惨,哭了。

"冯家贵,慢慢叫发电呀!不会的……想想,不吉利的……冯家贵!……"

冯家贵露出柔弱的、怜悯的神情看着她。她哭着向房门跑去。

"造孽!"冯家贵大声说,搥自己底头,凶狠地走进了大厅。

商人们坐在大厅底幽暗的角落里,有些是与办丧事有关的,有些是来接洽古董的。此外还有整洁的、疲乏的、期待被雇的年青妇女们。这些人密密地坐成一排,他们底形体不可分辨,但有无数只幽暗的、期待的眼睛在闪耀着。

黎明前,大厅里有了一阵死寂。全宅灯火更亮,仆人们停止了兴奋的走动。大家知道严重的节目正在那间点着七八支蜡烛的房间里进行着。

老人在略微恢复知觉后,便吩咐点更多的蜡烛:他嫌房里太暗。其次他做手势叫跪着的小孩们走开。

小孩们走开,蒋捷三略微侧头,在胸前做什么手势,以带着思索的,然而空虚的眼睛凝视着窗台上的和桌上的蜡烛。蒋蔚祖跪在踏板上,眼睛跟着他底视线移动;而在父亲向他看时,他就抬起苍白的脸：眼里有严肃的光辉。姨姨跪着，扶着床栏，手在抖。冯家贵分开拥在门前的仆人们，表现他底权威，轻轻地走进房；认为这个房间是崇高的，露出了庄严的表情。

老仆人手垂在两边，侮慢的庄严表情消失了，走到踏板前面跪下。

房间明亮而寂静，全宅笼罩着庄严的死寂。

在这种寂静里，蒋蔚祖突然出声说话。声音尖锐，大家没有听清楚他是说什么，老人躺在高枕上，眼睛望着空中。死亡已经来临，老人不感到有人在身边，眼睛望着空中，大家感到一种恐惧，这种恐惧是被成为一切苦难底根源的儿子用那种尖锐的声音叫出的：大家恐惧老人将不说一句话而离开。

老人对人生冷淡，甚至仇恨。老人意识到死亡：自己底死亡，世上一切都要死亡。好像强烈的一生要用沉默来结束，好像他底心里有智慧的光：他看清，并理解他已走的路和要去的路。

他底喉管里有着响声。他用这种眼光凝视着蒋蔚祖。

"他不认得我！"蒋蔚祖恐怖地想。

"爹爹！爹爹！"他叫。强烈的、生活的、希望的光明照澈了他底黑暗的心灵。

老人底嘴唇和眉毛微动，但眼光未动。蒋蔚祖凝视着父亲，一瞬间明白了世界底简单，并明白了他底全部生活底真理，嘴边浮起了智慧的、顽强的、悲哀的笑容。

老人看着他底脸，眼光变动，点了头。

"爹爹，我这样对吗？"他问。

老人点头。

"爹爹怪我吗？"

老人痛苦地皱了一下眉。

"没有……没有……叫他们……"老人艰苦地说，沉默了，呼吸微弱。

寂静又来临。蒋蔚祖底内心在强烈地激荡，他不再感到父亲会死去。他觉得这个神圣的房间里现有的一切是不可能变化的。

但老人抬手,痉挛着。这个英雄的生命底结束来临了。在这个最后的瞬间他有了什么欲望,心里有了某种光明,他在挣扎,眼光炽热。这里到来了英勇的生活底交响乐的回响。大家恐怖地看着这个。

老人发现蜡烛太多,吩咐吹熄两支。

"要把后院的池塘修一修。我葬在虎邱山,我要葬在……"老人窒息了,又沉默。

"爹爹我有话说!我有话说!"蒋蔚祖叫。

但他没有说出什么来。大的迷惑出现在他底脸上。

姨姨在呜咽,因为老人没有说到她和她底小孩们应该怎样生活。

发觉老人底眼光停在自己脸上,她恐怖地中止了呜咽。

"老太爷,我们怎么办呀?"突然地,她叫。

在这个可怕的绝叫下,蒋捷三开始咽气。……

"老太爷,请您放心,您放心!"冯家贵用深沉洪亮的声音说。

"放心,放心!"姨姨说,开始了猛烈的嚎啕。

"去了,去了!我没有说清楚,这不行,我没有说!"蒋蔚祖想,"从此家破人亡!一切都完了!而我没有说!"

"爹爹!爹爹!从此我要做一个人!"他叫,站起来往外面跑,跌在门边,被仆人们扶起。

女仆们开始哭号。由于和平地生活着的人民所有的那种对死亡的,沉痛的,悲凉的理解,或由于希望在煊赫的丧事里被雇用,坐在大厅里的妇女们开始哭号。门廊里吹起了刺耳的薄铜喇叭。仆人们沉默地奔跑着。

阿芳们坐在后院的石阶上,没有人招呼他们。起初他们在啜泣,后来最小的两个在阿芳身上睡去。黎明时,花园里的汽灯光发白,冷风吹过树间,未睡的男孩和阿芳听见了前院里的哭声。

阿芳停止了她为睡眠的弟妹们所唱的凄凉的、温柔的、关于小白兔的歌。男孩推醒了弟妹们。

瘦弱的阿芳毅然地站起来走下台阶。好像她已等待了很久。她在冷风里抖索着。看见依旧是花木园林，看见暗影和微光，看见惨白的汽灯，她猛然心酸，啜泣起来。小孩们抖索着，最小的因寒冻而生病。明亮的星座在天顶闪耀，他们开始啼哭。

他们在黎明的树间（多么熟悉，何等凄惨的树木啊！）衔接地向前厅走来。

他们穿过走廊。仆人们拥挤在门边，到处有哭声。他们底这个悲哀的、坚决的、稚弱的队伍使全厅归于沉默。他们底孤伶、幼小、自觉和坚决使拥在门口的仆役、商人、妇女们让路。

二

在蒋蔚祖逃走后这半个月内，与一切人所想的完全相反，金素痕度着痛苦的、惶惑的、于她底热烈的一生是难忘的一段时间。

似乎她以前从未因蒋蔚祖而这样不安。她以前，在糊涂的英雄心愿和炽烈的财产欲望下是那样的残酷、自私，而易于自慰。但现在她悲伤、销沉、柔弱、爱儿子，希望和蒋家和解。

她希望蒋蔚祖归来。后来希望得到他平安的消息。她向苏州发了那个电报，没有顾忌到她所念念不忘的人世底利害，没有想到这个电报是揭露了她底可耻的骗局。她要丈夫，她以为现在要医好丈夫是非常容易的。

一个女人，在她变得孤独，仅仅成为一个妻子和母亲时，她把世界看得如此简单！

现在她特别不能忘记她和蒋蔚祖之间的无穷的、深刻的缔结。在最近一年，她是认为他们之间是毫无牵挂的。也许在当时是毫无牵挂的，但从老人到南京，从阿顺被蒋家姊妹们残酷地争夺时起便完全不同了。在蒋蔚祖发疯最凶，因而她最荒唐的那些日子里，她底麻木是不可免的。那些内心底风暴，那些狠毒的、虚伪的情感使她相信她和蒋蔚祖原来并无关联,而关联只是家庭和财产。但随后,正是家庭和财产支配她,使她明白了她从此必得担当蒋蔚祖底不幸的命运。在悲伤中她开始尽一个妻子底职责,不相信这个婚姻底宿命的苦难,认为只要她做,一切便会美好——她是太顺利,太无忌,太过于享受美好了。

她所需要的,并不是霉烂的生活,虽然这种生活显得荣华;她所需要的是煊赫的家庭地位,财产,和对亲族的支配权。她觉得她有这种家政的天才,几年来她为它而斗争。但这个斗争,陪伴着于一个热烈的女人是那样难于舍弃的欲望,使她投靠于她底父亲和她底财产替她安排好了的南京社会,于是到来了那种荒唐的、绝望的霉烂;她热乱地盘旋,认为自己是自由的天使,在南京底酒肉迷宫里栖下。由这种势力她得到财产,也由这种势力,她毁灭了她底家庭,毁灭了她底蒙昧的希望。

她惯于虚伪,惯于赤裸裸地自私,因为她认为她是靠自己,也就是靠这个社会上一切有利于自己的人生活着的,但现在,在财产到手,蒋蔚祖逃跑后,她发现自己是孤独的——可怕地孤独,除了有儿子和丈夫。

朋友、亲戚、和情人都是互相利用,现在,因为蒋蔚祖逃跑,这场戏是散了,她想。她觉得她有两条路可走,第一条路是澈底地献身荒唐,扮演一场更大的戏,再得到喝彩和荣华——这些是都在等待着她的;但是假若如此,她底儿子,她底凄凉的未来怎样安排呢?于是,并不是由于她底意志,她走向第二条路,即找回蒋蔚祖,医好他,并和老人和解。

她所想像的与老头子的和解,是非常动人的。她决定立即回苏州。她假定蒋蔚祖是平安的,于是她携带了一幅和平的图画回苏州。虚伪的人必需在心中有自我底真挚,这里便是金素痕底真实。像荒唐的日子在她心里发生的略有教养的女性底感伤主义一样,像结婚初期和后来在苏州一段时间里对蒋蔚祖发出的嘲讽的温柔一样。她想老头子不会拒绝和解,因为一个宁静无为的暮年对于任何老人都是一种安慰,一种必需。这幅和平的图画是：主妇底权威,老人底悠闲,丈夫底服从;家宅底修整,改建,财产底整理和花园底繁荣。这个图画是十分旧式的,和她在南京所过的生活全然相反。和平要在废墟上建立起来。

这幅图画多年来就召唤她,但她得到的是另一幅：——究竟谁是真实的,很难明白。但现在她动身了。

由于命运底奇怪的作祟,她恰好在老人死去的当天到达苏州。

黎明时,姐姐送她到下关上车。和一切人隔绝后,她和姐姐有较好的感情。她们沉默地走进月台,严肃而亲切,显然她们已说完了她们各自底一切,并且互相理解。实际上金素痕是昨天晚上才说了她底一切的。

名誉极坏的两姊妹在车站上所表现的感情,是动人的。

黎明,吹着冷风,车灯熄灭,列车停在微光里,显出黑色的轮廓。男仆搬行李上车,金素痕抱着小孩在车门边和姐姐低语。惟有心思繁重的妇女才能这样感人地低语的。小孩包在皮氅里,伏在母亲肩上,看着月台内。风吹起小孩底皮氅,丝帽带,吹起两位妇人底凌乱的发丝来。

金素痕继续低声说话,显然在此刻倾诉心腹是一种需要。她把手放在姐姐肩上。

汽笛响了。好像出征的兵士,好像离乡的浪子,金素痕眼里泪光闪耀。她把小孩交给姐姐,姐姐吻小孩。

"放心,妹妹,总要宽心,……啊!"姐姐说。

"当然!要不然我活不到今天……"金素痕说,意外地露出了讽刺的笑容,抱着小孩跑向车门。

车子滚动,金素痕从二等车底末一个窗口探出头来,向姐姐摇手。

"要是好,我夏天来南京看你们!"她用嘹亮的高声说。

列车在晨曦底庄严里驶入庄严的、闪着沼泽的、灰黄的原野。金素痕激动地叹息着,向小孩说话。

"阿顺,回来哪,我们回来哪,爹爹好,爷爷好,苏州是天堂哪！花园,大厅,全是你的……"

金素痕恰好在接到电报之前,尤其在蒋家姐妹到来之前到苏州,这个偶然唯有用她底希望和脆弱的良心可以解释。

轿子进巷时,阳光温暖,冷风在墙头上吹拂,阿顺入睡,金素痕锐敏地感到和平生活底甜蜜。冷风吹着枯藤,是一种和平,远处的卖花的歌唱,又是一种和平。砖墙上的老苔好像镂刻了苏州人底多年的感伤的梦。金素痕底心在敏锐地跳动着——这一切和平是不是她底,马上就要决定了。

她怎样生活下去?怎样的一个战役啊!

她即刻看见了蒋家底仆人们。最先是姨姨房里的中年的女仆。女仆站下来,以哭过的、惊恐的眼睛看着她;即刻笑了柔顺的、谄媚的笑。

同时金素痕看见两个男子抬着治丧用的布幔走过去。她骇怕了,弯出身体来,以怀疑的、火热的眼睛看着女仆。

"大少爷在家?"她问,声音战栗而嘶哑。

"在家……老太爷过……过……"女仆哭,惶恐地看了她一眼,转身走回去,轿子走动着。金素痕发白,眼里有火焰。

"大奶奶,家里没人问事,大奶奶……"女仆在轿旁走动,哭着,乞怜地说,好像求金素痕不要损害她。

随后她偷看金素痕,似乎不敢相信她所哭诉的是真的,假若金素痕不愿意它是真的的话。"我怎样办呢?在你面前,我还是哭好呢,还是不哭好呢?"她底疑问的眼睛问。她又开始哭。

但金素痕没有注意到她。金素痕混乱地痛苦着,觉得整个的巷子在旋转;她不明白自己所处的地位,不明白一切。

另外的仆人匆促地走过来,向她鞠躬。走近门,尖利的喇叭声——她觉得似乎是某一个仆人在和她开玩笑——冲击她,使她惊动。

她带着愤怒的表情跳下了轿子,把小孩交给女仆,但即刻又想到小孩会被谋害,于是夺了回来。她疾步跑上台阶,看见棺材在动工。她皱眉,盼顾,听见里面有隐隐的哭声;而一声轰响把她惊醒。

这个轰响是仆人们底喊声。好像是故意的,他们整齐地喊:"大奶奶到!"

金素痕走入大厅,简单地想到那么有德的老人已经不在,开始啼哭,在仆人们底奇异的注视中走进正房。

姨姨跑出,站在门边恐怖地看着她,随后大哭。

好像眼泪能和解一切,好像眼泪能使人正直而勇敢,她们在老人床前大哭。

金素痕交出啼哭的阿顺,伏在老人床边倾诉她的悲哀、苦难、和不被理解。她说只有死者能理解她,她说死者生前当她如亲生女,而她无以图报;她觉得一切是如此。

姨姨在哭,但同时在听她;她底虚伪使她战栗,她当然觉得金素痕虚伪。

姨姨觉得金素痕底所谓亲生女底意义便是有权攫取一切财物。但金素痕此刻确实并未这样想,她只觉得死者和她最亲切。老人生前的那些智慧的眼光,简单的态度,高傲的沉默,使她此刻觉得她是被理解的,正如亲生女是被理解的。

而且,无疑的,她底悲哀的大哭,是一种爱情上的竞争;常常是如此的,劫取了这个人底一切的人,认为这个人于自己的生涯是重要的,认为自己在这个人底爱情上也应该占先。

常常有儿女们劫夺了父母底一切,给父母以最恶劣,最羞辱的境遇,但在父母死亡时哭泣如孝子,觉得他们之间原是相爱的,常常最虐待父母底儿子在这种感情底竞争上最动人。

金素痕哭泣,撕头发,搥胸膛,高声地咒骂天地,……

"我底爹爹呀,爹爹呀!"

蒋蔚祖,火焰似地,幽灵似地,出现在门边,嘴角痉挛着,以冷酷的眼光凝视着金素痕——他辨识人间底一切虚伪,而现在有冷酷的力量。

金素痕热烈地看着他,女孩般哭着,向他点头。

金素痕看了姨姨一眼,她站在那里发痴,怕姨姨看见这中间的感情,金素痕站起来,走向蒋蔚祖。

"可怜!我正在想过几年好日子,……可怜!"她向丈夫说,翘着嘴;显然她所要说的并不是这个。她底眼光说:"怎么你就这样站着呀!"

"爹爹去了呀!"金素痕可怜地说,又啼哭。

蒋蔚祖冷酷地看着她,在胸前用力搓手。

有了一瞬间的沉寂。老人穿着大袍子躺在床上,脸上盖着纸,床前点着油灯。老人仿佛说:"我知道你们!你们所想的,所要做的——我都知道!我在这里,在这里,但我与你们无关!哭罢,哭罢,啊!"

太阳照进房来。传来了刺耳的喇叭声。周围好像有什么光辉在飞舞,金素痕一瞬间感到巨大的惶恐和空虚。

"什么?死了吗?谁死了?什么?"她想,看着姨姨,看着冷酷的蒋蔚祖。"我死了吗?我?没有,……我怎样?"

她坐下,举手盖住脸。

三

于是,从她底最内面的感情起,作为天使来到苏州的金素痕就变成了凶悍的魔鬼。这种转变,在她底内心过程上,可以用她所体会到的那个突然的,可怕的空虚来解释。她所感觉到的是那种东西:首先是希望的破灭,其次是大的绝灭。这个女人底致命的创伤是在于她总只感到自己活着,而感不到别人底生命和需要。她所有的是播弄一切生命形式的绝高的技巧。在刚才那个瞬间,她感到自己是死去了,感到可怕的孤独。随后她便要求活下去了,于是做出了惊人的一切。她底周围全是敌对者;但她底痛苦是:蒋蔚祖拒绝和她共同活下去。她必需觉得一切是为了他,但他渺茫地逃亡。以后的日子,是她底追求,和蒋蔚祖底辛辣的逃亡。

她从老头子底死亡所给予的打击下站起来,走出房,阴沉而残忍。她目光四射,沉思着;她内面有风暴。她找到冯家贵,用简短的、冷静的话句询问一切。

冯家贵好久不回答。看样子他是疲乏而恍惚。他在思索,并整理各种印象,想到某个小孩的头发,迟钝地思索着这头发。这是奇怪的,他没有想到大事,却想到头发。但他觉得目前的这个女人应当同意他。

金素痕冷冷地问他,但他悲哀地笑着,说了关于头发的话:阿芳撕脱了自己底头发。这个蒋家底后裔底头发令他悲恸了一整天,但金素痕觉得他故意如此说。显然老人已不适于管理事务,至少他需要休息。

金素痕皱着眉,直捷了当地问他钥匙在哪里。

于是冯家贵看着她。那种严厉的光芒从他底疲乏的,陷在皱纹里的眼睛里射了出来。他好像不懂,并且不认识金素痕。他短促地发笑,吹动胡须。金素痕看见了他底嘴唇底颤抖。

"说呀!"

"大奶奶,不能……人要有气节!老太爷虽死犹生!"

金素痕残酷地看着他。

"大家都要来!……我是人,大奶奶,我是蒋家!"

金素痕猛烈地拍桌子。老人伸直身体,表示不屈服,颤抖着。

"混蛋,你做威做福,马上替我滚!"

冯家贵痛苦地在腰里摸索着钥匙。他抛下了钥匙。显然他希望,在他底高贵的痛苦中,他不发一语而走开,但他走到门边便大哭。他大哭,因为是他请老主人放心,老主人才离去的。

金素痕耸肩。而蒋蔚祖悄悄地走进书房,背着手。

"你还用得着来么?"他用细弱的声音问。

"废话少说!"金素痕皱眉,说。

"我蒋蔚祖不是很对不起你么?"蒋蔚祖说,笑着。"要说的没有说,要做的没有做!不该来的都来,该来的又去了!除了金钱和卖淫,一个女人心里还有些什么?"蒋蔚祖说,叹息了一声。

金素痕愤怒地向外走。"他是中了毒！"她想，站住了。

"蔚祖，我问你，我们两人还是离婚呢，还是好好地过活？"她说。"要么你老是一个人去胡思乱想胡说八道，要么你不准半分怀疑我！我，金素痕，除了为了阿顺跟你以外没有别人！说！"她厉声说。

"还是胡说八道呢还是好好地过活？那么你，还是妄做胡为呢还是好好地过活？"蒋蔚祖带着做作的笑容问。

金素痕锐利地看了他一眼，企图辨别他是否在发疯。

"还是假仁假义呢还是正直为人？还是谋害了一个人又在他尸首面前大哭呢还是跳长江？"蒋蔚祖难看地笑着，企图掩饰雄辩的情热，似乎有些羞怯，用细弱的声音说。

"他发疯，不明白我！"金素痕想，泪水打湿了她底苍白的脸。

"蔚祖！"她喊。

蒋蔚祖笑了。

"可怜的蔚祖！可怜的，可怜不识人间的艰难……"她啜泣，说。

"真的哭，还是假的？"蒋蔚祖想，变得严肃。

"素痕，各人有各人底路！"他转身向着窗外。

金素痕啜泣着上前替他扣衣扣，他严肃地看着窗外。

窗外在搭芦席棚。"是金的还是银的？"蒋蔚祖想。

蒋家底人们晚上到达。

在这一整天里，由于金素痕底指挥，全宅起了大的变化。金素痕，像新任的将军清除旧的参谋部一样，褫夺了冯家贵底权柄，使他在大哭后喝醉，带着他底对蒋家的忠心跌入泥污。其次金素痕威胁了姨姨，认为她窃去了很多财物，但金素痕底最大的努力还是化在丈夫身上：她竭力使他倾向她，以便应付未来的战争。

金素痕整理了财产，并指定了仆人管理事务。她打开一切房间，打开一切箱笼和橱柜，尽好的先拿。在晚上来临以前，在蒋家底悲伤的人们到达以前，她底第一批财物已经在运往南京的途中了；里面有古玩、珠宝、皮货、以及贵重的古木器。这批赃物占了一节火车，轰动了苏州。

随后，金素痕施展了她底家政的天才，或者说，争权夺利的残酷的手腕，因为她底这种天才，像干练，残忍，而无德性的将军们底天才一样，是只适于战争，而不适于和平的。她布置了一切。……总之，在蒋家底不幸的人们来到时，他们所看到的是一幅意外的，惊心动魄的图景：多重的、深邃的布幔，辉煌的烛火，坐在院落里折锡箔的妇女们，忙碌的仆役；门前的鼓声和喇叭，布幔深处的哭声，和大厅中央的煊赫的灵位。

蒋捷三被包在入棺材的衣服里，躺在灵位后，沉默地演着主角。

"这里是显赫的生涯底终结，这里是灵魂底永恒的道路，这里是天国底慈祥的照耀，这里是权势、财产、儿孙、往昔的荣华和凄凉底回忆！但这里是地狱底幽明兼半的火焰！"这幅动人的图景说。

薄铜喇叭狂鸣。……

蒋家底人们，是并未想到金素痕会到得如此之早的。他们在接到电报后便集齐动身。他们以为会在车站上遇到金素痕，他们决定不理她。随后他们以为金素痕是迟了。很高兴，但依然有些怀疑——没有人说破这个于悲怆的心灵是可耻的竞争的秘密。

冯家贵，从黄昏起，便站在月台内等待着。他喝得大醉，到晚上还未醒，在冷风里敞露着瘦弱的，弯曲的胸脯，抱着手站在栏杆旁。站上的人认识他，有人来和他谈话，他露出轻蔑的表情转过脸去。

这个喝醉了的老头子现在是分外地傲慢不逊，因为他是在等待蒋家底有名的人们，他相信，在这个最后的场面里，蒋家底人们必会胜利，正如逊位的皇帝相信正义必会胜利。他看来很沉静，但内心燃烧着愤怒的火焰。一切生活与他无关，被他底神圣的职务所轻蔑。他凝视着站外,磨动着下颚。

他身上是这样脏,这样褴褛、凌乱。但他有动人的思想。他顽固地站在纠纷的、相识的与不相识的人们当中如一座碑石,如一座标记蒋家底战斗的碑石。在他顶上照耀着蒙尘的、幽暗的吊灯;在他后面是苏州站底陈旧的栈房。远处,越过河流,是黑暗的、渺茫的旷野。

人来了又去了,灯光在冷风里凄凉地摇闪着;列车来了又去了,但喝醉了的老头子以同样的姿势靠着栏杆站着。

他愈等待就愈相信金素痕底渺小和蒋家底伟大。这个伟大活在他底心里,而从苏州底城垣和居民们底冬夜的凄凉的灯火得到证实。

因为他,冯家贵,是在这个苏州,这个蒋家生活了三十年。在老年的心里,苏州就是蒋家。正直的过去,点缀着不绝的辛勤,点缀着孩子们底纯洁的温柔,点缀着由摒弃情欲而来的凄凉的慰藉,这个过去,是给予着抵抗最后的风险的莫大的自信力的。实际上,很显然的,冯家贵底站在这里,是只等于一座废墟,因为,最近数年来,他是和他底偶像蒋捷三一样,被剥夺了一切,而今天,他是什么都不剩留了。但这座废墟,只要他还在苏州,还在等待被他抚育长大的年青的人们,他是绝不会损失他底愚顽的自信力的。

苏州于他是古旧的苏州,这片土地上是散布着蒋捷三底赫赫声名;这些冬夜的灯火所照耀的,是通往田间的羊肠小道;年青的人们于他是纯洁的、敬畏人生的孩子们——由于这种想像,这个喝醉了的生着小胡须的老人是充满了崇高的情感,变得伟大了。

"我要教他们怎样做!我要教他们呀!我看见您(他看见蒋捷三),你要保佑他们,他们是好孩子!你要保佑苏州!你要保佑我,他们有错我要教训他们,您不在了呀!我也不久了!神明咐嘱的我要做完!⋯⋯"

他出神地凝视着远处;显然他想起了这片土地底蛮荒的时

代和他底孩子们底温柔的童年时代。在这种凝神里,老人未想到自己。正因为未想到自己(像一切中国人一样,冯家贵底少年时代是充满灾难的,他底家被毁灭了;而由于一种奇怪的机运,他和蒋捷三,这两颗旧世纪的星宿,碰头了),冯家贵开始低低地啜泣。

老人显然喝得太多了。风冷,他掩上胸脯。

站上敲了钟。随后听见了汽笛尖叫和沉重的车声。冯家贵英勇地抖了身体,走向月台边。列车在临近时转弯,显露了车窗底兴奋的灯火。

冯家贵奇怪地笑了一下,又叹息着。

车停住,有人涌上前,有人跃下车门,褴褛的、凌乱的冯家贵站着不动。蒋纯祖跃下车门,站住,跳脚,并且盼顾,眼里有野兽的光芒。接着,蒋秀菊牵起美丽的大衣飘下车门。里面有蒋淑珍底喊声。

他底孩子们!冯家贵突然大叫了一声,惊骇了所有的人,冲了过去。

他没有考虑到他应该怎样表达一切。见到"他底孩子们",他是过度地激动。他底激动的、毁灭的、可怕的样子把蒋家底人们掷进了深渊。悲哀原是存在的,但他底样子激起了更大的悲哀,和巨大的恐怖。

这个样子是表示了古老的蒋家底毁灭——财产底毁灭!和等待在前进的路上的,巨大的苦难!

"素痕来了吗?"蒋淑珍底尖锐的声音问。

"你们不要扰他。"蒋淑华焦急地低声说。

"为什么你弄成这个样子?没有别人吗?"蒋淑媛用愤怒的、战抖的声音问。

冯家贵点头,看着他底孩子们,大哭了。

很多人围拢来。

"冯家贵,你怎么这个时候喝醉了!"蒋淑媛严厉地说,向前走去。

"听我说罢,听我说罢!"冯家贵叫,"去捉强盗,抢光了啊!"老妈妈、姑妈、和蒋淑珍啼哭。

"冯家贵,打她!"上轿子时,听了冯家贵底报告,王定和愤怒地说。

冯家贵不做声。他把蒋淑珍底小女孩抱在手里大步走着路。抱着这个蒋家底后裔,他显得有力,恢复了他底悍厉与阴沉。

大门敞开,灯火辉煌,喇叭狂鸣,呈显出金素痕所创造的不朽的画面。妇女们向里面奔跑,开始大哭。大厅肃静,灵位后面有姨姨底哭声。苍白的、严厉的、戴孝的金素痕走出灵位,冷静地凝视着蒋家底哭泣的人们。孝子装束的蒋蔚祖寂静地伏在灵前。

他们,蒋家底人们,不约而同地不看金素痕,哭着向内奔跑,以悲哀底激流,把他们底哭泣的合唱加到姨姨底独唱里去。金素痕在灵位旁边站着不动,蒋蔚祖死寂地伏在灵前。……

剩下了尊严的男子们。

冯家贵进门时便交卸了小孩,此刻他垂着手,看着金素痕。

"她敢不跪!"他愤怒地低声说,看着男子们,好像问:"现在动手打吗?"

王定和下颚颤栗。

"冯家贵,你去招呼事情。"他严厉地低声说。

冯家贵机械地向前走了一步。他盼顾,然后凝视老主人底大相片。于是,在这个野生的老人身上,到来了安静。他底悍厉和愤怒消失。他露出了安命的,老年的姿势。他走向灵位,看相片,剪去烛花。他底眼睛里颤动着凄凉的眼泪。

"老太爷,我要跟你来了。"他低声说,走了出去。

四

在蒋家底妇女们哭泣着的全部时间里,金素痕站着不动,手搭在供桌上,而蒋蔚祖跪在灵旁。由于蒋蔚祖这样地跪着,由于这里是她所生活、并经营了两年的苏州,金素痕对蒋家底人们是有着理直气壮的、优越的仇恨。这种仇恨是这样的强烈,以致她站着如化石。

但突然这种仇恨心理奇妙地改变了。她不自主地,想起了什么似地,抱歉地笑着,走向王定和。她在他旁边坐下来,支着腮,并且翘起左腿。

"我没有想到你们来的这么迟!"她说,兴高采烈地笑着。"这么迟,把担子放在我一个人身上,我早上就来了,我没有接到电报,我是来看爹爹的。可怜,丢下了我们!"她说,笑着,一面揩眼泪。

"是的。"王定和在齿缝里说,看了她一眼,好像问:"还有话说吗?"

金素痕转向傅蒲生。

"什么都光了!冯家贵卖古董!从前我们笑人家,如今我们被人笑,真是料不到啊!"她笑着揩眼泪。

她不知道为什么要走向男子们。她自己不理解这个动机,她走向她底仇敌们,悲哀、谴责、微笑、流泪、那样温柔,觉得他们原是她底朋友。

这是在人们中间常常发生的。她是那样的兴奋、生动、感到刺心的、锐利的快慰。

"啊,蒲生,看着这些小孩子,你晓得是多难受啊!"

傅蒲生在他底严肃里简单地笑了笑,觉得是她底话,而不是她底话底意义,要求他如此。

"多么难受啊,是不是?"她向王定和说。

"你想,我们这些做儿女的,将来怎么办呢?"金素痕说。"我是来看爹爹的。我没有料到,简直我昏了,爹爹死的时候说,蔚祖,素痕,你们要好好地……"于是她哽住,低头揩眼泪。

"他说了什么没有?"傅蒲生动情地问。

王定和使眼色,于是傅蒲生变得冷淡、正经、并且露出悲哀。

金素痕盼顾、沉默了。从侧面走过来的汪卓伦替她解了围。

她喊住汪卓伦,显然故意地,拖他到角落里。

"是的,啊,是的!"在她底言语底急流里,汪卓伦皱着眉点头。"是的,原是如此。"

"我要去看阿顺。我忘了他——他还没有吃东西!"

"应该吃点东西。"汪卓伦忧愁地说。"小孩子不能饿。"他加上说。

他皱着眉看着她走开,然后整理在刚才搬桌子的时候揉皱了的中山服。

于是,并没有互相约定,蒋家底人们做了一种适宜的分散,然后,在深夜里,聚到男子们底卧房里来。妇女们,在聚齐之先,是在纸钱和孝衣底工场里的——在花园里搭了凉棚,点着汽灯。她们坐在雇用的女工们中间,带着严肃的、悲痛的、不可侵犯的神情沉默地工作着。蒋淑珍底哭肿了的眼睛已经不能看清楚针线,但她坚持要做。当她因疲乏而眩晕颤抖时,大半是故意,她用针刺破了手指。

她企图不让别人觉察,但流血使她不自主地做出那种恐怖的表现——蒋淑珍,是像一切这种和平的、胆小的中国妇女一样,怕流血的。沈丽英觉察了,由于悲哀的热烈的激情,做了一个突然的动作,把她从桌子边拖开。她们跌踬着隐进枯索的花木。蒋淑珍,瞥了她底后花园,小孩般哭着哼着。

"千万要替活着的着想!"沈丽英热烈地低声说,她底脸,由于感情底夸张,在微光下变成灰白。显然的,当人们脱离灰白的日常生活,走进这些严重的节目时,他们是乐于夸张悲苦的:这种夸张,是带来了感情的陶醉。

蒋淑珍明白她底意思——这个意思很模糊,但蒋淑珍明白:她不能死。她摇头。于是那种严肃,那种关于死的思想,来到她底脸上。

"跟我来。"她用阴郁的、平静的声音说。

她们走进男子们底卧房。姊妹们都已经在这里。姨姨可怜地倒在椅子里,大家向姨姨问话。这种审问是残酷的。

姨姨骇怕、疲弱、回答问题,投出乞怜的眼光。

蒋家底人们开始讨论,不时被深刻的、令人胆寒的沉默中断。最后的问题是:到底还剩有多少财产?王定和表示这现在只有金素痕和蒋少祖明白,而蒋少祖还没有回来的消息——就是说,事情是无法解决的。

蒋淑媛说她已大略检查了一下,并且和金素痕谈了一下,留给未成年的小孩们的财产是还有的。

大家沉默着,姨姨哭着。

"那么,到底爹爹临死时一个字,一句话都没有么?"蒋淑媛问。她已问了无数次。

"没有。……真的没有。"姨姨恐怖地说。

"一句话,……在那以前没有说么?"蒋淑媛皱眉,愤怒地问。

"妹妹,你老问这有什么意思!"蒋淑华带着嫌恶说,脸红了。"姨姨说过了:没有。"她加上说,脸更红。

"是的,我不问!"蒋淑媛冷冷地回答。

"我并非叫你不问,而是我……"蒋淑华笑着,企图压制愤怒,颤抖着,"我说,大家已经够可怜了,要替孤儿……"她哭。压制哭泣,她耸起了瘦削的肩膀。

蒋淑媛严厉地沉默了。

"你怎样想?"王定和不快地问汪卓伦。

汪卓伦摇头,不回答。

"你们蒋家底事情叫人无法下手,我老实说,全是你们平日疏忽、骄奢!"王定和严厉地说。

"我去找蔚祖谈。"他带着冷笑走出房门。

接着,傅蒲生严肃地站起来,向蒋淑媛做手势,走出房门。在傅蒲生心中有着一个热望,他认为现在活动底时机已经来临。他引蒋淑媛到门廊边的暗影里。他轻轻地掩上廊道底巨大的门,向蒋淑媛热情地笑了一笑。

显然傅蒲生是陶醉着。财产搧起热情,他是处在热恋的状态里。在这个恋爱里,他是认为一切人都虚伪,而自己是真实的。

他不相信蒋家底财产已无剩余,他向蒋淑媛指出,它们还有很多在蒋少祖手里。

"是的。"蒋淑媛说。她底锐利的眼光问:"怎样呢?"

傅蒲生忧愁地笑了笑,摇着手。

"这是一定要打官司。金素痕要逼迫交出来,你看吧。再说,尽现在这里所有的!"他卷衣袖,劈下手掌去,"尽现在这里所有的,也值二十万!还有这个房子!"他抓起手来,并且用力提起,好像他抓起了房子,"我底意思是,我们不能放松!不过这只当你底面才说!"

"我不相信。"

傅蒲生愁闷地笑着。

"你不相信?爹爹死得这样惨,为谁死的?金素痕,你,凭你底决断力和手段,不能积极么?我们在法律上有老妈,有秀菊,有纯祖!你想,这是为老人家争气!我真痛心,爹爹向来对我那样好,我却怠忽而无以酬报!你想,因为,你想,我这个人就是一生疏懒,什么都丢了!大家说我冥顽,好,我傅蒲生就冥顽!但是这回不同了!我在南京就抱定了决心!"

蒋淑媛,不为这种热情和自我表现所动,简单地笑了笑,说:"再谈,"向内走。

"喂,你看,你听我说!(蒋淑媛站住)——你听我说,来来来!"傅蒲生招手,同时向前跑,"我说,这样冷,你穿得太单!"

"我不冷。"蒋淑媛看了他一眼,走进去。

傅蒲生愤怒地耸肩。愁闷地想了一下,他向后院走去。但在转弯处遇见了金素痕。

"你?哪里去?"金素痕了解地笑着,问。

"正在找你!正在找你。"傅蒲生说,于是拖金素痕到墙边。这个恋爱者是预备去干不大光明的事的,没有料到会撞见金素痕;但此刻他又异常高兴见到她。于是,他向她热烈地说话,倾吐心腹。

"正在找你！告诉你我是多么耽心，多么着急！大家都说我这个人没有定见，好，我傅蒲生就没有定见！但是我却没有偏见。老实问你，素痕，你，我，扪心说话，是仇人不是？"他热情地说，重新卷起了衣袖，准备劈下手掌去。

"你说呢？"金素痕说，有趣地笑着。

"我说不是，如何？"傅蒲生跳跃，弯腰，劈下手掌去。"我告诉你，打官司是为不可免者！我问你，清清楚楚，蒋家现在还剩几文？"

"傅蒲生，我也不清楚呀！"

"不要喊我傅蒲生，素痕，我今天心里是那么难受，像你一样，哭都哭不出来了！啊啊，生前凄凉，身后凄惨啊！我是多么怕这条人生之路啊！你说，要是打官司，你怎样？"

金素痕以陶醉的，但无情的眼光看着这个陶醉的好人。

"打官司，你帮不帮我的忙？"她说，讽刺地笑着。

"说不上说不上。我是局外人，我是客观的。——问你，蔚祖呢？"

"他？睡了。他有病。"金素痕怜惜地说。

"睡了？找找去吧，跟大老板王定和谈天呢！"傅蒲生，交出了这个情报，准备接受报酬。

"哦，不过那也没有什么关系！傅蒲生，在这个世上，要求同情，吓！"

"是的，是的，山外青山楼外楼！冷的很，你不冷吗？"

显然的，在金素痕面前，傅蒲生这个财产底恋人，是还欠缺老练的。金素痕带着讽刺的陶醉的笑容走开去。

在这个夜里，是有着各样的悲哀、各样的兴奋与陶醉。在蒋捷三底死亡前面，这些人是赤裸裸地显出了生命。

蒋淑珍阴郁而平静地陶醉于死灭；沈丽英陶醉于那种热情，那种奇特的悲哀的享乐；傅蒲生陶醉于分赃；王定和夫妇陶醉于权力、侮慢、和斗争;金素痕陶醉于一切人底陶醉,因为在这场戏里,她所演的是优越的主角;蒋蔚祖则陶醉于侮弄人世。

蒋蔚祖房里异常明亮。王定和推门,敲门,听见愤怒的声音和柔软的、奇怪的脚步声。"我知道他一定是这样!"王定和冷笑着想。

"谁?"蒋蔚祖厉声问。

"我,蔚祖。"

"你是谁?"

"定和,你开门。"

静寂很久,好像蒋蔚祖在思索,或采取防御。王定和突然感到严肃和尊敬,嘴边的冷笑消失了。"他在想什么?他怎样过活?"他想,霎着眼睛。门闩打开了,随即有了蒋蔚祖向后逃跑的柔软的脚步声。推开门,王定和看见了奇特的图景,这个图景告诉他蒋蔚祖在怎样生活。

蒋蔚祖,在普遍的惊乱里,如意地造成了他底巢穴。这是一个深沉的巢穴。桌上、床上、地上、架子上,散乱着白色的衣服和白色的被单。在白色的浪涛里,人间底王者安置了他底大座位——他底父亲底太师椅。在座位周围,桌上、几上、架子上是点着蜡烛——一共有十四支,它们底摇闪的、喜悦的光辉照耀着白色的波涛。而人间底王者、航行者坐在中央。

他刚才就是从白被单上逃到椅子上去的。他要让王定和看见他坐在中央。

王定和皱了眉,站着不动,因为无处下脚。

蒋蔚祖裹紧皮袍,蜷在椅子上,严厉地看着他。

"啊,蔚祖!"王定和说,有了怜惜的微笑。

"进来!关门!"蒋蔚祖细声说。

王定和踢开被单,走向床铺,坐下来。蒋蔚祖严厉地看着他。

在蜡烛底光明中,蒋蔚祖底长着短而硬的胡须的、苍白的脸是异常动人。少年时代的秀丽和温柔是突然地消失,这个脸孔是变得严厉、狂热、颓废而冷酷。他,坐在这个洞穴中央的蒋蔚祖,是脱离了他底少年的热情和优柔,而成为侮弄人间的诗人和王者——这不是王定和凭人生战场上的经验所能了解的。

蒋蔚祖转向他,带着他底全部威力。

"蔚祖,蔚祖,伤心啊!"王定和,这个战士,以凄凉的声音唤。

"我们直捷了当地说吧。你有什么话说呢?"

"你底病,好些了吗?心里觉得怎样?为什么弄成这样,点这么多蜡烛?"

"因为人间太黑暗。"蒋蔚祖严肃地说。

"是的,人间黑暗。你在想些什么呢?"

蒋蔚祖轻蔑地笑了笑,在他底王座上做了手势。

"我不跟你说。你不懂!"他说,转过脸去。

但即刻他又转过身来,带着狂热。

"假若你死了,你觉得如何?假若你死了,别人跑来哭,把东西抢光——假托孝顺之名,孔孟之道,而你还爱这些人吗,要是你又活转来的话?他们是你底儿女吗?"他跳下座位,赤脚走上波涛,"你们夫妇间有爱情吗?你们兄弟间有信义吗?你们父子间有慈爱吗?"他带着那种抨击的、夸张的态度说,"奸淫就是爱情呀!抢劫就是孝顺呀!"

"蔚祖,你真的这样说还是假的?我很伤心!"王定和,带着难看的笑,正直地说。

"只要一个人还有一颗心!啊,如此如此!"

"蔚祖,妈妈说你必得跟素痕离婚!"王定和严厉地说。

蒋蔚祖思索了一下。

"什么把戏?你想骗我吗?我,蒋蔚祖,从来没有结婚,所以也不离婚!"他细声说,走回座位。"你们要分得几文钱吗?"他侮慢地问。

"爹爹临死时说的话,你不记得?"王定和扬起眉毛,愤怒地笑着,说,"又,在南京他说,蔚祖得离婚?"

"他说什么?胡说!"蒋蔚祖咆哮。

"唉！如果你还有知觉，记住你底父亲是怎样爱你啊！"

蒋蔚祖严厉了。

"记住你底父亲是怎样生，怎样死的啊！"

"记住你自己的父亲是怎样生，怎样死的啊！"门外，金素痕底嘲弄的声音说。"开门，蔚祖！"她权威地命令。

"谁？"蒋蔚祖严厉地问。

于是他跳到波涛上，开了门，又跳回来，坐上他底王座，像王定和来时一样。金素痕猛力推开门。

"怎么不睡觉？停下又叫天叫地的！怎么你又弄成这样子！哪个叫你点这么多的蜡烛！"她高声说，走进来，踢开了白衣服和白被单。

"混蛋！"蒋蔚祖咆哮。"你抢东西抢完了吗？"

王定和，满意这句疯人的话，站起来，冷笑着向外走。

"定和姐夫，请您稍待。"金素痕，以唱歌的腔调说。

王定和冷静地站下来，站在白色的堆积物中，看着金素痕。

"你们说的，我全听到！你们做的，我全知道，姐夫，死人停在厅里，天快亮了，现在是打开窗户说亮话的时候！你们说我拿了东西，我说你们拿了；我们要弄清楚，对得起死人。请你告诉太太小姐们，趁老人没有入殓，我们分家！"

王定和沉默很久。

"就说这个吗？"他细声问，笑着。

"分家，混蛋，我不许分家！"蒋蔚祖，从他底王座里跳起来，咆哮着。

"蔚祖！"金素痕厉声说。

"都滚出去！哦，多漂亮的强盗呀！"

蒋秀菊和蒋淑珍出现在门口。蒋淑珍阴郁地，麻木地凝视着。蒋秀菊，看见哥哥如此痛苦，哭起来，跑进房。显然的，她有这种激动：以为她底爱情和悲伤会压倒金素痕。

"我底可怜的哥哥啊！"这个纯洁的爱情之竞争者，停在桌边，举手蒙脸，抽搐着，说。

267

"吓,可怜!"蒋蔚祖说,轻蔑地看着她。

"哥哥,哥哥,只有你底心,我底心,我们底心……"

金素痕讽刺地笑着。

"哎呀,你底心,他底心,你们底心,哎呀!"她尖声怪气地摹仿着滑稽地扭动着腰支,感到陶醉的欢乐,走出房。

在门边,蒋淑珍以她底阴郁的,充满死灭的思想的眼睛注视着她。

后院有叫声。仆人报告冯家贵和一个男仆打架。

老头子醉了,但依然从床上爬起;这是由于多年来的强有力的习惯,他不觉得他底深夜出巡已经毫无意义;他挂念蒋家底安宁。他披着衣服,蹒跚着,走进吹着冷风的花园。

在梦里他梦见主人。现在,他穿过假山石。这里没有灯光,黑暗的,寒冷的,主人底花园令他悲伤。像多年来每次一样,他提着标着红字的灯笼走过假山石。仔细地察看着。

这种辛苦的夜间工作是这个老独身者底快乐之一,因为在深夜里他可以更亲切地观看蒋家和感到蒋家,感到美丽的生命是呼吸在他底保护下。家里有更夫,蒋捷三多年前便免除了他底这件工作,但他惯于失眠,不愿放弃这个快乐。

这个夜里,脆弱而忧伤,他觉得他底这个快乐是没有多久了。他远离了孝衣和纸钱底工场,提着灯笼走进最幽僻的处所,而在茅亭边的石桥上停下,回望光亮处。他听见微弱的、安静的、神秘的声音,好像花园在呼吸。于是,他吹熄灯笼,站在黑暗中。

他听见那种安宁;一种神秘,一种梦境。在这个家宅里,现在是有着两个诗人和王者,一个是蒋蔚祖,一个便是他,冯家贵。他底记忆,他底爱情,他底傻瓜的忠贞使他得到了这个位置。当蒋蔚祖坐在他底烛光中时,他,冯家贵,吹熄了灯笼站在水流干枯的石桥上:寒冷的,薄明的花园是他底王座。

他束紧棉袄,蹲下来,面向着光明的方向。他在笑,脸上的枯索的皱纹叠了起来;那种明白的,真率的,傻瓜的笑。"我晓得我底弱点和你们底强处,我早就晓得!我也曾警戒过自己!但是我就是这样!而且,只有这样,才顶好!"这种笑容说。

"一生辛苦,那样有钱,到头来也如我冯家贵一般啊!"冯家贵想,带着那种明了的、真率的、傻瓜的笑:"叶子落了,水干了,人散了,又冷,我来把花园扫干净吧!清明时光,我来上上坟吧。老太爷,我们别的都不想吧。……启明星星亮着呢!……"这个王者,在他底安宁的梦境里,对自己说。

他看见有人影越过假山石。他站了起来。

"哪一个,站住!"他大声叫。随即他跑上前去。

年青的男仆站在假山石旁,提着偷来的包裹。他似乎很大胆;实际上,在冯家贵底这种威严的喊叫下,他无力再跑;一瞬间他是吓昏了。冯家贵以威烈的眼睛察看着他,并且冷笑着。

男仆镇定下来,冷笑了一声。

"你还是滚蛋呢,还是挨打?"冯家贵笑着问。

"冯家贵,清醒点,换了朝代了!"

冯家贵站着不动,颤栗着,笑着。这句回答真是一个可怕的打击!于是,突然地,他扑上去了。男仆退了一步,没有时间叫喊,他们扭做一团。

好久之后,冯家贵叫出了可怕的声音,仆人们跑过来了,有的掌着灯。有人喊打,但没有人拉架,于是年青的男仆更猖獗。可怜的冯家贵是已经支持不住了。在主人们跑近来时,冯家贵正被推在假山石上。他底光头和石块相碰,发出沉闷可怖的声音。

男仆叉腰站着,野兽般盼顾着,在蒋淑媛底命令下就缚。

在冯家贵倒下去,在这一切进行着的时候,是有一种深沉的寂静笼罩着人们;灯光在风里摇闪,暗影摇闪。蒋淑媛用刺耳的尖声发了命令。

蒋淑珍,听说冯家贵和人打架,感到锐利的痛苦,从昏倦里醒转,提着衣服,跑进了花园。但正当她惊怖地跑到时,冯家贵倒下了，在石头上碰出声音，流出了鲜血。她看见了这一切。她凝视着鲜血，没有发出任何声音——这是可怕的——倒在蒋秀菊肩上。但她底眼睛还睁着，凝视着鲜血。

蒋秀菊没有十分注意她。没有人注意到她底这种凝视。她好像要记住这种流血：从一个活的生命流出来的鲜血。

当冯家贵被扶起时，蒋淑珍向前走了一步，站在暗影里，眼里有怀疑的，痛苦的，嫌恶的表情。她觉得她底脸上有血。她觉得她底喉管里有血。"为什么他流血？是你们使他流血的吗？是我吗？为什么你们使他流血？"她底怀疑的，嫌恶的表情说。她觉得全部生活，全部爱情都崩毁了，上面染着人血。于是，她幽灵般走回来，倒在床上。

她闭上眼睛，看见了血。

"不看，不看！想别的事情！多伤心，爹爹丢下我们了，怎么办呢？小孩子怎么办呢？还欠冯家贵工钱。他是只有一个人，在我们家里一生！他难道不想自己有一个家吗？他年青时难道没有一些事情吗？血！那样敬重，那样好！血——不，不是血啊！"她痛苦地叫："淌了血，一个人能活吗？他那样动弹，淌血，他们打架，有仇吗？不准偷东西，就打人吗？就是偷，又有什么关系，能偷多少呢！血！……你看那血！"

她在血底想像——死亡底恐怖里蒙眬地睡去。

五

黎明来到前，经过了计谋、讨论、说服，直接的冲突爆发了。蒋淑媛叫醒了哭乏了的母亲，告诉了她应该怎样做，领她走出卧房。

母亲走着骂着。骂女儿，骂女婿，骂蒋少祖——但未骂媳妇。走到媳妇门前，她开始高声地叫喊起来。

"是愈过愈狂了呀！连我也忘记了呀！"她叫。

蒋淑媛焦急地制止她，但她举手要打人。

她是胡涂，性急，恐惧。

"小婊子呀！你狂了呀！"

金素痕打开门，站在门槛后。

"妈！"她叫。看见了蒋淑媛，她冷笑，走回房。

"那么进来吧！"她说。

"妈，您老人家听清楚，您老人家辛苦一生，还是享享福好！当您老人家面，我们分家！您老人家以后到蔚祖那里住！"她大声说，然后冷笑着看着蒋淑媛。

"素痕，你太欺人！"蒋淑媛说。

"什么？"

"你做威做福，挟天子令诸侯！"

"吓——！"

"你混蛋！"

"你混蛋！"

于是，在妇女们心里，妒嫉的愤怒的情热爆发，她们脸变白，喘气，叫骂了起来。同时老妇人开始叫嚷，举手要打人。她是要两个人都打。但她们不理她，她大哭，跌到椅子里去。叫骂继续着，疯狂而陶醉。蒋家底人们拥进了房。仆人们全体围在门前。

看见这么多敌人，金素痕就沉醉了。她突然沉默，使蒋淑媛沉默。她故意地，带着讽刺的，快乐的笑容在房里走动着，开抽屉，翻衣柜。她是这样的有把握，沉醉于这个斗争，企图延长这个给予刺心的愉快的时间，在房里走动着，而穿过仇敌们，使他们让路。

房里的人们是全在沉醉中。傅蒲生脸上有那种得意的笑容，好像表示，金素痕底这种行为，是曾经预先和他商量过了的；他的确觉得如此。

"好，现在你们都在，我们出去说！"金素痕抓着一张信笺，笑着，低声说，觉得这里全是朋友；全是给她以热烈的抚爱的人。"淑珍姐呢？"她问，笑着走出房。的确的，假若不是那种逼人的，外在的严肃，她就要笑着伸舌头了；因为她是这样的快乐。

她走进灵堂，大家跟着她。蒋淑媛走得很快，走到她前面，企图解除自己底被动地位；并且，走进灵堂，这也是一种爱情的竞争。

灵堂，点着少数的烛火，在黎明前，是森严而寂静。雇用的，老年的尼姑在幔前烧着纸钱。金素痕和蒋淑媛同时走近供桌，同时看着老人底遗像。

金素痕皱眉，抖头发，笑着露出牙齿来。她底这种精力，这种气焰，以及她刚才的那个奇怪的，几乎是友谊的快乐的微笑，令人感到她必会胜利；她，这个醉了的女人，是以她底无上的精力和热情，在死亡底庄严的场所嬉戏。

"当着这个地方，我们才能说实话，是不是？"她露出单纯的，直爽的态度来，嘹亮地说。她底下颔在颤栗。她打开手中的信笺。

听到这个宣言，王定和就表示轻蔑和失望，转身走到椅子前面坐下。他支起头，用脚轻轻地拍地面。除了蒋淑媛外，大家都坐下，并且扶母亲坐下。有了短促的寂静。皮肤松弛的，大眼的，惊怪的老尼抬头看着他们。

"她说什么？"母亲问，伸头到女儿嘴边。

"说鬼话。"王定和回答，未抬头，继续用脚轻轻拍地面。

"什么！素痕！你敢说！"母亲大叫，跳了起来。

金素痕抬头，又回到纸笺上去。她底脸沉思而冷酷。

"这里是定和姐夫底账。这里是二弟拿去的，镇江车站左边，正街，洪家坊，"她用流畅的，清楚的低声说，"这里，南京，严家桥，石婆巷，水西门，在你们手里。这里……现在我们弄清楚。也是爹爹底宿愿。"她说，抬起头来。

"我先问你，你把田契抢到哪里去了，素痕！"蒋淑媛严厉地说。

"那你请问蒋少祖！"

"爹爹亲口跟我说过，下关的地皮……"

"老人家亲口跟我说，"金素痕，带着从容不迫的微笑，看了一下遗像，说："南京的房子是留给阿顺的，我也不多争，要是这一点你们都不清楚,我们就打官司好了。"她笑,好像提到了亲密的朋友。

"你放屁!"王定和,突然从他底轻蔑的,沉思的姿势里跳起来,叫。

金素痕快乐地笑着看着他,大家站起来,从他们底倦怠和惶惑里站起来;风暴已经来临了。蒋秀菊和傅蒲生向前走了几步,站下来看着。沈丽英,带着那种大的沉醉,盼顾着,寻觅同情者。汪卓伦走向布幔,好像准备走到布幔里面去;他底嘴唇紧闭着。蒋淑华靠在椅臂上,而以突然的,颓唐的姿势举手掩住了脸。

老姑妈安慰嫂嫂坐下,自己向前走来。但又走回,向嫂嫂耳语。在目前的这种形势,这种紧张里,老妈妈是已经无力了解了,不敢说话,但姑妈却是精明的。

风暴来临,展开了心灵底阵势。有眼睛在左边的壁角闪耀,那是小孩们。蒋纯祖站在布幔前,脸上有非常的紧张和陶醉。

金素痕,向这个阵势投以轻蔑的眼光,剪下烛花来,笑着。有了短促的静寂。在这个静寂里,蒋家底人们觉得,以他们底殉道的心在父亲底灵堂里,他们必会胜利。

当金素痕以锋利的,愤怒的声音发言时,蒋淑华颓唐地站在椅子前面,以手蒙着脸,感到她底姊妹们底兴奋的,痛苦的呼吸,感到金素痕底兴奋的,痛苦的呼吸。感到连神圣的死者和幼小的灵魂们一起,灵堂里有迫人的,沉重的呼吸。而一瞬间,十分明确地,她在心里感到对她底傲慢的仇敌金素痕的怜悯。这种感情在金素痕说话时照亮了她底心。她更紧地蒙住了脸。

"可怜!可怜!你说些什么!你又能得到什么?你多么得意啊,但是是多么可怜!为什么不知道自己底渺小,为什么虚伪得这般高兴!可怜的东西,在我底心里,你是够不上恨的啊!请你听听我底心,我祝福你青春的年纪,享乐、和爱情,愚蠢、和聪明——带着重重的枷锁,你们这些无视地狱的奴才啊!"蒋淑华想。

"我听着,我听着,我永远是听着,你们演说吧!"蒋淑华伤心地对自己说。

"为什么你们当日自私自利,为什么你们今天又假仁假义!把心拿出来!我金素痕问天无愧,不怕说实话!"金素痕说。

"你娼妇,你贱货!"王定和叫。

"吓,你娼妇,你贱货!"金素痕吟哦。"没有多话说,不分家,爹爹就进不成棺材!听好,这是我说的!"她高声叫。

"你可怜啊!"蒋淑华发出了她底凄切的,哽咽的声音。

有了寂静。蒋淑华底声音照耀这个地狱,激起了哭泣。沈丽英哭泣,觉得这正是自己所要求的。并且,意外地,蒋淑媛哭泣,跑到姐姐底身边。

"可怜的东西,在我心里,你是够不上恨的啊!我但替你祝祷,轻轻的年纪,享受、放荡,愚蠢、小聪明,金素痕,你将来会知道的啊!"呜咽着,蒋淑华说。

金素痕,没有料到这个,喘息着,看着她。

但接着争斗又开始,因为蒋家底人们是从悲哀汲取了力量。蒋家底人们从道德,良心,对死者的感情及人世底利害上辩论,从死者底苦难及小孩们底悲苦上辩论;金素痕则站在更正直的立场上辩论,因为她是曾经操持家务,和老人共甘苦的长媳。将来在法庭上他们也如此辩论的,不同的是,现在,他们是在较量他们底心灵,而死者底灵魂——活在他们心中,并且成为可怕的严厉的威胁的——是法官。

正因为死者底阴间的,严厉的注视,他们才辩论得如此之多的;因为,在地狱之前敢于说话,便是正直底证明。

他们是争辩得如此的激烈。显然的,他们都不想到人间底法庭去起诉。凭借地狱底力量,金素痕企图使蒋家底人们从此销声匿迹,凭借地狱底力量,蒋家底人们企图争回财产。但他们,在争吵叫骂中,是并不感到地狱的。

于是,地狱底幽灵出现了。

差不多是同时,从廊道两边,走进了阴惨的蒋淑珍和蒋蔚祖。大姐蒋淑珍静静地沿着布幔向供桌走来,向他们投出怀疑的,嫌恶的眼光。她在老尼身边站下来,以这样的眼光望着。

蒋蔚祖,戴着礼帽,围着父亲的大围巾,背着手站在暗影里,投出了冷酷的注视。一个思想,一种狂热在他底脸上出现了。他底尖削的嘴边有了奇特的笑纹。

蒋秀菊向蒋淑珍走来,而傅蒲生向蒋蔚祖走来,他们希望这两位幽灵赞同他们各人底理想。蒋蔚祖听着,皱着眉,向傅蒲生露出了牙齿。

"住嘴!"他向金素痕和蒋淑媛叫——一种狂热的尖细的声音:"多漂亮,在死人面前敛财!借鬼敛财!替我都跪下!"

沉默了。蒋淑珍底恐怖的,怀疑的眼睛向他看着。他狂笑了一声,金素痕向他走来,发出了权威的,严厉的声音。

蒋蔚祖,好像怕她,退后了两步。

"你们是不是人!"他细声叫。"替我在爹爹前面跪下!"

又有静寂。狂热的扰乱,心灵底恐怖;黎明的灰白的光明照进灵堂来,有风,残烛摇闪着。蒋蔚祖凛冽地站着。

从蒋淑珍眼里,投出了恐怖的,疑问的,嫌恶的光芒。

"你们不怕死吗?"这个眼光问。

静寂着。于是有了老姑妈底哭声。于是蒋淑华和沈丽英哭。

"混账东西,瞧瞧看吧!"金素痕,这个喜剧底失败了的主角,痛苦地颤抖着,快步走出灵堂。

大家哭着跑进布幔——在这之前,他们是不敢向里面看一眼的。老尼烧了纸钱,低低地念出声音来。

在布幔里,在尸体旁边,大家发现哭得失去知觉的姨姨躺在地上,而阿芳站在旁边;女孩眼里闪耀着和蒋淑珍底同样的表情。

大家扶起姨姨来,恐怖地高声啼哭着。

惨白的、孤独的、迷醉的蒋纯祖依然站在布幔前。他看见这一切,以可怕的敏锐感觉了这一切,站在黎明底微光里,没有哭泣的欲求。

他底工作是看,并感觉这一切,这件工作使他惨白,迷醉。在这件工作里,他底年少的感伤不够应用了,他完全被动,但自觉地记忆了这一切。——觉得它们将是极重要的。他混乱,怯弱,心里狂热。首先他认为金素痕是可恶的,但后来,她煽动了他底狂热,使他认为她是真的英雄。在这个少年的,野兽的,狂热的心里,一个浪潮击退另一个浪潮,善恶的观念是不能固定的。

蒋淑华在她底怜悯里哭泣时,他,这个野兽,是猛然感到绝望——可怕的绝望。蒋蔚祖高声喊叫时,他颤栗着,期待发生可怕的事:更大的狂风暴雨。大家恐怖地大哭,而蒋蔚祖和蒋淑珍木然地站在灵前时,在黎明的冷风里,他感到喜悦和恐怖。他觉得善良的姐姐和不幸的哥哥是可亲而又可怕的朋友。

于是在少年的狂热和迷醉里,人间底地狱展开了它底全部图景。他觉得到处有火焰,幽暗的,绝望的火焰……

"我逃不逃?"他想,但不敢动脚,怕踏到火焰上去。

"他们不动。要是我一动,他们会不会追我?"望着哥哥姐姐,他想。"不,不会,我说,大哥,大姐,我们是相爱的。"他想,站在绝望中。

终于他向前走动。——他不知怎样能够走动了的。

"爹爹,他望着我!但是我们是永别了!"

他恐怖地,怯弱地走到姐姐面前。

姐姐阴郁地看着他。

他看着哥哥。

哥哥冷酷地看着他。

蒋纯祖,突然温柔地,怯弱地笑了,悄悄地走出了灵堂。

"我从此失去了一切。"他想。他明白这话底意义。他走进黎明的花园。

他在寒冷和微光中走过低垂的,枯萎的花木,走过肮脏的草坪,走过假山石,在上面坐了一下,走进了阴暗而潮湿的松林。

树干是潮湿的,草上有露珠。顶上盖着繁密的,昏暗的枝桠,天空露出淡蓝色。地上有松实和枯黄的松针,周围是浓郁的,寒冷的香气——一种深邃,一种理想,一种渺泛的梦幻。

蒋纯祖扇动破污的大衣,像鸟雀扇动翅膀,踏着潮草走近池塘。他在湿草上坐下来,觉得这样好些。

"我要在清水里照一照自己。"他突然想,站起来,走到水边,弯下腰。"呵!水是臭的!"他想,看见了水里的乱发的,瘦削的影子。

"我一点也不美,一点也不!"他迷乱地想,叹息着,坐在池边。"我从此失去一切了!"他想,笑着温柔的迷惑的笑。

太阳升起来,天空有美丽的云霞,有水滴从树上滴下。

蒋纯祖变得虔敬。在孤寂和寒冷里久久地坐着,变得安静,深邃。他坐着不动,不看什么,感到一切,感到黎明,花木,水湿,香气……这一切都被甜美的悲哀染得更柔和。

墙外,远处,有妇女底清脆的歌叫声。花园在深沉的静寂中,蒋纯祖感到它底渴望的呼吸;感到冬日离去,春天到来的鲜美的气息,而在这个气息下面沉睡着致命的悲哀。一切少年人,都深深地感到这鲜美的气息,和沉睡在它下面的致命的悲哀,一位虔敬的,美丽的,悲哀的女性象征着少年们底将来的命运。……

"是的,我现在又安静了!在黎明里,在树林里,一切是多么好!"他想,有着迷恋的,温柔的心情。"我知道他们会这样,我心里很悲伤,我知道我底命运很凄凉——比方说,这个世界是渺茫的,我站在它底边上,望着那不可见的远方,前面是升起来的太阳,我什么都不带,一切都不顾忌,我就出发了!"他轻轻地,温柔地向自己描写着,笑着。他要眼泪,于是就来了眼泪;他要歌声,于是就来了歌声。他觉得有谁——那个悲伤的,美丽的谁——在爱抚他,他轻轻地向她说着他自己底"一切秘密",而且流着泪。"我是很坏的:我心里是很坏的!"他说。于是这个谁回答他说:"不,你是最好,最可爱的!""不,不,也许是的罢,不过我偷过别人底东西,在那天……"他说。但那个谁向他笑,并且说:"你底心是好的,你不应该受苦!"……"啊,谢谢,谢谢,是的,"他点着头。"一定要唱,美丽的,你一定要唱……'从此回到故乡里!'"他唱。"是的,是的,前进!前进啊!"他热情地叫了起来;他是在指挥着一队兵士。忽然他回头,看见了汪卓伦,脸红了。他红着脸站了起来。

汪卓伦,显然是听见了他底胡说,含着忧郁的,诚恳的微笑看着他。在长辈们脸上,蒋纯祖从未见过这种微笑的。汪卓伦头发蓬乱而柔软,好像小孩,眼里有柔和的光辉:显得颓唐而温柔。

"你一个人在这里吗?"他问,笑着。

"我一个人。"蒋纯祖回答,流下了凄凉的、感激的眼泪。

六

蒋少祖和他底团体在一月下旬回到上海来。蒋少祖到家时,正是小孩出生的第三天。

访问团,蒋少祖称它为旅行团,是在内部和外部的倾轧、排挤里奔波了一个多月,而疲劳了;无声无闻地回到了上海。参加这种团体,而把整个的心血积极地用在它上面,人是会变得颓废的,所以蒋少祖就以讽刺的态度对待它。他写文章寄到上海来发表,在文章里一次都没有提到访问团。这些文章,是关于长城的战争和冀东底政情的,里面抨击了很多人。

这些文章,多半是在那种从业者底熟练下写出来的,它们是极一般的文字,里面应该有的东西都有。蒋少祖是在疲劳的心情下写了它们的。但它们在饥饿的青年们里激起了反响,开辟了道路。

关于北平的学生运动,蒋少祖写了有名的文字。

这篇文字,蒋少祖记得,是在天津底一家旅馆里写的。他记得,天极冷,落着雪,大家都出去了。黄昏,他愤怒地走进房来,喊开水,没有;喊生火,没有。他坐下来,想到段祺瑞时代的北平,想到南方愈来愈猛烈的战争,沉痛而悲凉地提起笔来。他像害着热病。写完后,他立刻跑到邮局去。邮局已经关门,他就到街上去喝得大醉。

他带着愤怒的,失望的,疲倦的心情回来。他预感到有一个战争,要决定他底成败的,在等待着他。因为一切还没有头绪,他就压下了他底激动,但保留着一个思想,就是,在这个人间,假若不武装着全副的冷酷,他便会失败。

在写那篇关于学生运动的文字后,他明显地感觉到内心底那种对神秘的事物的渴望;他觉得目前的这些斗争,即使胜利了,也还是平凡的。这种神秘的渴望,在尝到了人世斗争底滋味后,重新燃烧在他心里了;它是多年来被人间底利害斗争压下去的。

在他所接触的中国底险恶和迷乱中,蒋少祖看不到出路;他只能在理智上相信这出路,于是情欲提出了反动。他觉得所有的人都没有出路,青年们在暗红色的、险恶的背景——这是他底"神秘"底想像——中瞎撞,走向灭亡。他开始确定了他对某些人物的认识,认为他们虚伪,崇拜偶像,没有思索的热力——在以前,他是没有能力如此肯定的。

在这种神秘的渴望下,他底心灵转向古代。一种内启,一种风格,一个突发的导向宗教或毁灭的情热,和一场火热的恋情,构成了庄严的、崇高的画幅。在这个画幅里,古代底残酷和奴役纯洁如圣女。

人们爱古代,因为古代已经净化,琐碎的痛苦也已变成了牧歌。人们是生活在今天底琐碎的痛苦,杂乱的热望,残酷的斗争中,他们需要一个祭坛。

蒋少祖在他底祭坛上看见了心灵底独立和自由。在蒋少祖,这是一个痛苦的命题。他现在觉得,他宁愿抛弃民族底苦难和斗争——这些与他,蒋少祖,究竟有什么关系呢?——而要求心灵底独立和自由。

在回来的路上,蒋少祖想到,在家里等待着他的,是一个新生的婴儿,认为这又是一种枷锁,心情冷酷起来。他觉得他还是需要王桂英,而不需要一个家。他带着恼怒的怜恤回顾了他底过去,回顾了他底在离上海前的对陈景惠的爱情。

船到上海时已经黄昏。蒋少祖渴望休息,但想到家里现在不可能有休息——她,那个小孩,出生了没有呢?——感到恼怒。

进门,他看见了邻人们。但他们,在他们底烦恼和事务中,好像不认识他,从他们底脸上他看不到什么消息。

"他们还是这样过活!"他想,转弯走上楼。

他走得很慢,很镇定,在思想。这种镇定令他自己奇怪。上到楼梯底最末一级,他听见了婴儿底啼哭,站住了。

"是它,它在这里了!"蒋少祖想。"为什么?它在这个世上了!"他露出牙齿,带着野兽的,冲动的表情,推开了房门。

"景惠,景惠!"他叫,大步跑了进去。

蒋少祖一瞬间经历到那种迷失,在这种迷失里,好像喝醉了一样,他假哭,假笑,用尖细的假声说话。在他底冲动里,他看到了非常的、新异的景像,被某种强大的力量压迫着,哭出了怪异的声音。好像是那种强大的东西在他体内啼哭。

他底冷酷的心境意外地散失了。在突然袭来的冲动的,混杂的情感底支配下,他认为他看见了某种奇异的新生。

好久以来,蒋少祖,在他底隐秘的内心苦恼里,渴望一个忏悔的对象;这个对象必需绝对地同情他,完成他。这个对象在他底世界里是完全不可能的。他不能向朋友们忏悔:因为没有那种纯洁的友情。他不能向妻子忏悔,因为他必需使她觉得他是不可侵犯的。并且他不能在自己内心忏悔,因为他恐惧孤独。他变得冷酷,疲乏,渴望神秘。在他走上这个楼梯时,他是处在忧愁的、疏懒的心情中,没有感到有什么非常的东西在等待他,并且觉得新生的生命是枷锁;这里的思考是那种平常的,家庭的,社会的意义。他已经倦厌。但他听到了这个新生命底哭声,心里有什么东西爆发,站住了;这里的思考是神秘的,精神的,人生的意义。

他冲进房来,没有看清楚什么,但看到了新生者底纯洁的谴责。这正是他所需要的。他走到床边,发现床上多了一个生命,看见了那张打皱的,粉红色的小脸,笑着弯了腰——哭出奇怪的声音来。

憔悴的,经历了大的忧患的陈景惠靠在枕头上,以安静的喜悦的目光看着他。她底生命所显示的这种重大的意义令她喜悦,她唇边有笑纹。她毫不惊异蒋少祖底激动,因为,在苦难之后,在她所完成的奇迹之后,任何奇迹都是她所等待的。

她笑着,投出温柔的,明亮的,嘲讽的目光。

"你,你怎样?"蒋少祖问。

她摇头,表示现在她已不想提及那已经过去了的痛苦和忧愁。

"啊,我知道,我知道!"蒋少祖,带着那种沉醉的激动的表现,说,用力抓住床栏,垂下头来。他笑出了声音。他知道这一切底意义。他劫夺般地抱起小孩来走到窗边。小孩在绒被里摇动四肢,啼哭着。

"我,你底父亲,欺骗过一个女人,杀死那比你先来的,你瞧!"蒋少祖,带着那种现代人底热狂的表情——这种热狂急剧地在苦闷上开花,但很少结实——在心里说。"你瞧我欺骗过,偷窃过,不仁不义,而我反而得到名望!你将怎样,我底儿子?"(小孩啼哭着。)"假若不能饶恕,你就报复吧。"他说。坚决地,严肃地看着空中。

"过来!过来!"陈景惠谴责地喊。

"啊,好的!他叫什么名字呢?"蒋少祖问,显得非常严肃。

"我没有想出来呢。"

"叫做,叫做寄吧。寄信的寄。"

"为什么叫寄信的寄呢?"

蒋少祖沉默了,露出了苦恼。

"是寄托的寄。"他说，放下小孩，坐下来。

"寄托？我想想。你知道我是多么急的等着啊！刚才我想，我们底生活已经完全改变了！一条曲折的路。你曾经跟我说，我们要经历一种不平常的奋斗，我现在懂了。"陈景惠说。以感伤的，柔媚的眼光看了他一眼。在她底移动手臂的柔和的姿势里，有着那种盛妆妇女底矫饰的风韵；好像她在暗示，在现在这种状况下，她所失去的是必得要偿补，而那种迷人的，浮华的生活又可以恢复了。

蒋少祖锐敏地捉住了她底这个动作，凝视着她，仿佛不认识她。

"她在一种新的状况下。……是的，应该满足她。"他想。

"在我心里，这次的旅行使我很凄凉。"他说，看着地面。

"那么，以后不出去吧。在我底身边。……"陈景惠说。虽然她底情绪是真实的，却带着那种柔媚的，浮华的风韵；这种风韵令他沉醉。她笑着，轻轻地舐嘴唇，闭上了眼睛——这些动作是在动人的自觉里做出来的。

蒋少祖看了她一眼。

"她什么时候学会了这些？"他困惑地想。

"我是多么凄凉，多么疲乏啊！是的，像以前一样，我要在你身边休息。"他热情地说，为了克服困惑，并证实自己底热情，他俯身吻她。

在蒋少祖和陈景惠之间，由于他们底不同的道路，失去了真实。并且，对这种不真实，他们是无力认识的。孩子诞生，蒋少祖从北方归来，他们之间起了显著的变化；陈景惠已经和蒋少祖站在平等的地位上了。在以前，蒋少祖以自己底意志为意志，感不到什么不真实，而现在，由于新的生命，新的要求，蒋少祖又感到对陈景惠的敬意和爱情；在他自身底惶惑里，没有勇气判明他们底真实的境况。他觉得他们之间是美满的，觉得人间底关系是只有如此的，说着凄凉的，抚慰的话。但他心里却有着和所说的话无关的，冷的，神秘的苦恼。他用行动来调和它们。

陈景惠,是寄托在什么上面而生活的,现在她底要求是什么,他没有去想。"她什么时候学会了这些?"他困惑地想。但即刻他克服了困惑。在热病般的忏悔后,他需要大的安宁。很少人能够真去发疯,蒋少祖,在他底心灵所创造的神秘下,满足了。

"就叫他寄吧,啊!"陈景惠说。

陈景惠记起了电报和快信,取出了它们。蒋少祖迅速地看完了,坐进籐椅,点燃香烟。他脸上有了愁闷的表情。

陈景惠不安地看着他,企图转移他底注意,抱起婴儿来。女仆进来,提着朋友送的礼物,并且交出名片。蒋少祖未看名片,走到桌前去洗脸。然后走到外房,打开罩着黄色的纱罩的台灯。

"又是一个打击!在这个人世间,要武装着全幅的冷酷!"他想,下颔颤栗着。

"少祖!少祖!"陈景惠喊。

"什么事?"

"你进来,不要丢我一个人。"

"看见了人类底命运!如此而已!"蒋少祖想,走进房。

"你准备回一趟苏州吗?"

"你看呢?"蒋少祖问,为了说话。

"我看你后天去。她们,会说闲话的。"陈景惠说,抚慰地笑着。

女仆递进一封未封口的信来。蒋少祖打开,看了,愤怒地撕碎了它。

"送信的呢?"

"走了。"

"什么信?"陈景惠问。

"要我明天去谈话。把戏马上就来了,混账东西!"

"你去不去呢?"

"我明天去苏州!——你觉得怎样?"他用温和的声音问。

蒋少祖坐在籐椅里,在黑暗中吸烟,思索到深夜。陈景惠和

283

小孩已经睡去,周围宁静而深沉。蒋少祖昏倦,忘记自己是在哪里,觉得自己是在寒冷的,苦难的北方;又觉得自己是在幽密的森林中。他看见父亲抱着新生的婴儿走来,脸上有他所熟悉的,轻蔑而嘲弄的表情。"小孩是我生的!"蒋少祖向老人说——在昏倦的梦境里,蒋少祖底思想简单幼稚如小儿。他想到王桂英,于是看见了她;她在奔跑。"是我的,我的!"蒋少祖想,他吸烟,盼顾,战栗着。

"我真是倦透了!"他想。"精神底独立和自由!而且冷酷!在杀人的时代,流血的时代!"他蒙眬地想。

"可怜的很!可怜,我!"他想,警觉了,"怎么,我可怜吗?"

他感到怜悯的,亲爱的,悲伤的情绪——在倦乏里他底心灵作着单纯的,善良的活动。突然他站起来,觉得仿佛脱下了一层壳。他回头,看这个壳在不在椅子上——一种简单的幻觉。他走到床边,低头吻小孩。只在倦乏和黑暗中,他带着虔敬,带着真实的爱情和忏悔吻小孩。

而他底心里有着真正的神秘的经历。

七

蒋少祖到苏州时,正逢老人做二七。老人已经弃世半月。金素痕,王定和夫妇及傅蒲生已经回南京,着手在法庭起诉。剩余的珠宝玩物已经当作纪念品分配了,小孩们得了一些。蒋淑珍,蒋淑华,及蒋秀菊留在苏州。

蒋淑珍,半月来,依然留在她底恐怖的阴郁中,吃得很少,不能睡眠,生命没有醒转。她底唯一的工作是照护负伤的,可怜的冯家贵。她带着麻木的安宁坐在冯家贵底小房里,看他吃药:在他吃药后她才能安心。她给了冯家贵一双古老的玉手镯作纪念,冯家贵把它们藏在枕头下面。

最可怕的,是她从那个夜里起,便没有哭过。她总好像在沉思。在她面前,姊妹们痛苦,觉得有罪。即使活泼的,动人的傅钟芬都不能安慰她。

小孩们过着他们自己底生活。他们在苦难和恐怖旁边偷偷地游戏，因为生命太强旺。陆明栋以他底奇异的热狂的恶作剧娱乐傅钟芬。蒋纯祖到处生怯地找寻陆积玉，痛苦地等待机会，但即使机会来临，他也没有勇气说话。永远没有勇气说话，永远痴呆，羞怯——留下了难忘的，苦闷的印象。

　　傅钟芬知道妈妈在痛苦，有礼地，殷勤地对待着妈妈。假若女儿在她面前是活泼的，强烈的，蒋淑珍或许不会如此痛苦，但女儿对她殷勤有礼，好像尽义务——这种义务是在女儿底年龄所能感觉到的。家庭底经常的苦痛和人间底残酷的斗争使母女间失去了活泼的，生动的关系。傅钟芬惧怕这种痛苦和残酷，她到母亲身边来，只是为了可以安心地离开，去玩耍。

　　二七前两天，陆明栋姊弟回南京。蒋少祖到苏州的当天，蒋纯祖和傅钟芬正准备回南京；学校已经开学很久了。少年们显得非常的黯澹。只在此刻，他们才明确地，深刻地感到，他们已永远失去了他们底父亲和外祖父，永不能回到这个苏州来了。

　　他们走到灵堂里叩头，然后向大家辞行。大家觉得黯澹；不能留住他们送老人入土。

　　少年们有着各样的耽心：学校、旅途，以及没有勇气忍受离别苏州的痛苦等等。那种意识：他们将永远离开苏州，令他们恐怖。

　　蒋纯祖恍惚地从花园走进大厅。在高大的门槛上绊倒了。但即刻就爬起来，看跌破了的手肘，用舌头舐去血污。蒋淑珍站在布幔后看着他。

　　他敏捷地，不在意地，野兽似地舐去了血污。他丝毫不感到这种肉体底痛苦。他迷惑地回看后园；他在回忆着他底不可复返的幼年，并记忆着这个花园，这条路，这所家宅。

　　"从这里走，这条路，还有，下雨，那个古物花下面。"蒋纯祖想，依照着幼时的印象，把玫瑰花称做古物花，"再在那里，冯家贵捉到一个乌龟！别了，别了！爹爹啊，永别了！"

　　"你，手上破了吗？"蒋淑珍以苦闷的小声问。

蒋纯祖看着她,怕说话会带来眼泪,没有回答。

穿着孝衣的,紧张的傅钟芬蹿出布幔来。

"小舅,小舅,快点!快点,我要哭了!"她用压抑的大声叫,跑了两步。

蒋纯祖是故意延宕着这个重要的时间的,但她,傅钟芬,却希望这个时间快点结束。看见妈妈,她站住,露出矜持的,愤怒的表情。

"你快点!"她用做作的尖声向蒋纯祖说。

蒋纯祖沉默地跨过门槛,走进灵堂。看见父亲底照片,一瞬间觉得自己在这个世界上是完全孤零了。

"要是我走到供桌后面去告别呢?"他想,嗅着鼻子。有谁给他披上孝衣,并且引他到灵前。他机械地服从着跪下叩头。

"永别了!"他想,站起来,感到大家都在看他,恐怖着。

他看着傅钟芬在庄严地叩头,看着人们在走动,看着烛火在跳跃,不明了它们底意义,不明了这一切是怎样发生的。他不明了自己将要做什么,但感到恐怖。

"就是这样吗?就是吗?还有呢?"他想,盼顾着。

傅钟芬站起来,垂着手,眼睛发光,看着妈妈。

蒋淑珍带着几乎是严峻的神情向他们走来。

"来了,要发生了!"蒋纯祖想,但不知要发生什么。

他脱下孝衣,把它抓在手里,颤抖着。这种颤抖使蒋淑珍痛苦得发白。

突然门口传来了尖利的喇叭声。

"好了!好了!"蒋纯祖想,感到解救,感到可以从这种凝聚的、静止的、恐怖的处境中脱出来了。他把孝衣抛在椅子上,迅速地转过身来。

蒋少祖带着严峻的神情走了进来,大衣披在手上。姊妹们发出微弱的叫声,向他跑来,把他围住。蒋淑珍走了一步,站住,凝视着他。

傅钟芬,在这种移动里,疾步跑向妈妈,张开了嘴。

蒋少祖在姊妹们底圈子里带着强烈的表情盼顾着,注意了遗像,挽联,花圈,和站在那里不动的蒋淑珍母女。他低下了眉毛,不回答任何问话,凝视着蒋淑珍。因为蒋淑珍底沉默表现了一切,他走向蒋淑珍。

　　"姐姐!"他说。

　　蒋淑珍微笑——凄凉的,平静的微笑。

　　"你,孩子生了吗?"她问。

　　"生了,男孩。"蒋少祖说,注意到站在附近的,沉到深沉的幻想里的,呼吸急促的蒋纯祖。

　　"弟弟!"他喊。

　　"妈妈,过了时间!"傅钟芬焦急地提示着,希望留下来,希望赦免。

　　"他们要回南京了!"蒋淑华说。

　　"弟弟,过来。"蒋少祖说,看了遗像一眼,笑着,喘息着。

　　蒋纯祖未动,颤抖着,在哭——泪水落到地上。

　　他底泪水给这个别离和聚合以重大的意义。大家寂静着。大家盼待蒋少祖有所行动。这是必不可免的,蒋少祖将要有重大的行动;使大家了解家庭底苦难底深度和剩余的力量底强度。

　　在这个瞬间的静寂里,蒋淑珍嘴唇颤抖着,眼里有了光辉。她凝视着蒋少祖,表示了对蒋少祖的严重的要求,证实目前的苦难和力量。

　　这种欲望,在这个静寂里,来到蒋淑珍底死灭了半个月的柔弱的心里。这个欲望带来了悲凉,沉痛,和希望之火。蒋淑珍在颤抖,生命底光明在回复。她凝视着蒋少祖,表白了在父亲灵前,在弟弟和女儿底离别前的她底要求。

　　她带着怯弱的笑容凝视着蒋少祖。

　　"弟弟!"蒋少祖又喊,眼里有了眼泪,在蒋淑珍底目光下,惶急地盼顾。

　　"他们要走了!"蒋淑珍低声说。

　　"哥哥,我要走了!"蒋纯祖突然大声说,带着热爱和凄凉看着哥哥。

蒋纯祖大步向外跑去。

"纯祖！纯祖！"蒋淑华喊。

蒋淑珍看往外跑的蒋纯祖，又看蒋少祖，带着悲哀的，最后的威力，向蒋少祖启示这一切底意义。傅钟芬着急，呼吸急迫，突然带着亲爱的冲动抓住了妈妈。

"妈妈，我走不走？我走不走？妈妈，你不要苦，不要难受！"她大声说，啼哭了。

蒋淑珍在女儿底拖曳下摇摆，凝视着蒋少祖，向他表白这个意义。

"姐姐，我难受！"蒋少祖喘息着，说；大步地冲到灵前，看着照片。然后他走入布幔，在棺材前面垂头。

"爹爹，饶恕我！"他说。

蒋淑珍追着他。听见他底忏悔，蒋淑珍大声啼哭了。

她，蒋淑珍，在大家底惊骇的目光下，把头撞在木柱上，大声啼哭了。随后她速速地跑向女儿，抓住了她底手。

"钟芬，记着！记着！"

"妈，妈妈！"

"走，我送你们！"蒋淑珍，在新的希望，新的生命下醒着，坚决地大声说，不理会阻拦，牵着女儿走出了大厅。

蒋纯祖坐在门前的台阶上，抱着头，在告别。

"永别了，爹爹！永别了，这条路，卖花，白兰花！永别了，没有太阳，没有风雨，儿时的凄凉的梦！啊，永别了，一切一切！"

第九章

一

　　一九三四年初,蒋少祖所生活的中国,也就是蒋淑珍们所生活的中国,这片土地,这个政治,和这中间的广漠的人民,是处在更紧迫的厄难里面。厄难,水深火热,以及其他类似字眼,是已经无法表达出一九三〇年到一九三四年的中国底生活底意义,因为,从卖鸦片和不许卖鸦片的那个精神的战争开始,中国人便面对了现代的劫难:他们已经蠢笨地斗争了一百年。
　　在这一百年内,生活展开了现代底图景,但这个现代底图景是在废墟上拼凑起来的。在人底生活里,这也一样。
　　在这个生活里所发生的复杂的斗争和潮流,从而人民底,生活底出路,是明了易解的。但当代的英雄们却常常迷惑。因而,到后来,由于他们各自底生活,有些人走上了偏激的,灭亡的道路,在自己底酒杯里陶醉,而承当一个世纪的人民底憎恶。那些苟安生活,朴素生活,猪狗般生活的人民,是永远正确,不会迷惑的。但历史的个人,那些英雄们,却完全相反。
　　在以前,英雄们多少是无辜的,好像人类底祖先在他们自身底情欲里犯错是无辜的,但最近十年,英雄们已经成长,自己觉得是操着最高的理性的武器,因此,在最近十年中,他们是经受着严酷的试验……
　　一九三四年一月,王朝底末代,年青的溥仪,组织了满洲帝国,登极称帝。同时日本进逼冀东,进兵察东。……
　　这些,都存入档案,并记在大事年表里面。南京市民们,是生活在麻将牌,胡蝶女士,通奸,情杀,分家,上吊,跳井里面,生活在他们自己底烦恼中。

生活是烦恼的,空虚的,然而实在的,南京底生活有着繁复的花样,每一个人都胶着在他自己底花样里,大部份人操着祖传的生业。高利贷,土地纠纷,机房,官场底小小的角逐,以及特别活跃的律师事务所,时局底变动不为人们所关心。

金素痕起诉,蒋家和金家底官司开始,它是在最热闹的场面里开始的:金家和另一位名律师家底婚姻诉讼是已经发展到惊心动魄的程度了。先是在报纸上登大幅广告互相抨击,漫骂。双方骂到了祖先。"余岂好辩,余不得已也!"金小川在报上说。随后,金小川发动了他底在南京社会里,根深蒂固的势力,冲进了对方底家宅,毁坏了能够毁坏的,并俘虏了对方底最小的儿子。当天晚上,警察来到金小川家,金小川挺身走进了警察局。第二天他回来,释放了掳来的小孩,同时在报上登了广告,驳斥并且郑重声明。

对方则在法院里采取报复,使金小川损失了金钱。

开庭时,是空前的热闹。这些都在晚报及日报底社会新闻版里传播了出去。所以当金素痕底气魄雄大的诉讼提出来时,南京底人们对金家底精力是感到非常的惊异。

在这个社会里,人们对于金钱和权势底对法律的操纵是非常的理解:社会底兴味便在这里。晚报上说:金素痕是法律学士,丈夫疯了,死去的蒋捷三留下了一百万以上的财产,蒋家底一百万以上的财产和金家底顽强的权势,以及有着疯子丈夫的金素痕:这便是兴味底所在。

这个热闹的场面威胁了蒋家。金家底空前的战斗纪录威胁了蒋家。蒋家底人们,连精明的王定和在内,在这个战争里,虽然洞悉一切利害,却相信正义:因为只有在正义上面,他们底希望才能找到附托。他们失败在第一击里,成了被告。

蒋家底人们好容易才战胜了怀疑底深沉的痛苦。他们收集了金家底战斗纪录。这个战斗记录于他们是可怕的,他们,安份的,高尚的家庭,怎么能够也干这些卑劣的事呢?

他们开始和金家底仇敌——名律师郑成来往。

他们，在那种尊敬的，希望的情绪里欢迎了他们底同盟者。

春天，烦闷的，晴朗的天气，在王定和家里，有燕子在梁上筑巢——这种天气他们永远记得。当王定和引郑成进房时，蒋家底人们是坐在静寂中。

完全和蒋家底人们底悲观的想像相反，高大的郑成以完满着精力的爽快的态度走进房来，面孔打皱而发红，眼睛笑着，流露出愉快和满足。他坐下来，支起腿，无拘束地盼顾着，发出了响亮的声音——响亮得可惊。

这位律师，以他底乐观的，愉快的，豪宕的态度，以他底响亮的声音，显然是雄辩的天才。人们从他身上看不出忧愁和苦难。

但他脸上有深的，活泼的皱纹。像一切从事社会活动的人们一样，这种深的，活泼的皱纹显示了愁苦和运思。这些人们，在他们自己底家里，或许会悲戚，灰心，阴沉和愤怒，但他们，由于这个社会的理性的干练，或由于对人生战场的乐观的，虚无主义的恋爱，决不把那种姿态带到他们底战场上来。仅仅是一些外形——衣着和步态——底运用，便足以使他们显得自信，乐观，有魄力。

对于他底这种态度，蒋家底沉默的妇女们露出惊诧。她们真想安慰他，然后被安慰的。但他底态度回答说："这种懦弱的梦想，完全不可能！"

蒋少祖，遇到这样的对手，有大的激动，但他露出冷静的，注意的，锐利的态度和他说话。在全部时间里，蒋少祖说话极少，在心里判断着这个人。

郑成笑着，豪爽地转动着身体，轮流地看了每个人——显然的，这种风度是他底最大的快乐——说述了金小川底技俩。

"老实说，南京还没有到可以随便杀人放火的地步，否则我早就跑掉了！"他结束说，做了有力的手势，笑着。

"那么，金小川那些把戏，你受得了么？你是吃过亏的。"蒋淑华带着显著的耽忧，说。

"啊,啊!"律师摇头,又摇手。"不幸的只是我底女儿。我送她到杭州去了。"

"她好么?"蒋淑华像感到了这位女子底悲哀。

"啊,啊!"律师用静肃的,沉思的眼光凝视着蒋淑华,好像说:"我晓得你们底感情,我完全经历过!"

"那么,你们有那种纠缠不清,锲而不舍的力量么?"律师突然用一种原气充沛的高声说。他说这句话,带着享乐的风韵,好像在唱歌。

"大概有吧。"蒋少祖低声说,凝视着他。

"请你告诉我你们底状况。"律师说。

蒋少祖看了王定和一眼。王定和霎着眼睛,注意着蒋少祖。有了沉默。在蒋少祖和王定和底短促的互相凝视里,唤醒了财产的,家庭的,社会名誉的仇恨。从王桂英底不幸后,他们还未在一起过;并且,直到现在,他们还未互相说一句话。

蒋淑媛冷笑了一下,然后开始说话;向郑成说了他们蒋家底情况。

她说,第一,产业大半在金素痕手里,其次,老人无遗嘱,而蒋蔚祖无法回转,最后,金素痕抓到证据,否认蒋少祖底权利。

"什么呢?"郑成,带着律师底精明,问。

"因为少祖小时候过继给我们大伯,虽然后来我们大伯死了。"

"金素痕有什么证据?"

"信呀!大伯底房契呀!"王定和轻蔑地说。

在这个对话底全部时间里,蒋少祖皱着眉头向着窗外。有燕子在阳光里飞翔,他想到燕子,同时脸上有严峻的,轻蔑的表情。别人如此谈到他,使他愤怒。王定和说话时,他突然向着王定和。

"我要表示,我并不想要一点点东西……"他用细尖的声音说。

王定和看着他。姊妹们震动了。眼泪,沉痛底宣言,出现在蒋淑珍眼里。

"我到南京来,只是因为这是我,为人子者底义务。"蒋少祖说。

"我们没有说你呀!"蒋淑媛愤怒地叫。

"郑先生,我们外面谈。"王定和站起来。冷静地说。

律师站起来,笑着点头,在这种礼节里有快乐,弯腰走出去。

"少祖!你怎么这样?"蒋淑珍说,泪水流下来。

蒋少祖含着有力的笑容向着窗外,然后站起来,未说什么,走出去。

"我是在过着我底内部的,孤独的生活!"他想,挟着手杖走下了台阶。

在春日的,热闹的阳光下,车辆不绝地来往,街上有骚扰的,生动的声音。蒋少祖闭着眼睛走下台阶,觉得周围一切都忙碌,内心有温柔,脸上有了严肃的,感动的表情。

这个春日于他是重要的。他以后再不能有这样的经历:神秘的,温柔的渴求和锐利的,肉体底快感。意外地,偶然地,蒋少祖得到了一种东西。这种东西,在遇到它的时候,人们认为正是自己所寻求的。当蒋少祖从窗户里凝视着的时候,他以为这不过是平常的日子和平常的天气,但当他走下台阶时,从他底愤怒底消失,从他底内心底突然的颤抖和歌唱,——他看见,并感觉到了周围的一切——他觉得这个上午是神圣的。

于是他看,感觉,记忆周围的一切,觉得忘记了这一切,是不可补救的损失,这个自觉带来了瞬间的光明。在这个光明里,树木,燕子,阳光,悠远的云,车辆,男女,尘埃……变成了在他底精神支配下的,他底内心底图景。他以后再不能如此感到它们。

"是的,我过着内心的,孤独的生活!"他想,走到街上。

"没有必要去为他们烦恼,是的,这是那种无灵魂的俗恶的人——有些清高,啊!"他对郑成下了结论,结束了这个人所给他的烦恼。

有车辆滚过他身边,他没有去辨认是什么一种车辆,但觉得车上载着鲜丽的阳光。

　　他看见活泼的女孩底绿绒帽上有阳光。于是他开始不看一切，而在颤动的情感里感到一切，觉得心里有诗歌；这种进程在他是神秘的，不知为什么，他觉得这是不可告人的。他底心灵在重复着一种努力：企图掩藏自己底情绪，而渗透外界一切底情绪。在这种努力有成效的时候，他看见了一切：城垣，车辆，竹篱，树木，却感到失去它们的恐惧；但在这种努力被疏忽的时候，他就感到内心有诗歌，不看到一切，却看到女孩绒帽上的喜悦的阳光。

　　"是的，是这样的，我不能失去这一刻钟！啊，时间，假若你能够停住！"他说。

　　他想到王桂英，想到父亲，十分奇怪的，因想到他们而快乐。那种强烈的快感在他身上发生，这种快感使他简单而轻松地意识到犯罪底诱惑和快乐。

　　"啊，这种丰富的时间，怎么能够再得到！"他盼顾，想攫取什么。汽车驰过他身边，里面有艳冶的，光耀的颜色。于是到处有艳冶的，光耀的颜色。他恐惧，然而快乐。

　　"但是，我底这些，别人都没有权利知道！"他想。

　　他叹息，下颔颤抖，走了回来。

　　在这个意外的，奇异的春天上午，他所经历的欢乐与神秘，攫取的欲求与扰乱，和艳冶的，光耀的颜色，女孩绒帽上的阳光，车辆，城墙……结合在一起，深刻地留在他底生命中。像一切现代人一样，蒋少祖经历到这种偶然的，短促的冒险——他们叫它做心灵的冒险——由于永恒的烦恼和迷惑，把这个偶然的，短促的冒险当作全生活底最大的启示和肯定。

　　第一次开庭时，蒋少祖到了场。以后他便退出了这个无望的诉讼。

　　律师是郑成介绍的（他自己坚决不肯干）。郑成并且向蒋家指示了通向法庭内部的大路。从这些指示，蒋家底人们明白了何以郑成有这种乐业的活泼的精神，而不以失败为失败。郑成，在女儿底婚事上，虽然被欺，但在律师底事业上，却是成功的。

他是成功的，因为他底这件官司，和另外一些官司，已经花费开来，决不会有胜负，决不会以胜负结束。而拖延时间，是金小川底致命伤。通到法庭内部的大路，是敞开着的，因而通到社会的路也辉煌。像在蒋家底人们里获得成功一样，郑成在社会上获得了成功。

他在和金小川吵架的广告上说，他是和恶魔战争。道德的社会相信他是如此。并且他底乐观的从业精神给了人们以大的感动。

但蒋家底人们缺乏这种精神，缺乏这种强固的社会联系。并且，和金素痕比较，他们不能算是有钱的。没有谁肯垫出这一笔费用来。在王定和夫妇和蒋少祖之间起着斗争。

开庭以前，大家设法和蒋蔚祖见了面——没有从这个神奇的，颓唐的人得到结果。在开庭的时候，他们是违背了律师底嘱咐，违背了法院底精神的。老母亲在堂上哭，叫，骂，把一切都弄混乱了。

法院宣布调查，并且封闭财产。差不多全部的财产都失踪了，金素痕证明它是在王定和和蒋少祖手里。王定和和蒋少祖则证明相反的。于是法院封闭了洪武街，水西门，及苏州底老宅。母亲被驱出洪武街，迁到蒋淑珍家里来。

第一次开庭后，在失望中，蒋家内部起了反省、整理，和斗争，第一件事是筹钱，因为姨姨和他底可怜的小孩们逃往镇江，需要钱，孤独地蹲在苏州的冯家贵需要钱，打官司需要钱。

蒋淑媛和蒋少祖谈判了一个上午没有结果。傅蒲生在家里和蒋淑珍吵架，因为在几个女婿中，他所得到的最少。蒋淑华犹豫着，征求着丈夫底意见，处在痛苦中：她记得在她结婚时父亲运了二十口箱子来的那件事。

蒋少祖，这半个月内，最初住在洪武街老宅，然后搬到陆牧生家。他和陆牧生有较好的感情。蒋淑媛接他去，他拒绝了。

他整天在外面找朋友。

开庭后第二天上午，蒋淑媛来陆牧生家找蒋少祖。她和沈丽英亲密地谈了来意（她对沈丽英表现了非常的亲密），找蒋少祖上楼。

"丽英，我请你们不要上楼：跟姑妈说。丽英，我们都是可怜的。"她说，动情地上楼。

阳光照在被小孩们弄得非常凌乱的桌上。后面院子里传来机房伙计底淫荡的歌声。

"住在这样坏的环境里，多可怕啊！"蒋淑媛，在瞬间的对堕落的恐惧里，想。

蒋少祖严峻地慢步上楼。

蒋少祖，在他内心底生活里，是憎恶凡庸的尘世的人。他对财产，家庭，亲戚，有过思索。由于憎恶和自爱，他渴望摒绝这一切。但摒绝又是不可能的，他底事业也需要它们。在这几天的思索里，他经历到大的苦闷，因为在根本上，他是想保留他已得到的财产的。这种苦闷是他亟欲逃避的，因此，在这种苦闷底支配下，他思索了人生底本质——近来他常常如此——而脱开了实际的问题：财产。每次的思想工作都走着这个路程。

他底对人生的思索，使他憎恶王定和夫妇。显然王定和夫妇想欺骗他。显然这个官司是无望的。他，蒋少祖，有大的雄心，神秘的，宝贵的经历，他，在他底情热里，不受一切道德观念底束缚。

他想起了十天前的那个春日的上午所给他的启示。先是温柔的爱慕，其次是妖冶的颜色，所给他的启示。

"这一条路，就不是平凡的头脑所能理解的路。做国民公敌吧，啊！"他想。"为什么我有这种苦闷！在他们面前我还不能超脱吗？所以应该安静地对付他们，然后，我回上海。"

"他们是不理解一种对财产的新的观念的。"上楼时他向自己说。

他站下来同时听见后院的淫荡的歌声，觉得理解这种苦闷的情欲,感到快慰。并觉得他底这种观念是新的道路。他以为蒋淑媛毫不妨碍他。

他不理解,正是蒋淑媛在面前,他才对这个歌声如此想。正是蒋淑媛底被这个歌声引起的忧戚的表情使他如此想。

"少祖,你听,住在这种地方,小孩子们怎么得了!多讨厌啊!"蒋淑媛愁闷地,不安地笑着说。

"也不过如此!"蒋少祖低声说,笑了一笑,坐下来,随手翻开了小学生底课本。

"少祖,为什么你不住到我那里去?这样使丽英他们犯嫌。我想跟你好好地谈一次。好几年来,我们没有好好地谈过话。你不要岔嘴……我问你,你底计划怎样?"蒋淑媛,在自己底亲切的感情底支配下,笑着,疾速地说,脸发红。

"什么计划?"蒋少祖问,用透明的眼光看着她,课本搁在膝上。

"你自己底打算,跟我们家里底计划。我们并不是没有力气也并不是没有人才。我们家里指望你了,你怎样想?"

在这种热情底攻击下,蒋少祖皱着眉,闪避地盼顾。

蒋淑媛不安地移动着,抓起课本来翻阅,又放下,在这种沉默下,他们明显地感到了彼此的感想。蒋少祖底眉头向上颤动。

"说,少祖,怎样?啊!"蒋淑媛问,把课本放在膝上;并且把蒋少祖手里的课本夺了过来。

他露出了急迫,脸更红。有感情底风暴跟在后面。

"我底计划吗?那是实行不了的。"蒋少祖销沉地说。

"怎样呢?"

"要先把全权交给我。"

"啊,那很容易,把全权交给你。"蒋淑媛迅速地说,惧怕这句话,因此不知自己说什么。"本来就交给你了。东西都在你手里。……"她沉默,眼泪里流着汗水。

蒋少祖站起来,背着手徘徊。后院继续有歌声传来。

"住在这个地方,多不好啊!"蒋淑媛用不安的声调说,企图缓和这个严重的瞬间,并企图给蒋少祖启示一种必需的善良。

"我只想负我自己底责任。在法律上,我脱离这种关系,金素痕有证据不承认我底关系,法院当然同意她,况且,你们也承认那种证据。"蒋少祖说。

"啊,少祖,原来为了这个!何必计较呢?"

"不是计较不计较。而是实际问题。"

"少祖,少祖,你坐下,你坐!"蒋淑媛说,嘴唇颤动着如因焦渴而衰弱的人。蒋少祖站着向着她,她亲切地,爱抚地,急剧地做着手势要他坐下。

蒋少祖未坐下,她把椅子拖近。然后,她抓起茶杯来,猛力地压茶杯。

"可怜爹爹……"她痛苦地说,眼洼里淌汗更多了。

随后,她表现出那种痛苦的忍耐,向蒋少祖抚慰地笑着。她压着茶杯。

"少祖,我求你,不要误会。那天定和后来很懊悔。他后来向我说:'要是少祖肯出力……'"她放开茶杯,推着椅子。"你坐下。我要你坐下噢!"她恳求地叫,有娇柔的,愤怒的表情。

蒋少祖坐下来。

"少祖,你只说一句话,一句!想想从前我们怎样对待你。"

"我不是忘恩负义的。"蒋少祖冷淡地,快慰地说。

"不是这样讲!……可怜我心口痛!"蒋淑媛揉着胸口,闭上了眼睛。"痛,啊,要死了!"她叫。

她站起来又坐下,淌着汗,并且发白。

"她真的痛吗?"蒋少祖想。

"少祖,你要可怜苏州的孤儿寡妇!就是不看死人底面子,也要看活人!看我!"蒋淑媛向着他,开始觉得有希望。

她底欲望和强烈的激动使她不相信失望是可能的。并且她信仰她从那个歌声所启示的善良。

"怎样,啊!"

"法院事实上已经判决,我在法律上脱离这种关系。"蒋少祖愤怒地说。

"啊！啊！"蒋淑媛沉默了。"那么，为人子底心呢？"

蒋少祖，沉默着，不屑说话。

"啊，那么呢？"蒋淑媛暧昧地问，从弟弟底沉默又看出了希望。

"不必过问别人底心吧。"

"啊，少祖，你太使我难受！"蒋淑媛叫。"那么，既然你不愿意，官司我们来打，你应该交出东西来才是！"她说，闭上眼睛，好像受不住。

"什么东西？"蒋少祖闪避地问。

"房子，地皮，镇江，昆山的！"

"哪个说在我手里？"

"是在你手里嘛！"

"我不愿意和你们争辩！"

"你，少祖，"蒋淑媛猛力地压膝盖，于是书落在地上。她急剧地笑着。"你看我这样痛苦！你小时候那样温和，你要感觉到别人底心！这么多年，我们待你不亏。为了王桂英那点小事，为了一个堕落的女人，就变成这样么？生你的妈，你的弟弟妹妹，都不顾了么？你成家了，成名了，就不要我们了么？二十年来一场梦，好伤心呀！"她叫，做了手势，又闭上眼睛。

蒋少祖站着，痛苦地笑着，看着她。

"这对骄傲的夫妇今天也会知道痛苦，好极了，王桂英怎样？"蒋少祖想。

"蒋少祖，不能回心了么？"蒋淑媛严重地问。

"我担负秀菊和纯祖底费用。"蒋少祖说，走到窗边。

蒋淑媛颤抖了。

"你非交出来不可！"她高声叫，拍桌子。"伤天害理，狼心狗肺！"她叫，站起来，跑下了楼梯。

蒋少祖听见了她在楼下的叫骂声和沈丽英底劝慰声。他耸肩，坐下来翻课本。但忽然他发现萎缩的，紧张的陆明栋站在

299

门边。

蒋少祖严厉地看着陆明栋。少年畏缩,但站着不动。

"下去!"蒋少祖厉声说。

陆明栋转身下楼。

"你是什么东西!"他在楼梯上尖声骂。

蒋少祖突然颤抖,站起来。这种打击是他从未料到过的。陆明栋底叫声使他感到可怕的屈辱。他徘徊着,流着泪,——他从未想到有在小孩底咒骂下流泪的可能。

他想到刚才的淫荡的歌声,迅速地理解了小孩底尖锐的情欲,并发觉了和这紧密关联的自己底情欲。这种发现使他经历到锋利的痛苦。

"在这种环境里长大的小孩,是多可怕啊! 可怕啊!"他想,抚慰着自己。

二

晚上,傅蒲生喝醉了,穿着拖鞋在房里走动着。他大声喊叫着,要蒋淑珍到前房来。他们在下午曾经吵了架。

"出来! 有话跟你讲,出来!"他咆哮着,幌着拳头。

他不停地走动,不停地咆哮——做鬼脸,幌拳头。蒋淑珍阴郁地走出来,用哭肿了的眼睛看着他。

"你坐下!"傅蒲生咆哮。

"我不想坐。我要睡了。"蒋淑珍说,掠着头发。她坐下来,叹息了一声。

"我问你,你还跟我生气不? 你说!"

"废话!"蒋淑珍说。

"我问你!"傅蒲生转着眼睛看她,又走动起来。"我问你,我在苏州拿了什么? 他们说我拿了什么? 笑话,我傅蒲生会偷东西!"

蒋淑珍麻木地看着他。

傅蒲生走动着,发笑,做鬼脸,断断续续地咆哮着。

"只有你心肠好！只有我蠢！我们恰好是一对！我问你，早两年，别人都偷，都骗，都抢——横竖老头子，吓！为什么你我做呆子！照理你是大女儿，而老太爷又对我好！现在反落得笑话，说我偷，问你，除了那金链子，还有什么？"这个傅蒲生，这个财产底失恋者，带着那种奇特的得意在他底妻子面前咆哮着，觉得他有绝对的权利，而他底妻子有绝对的义务，有屈服的，悔过的义务。

他咆哮着，走动着，咆哮着，渴望——那种焦急的渴望——蒋淑珍悔过。

"你还跟我吵！你不安慰我！我是一个乐天家，否则早就死了！你说！"他大声说，敞开了衣服，引诱地微笑着——他引诱蒋淑珍忏悔——"而在部里，别人底太太都神通广大，你却不能帮我活动半分！"

"我没有那样不要脸呀！"蒋淑珍愤怒地叫。

"头脑腐败！腐败！老实说，我希望天下大乱！你要是再这样腐败，就经不起淘汰！我要是再这样呆，也要被淘汰！你不安慰我，不帮助我！"他叉腰站着，喷出恶浊的酒气来，同时眼睛温和地笑着，引诱蒋淑珍忏悔。

"你饶了我好不好！"蒋淑珍说，不看他，向后房走去。

傅蒲生急迫地抓住她。

"你要悔过！你要悔过！"他咆哮，并且怪异地笑着。

蒋淑珍愤怒地挣脱了。傅蒲生叉腰，脸上有了严肃的，思索的表情。

"她常常要想想，让她去想想。……不然就太笨了！"他想，走到桌前来。"我自己也要悔过。"他想，活泼地弯着手，皱起了左颊。

但忽然他活泼地跳起来。

"钟芬，这边来，唱歌给我听！"他向对面房里用甜蜜的声音大声叫。

回答是愤怒的跺脚声和焦急的哭叫声。傅钟芬正因做不起笔记来而痛苦着,父亲底骚扰使她混乱。

"鬼爸爸!鬼爸爸呀!人家底算术呀!"她叫,接着是假的哭声。接着,在一种强制里完全寂静了。

傅蒲生底醉脸因女儿底这种生动的表现而柔和,有了慈爱的,愉快的,嘲讽的笑容。

"过来,钟芬,做不起来明天请病假!"他快乐地叫。

有了椅子翻倒的声音,好像椅子是被愤怒而快乐地推倒的。解放了的傅钟芬活泼地,轻悄地跑进房。

父亲用溺爱的鬼脸欢迎了顽皮的女儿。显然的,这是这个家庭底最平常的,最生动的画面。

星期六晚上,蒋秀菊来看姐姐们。她按着内心底次序跑了三个地方,在九点钟的时候回学校。

她先去看蒋淑媛,其次到蒋淑珍家,最后到蒋淑华家。她最后去看蒋淑华,因为在蒋淑华身边她能够得到较多的和平。

蒋秀菊所读的教会女中,在南京社会里,是眩耀着一种浪漫的色彩。南京底人们,由于惶惑和嫉恨异端,是憎恨着把几百个少女聚在一起的这种宗教的,学术的企业的。因此这个女中在社会上就处着奇怪的地位:年青的男子们把它看成迷惑的泉源和温柔犯罪的处所——他们很多年都不能克复这种愚顽——,另一些人把它看成妖精底巢穴,第三部份人则在自身底惶惑里歌颂它,显示出爱好自由的高尚的风貌来。在南京社会里,几乎没有一件事业不笼罩着烟雾的。在这种怪诞的雾障里,教会女中底学生,这些富家女儿们,是快乐而可悲。音乐和绘画不是人格教养底必需,而是虚荣……她们奢侈、时髦、自由,在这个雾障里前进——她们底真实的课业,是在离开学校以后才开始的,或者是学校外面进行着的。

但这个女中也并不像南京社会所想像的那样可惊叹。这些少女们有各自的烦恼和忧愁:意志底缺乏,金钱的,家庭的苦恼。在这个上面,她们是处在社会底实际地位上,虽然南京底人们一见到一个少女进入这个学校,便把她归入漂游嬉戏的一类。南京底人们从这个学校所听到的,是钢琴声——他们觉得可怕——所见到的,是口红,皮包,时髦的衣妆……

蒋秀菊底进入这个学校,是得力于蒋淑媛底意志,因为她需要一个荣华的妹妹。蒋秀菊顺从这条路,觉得它是美好的。她信教,唱诗,弹钢琴,做新的衣妆——和大家一样,但她还不能把这些看成她底道路。她对这些顺从、严肃,但易于倦厌,因为她不可能脱开她底苦恼的家庭。

用那种认真的,鬼鬼祟祟的小声在草场底角落里——时常是月夜——和朋友谈论她底苦恼,是她底生活里面的最大的真实。人们批评她很难进步,很难被环境改变,但实际上,她底环境并不是钢琴、唱歌,而是另一种琴,另一种歌:隐秘的、严肃的忧愁和苦恼。这是大半女学生们所弹唱的,但它总是被另一种声音所掩没。

她对家庭有一种自觉,但她底感情的努力不能挽救什么。荣华的、优美的、魅人的外形掩藏着一个怯弱的心。时常这种外形给她一种力量,一种思想和行为,像她在和王桂英底关系上所表现的,但在家庭里,她总是朴素的女儿。

父亲死后,她底忧愁更深。她不知道她底将来怎样——因为她底将来并不寄托在学校底风习上——她沉默着,思索着。她时常思索上帝,因为她严肃而顺从,并且这里有一种外形的力量和享受,但在关于她底前途的思索上,她所凭借的只能是她自己。她自己是:蒋家底朴素的女儿和教会女中华贵的学生。

她底思索底结果是:"在我心里只有我自己。"这个结果是经过不小的艰辛得来的,它对她有着特殊的意义。她现在才想到,并理解到,在她心里只有她自己。这个结论于她颇为可怕,因为她觉得它推翻了她以前的一切为家庭,为朋友所做的努力,和以前的一切轻易的信仰。她发觉她以前的信仰虚伪,发觉在这个可怕的人间,一切人都是为了自己。

但最后,这个结论使她满足了。因为这个结论使她明白了一切权利和义务。

她憔悴,沉默,带着她底坚毅和谨慎,在这个晚上巡礼了她底姐姐们。蒋淑媛告诉她说,蒋少祖答应承当她以后的生活,她没有回答。蒋淑珍询问她底情形,她沉默着。带着对她底结论的更大的信心,她到蒋淑华处来。

蒋淑华怀孕,病着,在桌前剪纸花娱乐着自己。汪卓伦在后面房里和蒋少祖谈着话。

蒋秀菊安静地坐下来,听见了蒋少祖底说话声,微微地皱了眉。

"明天回去吗?"蒋淑华问,放开了剪刀。

"不,坐一下——我想坐一下就走。"她慎重地说。

"你看我剪的花,妹妹。"蒋淑华说,小孩般弩起嘴唇来,用剪刀挑起了纸花。显然她内心已经获得了平静,在她底精巧的纸花上,她灌注了最大的兴趣。她希望妹妹欣赏这花;从这个行为,她向妹妹暗示了对烦恼的问题的她底保证。

"你看,这花,啊! 圆的要叠起来,这里可以拉开来。……明天我要找黄纸头,蛋黄色的,透明的你有吗?"她在灯上照着花。她底手柔弱地愉快地颤动着。她脸上有了特别耀眼的幸福的微笑。她叹息了一声,笑着沉默,看着妹妹,好像说:"真的,我确实告诉你,美的,善的,幸福的并未离开我们!"

蒋秀菊严肃地,疑问地,看着她。

蒋淑华咳嗽着,喘着气。

"我担心生产会发病。"她说,甜蜜地笑着。

"她底快乐是真的吗? 是的,因为她心里只有她自己。她痛苦,也只是她自己。"蒋秀菊想。

"妹妹,你不做声,你想什么?"

"不想什么。……我烦得很。"

"怎样烦呢?"

"她现在是多么不能理解别人啊!"蒋秀菊想。

"我是想,在我心里只有我自己。我只关心我自己一个人。"

蒋秀菊左脸打皱,带着几乎是愤怒的表情,说。

蒋淑华沉默着,没有思索这话底意义,但被妹妹底不寻常的表情所吸引,笑着向着妹妹。

"怎样讲呢?"终于她问。

蒋秀菊不回答,露出了反省的,敏锐的表情,眼里有光辉。

"那么,在你底心里,没有我们么?"蒋淑华安静地,温柔地笑着,问。

"我不愿受欺,也不欺人。"蒋秀菊冷静地受欺地说,用光耀的眼睛看着姐姐。

蒋淑华突然变得严肃,刚才的温柔愉快消逝了。她底苍白的,秀美的脸严峻起来,她底眉头打皱。

"你不愿受欺,也不欺人。……是的,不愿!……"她带着强烈的表现自语着,嗅了鼻子,抚弄着纸花。

"妹妹,"忽然她笑着说,"我决定把爹爹底东西还出来,给你们,给姨姨,我正要找你来谈。"她笑,眼里有了泪水。她底微笑很幸福,证实了她底心灵底和平。显然这个决定经历了极大的痛苦的。

蒋秀菊严谨地沉默着。

"我觉得这是不应该的,因为你牺牲你自己。而人底心里,都已经腐败了!"蒋秀菊说,面孔发红,带着那种勇敢和那种怯懦——它们表现在声音里,表现在眼睛底光耀和手臂底颤动里。

蒋淑华感动地向着妹妹。

"真的,我确实告诉你,美的,善的,幸福的并未离开我们!"她底眼光说。

她们沉默着。

"姐姐,谢谢你,不过我不想要什么。"回答姐姐底眼光,蒋秀菊低声说,又红了脸。

"主在我们心里,它要指导我们,帮助我们。我感觉到。"蒋秀菊感动地想。忽然她抬头,向姐姐微笑,——带着热情,带着教会女生底出俗的风韵。

在两姊妹作着这种心灵底斗争,而享受着各自底矜持的幸福时,蒋少祖和汪卓伦在后房继续着他们底谈话。说话涉及政治,像常有的情形一样,蒋少祖和汪卓伦,两个不相同的,彼此都从未想到过他们之间的关联的人,在偶然的遇合之下,被偶然的机缘引动,彼此都企图说服对方,感到了他们之间底重要的联系。这种新发现的联系对于蒋少祖是重要的,因为他底生命从而达到了社会底独特的一隅;对于汪卓伦是重要的,因为他热中于他底新生的理想,他认为蒋少祖没有理由摒弃这种理想。谈话热烈而紧张,他们没有注意到前房的姊妹间底低微的、柔和的声音。

汪卓伦在结婚后发现到这种真理:他,汪卓伦,有了一切使自己幸福的条件,但还需要一种东西,需要这个社会温柔地告诉他说:他是幸福的,并在一种充满活力的光明中证实给他看:他是幸福的。他做着这种努力,忍耐、忠实、谦逊,对人们存着年青的,近乎幼稚的理想。但这个社会并不温柔,它告诉他他是幸福的,却用着残酷的声音。他凄惋,顽强地哀伤,但他底理想坚强:他有一切使自己幸福的条件。他怜悯一切人,理解他们底陷落底根由,明白他们底不幸——为了要使他底幸福成为可能的,他迅速地抬起头来,看到了他底已经被他疏忽了十年的苦难的国家。

在结婚以前,他疏懒、忧郁、对社会让步,希望就这样生活到暮年。但婚后,他发现了,他以前所以会如此,是因为他没有可以站起来的地盘,并且没有需要站起来的责任。现在他有了这些。以前他是这个世界上的暗澹的、甜密而凄惋的漂泊者,现在他是严格的公民——他觉得是如此。在他内心深处,他的确愿意自己是一个漂泊者;但这种愿望又唤起恐惧。

虽然他很快地便平静了,但过去十年的生活,漂泊者底寂寞的歌,却继续地在他心里唱着。在恐惧和迷惑的风险里,汪卓伦需要,因此得到了思想的、希望的、社会热情的严酷的武装。

他严正地、积极地走进了这个社会,这个国家,带着他底重新开花的青春的理想。他底对自己底纯洁的信心使他看见了希望。就在这种姿态里,他和蒋少祖发生了这个热烈的谈话。他认为蒋少祖现在和自己已经很接近,必定会在心里承认自己所想的——这种理想,这种迷惑。

就在今天下午,汪卓伦以那种歉疚而正直的态度接受了他底妻子底决定:把财产分给亲戚们。蒋少祖预备明天回上海,来看蒋淑华。蒋淑华快乐地告诉了他他们底决定,他笑着,内心有着强烈的震荡,伴着汪卓伦走进了后房,从他底内心底强烈的激荡,提出了于汪卓伦是尖锐的话题,政府和政治。显然他希望打击这个以自己底满足震荡了他的汪卓伦。

汪卓伦底平静、信心,他底忧郁的笑容,使他警戒起来。于是他底态度更尖锐了。

蒋少祖说着目前的狼狈堕落,无希望。说了阴谋和丑行。汪卓伦严肃地看着他,有时忧郁地笑着。

"他说得悲观已极,但他自己又不悲观。他怎样想?"汪卓伦想,"所以他必定在心里同意我。因为他以为我们故意告诉他分出东西来的事使他过不去,所以他这样逞强,这样说。是的。她在前面剪花……我要找一个机会说明白!"他想。

汪卓伦不时在热烈的谈话里想:"她在前面剪花。"眼里有温柔的表情。房间布置得朴素而清爽,灯光比任何时候都明亮。这是在这种家庭里所能见到的最大的幸福了,假若这位主人不再要求别的什么的话。

汪卓伦仔细地拂去桌上的烟灰,听着蒋少祖说话。他在谈北方底情形。

"所以,对于这一切,你也看出希望,看出光明么?"蒋少祖问,作了结论。他底下颔在颤抖——显然他习惯这样地表现自己。"啊,让我在他底安乐窝里说反叛的话!"忽然他想。"你也如此想么?"他强烈地笑着问。

他脸上似乎有疯狂的痕迹。他底内心底震荡,他底妒嫉和愤怒,是这样的强烈。

"是的,是的,我承认!"汪卓伦疾速地说,笑着,"但是就没有办法了么？我并不认为前途如此悲观。总有一条路的……首先要统一起来。一个国家，首先要有武力和工业。有了这些，改变起来是很快的。"他皱着眉头说，笑着，这个笑容里有凄惋，有漂泊者底歌，好像他原是愿意否决这些话的，但又不得不如此说。而正是这种表情，给了他底话以极大的魅力，这种率真后面有着显著的严酷，表明一个人从痛苦中得来，并带着痛苦表现着的东西，是不可能轻易地放弃的。

蒋少祖摩着下颚，向着他，希奇他底表现。他，蒋少祖，以前不感到这些话有意义，但从汪卓伦底表现，他感到了它们底生命、活力、和色彩。"现在还有这种想法，并且想得这样认真！所以这个社会是多么复杂而广阔！但我要问他这个！"他想，讽刺地笑着摩动着下颚。

"我问你，你是不是第一个这样想？不是的。每一个人，他们，谁不有理想？你要看到他们心里。社会有一个客观的形势，每一个人都觉得自己是有理想的，但一走下去就改变了！问你，在你们海军部里，难道最初没有所谓理想么？——纵然是自私的？现在不是也有么？但是能怎样呢？日本人底势力，各帝国主义底势力，财阀和军阀底势力！"蒋少祖雄辩地做着手势，"帝国底理想，财阀和军阀底理想，你底，是市民社会底理想！"蒋少祖面部闪耀着光彩，沉默了。"我承认这种市民理想底存在！"他想。"谁的理想是真的呢？"他笑着问，汪卓伦窘迫地笑着——这种笑容是他底最大的特色。

汪卓伦没有注意到蒋少祖底强烈的表情，但感到窘迫，感到自己底情感被逼迫。他怕谈话失去理智。但看见了蒋少祖昂奋地预备着继续说，他就疾速地笑着摇头，眼里露出了热情。

"我说的——我说的是大多数中国人底理想。"他说，竭力缓和他底声音笑着，"所以，虽然重复，却一定要达到，也许正因为重复，一定要达到！"他说，又笑了凄惋的笑，显然他不大习惯说这些话。"她在前面剪花。"他想，听着蒋少祖激烈的话，露出了羞怯和温柔。

"是的,我们互相要说服——但他心里究竟怎样想呢？他真的不看到我所看到的吗？这,是可能的吗？"汪卓伦严肃地想,闭紧了嘴,有了漠然的恐惧。

他闭紧了他底长着硬髭的、魅人的嘴,焦急地等待着蒋少祖说完。

"那么,少祖,在你心里,你觉得应该如何呢？我是不知道的,因为我已经很多年……"他用微笑封闭了他自己底话。他是想求助于人间底亲爱与温柔了。他底眼睛笑着如蜜饯的酸梅。

"他是怎样,心里怎样？"他恐惧地问着自己,看着严峻的蒋少祖。他恐惧自己是孤独的;他第一次发现自己在这个上面是孤独的。在短促的寂静里,他感到了这个孤独底忧伤、漂泊的意义。"与世无争是多么好啊！"他想,脸上有了习惯的甜美、忧郁、而有力的表情。

"富国强兵吗？我不想。"蒋少祖嘲讽地回答。注意到汪卓伦底甜美的笑容,恢复了安静。

汪卓伦底妥协的、温柔的、因此显得有力的面部表情使蒋少祖觉得他们之间原是无可争论的,使他笑着静默;但同时使他感到某种惶惑,如一个欲望强烈的人在谦逊的、凄惋的心灵底沉默前所常常感到的一样。

"和他这种人是无可争论的,这真有些可怕！"他想,因惶惑而严峻。

"你,你自己怎样想呢？"汪卓伦亲切地问。

"不过想找一条路罢了。"蒋少祖忧愁地说,看了汪卓伦一眼,忽然他想到了所经历的春日底烦恼、情欲、和残酷。"不过,找一条路。"他露出更深的忧愁说。

"我们都在找一条路。"汪卓伦希望地凝视他。

当汪卓伦求助于人间底温柔和忧伤时,蒋少祖惶惑,求助于人间底残酷了。他无法回答对方底这句话。他站起来,压着手指,带着敏锐的、严厉的表情向着窗外。

"找一条路！对！这么多年,他是很烦恼的。他不说他心里的意思。也许他是很孤独,没有人理解他。是的。……她怎么还在剪花?她不应该那样高兴地告诉他,不过,这种决定是多么好啊!"汪卓伦想,想到中午,当他努力安静地回答着蒋淑华底决定,说自己也是这样想时的蒋淑华底激动和不满足,和当他激动地、凄凉地说明了他所感到的意义时的蒋淑华底眼泪。她跑到床边,抓帐子揩眼泪,并埋头在帐子里。

他垂下眼睛,在桌上划着。然后,他向着蒋少祖。

"少祖,怎么,疲倦了吗?"他说,希望蒋少祖注意到自己底坦率的、爱怜的眼光。

"没有。"蒋少祖回答,不看他。

"明天动身吗?"

"是的。"

沉默了。

"来信给我们,啊!……其实呢,每一个人都是为了自己。"汪卓伦低声说,忧郁地笑着。

"你也为了自己吗?"蒋少祖疾速地转身,问,皱着眉。

"怎么不?"汪卓伦说,欢乐地扬起了眉毛,而眼睛潮润。于是他站起来,微笑着,伴蒋少祖走进前房。蒋少祖在门边拿帽子,他们听见了蒋秀菊底疲倦的、忧郁的话声。

"她在!"蒋少祖想,走出来。

"你来了吗?"

"我刚来。我马上就走。"蒋秀菊回答,脸微红,重新露出那种勇敢而又怯懦的神情。

"你们学校里,好吗?"

蒋秀菊不答,但因为不安的情绪,站了起来。

"她们学校里也乱的很,……"蒋淑华快乐地插嘴。但蒋少祖鞠躬,向外走去。

"是的,听说。"蒋少祖笑,脱帽,鞠躬,然后向外走。显然的,这个动作成功地掩饰了他底狼狈。

汪卓伦送他出去。蒋淑华想喊叫什么,但跑到门前停住了。

房里沉寂,两姊妹无言。蒋少祖唐突的动作使她们感到她们底一切都是错误的。但她们又无法说明她们究竟怎样错误。刚才的爱怜、希望、幸福和矜持都一瞬间消灭在突然袭来的广漠的空虚中了。

灯光明亮,显得空虚。蒋淑华以暗澹的眼睛看着桌上的精巧的纸花。这些在温柔中剪成的纸花是凋谢在突然袭来的、广漠的空虚中了。

蒋秀菊,惧怕这种空虚,但露出了蒋家女儿底安命态度。不流露丝毫的感情,像她走进这间房时一样,向姐姐告辞。她轻轻地走了出去。

"她是长成大人了,她是变了!"送走妹妹,蒋淑华想,"我们究竟应该怎样办?究竟应该怎样!可怕啊!"她嗅着纸花,然后摔开它们,焦燥地走进后房。

听见汪卓伦走进来,她重新跑出。

"你和少祖说些什么?我跟秀菊谈这件事,但是她很执拗,很执拗!"她迅速地、急切地、混乱地说,红着脸,像小女孩,"我觉得怕!我有些怕!我觉得有什么可怕的东西!"她说,激动地闭上了眼睛,然后她哭了起来。

汪卓伦站着,凄凉地笑着,看着她。

三

第一次开庭后,事情就耽搁了下来。法院里的人认为这件诉讼是几年来最复杂的。蒋家有胜利底可能,假如它不把它内部底矛盾和软弱暴露给公众,并且让顽强的金素痕抓在手里的话。假若它,蒋家,有集中的力量和意志,并且肯抛出大量的金钱的话,它便可以澄清这个战场。但现在机会失去了。

金素痕已经站稳。她底弱点是第一场,这一场已经过去了。这个女人,是有着非常的、特异的对诉讼的爱好的;一切战争于她都是愉快的;人间底斗争是给了她以那种非常美味的酒,非常的陶醉。但在第一场战争后,她是疲弱,颓唐了下来。社会底眼睛,财产底眼睛,贪馋的男性底眼睛固执地注视着她,使她永远要做出那种自信的、冷笑的、意气高扬的态度来,以掩藏她底可怕的颓唐。她底暴乱的热情给她带来了那么多的苦痛,以前不被觉察的,现在暴露了。在以前更年青的时候,在希望在眼前闪耀的时候,表现成为冷酷的意志和人生底享乐的,现在变成了暴乱的情热,从对蒋蔚祖的失败,发生了动摇、呻吟、女人的痛苦,和无常的、精神的病症。

她不能失去蒋蔚祖了。在财产底陷阱里,不能从形式上失去他,在一个女人底痛苦上,不能从内心里失去他。前者是很简单的,因为蒋蔚祖总是她底丈夫;后者则纠缠得可怕了!——金素痕变得永不满足,失去了对自己的控制力。

蒋蔚祖来南京,自己选择房子,住在下关:这间房子临江、孤独、简陋。他不许修理,并且不要一切陈设,除了他自己所高兴,所创造的。开庭时他作为金素痕底丈夫出席,不说一句话,母亲在被告席里对他哭喊地咆哮,他显出不耐烦,没有终庭便离席。他时常戴着破帽子在街上漂流,用钱来交结野小孩和流氓。他时常睡在破庙里,那是流氓们赌博的处所。在家里,白天,他关上窗户,点着无数的蜡烛,并且常把衣服和被单堆在地上、床上、柜子上。这种辉煌的、神秘的、帝王的境界是他那天在苏州发现的。有谁干涉他,他便凶暴地咆哮。

在春天,阴雨的天气,蒋蔚祖坐在他底王座上,谛听着雨声和人声,谛听着江流声,激发着内心底忧伤,唱着歌,唱着诗。

他在桌前贴了一张白纸,上面写:"今后惟切实做人而已。"

他知道金素痕会来,他知道他和金素痕互相间的地位已经掉换了。金素痕,在这个多雨的春季,每隔两天必定来一次下关;她底这种行为是成了精神上的病症。她底最初的努力便是要蒋蔚祖离开这间阴暗的屋子,在这个失败后,她便努力使蒋蔚祖同意她底房间陈设,其次她要求蒋蔚祖不把房间弄乱——然而这一切全失败了。

于是金素痕声明说,要是他,蒋蔚祖不照她所说的去做的话,她便永不再来。

蒋蔚祖看出她底决心,答应了她:不弄乱房间,并且不点蜡烛。但不到一星期,他便又醉醺醺地在烛光间唱起歌来了。这次他是永不再放弃了。

在南京,在财产底陷阱里,存在着这种怪诞的、暴乱的夫妻生活。颓唐的金素痕又开始了放纵,然而,无论怎样,她总无法忘记她底孩子和这个苍白的、狂热的、忧郁的蒋蔚祖。说这是一种热恋,是也可以的;走了应走的路,这个苍白的、狂热的、忧郁的蒋蔚祖对这个辛辣而自私的金素痕就变成了蛊惑的恶魔,并且变成了心灵底阴惨的控制者了。在他们之间,不是黑暗的迷乱,便是绝望的空虚。那种绝望的空虚,较之人间底血肉的痛苦的,是要可怕得多的。常常的,对于人类,阴惨酷烈的地狱,较之漂渺广漠的死的彼岸,是要可爱得多的。

金素痕和蒋蔚祖,是如地狱的幽灵似地互相纠缠着,看不清一切,看不清在他们身边,广大的南京是在营着怎样的生活。

这天黄昏,阴雨,喝得大醉的金素痕到来的时候,瘦削的、苍白的蒋蔚祖正伏在窗槛上,抛东西给窗下的褴褛的小孩们。窗户里面是照耀着熊熊的烛光。

显然这些小孩们都和蒋蔚祖熟悉,并且喜爱他。当他抛下撕碎的布条和毛票来的时候,他们就发出欢呼,在泥泞里争夺。蒋蔚祖,当他抛下东西去的时候,他底眼睛快乐地闪瞬着。这种闪瞬有一种特殊魅人的地方。这种闪瞬暂时缓和了他底僵冷的、无表情的面部。

"不要叫!"他用尖细的灼烧的声音叫。

"蒋蔚祖,蒋蔚祖!多一点,蒋蔚祖!……你底老婆,蒋蔚祖!"金素痕下车时,孩子们叫。

蒋蔚祖用眯着的眼睛看了金素痕一下,向孩子们摇头,继续抛下铜元和毛票来。

"好呀!好呀!"孩子们在泥泞里抢夺着,滚在一起,蒋蔚祖欢乐地大声叫。

金素痕站在雨里,提着绸衣,愤怒得发抖。

"混蛋,他故意这样叫!"她想。

她凶恶地驱赶了孩子们。她捉到了一个,夺回了毛票和铜元,并且举手向他底鼻子打去。

"蒋蔚祖!啊啊!蒋蔚……"小孩哭喊,向蒋蔚祖求救。

金素痕抬头看丈夫,小孩就逃开了。褴褛的小孩们跑过柏油路,雨在阴暗里落着,小孩们齐声唱歌。

　　蒋蔚祖,天大的闷葫芦,
　　蒋蔚祖,讨个老婆滑都都,
　　天大的闷葫芦!

细雨在阴暗里落着。蒋蔚祖底忧郁的、苍白的脸向着孩子们。他向孩子们摇手,然后从窗口消失了。金素痕发上和肩上都打湿了。她蒙着脸,站在阴暗里。忽然她尖叫了一声,上前冲开了门,脚缠在飘曳的绸衣里,跑上了狭窄的、旧朽的楼梯。

蒋蔚祖坐在从苏州运来的、父亲底大坐椅里,脚搁在桌子上。周围是辉煌的,摇闪的烛光。他底眼睛低着,他底脸阴沉。

他处在无欲望状态,没有注意金素痕上楼。他在用心灵谛听,听见雨声和从后窗传来的长江底悲惨的呼吼。他觉得在这一切声音之外有脚步声,他抬起眼睛,但立刻又低下。

"蔚祖!"潮湿的金素痕站在烛光中,做着痛恨的,要从地上跳起来的姿势,以尖锐的,严厉的声音叫。然后失声哭泣了,跑向床。

蒋蔚祖睁开了眼睛,失去了眼睛底迅速的、活泼的闪瞬,静止地、懒惰地、淡漠地看着她。

金素痕从床上猛力跳起来,大声哭叫,撞东西,跳着脚在房里乱窜——可怕的疯狂。但她忽然寂静。她跑向门,打开,把偷看着的女仆残酷地踢下楼梯去。女仆叫喊,她猛力闭门,寂静地站在门前。可以觉察到她底丰满的身体在这种寂静里的燃烧般的颤抖。蒋蔚祖站起来,露出牙齿,向着他底蜡烛。

窗外已经黑暗了,雨落着。金素痕向着烛光。

"原来这些蜡烛是这么好!原来这房里一切是这么好!这么好!"她忽然想。这些蜡烛,这房里凌乱的一切,在她底酒醉里,唤起了她底肉体底欢快的颤抖,愤怒的发作突然过去,她是柔弱,深深的忧伤。她睁大了眼睛,好像有些吃惊。她跑向蒋蔚祖,抓住了他。

"为什么你这样!你这样!为什么你这样可恨,可恨,永不清醒!为什么留给我这么多的侮辱!啊!侮辱,侮辱,侮辱呀!"她摇幌着他。"我做坏事,做恶事!做不要脸的事,全是因为你,我底永生永世的冤孽呀!为什么你不想想,你不想想!为什么你像死人,像鬼,啊,你像鬼!"她恐怖地叫,凝视着蒋蔚祖底搐动的、可怖的脸。

"原来这样可怕,这个房间!我是不是人?是不是?这里多么阴惨!"她想。

她睁大眼睛看着他。"你说话!"她说,夸张着她底恐怖。

"你喝醉了。"蒋蔚祖说,做出了冷酷的表情。

"说话,说话,你再说!我说过,叫你说你就说!"金素痕带着夸张的恐怖,叫。

但蒋蔚祖沉默着。

"我叫你说!"她厉声叫。

蒋蔚祖阴冷地向着她。"今天决不受骗!"他想,凝神,希望听见江流底悲惨的、孤独的呼吼。

"我跟你说过一千次,你总叫我难受,尤其你……"金素痕急迫着,流下虚伪的眼泪。"再不做声,再叫我害怕,我就打你了!"她说。

蒋蔚祖底面部狞恶地动了一下,她举手打他底耳光,他脱开,并且推翻椅子,金素痕颤抖着,脱下皮鞋向他砸去。他闪到床上,顺手拉倒了帐子,坐在帐子底凌乱的堆积中,他忽然抬起脸来,带着骄傲,带着疯人的冷静。

315

"你不许动!"他用尖锐的声音命令。

金素痕赤着左脚跃过了翻倒了的椅子,脱下了另一只皮鞋来抓在手里,在那种奇怪的嫉妒里颤抖着。她拚命地撕皮鞋,一面发出痛苦的声音来。

"你不许动!你听!"蒋蔚祖仰着脸,大声说。

蒋蔚祖叫金素痕听,有了静寂。外面吹着风,孤独的屋子是在风雨中。金素痕得到提示,皮鞋从手里落下,注意到了在这个孤独的屋子外面作孤独的运转的广漠的世界,听见了她所要求的,听见人在攫取着什么又遗弃着什么的江流底深沉而遥远的呼吼。房里烛光摇闪,蒋蔚祖仰着面孔,紧张而冷酷。在这种孤独中,一切怪诞的行动都是可能的,一切虚伪的假想都可能实现;金素痕叫了一声,倒在地上了,在这个瞬间金素痕宁是感到奇异的自由和欢乐,热情是做着疯狂的飞翔,而假意的颓唐和哀怜是被这个激烈的动作变成了奇迹的真实了。她流泪、战悸,并且笑着讽刺而辛辣的笑,听见了深远的风雨声,感到自己是起伏在黑暗的波涛中:经历到绝望底快乐。

是在这个深沉的、孤独的洞穴中,疯狂而濒于毁灭的生命作着侈奢的嬉戏。蒋蔚祖对这一切,对自己底严厉而尖锐的声音是有着极大的酷爱。他乐于看见在他底喊叫下,金素痕倒在地下;在这一切里,在风雨、悲泣、烛光、朦胧的暗影和他自己底冷酷的、表现出独特的对生命的意识的动作里,是有着他底壮烈的诗。

金素痕底身体蜷伏在暗影里,但赤裸的脚在烛光下颤动着。没有任何言语,任何人间底言语都将破坏这个虚伪而又真实,疯狂而又自知的境界。

"维持着这个时间吧!不要过去,留住!这是多么好!"在风里摇闪、倾斜的烛光说:"想想吧,假若这个时间过去,会有什么到来?好可怕!"

"你听见了没有?你听见了什么?"蒋蔚祖笑着,说话了,"你还喜欢漂亮的衣服吗?你还喜欢身外长物,富贵荣华,勾心斗角,——还喜欢吗?车马水龙,筵席歌舞,男女追逐,吓,多么好!有人等你去吃酒,你去吗?你哭,你只在这里才敢哭!这个世界上,岂有你哭的地方!"他笑着。他底眼睛活泼地闪瞬着。

金素痕虚伪地呻吟着。

"岂有我哭的地方,哭的地方!哭也要地方吗?"她想,于是,在这个对生活的思想里,那个虚伪的境界破灭了。她恐惧地挣扎着,发出了虚伪的呻吟。"好苦啊!好苦啊!"她虚伪地想,企图恢复刚才的位置。

"我还喜欢那些东西,那些人吗?我什么时候喜欢的?"她想。在这个思想底下,她底心冷静地说:"风、雨、疯子丈夫,疯子我,多么可怕!"

"为什么没有我哭的地方?我跟你说过!"她忽然站起来,愤怒地叫。然后她沉默,环顾着,看见了刚才不曾看见的:烛光、桌子、剥落的墙壁、翻倒的椅子;并听见了清晰的雨声。这一切刚才组成了那个奇迹的境界。但现在还原成生活的、平常的存在了。她觉得在它们之间,在墙壁和椅子之间,在椅子和床铺之间,在它们之上,是存在着绝对的空虚。她赤着脚,站住不动。雨声清晰;水滴落在石阶上。

她转身向着疯人,希望从他得到拯救。

蒋蔚祖打开后窗,站在窗边。风吹进来,烛光闪摇;江流底呼声更大。蒋蔚祖有安适的、沉思的表情。他底发亮的眼睛作着空虚的凝视。

金素痕想到应该哀求蒋蔚祖,使他动情。这是一条正当的路,被哀求的蒋蔚祖将激动而醒转,因此便可以达到她,金素痕底希望:过一种正直的生活。但这种努力在金素痕又是极难做到的。必须有真挚的激动,死灭的呼唤,用一种辛辣而高尚的计谋,使疯人回到初婚的回忆和少年的憧憬。

金素痕站着,集中着她底力量。

对破灭恐怖的意识和最后的希望所放射的那种光明,可能使金素痕在这一次——她刚发过疯——成为纯洁的:蒋蔚祖是就在面前静静地站着,好像在等待。但这个女人有一种假想,她认为一个强烈的动作可以达到内心底真实,在希望底鼓励下,和刚才所发生的一切极不相称地,她是在理智地考虑着她应做的动作。在刚才所经历的一切之后,她是过于空虚和疲乏了,那种渴望,那种燃烧,是非从外部激起不可。她在唤醒悲哀,采撷她底最伤心的记忆——没有感到目前的景况是最伤心的。她听雨声:水滴落在石阶上。酒醉已经过去,夜已经深沉了。

她想到,在她年轻的时候,她曾经被父亲无理地侮辱过。她觉得这是很伤心的:现在的一切从那时就开始了。她记得,晴朗的天气,坐着马车,她被父亲从马车上推下来,叫着说:"我不要你这个婊子女儿!"她没有哭,独自寻路回家。她记得是晴朗的天气,春天的空气里浸透了深深的、少年女儿底悲伤。……

她痴痴地站着,觉得她是悲哀的。她向着蒋蔚祖,这个人是给了她那么多财产和那么多苦痛! 她听见雨声。……

"蔚祖……"她用悲凉的大声说。同时焦燥,混乱,失去了悲哀。

空虚站在她和蒋蔚祖之间。

"不,不成,不成!怎么办!一切都完了!"她想。

她叫唤着,悲哀地摇着头。假想帮助了虚伪的悲痛。在另一面,真实的悲痛是:混乱、焦急,感不到蒋蔚祖底生命,得不到心灵底深刻的和谐,在这个瞬间,她发觉了自己多日以来并未感到蒋蔚祖底生命。她所需要的蒋蔚祖是魔鬼的蒋蔚祖和天使的蒋蔚祖,却不是痛苦的人的蒋蔚祖。

蒋蔚祖怀疑地、淡漠地看着她,警戒着自己不要受骗。

金素痕呻吟着,混乱地流着泪,带着她底痛苦,把这种痛苦当作向蒋蔚祖悲悔恳求的纯洁的、苦难的妻子底痛苦,投身在蒋蔚祖底脚下。

"我知道你心肠慈悲,我知道你为人高洁,再不能忍受了,蔚祖!"她说,"记得从前吗?记得你讲的那些故事吗?蔚祖!我是苦极了,我只有你,对天发誓,要是说假话,我金素痕就死无葬身之地！我只有你啊，我底蔚祖……"触动了命运底永劫的创痛，金素痕伏在蒋蔚祖脚下高声啼哭了。

蒋蔚祖牵着她底手，皱着眉头仔细地听着她底哭诉，以疯人底心灵分辨何者是真实。听到最后，他眼里露出了凄凉的微笑。

"是的，是的。"他喃喃地说。

"那么蔚祖，可怜的蔚祖，你醒醒，醒醒，从今以后……"

"不是可怜的蔚祖。"蒋蔚祖细声说，思索起来。于是他脸上有了僵冷的、可怖的表情，他底眼睛瞪着，面颊抽搐着。

"醒醒，醒醒，不然我们要永远分开了！"金素痕仰着头说。

"永远分开算得了什么！你要耍花头你去吧……蒋蔚祖今后惟正直为人而已！"蒋蔚祖大声说。

在金素痕底混乱的、徒然的、热恋般的悲诉和哄骗里，蒋蔚祖底妒嫉的心转向了他自己底道路，得到了防御。他把孤独的自己推向一个更大的、更严酷的孤独，得到那种信念，即他是永恒地孤独。他仰起脸来，听见了在深深的、深深的夜里，江流底悲惨的、遥远的呼吼。

"听吧！你们听吧！"他底仰着的面孔说。

金素痕柔弱地，失望地站了起来，痛恨刚才的虚伪——她所追求的、无法理解的蒋蔚祖使她虚伪——颓丧地倒到床上去。

这个夜晚，和其他无数的夜晚，是充满着热情底暴发、绝望的疯狂的而显得虚伪的追求，是充满着疯人底冷酷的哲学，和金素痕底悲悔、哭泣、咒骂、哄骗、爱抚。……

第十章

一

汪卓伦在他底生活上最有发展的这半年，正是中国和日本的关系暧昧地起伏着，日本强调亲善，全中国弥漫着焦灼的痛苦的，密云不雨的时期。从春季到夏季，报纸上刊载着无数的中日事件，同时不断地暗示出政府底决心和青年们底悲愤的斗争，预示着，在这片土地上，有什么东西将要到来。

在这半年，汪卓伦底敏锐的心是生活在这种焦灼的痛苦里面。他是第一次生活在这里面，于是就永远生活在这里面了。他自觉地找寻着出路。最令他愤慨的，是在他在里面埋没了多年的海军部里，是充满着无聊的、自私的斗争。这个，如他们所自称的，没有海，也没有军的部里，是充满着衙门底疲惫的、喧嚣的、腐旧的气味。这种气味在中国到处可以嗅到。

在海军部底宫殿式的、辉煌的建筑物底门口，是进出着漂亮的、年青的官员们，卫兵行着敬礼。公文每日堆积下来，迟迟地分发出去，迁调军舰和调整人事。如众所周知的，海军，新式的战舰、配备、和训练到了中国，是像模特儿进入了中国底艺术学校一样，变成了难于说明的、中国的货色。那些军舰底样式和历史是很可笑的，然而又是庄严的。如大家所感觉到的，海军，和一切到中国来的近代的东西，是沉重的中国底滑稽而严肃的痛苦。

汪卓伦在海军部里蹲了多年，没有升迁，也不想升迁。周围的一切是使他深深的觉得忧郁。他待人很好，有着女性的、深刻的温良，但总要纠缠到各种争吵里去，尤其是关于金钱和人事的争吵。有时他发怒。他觉得他底发怒是正当的,但别人却认为他总在不该发怒的时候发怒。他发怒是因为他底做人的权利受到了侮辱和损害,但按照这个社会底规则,人却应该在抢夺别人的时候发怒。汪卓伦是孤独的——在这个社会里,人们是看到了各种样式的孤独——没有嗜好,厌恶交际。因此长官不注意他,只是时常和他为难。他沿着他底轨道进行着。他结了婚,他底结婚不能说是不幸福的;现在他热情地、严肃地、带着他底可爱的单纯,准备做父亲了。

结婚底幸福启示了他以某种真理。他渴望这个社会证明给他看:他是幸福的。严重的未来是闪耀着但又隐没,引起了热情和焦灼的痛苦。他用他底单纯的,凄惋的态度处理这个痛苦,好像说:"看吧,即使一切全没有了,即使将来是可怕的,我底生命总存在,我总是最理解,最容忍,最温良的。"在以前他觉得社会与他无关,但现在他卷入他底民族底苦难和积极的情热里去了。

在海军部底环境里所过的多年的生活引起了他底某种理想。他厌恶的是这个海军部,他理想的是承得起国民底愿望的,气魄雄大的海军部。他觉得中国假若要成为现代的国家,海军——是高于一切的。这个严肃的偏见是被单纯的青春的热情养育着的。

一月来,他加入了海军部所举办的训练班,赴镇江受训。他底这个行为招致了同事们底猜疑和非难。最初长官阻碍他,其次蒋淑华反对他,但他委婉而固执地表明:他要加入训练班,否则便离开海军部。四个星期后他回来了,健康愉快。发现他并无从这个受训升官的意图,同事们就减少了非难。

但他是有着企图的,虽然说不清企图什么——这是那种在平静发展的生命里逐渐增强着的渴望。回来后他深深地感到痛苦,发觉这个世界是如此地对待他,发觉他已经再不能安心立命地埋没在公文堆中了。生活是再不能照旧继续下去了,青春,——短促的,迟暮的青春是就要消失了。

于是又到来了忧郁、反动。漂泊者底寂寞的歌不是要好些么？无希望的孤独不是要比现在的这种处境要好些，要美些么？

忧郁、坏心情、夫妻间底小小的不调和、财产底烦恼、和这个世界底腐败、没落。但一个偶然的事件把他吸引到广漠的天地中去，他经历了他所从来没有经历过的激动，瞥见了荣耀的未来。

四月初，紧接着汪精卫在日内瓦发表了溥仪称帝的原文，向国联抗议以后，日本派军事特使来南京。由于奇异的心理，南京官方允诺了日本特使底请求，布置了一个小小的军舰检阅。优秀的、聪明的、知道怎样做才合式的汪精卫陪同着日本特使检阅了宁海舰和其他几只停泊在下关的军舰。……

汪精卫向日本特使表示，这并不是一个军事性质或政治性质的检阅，而是一个"友谊的欣赏"——这个说法奇异、暧昧，但适合于说话者底心理和女性的天才。虽然是一个友谊的欣赏，或正因为是一个友谊的欣赏，海军部在接到通知后忙碌起来了。海军部最初愤怒，认为这是侮辱；由于不知从哪里来的暗示，大家都觉得这是在"替别人擦靴子"。但同时便展开了紧张的工作，希望让日本人看见漂亮的、愉快的货色，因为汪精卫愿意如此。

汪卓伦讥讽说这是让日本人看看他们底出品在中国并没有被弄脏——大家都知道，宁海舰是日本制造的。汪卓伦阴郁而辛辣地到处反覆着这个讥讽。在这种他觉得可笑的忙碌里，他经历到那种锐利的辛辣的快感。他没有思想，有时阴郁，有时兴奋，到处打听关于这件事的笑话，笑话是非常的多。处在怪诞的地位上的敏感的国民，是惯于把他们底悲愤变成讽刺的。

汪卓伦变成了出色的讽刺家。在兴奋里，他走进别的办公室，用讽刺攻击那些老于世故的、认为一切都是办公事的同事们。他结识了几个同志攻击这些麻木者。而当他回家的时候，在路上，他第一次痛切地想到国民底麻木底可怕。

他想这种麻木是就在他周围，密密地围绕如墙壁，但他平常很少思索它。他记不起他曾否思索它。他在春天的、喧闹的、黄昏的街上静静地走着,想到周围的人们,生活着,发出声音,而不知道生活和声音底意义,并且根本不关心正在威胁着他们底生存的,重大的事件,觉得愤怒。他觉得他是在一个极狭窄、极窒息的地域里行走,看不见任何光明,任何觉醒,看不见浩荡的江流和高耸的山峰,一切都僵冷、虚伪。自私、麻木、灰色,威胁着他底凄凉的生机。

他开始怀疑他自己是否已经麻木。他忽然觉得自己已经麻木。他记起来,对于检阅海军这件事,他完全没有去思想。而他底随便的讽刺是遮盖了事情底严肃的意义。他忽然酸楚起来,觉得这件事情是应该使人痛哭的。

他皱着眉,闭紧嘴唇,大步地在街上走着。

"是的,随随便便地对付一下,骂一下闹一下,就像蒋少祖说的,过上几年就完了!就埋在那里,自私可怜,争权夺利,麻木不仁!哪一个人不曾有过理想?为什么我今天那样随随便便地兴奋?这个麻木不仁的世界,有什么事值得兴奋?"他严肃地想。"我是一个平平常常的人,但我总是一个人!我觉得麻木的冷风四面八方地吹着我,吹着我!"他用兵士的姿势在街上走着,感到从彩色的霓虹,从车辆,行人,有麻木的冷风吹出来,这种冷风扫荡了这个国度,吹着他,爱着而又恨着这个国度的汪卓伦——他以兵士的大步行走。"我是一个平平常常的人,但总是一个人,我有权利,也有责任!"他严肃地想,以兵士的大步行走。他忽然盼顾,希望捉住向他袭来的麻木。随即又看着前面大步行走。

"我要跟她说。"进门时他想,叹息了一声。

他温柔地、有力地耸着肩,在门槛上站了一下,眼里有酸湿的光辉,走了进来。桌上摆着晚餐,灯光沉静地照耀着。汪卓伦觉得这个房间,他底家,像一个凄凉的海岛,近处的街市底喧骚与远处的兵营底号声像海洋底凶险的浪涛。他轻轻地走到桌前。

蒋淑华听见声音,疲倦地从后房走了出来。

汪卓伦坐下来,严肃地看了插在窗边的精巧的纸花一眼。

"我等了好久好久。"蒋淑华忧愁地说,显然有些不满。

"今天我迟了,因为部里发生了一件事。"汪卓伦说,看着妻子,试探她是否有兴趣,是否听出了他底声调底严肃。蒋淑华疲倦地吃着饭:她显然没有兴趣。

"不跟她说吗?不,要说。但是说什么?"汪卓伦苦恼地想。吃着饭没有说话。

"我又不舒服了。"蒋淑华说。"总是没有味道,倦得很。"她沉思着加上说。

"是的。要早一点休息!"汪卓伦怕自己底话虚伪,诚恳地看着她。

"我写了一封信给少祖,你看好吧?"

"好的。怎样写?……不,等下给我看。"

但蒋淑华露出了不快的、矜持的表情,一定要他即刻就看:显然她认为自己这个行动是有意义的、重大的。信里充满了忧伤。蒋淑华回忆过去,讲到苏州底花,请求蒋少祖不要忘记这些花,并不要忘记她们。这种忧伤的倾诉,这种凄凉的回忆使汪卓伦感到了蒋淑华近来的内心生活。他好久便把她底内心生活认为是当然如此的,疏忽了它。看完以后,他凝视了信上的秀丽的字迹好久。

"怎样?"蒋淑华,露出热切的、妒嫉的表情,问。

汪卓伦抬头,向她动情地笑了。

但即刻他严肃了。

"怎样?"蒋淑华问。

"很,很好。"汪卓伦说,内心有痛苦。"为什么我这样疏忽?为什么她和我分离得这样远?为什么她不看到这一切的无益,不看到更重大的东西?不过在她,这是非常重要的……怎么办呢,她为这个而生活?我不应该自私,那么,什么是有价值的?我要跟她说。"他想。

"怕少祖那个人未必注意这些的。"他带着含蓄的柔韧的表情说。

"何以见得?"

"因为,人的生活不同,心和心之间就不能相通。"他笑,用笑容证明这话底意义。

蒋淑华怀疑地看了他一眼,严峻地皱着眉。

"要是果然如此,当初就不该!"她说,长声叹息,有了眼泪。

"淑华!"他唤。他底酸楚的,潮湿的眼睛说:"看吧,我在这里,即使一切全没有了,我总存在,我总是最理解,最温良的!"

"你们部里有什么事?"蒋淑华勉强地问。

"没有什么了不起的事!"汪卓伦说。诧异自己底心情底突然的改变,盼顾周围:周围的一切给了这种改变以有力的证实。"是的,我才注意到,这里是桌子,晚餐,纸花,她,不是什么国民,社会,那些意义原是虚伪的,我有什么要求? 没有什么了不起的事,明天将和今天一样,和昨天一样,而在这里,没有另外的——只有这一切,我底一切,这才是真实的。"他想。

"不过,你这样跟少祖写,你是对的。"他说,脸上有有力的、柔韧的表情。

他底动作和缓、有力、柔和,这是他底最大的特色。这种动作和表情是与急剧的动作表情不同的。后者尽量地、夸张地表现一切,前者却含蓄地暗示一切。"我现在和你在一起,感到你底心,我已经丢开了别的了,你晓得。我认为只有你底欢喜和苦恼,和我们所创造的一切,是最重要的。你,明白吗?"汪卓伦底这种表情说。

蒋淑华严肃地注意着他。她明白这些,但还需要一件东西;她底天性需要汪卓伦给这些以外部的、具体的、言语的证明。

"他们还攻击你吗?"她问。

"倒是我攻击了别人,今天。"汪卓伦柔和地笑着说——怕自己又要讽刺,"明天汪精卫要陪日本人检阅海军! 我觉得这是无益的!"他说了一切。但是站在平常的、普通的立场上,没有提及他今天一整天所经历的内心波动。他好像有这样的企图:让蒋淑华感到他底这一切是没有什么意义的。"我只想到你。我在这里才感到平安。"他诚恳地说,作了结束。他怕虚伪。

"是的,真是讨厌!"蒋淑华说,得到了证明,满足地,幸福地笑了,在桌上按住了他底手。

汪卓伦看着她。当她这样地表现时,汪卓伦,在他心里响着另一种声音,不能满足了。

"不过我今天很激动。"他皱着眉,诚恳地说:"我一进门就想向你说。我今天错了!"同时他底眼光问:"但是怎样才是对的呢?"

第二天,汪卓伦阴郁地走进海军部,觉得这个地方再不能适合他;忘记检阅的事。但当他刚刚坐下时,他底精明的上司就愉快地走进来,用响亮的声音向他说,因为临时缺人,部里决定派二十个人到江上去,他们这一部份决定派他。

汪卓伦站起来,表明自己不想去。上司快活地打断他,说他非去不可,因为他仪表最好,且受过训练。

"啊,受过训练!"汪卓伦想,坐下来。

于是,像常有的情形一样,汪卓伦没有了自己底意志,机械地随着这个大的机器运转。于是,汪卓伦换上了海军中尉底白色的军服,出门上了汽车。他觉得今天特别不能习惯这个漂亮的、带着装饰的制服,走路时不停地、机械地摸着衣领。

是晴朗的,愉快的日子。汪卓伦下车时觉得自己轻松、灵活、快乐、而有些惆怅。在这个大的机器里他没有意志。他抚摸着衣角和领章,带着青春的甜美的意识环视着自己底挺拔的衣装,感到空气在阳光下喜悦地颤动,企图证明这一切底意义,证明领章、袖扣、花纹、空气、阳光、和自己底意义。

那种阴郁的心理是迅速地消失了。活动带来了肉体的愉快。他只是还有些惆怅,觉得他底周围和他自身里面总有一种不明确的东西存在着。汪卓伦是显露了那种幼稚的、单纯的心灵底特殊的软弱,但那种惆怅给他一种启示,使他觉得他就要做一种努力,就要见到非常的,不平凡的景像,而得到非常的东西。

他和朋友们走下石阶。凝视了在江面上展开的,巨大的场面。他看见了——首先看见了激动的、闪灼的、浩荡的大江波涛;阳光在波涛上闪耀。他底内心底启示变得鲜明;他觉得像波涛一般鲜明。

他皱着眉,闭紧着嘴唇,走下了清洁的台阶;两旁列着兵士。他和同事们上了扬着旗帜的、漂亮的小汽艇。

江面上有另外两只汽艇在行驶,它们所驶过的水面上留着长长的明亮的波痕,好像大江里出现了两条激动着的新奇的河流。正面排列着五只军舰,每只相距一百米远,舰首向东,扬着旗帜。围绕着它们,停舶着小的炮舰和鱼雷舰。鱼雷舰正在缓缓地移动,舰首向着江岸。

汪卓伦们底汽艇向江心驶去时,最前面的一只战舰,宁海舰上面扬起了军乐。同船的人们底脸孔严肃了,但汪卓伦露出了耽忧的、恍惚的微笑。他耽忧他会太愉快;照他所习惯的,他企图抑制住他底内心底丰富的颤动。军舰在试乐。汽艇驶过,先是一只,其次是更明亮的一只,上面有人向他们招手。汪卓伦底眼睛被耀眼的波涛惑住了。他转头向着江岸。看见了码头,街道,密集的房屋和行人,在春天底早晨,阳光下有几千种闪光,几千种色采。

"多么丰富,多么美!"汪卓伦想。

"汪卓伦,有人喊你!"朋友向他说。

汽艇在宁海舰旁停住,送五个人上去。然后驰过宁海舰底舰首。从宁海舰底栏杆上有人活泼地招呼着汪卓伦。汪卓伦站起来,但汽艇摇幌,他又坐下。在这种场合被人认出而招呼是一种强烈的幸福。笑容好久留在他脸上。他注视着离开着的,在江里显得雄伟的宁海舰。

另一艘军舰上有了军乐,好像欢迎这只灵活的、充满着青春的活力的汽艇。

汪卓伦同时注意着一切。注意舰上的走动着的忙碌的人们,注意舰身和沉重的江波,注意阳光下的魅人的南京城,注意他底严肃的、兴奋的同事们。周围是几千种色采,几千种闪光,在汪卓伦心里是保育着那种单纯的青春的力量。这一切是留下了不可磨灭的印象。

"要是我能够在他们排起队来以前到达舰上,我就是最幸福的!"他想。

他们向它驰去的军舰上底人们在兴奋地动作着,显然准备列队。汪卓伦觉得自己假若能在列队之前,即在舰上的活泼状态中到达舰上,便是最幸福的。希望隐藏他底热情,并且不让同事们发觉他底思想,他看了同事们,但他在他们脸上发现了同样的热情,同样的思想。

"我们准备做什么?他们要让我做什么?"他想,因为强大的幸福而感到恐惧。

于是他严肃地,轻捷地登上甲板,看了一切人们,露出那种容忍的、镇定的、有力的表情来,准备接受这个新异的世界底任何命令。但他心里有恐惧。走过光滑的甲板时,那个光采的、闪灼的世界被他遗忘了,他所注意着的是周围的有力的、新异的世界。他用他底全部力量去融洽这个世界,因此自觉地压抑了他底单纯的幸福感。

"他们要让我做什么?——我这样的人?"他想。

瘦长的、焦燥的舰长向他们走来,向他笑着。他使他们注意到舰上的一切。注意到人手底缺乏。舰长说:有很多人生病了。这是一艘一千多吨的,陈旧的驱逐舰。

"制服不整齐。昨天我们一夜洗了。"舰长示威地说——汪卓伦觉得是如此——于是走开去,在甲板各处发出他底粗糙的声音来。

水手们开始列队。他们底动作、注视、制服、手,需要做最后一次的检查。他们站在阳光下,但并不感到阳光,他们底相异的脸上有着相同的安静的、涣散的、无期待的表情。同事们走到舰首去。汪卓伦退到栏杆旁边站下来,注意着进行的这个世界。

他即刻便明白了这个世界,觉得它是他每天在南京,在办公室里和街上见到的。他发觉,对这个世界,他是没有热烈地期待或热烈地反抗的必要和可能的。内心底热潮和诗歌消失了。他安静,优美地靠在栏杆上,觉得安静就是幸福。

现在他觉得,在他这样的年龄,刚才的那种内心底热潮是可笑的。刚才,在汽艇上,他觉得能在水手们列队之前到达舰上是最大的幸福。他在水手们列队之先到了舰上,但他并不幸福,并未遇到他所预想的活跃的、自然的、阳光闪耀的图景。他所见到的是:水兵们静静地列着队,让长官检查制服、眼睛和手掌。而这一切,是准备给日本人看的。

他现在才重新想到这一切是给日本人看的,这艘驱逐舰也是日本建造的:它曾经开到福建去镇压过叛逆。汪卓伦露出了中年人底那种镇定和悠闲,注意着水兵们。

一个四十岁左右的、狼狈的水兵被发觉领扣不全,挨了打。舰长弯着腰走过行列,在这个水兵面前站下来,用那种目光看着他,使他失色,露出了昏晕的笑。他挨了耳光,露出了牙齿,在行列里摇幌着。

"滚出来!滚到下面去!"舰长叫。

这个兵迷惑地走出行列,不停地在裤子上擦着手。他底手是脏的,弄污了刚洗的白制裤。

"报告,我一个人,一个人……"他用破碎的声音说,眼里有了泪水。没有人知道他底话是什么意思,但显然他希望留在行列里。

舰长扬起拳头来威吓他。他闪避着,然后他突然地举着手抱头,离开了甲板。

舰长侧着头,跨着大步继续地检查。水兵们注视着他。第二次走过时,检查手掌,水兵们伸出双手,先是正面,然后是手背。阳光照耀着,风吹来水汽,这种检查在极大的沉默和紧张里进行着。

然后,在舰首,军乐奏起来了。汪卓伦在江面上所听见的军乐是优美、雄壮、辽阔的,但在这里,依然是同一的乐队,却是愤怒、粗糙、无表情的。

汪卓伦倚在栏杆上,嘴唇紧闭着,眼里有酸湿的光辉。

"汪先生,他们要到我们舰上来,来的时候,你在这里!"舰长带着温和的、满意的笑容说,指着舰梯口。

"好的。"汪卓伦回答。

检阅开始了,汪卓伦注意着江岸。江岸全部显露在灿烂的阳光下,传来了军乐声,汪卓伦看见了检阅的辉煌的集团降下了台阶。宁海舰放发了礼炮。汪卓伦看着宁海舰底高举的炮口,但突然感到巨大的震动,并感到在他旁边有细小的东西飞落下来——他所在的驱逐舰放发了礼炮。接着又是一炮。江面沉寂了,波涛沉重地拍击着舰身。辉煌的汽艇,离开江岸时,宁海舰上突然地,好像从明亮的天空里击下来,爆发了军乐。

汽艇疾速地驶过光明的江面。

宁海舰底军乐振作着,长久地继续着:是这个辽阔的江面底唯一的声音。在这个声音,或这个沉寂里,江面上是笼罩着深沉的庄严,而春天的微风显得温柔。从汪卓伦所站的舰梯口,可以看见宁海舰上的整齐的、白色的行列,和在行列前面从容地走动着的人们。

汪卓伦底眼睛停留在宁海舰上。他在猜想宁海舰上的各种人们底各种心境,并辨认在走动着的几个显赫的人物里,谁是汪精卫。当检阅的集团从宁海舰降下汽艇时,汪卓伦底心中又爆发了热望。他希望他们一定到驱逐舰上来。他是在渴望着得到一种崇高的庄严的东西,虽然他不知道是什么。这是在来到江边时便得到启示的。他即刻飞离了他所站立的平凡的、可厌恶的、无从使力的世界,而感到那种迫人的庄严。江面上的一切活动是造成了这种庄严。无论这个活动本身是怎样的意义,在活动者们,每个生命本身,却是有着独特的意义的。这种辉煌,这种庄严征了一切,征服了特殊地软弱的汪卓伦。于是瞬间前的一切意义,一切内心活动,被目前的新的意义掩没了。在汽艇向驱逐舰驶来,而舰上军乐鸣奏时,汪卓伦热烈地惶惑地感到来着的人们是伟大的人们,严肃地闭紧着嘴。军乐重新显得辽阔,雄大,优美,汪卓伦敏捷地盼顾了一下,耽心着周围会有错失,感到了在这个江面上,这个民族正在使着它底全部力量和它自身底弱点及某种可以感到的,巨大的东西作着抗争。

在被疏忽的时间里,从南京底背后,升起了明亮得耀眼的云群。这个云群迅速地升起来,张开了巨大的双翼,在奇迹般的时间里,下降,盖住了南京城,并且向江面推进。没有力量可以阻拦它,这个明亮、迅速、庞大的云彩底队伍。它更下降,罩住了江面,于是瞬间前的千百种色彩和闪光消失了。江面是笼罩在静穆的白光里,江风变得沉重起来。

江风吹着登舰的煊赫的人们。漂亮的汪精卫在舰梯上停了一下,用半闭的眼睛缓缓地环视,并且微微地点头。风吹着他,在静穆的白光里,他显得很忧愁。

从第一个瞬间起,汪卓伦便严肃地凝视着汪精卫。

甲板上洪亮地叫了立正。汪卓伦立正,看着汪精卫。

"你是不是,如周围的一切和你自己所显示的,是一个伟大的人物?你觉得怎样?你觉得这一切有什么意义?"汪卓伦底严肃的明亮的眼睛问。

在检阅团登上舰梯时,舰上是有着军乐声,但汪卓伦却觉得周围是异常的沉静。检阅团:汪精卫、日本特使、海军官员、外交官员们通过汪卓伦身边,不注意他底存在。在他们眼里,汪卓伦和舰上的一切人都是陈列物。

但汪卓伦底眼睛,和其他一切人底眼睛,注视着检阅团。

在检阅者们以从容的、庄严的、享乐的步态走近行列时,有洪亮的声音喊了敬礼,水兵们底手掌整齐地举到帽缘。水兵们底不同的,但有着相同的表情的眼睛作着注视;他们是一直在注视着的。注视——在静穆的白光里,在江风里,在努力振作着的军乐声里,在他们底坚强的横队里,这种注视对于他们自己是庄严的。他们未思索面前的是怎样的人们,但在周围这坚强的一切里,他们必需注视,而证实面前的是伟大的人们——这坚强的一切底对象和工具的伟大的人们。那些各各不同的、明亮的眼睛，是充满着一种魅人的吸力的，它们在不同的瞬间是照耀着千百种不同的生活的。水兵们，是感觉到那种把它全部表露出来的、深刻的庄严。他们底眼睛好像说："我们是有力、庄严、能够承担那堆在我们肩上的沉重的一切的，看吧，我们站着，承担住了！我们是乐意向自己证实这个的！……是的，我们全体！"

汪精卫走在日本特使身边，忧愁地点着头，好像耽心水兵们会突然把敬礼的手放下来。他是有着那种优美的、深刻的、骑士的和情人的风度的。如人们所感觉到的，这个煊赫的人物，是在内心里把微贱的民众和抽象的国家想像成他底中世纪的情人的。他底那种忧戚，那种好像是很柔弱的耽忧，那种不得已的微笑，就是从这种娇媚的，然而可惊的想像力来的。在此刻，他是无疑地在想像着水兵们底苦难，和从这条陈旧的军舰所显示的，中国底苦难，就是说，他底情人底苦难，因而也是他，甘于承担苦难的汪精卫底苦难。由于富贵的人们底奢侈的、旧式传奇那般魅人的、奇妙的心理，在得到这种苦难的自觉后，他便显得特别黯澹、疲乏、感伤了。这个人底娇嫩的面孔是最适于这种表情的。但显然只是和别人一道他才集中精神地做这种表情；现在，无疑地，他是想用这种表情感动走在他身边的、冷静的仇敌。他不时看着这个冷静的日本人。他底眼睛潮湿了，而微笑，甜蜜的、忧愁的微笑留在唇边。

因此，汪精卫为什么要领日本人到这条陈旧不堪的驱逐舰上来作友谊的欣赏，是很容易明白了。显然他是企图使日本人从这种破旧的景像，和忍耐的、苦撑门面的努力，并从他底悲剧的面容得到关于中国底悲剧的启示。在汪精卫底想像里，那种古旧的、遗老们的大家庭在行将破灭时所表现的奢华和坦白、忍耐和凄凉，是这个人间底最动人的戏剧。根据这种古国底情感，这个骑士和情人的汪精卫就安排了他底这场幻想的、心理学的，或说颓废派艺术的外交。

但这个日本人却缺乏这种浪漫。他是严厉的，有些忧郁。

显然他是日本底出色的国民,是那种明白一切权利和义务的、干脆的自我主义者。他显得他在这方面的教养是很够的,在走过行列时,他毫无动作或表情,他不看水兵们,也不看汪精卫。他只是挺直地、生硬地在光滑的甲板上走过去。他是严厉的;特别在发觉汪精卫向他启示浪漫的幻想时,他是严厉的。

走完水兵底行列,汪精卫就忧愁地看着江面,好像想起了什么事,皱着眉,掏出手巾来,并且仔细地折好,揩了鼻子。

"什么时候,太阳被遮住了呢?"汪精卫,藏好了手帕。忧郁地、耽忧地向年青的翻译说,然后眼睛变得明亮,看着日本人。

翻译执行了职务。在翻译的时候,汪精卫看着日本人,皱着眼睛,耽心日本人不了解这句话底深刻的含义。但显然的,这个深刻的含义,即太阳,日本底国徽被遮住了,是他在说了之后才想起的。

日本人简单地抬了抬头。那种动作,是很像一个军官在观察天气。

瘦长的、有些驼背的舰长笔直地站在他们底旁边,听见了汪精卫底话,眼里有喜悦的、抑制不住的光辉。他是了解这句话底深刻的含义的。上帝恰好把他安排在他所站的位置上。他是得到了那一种天启,一种思想,一种光荣,那是像太太们听见了关于新式大衣的好消息一般,可以使他底生活丰富半个月的。

汪精卫注意到了日本人底这种态度,忧愁地叹息了一声。

"日本人多么笨!或许他装假!"忠心的舰长想。

走近炮塔,汪精卫就向日本人指示了大炮底陈旧。这次日本人懂了,脸上露出了赞许的笑容。于是汪精卫多情地、耽忧地、哀怜地看着日本人。

"这个炮,也是能够放的,并且准备和这舰上的人们一同灭亡。我们中国人是不怕地狱,熟悉受苦的,他们要悲哀地灭亡,感动全世界!啊啊,多么痛心,我底心是怎样的颤动呀,看见这个悲壮的未来!假若你,亲爱的先生,爱人,和仇敌,不理解我底这个受苦的衰弱的心灵,不理解人类底莫大的悲哀,不理解周围的这一切,我所让你看的这一切底动人的意义的话!啊啊,我底爱人,我们最好是哭泣,哭泣!"汪精卫底哀怜的、潮湿的、诗歌般的眼睛说。

日本人低下眼睛,不看一切。

"走吧,好,走吧。请。"汪精卫温柔地笑着说。

军乐鸣奏着。

汪卓伦是在注意着站得笔直的、困苦的水兵们。然后军乐奏着,他抬头向着炮塔;以明亮的白云作背景,陈旧的大炮高举着。汪卓伦眼里有了泪水;汪精卫不再拘束他了,在十分钟以内,汪精卫已经给了他以身边的平常的人的印象。他仰头向着炮塔,汪精卫走近他时他依然向着炮塔。奋激的军乐,立正的水兵们、炮塔、白云、和他自己——这便是一切。他底静穆的眼里有泪水。他是感到,在这个天空下,这个民族正在使着它底全部力量和某种巨大的、无可比拟的东西作着抗争。它,这个民族,不怕显露自己底弱点,所以任何力量都不能阻拦这种抗争。

他是一直惶惑地、严肃地注意着汪精卫的,但现在他没有发觉这个汪精卫底走近来。在时间底成熟里,那种外部的庄严和威力是消失了。水兵们显然有些涣散。而汪卓伦是在那种内心底突然的激奋里,感到更大更深的,并且是自由的庄严。

汪精卫注意到了他。他立正,皱眉,用恭敬的、怀疑的眼光看着汪精卫。于是汪卓伦在汪精卫眼里有了存在:因为他底潮湿的眼睛。汪精卫向他文雅地微笑了。

"你,觉得还满意吗?"汪精卫问。

这句问话,是使软弱的汪卓伦心里起了强烈的、幸福的颤动。

"报告院长,满意。"汪卓伦说,感到是另外的东西在自己嘴里发音。用怀疑的眼光看汪精卫。

"是我对,还是你对?我是受了骗吗?"他底眼光问。

检阅者们站成小小的圈子,注意着这个军官。汪卓伦窘迫了,小孩般皱眉。

"他,看着这一切,而为他底国家底命运感动了。"汪精卫,通过翻译人员向日本人说,带着在全部检阅的时间里第一次出现的夸耀的愉快笑容。

日本人点头。汪精卫皱眉,面孔又黯澹了。

风吹着。汪精卫恍然若有所失地环顾,感到了风,点了一下头,好像感谢风。随后他向身后轻轻地点头,在风里文弱地优美地走下扶梯。

汪卓伦重新向着炮塔。脸上有着静穆的、悲哀的笑容。

军乐继续鸣奏着,但汪卓伦听见了沉重的江波。从静穆的白云里射出了一道阳光,舰桥辉煌地闪耀着。在不远的江面上有了另一道阳光,同时第三道照耀在遥远的浦口岸上。在纯洁的、静穆的空气里,金色的春天的阳光放射着好像展开着的辉煌的扇子。江波激荡着,从沉重的灰黯里向阳光跳跃着;一切波涛都从灰点里向灿烂的阳光跳跃着,举着它们底白色的头。汪卓伦同时看见了在蒙烟的、稠密的南京城上,照耀着两道阳光。远处,紫金山天文台底金顶,在一道阳光里闪耀着。

汪卓伦站着不动,感到舰上有了轻松的、愉快的空气,感到舰身是在波涛里愉快地摇摆着。他注意着在阳光里向一艘鱼雷舰驰去的汽艇。鱼雷舰什么时候驰到正面来了,现在它在和宁海舰交换着旗号。检阅者们上了鱼雷舰后,江上就轰震着马达声和波浪声,宁海舰移动舰首,向六合的方向驶去。其次,两艘炮舰衔接地向同一方向驶去。但这艘驱逐舰没有移动,舰上笼罩着休憩的安静。显然这一切都是计划好了的。小小的舰队在江里激起了巨大的波涛。

舰队移转时,汪卓伦注意到了舶在远处江岸的、赤裸着大炮的、各帝国底军舰。

一道阳光投射在进行着的舰队上。宁海舰底雄伟的舰桥上,旗手挺拔地站在阳光里。汪卓伦带着最大的感激,以酸湿的眼睛凝视着进行在诸帝国底军舰间的、中国底哀顽的、小小的舰队。阳光时而在这艘舰上闪耀,时而在那艘;有时在炮塔和舰桥上,有时在舰尾。汪卓伦看着这个舰队,好像儿子看着他底离别的母亲:由于这个离别,他和他底母亲是都交给了残酷的、未可知的命运。

舰上笼罩着寂静。大家都在看着驶去的舰队。

"他妈的它们去了,一直开到日本!"在汪卓伦身边,一个强壮的水兵大声说。汪卓伦流泪了。

"多么好!去了!"汪卓伦含着眼泪向自己说,"假若有一天真的这样去了,也许就在明天,在今天晚上,外面就是广阔的海洋!是钢铁的,是血和肉的,是记着祖先和后代的,不胜利就不要回来!不胜利就和敌人一起沉没!我也要去,我就要出发!"汪卓伦,感激着,想,并感到身边的那个水兵,和舰上的一切人们都这样想!"是的,我看见了什么是最高贵的,当那个炮口衬在白云下,我感到了生命,理想,权利!我也感到了什么是最伟大的,这里,是我们底百姓,我们底首都,我们底祖国!"他想。他望着阳光灿烂的远处:舰队消失了。

"唉——那个日本鬼啊!"在他身边,水兵大声说。

甲板上有了谈话声和凌乱的脚步声。舰长快活地穿过了水兵们,有趣地在阳光下眯着眼睛。

"你们不错!今天不错!"他大声向水手们说,带着天真的豪兴,像赌棍夸耀自己底牌。

"啊,他是这样管理他底部下!"汪卓伦回头,想。

舰长快活地走向他,不停地点着头。

"老兄,恭喜!他跟你说什么?"舰长大声问。

同事们和愉快的水兵们围绕了汪卓伦。

"没有说什么。"汪卓伦回答,怕显得傲慢,笑着。但这种笑容是温良的、苦难的人们底笑容,忧郁而深沉,闪耀着辛酸和屈辱,并且闪耀着严肃的抗议。

"说什么呀!又不是秘密!"

"没有说什么。"汪卓伦固执地说,带着同样的笑容。

"我听见他说:太阳被遮住了,但是日本人不懂!你们觉得怎样？"舰长环顾，说。"啊，太阳被遮住，好极了！"

汪卓伦沉默着，以责难的、亲切的、凄凉的眼睛凝视他。

外部的世界所贵重、所肯定的，正是汪卓伦对它感到惶惑、羞惭、和恼怒的，因为汪精卫底那两句话，汪卓伦在半月内便升了级。并且得到了一种含着讥讽、嫉妒、和赞美的荣誉。汪卓伦深深地感到屈辱，每次遇到这种恩宠，总经历到汪精卫向他问话时的那种混杂的、软弱的情感；每次总给以沉默，给以责难的、亲切的、凄凉的注视。……

二

在这段时期里，蒋少祖感到，在他底周围，世界是展开着，运动着，好像戏剧。对这个世界，他底工作是冷静的观察。这个观察是每一代人每个人都企图做到的，但只有少数的智慧的心灵能够做到。这种工作是需要殉道的，明澈的，不可思议的精神。并需要澈底的孤独。

蒋少祖是在他底生活里造成了这种他以为必需的孤独。但也许不是他造成了孤独，而是孤独造成了他。他是处在当代中国底最激动的社会圈子里，他底活动能力是颇为可惊的，但这种活动是他在他底哲学理解成手段里的活动，即隐藏自我，不求别人了解，因而激厉自我的活动。所以这种活动是使他英勇地走进了孤独。并且使他感到，在他底锐利的心灵之前，世界是如戏剧般运动着。

理解一切因果，安静地坐在自己底书桌前的时候，仔细地回想着半个钟点以前在公共场所的自己底行为和别人底行为，并且揣摩着这些行为，设计着更美好的场面：谈话、动作、掌声、微笑、感谢的然而威严的视线——这些，是蒋少祖底最大的快乐，是照耀着他底青春底峰顶的无上的光明。

他觉得他所得到的孤独的思想将引他到荒凉的、伟大的旷野里面去。他是正在走进去，不时瞥见它底神秘的远景。他采撷了花朵，有了诗歌，感到了人类底热情和欲望，在时间底急流里所散发,所凝聚的芳香。他觉得别人没有权利知道他心里的这一切,正如尼采底著作,诗的灵感底泉源,别人是没有权利理解的——那种心灵底权利。孤独是给他底生活散发了芳香。在这个上面,他是热烈的、放纵的,正如他本来是这样。

因此,蒋少祖在外部的事件里,是冷酷起来了;永不把惶惑显示给别人,永不求理解,永远利用世界,和世俗战争!但这种成功,是得力于他底放纵的内心的。在他愈冷酷的时候,他底内心便愈热炽。正是这种内心底热情和哲学,使他能够镇压了过去的控诉,并且获得了进行他那种战争的力量。

在这个时代,一切这种自由的进步,都显露出激进的色彩。中国底东西,常常是强烈的、血质的。在这一切以外,还加上了一种非这个中国所熟悉的灵活和华美,蒋少祖获得了群众。

蒋少祖是国际问题专家,在经济上有着好几家报馆底经常的接济。并且在这年春天,他获得了这个圈子里的出色的女性底注意。这一切,在上海,是把这个年青人放置在有利的,魅人的位置上了。他最初加入了在政治界里名誉不好的派别,然后脱离了,加入了另一个。他是进行着所谓人民阵线的活动。在他心里,是有着愈来愈强烈的政权的野心。……

蒋少祖所获得的那些女人们底注意,是使他自己也吃惊的,因此他赶快戒备,而露出乖顽和顺从来了。他接到一个不知名的女子底来信,要他公开地谈一谈恋爱问题。其后又接到一两封,是某个知名的女子写来的,在信里热情地提出了好几个问题。

他非常优美地回答了后者,说自己从来没有,也不想研究这些问题。

这一切,在孩子诞生底刺激后,连续地刺激了陈景惠。依照着这个时代的母性高于一切的议论,陈景惠是应该完全丢开过去的一切,而在家里喂小孩的,但她并不这样。以前两年,她倒是安静地在自己底交际圈子里生活着,而蹲在家里的,但孩子底诞生却使她经历到了那种要求肯定她底已有的和应有的一切的不可抑止的情热。用平常的看法来说，就是这个女子已经消失了她过去的幽静的美德，而变得妒嫉了。

以前两年，陈景惠是还像女学生一样，痛苦、善良、热心、不敢思想、易于羞耻。她好像不明白，在这个世界里，什么东西是她底或应该是她底，她时常显得混乱，软弱。在金钱上、友谊上是这样，在爱情上也是这样：她永远退避，显出那种被世俗认为是美德的、怯弱的态度来，似乎她底年龄是大于她底心灵。王桂英底事情是给了她以致命的创伤，但以那种怯钝、销沉，她掩藏着，逃避着这个创伤。她底这种表现增加了蒋少祖对她的不注意。

但孩子诞生，她底创伤同时流血。她是经历到可怕的怀疑，因为她现在是另一个生命底母亲了。她是必需用她底已有的、应有的一切来养活她自己和这个新的生命的，因此，那种情热暴发了。孩子诞生以后，这位女子是迅速地成熟了。她是有了无数的需要，无数的感情，并且是那样执拗，非达到她底目的不可。因此即使在单独和孩子相处的时候，她也不能忘记她是处在怎样的世界里，不能忘记她和这个世界的相互的要求和抚慰。如蒋少祖常常发觉的，在奶妈不在的时候，陈景惠是时常坐在摇篮边，在镜子前妆饰着自己，并且妆饰着小孩，向小孩笑着那种与其说是母亲，不如说是感情纤巧的谄媚者底笑容。好像她企图把小孩造成那种她新近才发现的，最能够造成一个恩宠的世界的模样。

和小孩之间所表现的这种情形，是更强地表现在和蒋少祖的关系里。微笑、议论、批评、苛责和恐吓。冰冷的意志，和花言巧语是同时使用着，造成了使蒋少祖舒适而又苦恼的，一个女性所能创造的最高的、迷离的世界。最初是物质的奢侈，其次是对一切事件的坚强的干涉和参与。

陈景惠，在她底可惊的进展里，抓牢了她底已有的和应有的一切，而造成了一种不可摧毁的理论基础。上海底一切和蒋少祖底一切，刺激了这个理论底诞生。在她底生活里是第一次，也是最后一次,她底思想运用得这样灵活,并且接触得这样广泛。首先她检讨了她底一切朋友的生活,随后她记起了她以前所不敢想的,她以为最好的生活。她从这些里面抉出了她底理想。

对于蒋少祖底声名,她现在是敢于肯定了,她是渴望着那个辉煌的位置。于是在这种努力里,她底教养、知识、意志、和热情都得到了正当的归宿。

蒋少祖是乐于这个,也对这个苦恼的。陈景惠所造成的温柔的世界——这是以前未曾有过的——使他快乐,但在这种温柔里,却又有着某种不安定的东西。好像他们底家庭是因新的生命而照耀着光明,却又从深深的基础里动荡着。好像这个光明的家庭是被从不知什么地方来的寒风膨胀着,吹扑着。

蒋少祖还没有意识地去思索这些,因为他是非常的忙,并且对家庭生活底一切总是不觉地逃避。他用习惯的恼怒、嘲讽、尊敬、怀疑和自慰来对付这些。当陈景惠向他妒嫉地袭击的时候,他还是这样。如常有的情形一样,这个在外面的世界里是明确地进攻着的人,在自己家里却总是逃避着。

陈景惠活动到他底社会圈子里去了,在这个活动里,陈景惠显露了非常的现实手腕。她原是信仰蒋少祖底才能和成功的,而在和蒋少祖底周围的接触里,这种信仰便在可惊的热情底支配下变成了那种女性的迷信了。在这些活动里,她意识到她是天才底代表人,用非常的现实手腕替她底丈夫开辟着道路;虽然在回到了被不知从什么地方来的寒风吹袭着的家里去时,夫妻间底感情并不和谐。

虚荣和野心,是像大风一样,吹走了陈景惠心里的一切怯弱和怀疑。但蒋少祖是不愿承认她底权利的,即使所有的人都赞美她,他也不愿承认。在他觉得有保留的必要的时候,他就对她露出古怪的、尊敬的态度。这种态度最初很稀少,但愈来愈繁密。朋友们都觉得,蒋少祖是太不能明白他底太太在事业上的价值了;但蒋少祖觉得,除了他自己以外,任何人都不能明白她在家庭里的价值,即给他造成了这样一个不安的、苦恼的世界。

陈景惠底价值是被公认了，于是，不管蒋少祖底心意怎样，她和他一同，以矜持的、冷静的态度出现在公共集会里了。

在这几个月里，上海底活动是非常的多。航空救国、卫生救国、跳舞救国，——有几千种名目。这些救国的东西，是和北方的恶劣的政局相应，出现在上海，而作为上海这个世界在壮烈的史诗里所唱出的诗篇的。蒋少祖对这一切是愤怒而苦恼，他觉得他是处在渺茫中，但同时他更积极地活动着，因为活动增强自信。

五月初，蒋少祖对他底年青的群众做了一次关于法西斯政治的演讲。这次演讲是两家和蒋少祖们有关系的报馆和一个职业协会发起的，地点依然在那次欢送访问团的银行大厦。

这是蒋少祖第一次作这种公开的大演讲。这件事证明了他底成功。

蒋少祖，在确定了这件事后，首先便想到是否可以让陈景惠到场。无疑的，她自己是一定要去的。

晚上回家的时候，他发现她已经知道了这个消息。她刚从什么地方回来，没有换衣服，并且显然坐下来便没有移动，在那里兴奋地等待着。她用疑问的、不满的眼光注意着蒋少祖。蒋少祖向她看了一眼，走进内房。

好久没有动静。陈景惠依然坐着。保持着她底艳丽的、繁复的衣妆。随后她坚决地走进内房。

"我疲倦了！"她柔和地说，笑了笑，坐在摇篮边。

"从前你说：我倦得很！现在你却说：我疲倦了！"蒋少祖想，看了她一眼。

"小寄在睡觉，奶妈出去了，还在睡觉。"

"你，买了什么东西吗？"蒋少祖，露出不自然的、掩藏的目光，瞥着房内。

"我何需买东西！自然有人送来。"

说了这个，陈景惠就环顾，她底打着口红的嘴边显出了轻蔑的纹路。

蒋少祖看着她，同时抓紧了椅背。

"我今天在街上看见了王桂英。"忽然她说,声调变得倔强,眼里射出了恼怒的光辉。

蒋少祖严厉了,猛力地推开了椅子。

陈景惠轻蔑地笑了笑。

"不管你怎样,你不愿意你底妻子提起这件事,是不对的!"陈景惠站起来,高声说,"你是一个专制的魔王,一直到今天,还忽略别人底生命!"

"住嘴!"

"我不是喜欢闹事的!我信仰你,但是你侮辱我,你底妻子!"她走上前来。"你所有的我没有,我底一切则完全交给了你!我没有犯错,我没有!是我替你在社会上掩藏这件事的,不是别人,虽然我相信你对我的爱情……"她沉默了,她皱眉,变得粗戾,难看。高涨的热情使她底脸重新发红。

蒋少祖怀疑地、激怒地向着她。

"刚才,我不过跟你说我看见了这个人,像你说看见了什么人一样。假若你也能把这件事情认为是过去了的创伤……我今天是太不小心了。我是太不小心了。"她用颤抖的声音说,眼里有了泪水,走回椅子,蒙住了脸。"你,明天有一个讲演吗?"于是她抚慰地问。

"你,心里觉得怎样?"蒋少祖皱着眉,问。

"不要关心我。"她说,凄凉地笑了。"问你自己底事。什么是重要的?"她说,以那种温柔和精致,注意着自己底呼吸、动作、声音。她耸动肩膀,胸部颤抖着。

"啊,多么可贵的感情!怎样?究竟经过了什么事?"蒋少祖想。

"少祖,记住创伤。"陈景惠动情地说,看了摇篮一眼。在她底脸上,代替刚才的难看的粗戾,出现了丰富的、迷人的表情。

蒋少祖看着她,那种近于忏悔和爱情的,但又不确定的东西,在他心里颤抖了起来。

"明天的演讲,你去,啊!"他说。

"我,要去的。"她回答,看着他。她底眼光说,"为了你,我要去的。"

蒋少祖,好象明了自己应该回答什么,上前拥抱了她。但当她底激动的身体——这个女子现在是多么容易激动!在她底丰富的情热里,她是到处都发现她底生命底美丽的意义——在他底胸前颤抖着时,他便突然感到了锋利的苦恼。

他没有理会他底苦恼,爱抚着她。脱开她后,他在房里徘徊了起来。

"我底事业需要你。"他温柔地说,即刻痛苦地走出房,蒙着脸站在壁前。

"一切是已经怎样了?什么时候开始的?"他想。

因为人们不愿过那种灰白的生活,又不能脱离它,人们便想从这种生活里创造出他们所想像的东西来。各种热情是在这里面撞击着,造成了人们所不能,所不愿理解的痛苦。为了企图得到某种难以说明的东西,人们就利用过去的创伤来激发热情,而掩藏现实和利己。

"一切是已经怎样了?……但不是很好么?但不是也有好的东西么?所以,她是有价值的,在我底事业里。"那个可怕的痛苦缓和以后,蒋少祖想。

房里有婴儿底哭声。蒋少祖走了进去。陈景惠抱着婴儿,那种姿势,好像要把婴儿献给谁。陈景惠低语着,笑着,带着戏剧的风韵。

"你看小寄,多可怜的,小寄,"她说,扬起眉毛来。脸上有短促的迷惑,她盼顾,似乎她体会到了某种空虚。"啊,他是多么像你,在你高兴的时候,啊,也像我!"她加上说,企图填补这个空虚。

但她静默了,以严肃的,疑问的眼光看着小孩。这个沉默填补了空虚。

蒋少祖站在旁边,露出了尊敬的、愁闷的表情,看着她。

蒋少祖和陈景惠走进会场时,脸上有类似的表情,他们脸上都有着严峻的、沉思的表情。陈景惠精心地考虑了,她底衣妆怎样才能在这种场合显得朴素而庄严。她是激动地思索过,怎样的一种风姿,才能表达出她所认识了的一切:智识、教养、地位、社会关系。在这种激动的考虑以后,走进会场时,她就变得冷静。她是有些恐惧,但在廊道里走了几步以后,意识到自己仍然把握着生活里的最好的部份,她便冷静而严峻了。这种外貌是显得大于她底年龄,但在这个社会里,人们是奇怪地长久地停滞,又奇怪地飞速成长的。这种外貌,是使她变得很像那些在公共场所常常出现的、谋取妇女解放的妇女们了。

"是的,我一切都没有弄错!大家要注意到青色的衣服和我底表情。临时我才觉得完全应该像这样……在我心里,是有着权力!"走过喧骚的会场时,陈景惠想。她是偶然地用"权力"这个字表明了她心里的东西,但在这种表明里,她底生命是明朗了。她决未获有权力底男性的观念,但她是确实地领有了权力底女性的感情。

"不要看别人。就是熟人也不要看,这里是和别处不同的。"她想,严峻地向着讲坛,感到她底英勇而镇定的蒋少祖是走在她底身边,感到无数的目光,对它们感到敌意,走过会场。

"并不是我要求他们,而是他们要求我。"她想,回答着在她心里激动着的,为一个处在不和谐的高位上的女性所有的企图谄媚全世界的,又与全世界敌视着的感情。回答这些目光,她露出从容、严肃,和冷淡。没有人知道,在她心里,是燃烧着关于她自身的赤裸裸的思想。正是在这种场合,因为防御底需要,她底思想才变得如此的明确、赤裸。

"我决没有错!他们为什么不鼓掌呢?"她想,皱着眉走到讲坛前面。她看了蒋少祖一眼,然后以烦恼的、搜寻的目光,环视着场内。

蒋少祖没有看她,走到讲坛边去和两位朋友低声谈话。陈景惠走过去,向朋友轻轻地点头,笑了一下,然后又露出烦恼的表情。

"为什么这些人这样地走来走去？"她说。

蒋少祖看了她一眼，好像说："我明白你。"走进左边的房间，又走出来。

在蒋少祖忧愁地安静地走上讲坛时，场内起了掌声。陈景惠向着场内，烦恼地看见了在左侧坐着的几个漂亮的年青女子。

"太阳，是从那边照进来。"她向朋友说，指着窗户，然后庄严地坐下来。

"这些人懂得什么？还不是出风头！多么糟啊！"她想。"多么糟啊！少祖怎样想。但是他是蠢得很，一定不懂得这个！难道这就是我们所需要的么？我要向他说明，……是的。"她烦恼地坐着。现在她是在心里明白了她在这个世界里的任务了，她在这里，虽然是荣誉者，却更是憎恶者和防卫者，她烦恼地冷静地坐着。

蒋少祖向台下微笑着，然后又变得忧愁。他是在忧愁和他如此地联系着的这些人们不理解他。在他底微笑里，他是原谅了他们。他盼顾了场内，注意到了射在场侧的、明亮的阳光，和阳光里的某种魅人的艳丽的颜色。他突然感到他底心灵又有了一个冒险的经历。于是他短促地闭上了眼睛。在他脸上有了苍白的、柔弱的、女性的神情。

"这一切对我只是一种抽象！谁能懂得？所以，对于他们，我也只是一种抽象！啊，这个世界！"他想。

于是，在那种使上海一切演说家羡慕的、可贵的安静和细致里，蒋少祖开始了演讲。他脸上有苍白的、嘲讽的微笑，好像他是在嘲讽着面前的这个"抽象"的世界。他底这一切使场内安静了，给场内投进了一种愉快的空气。好像是蒋少祖和这一切人之间，虽然相互强烈的存在，却因为是抽象的存在，所以永远互相取予，互相调和。蒋少祖底这种哲学是成功的。他感到了锋锐的快乐，正如企图相互抽象存在而不能的夫妇关系给了他以锋锐的苦恼一样。

蒋少祖鼓动了必需的热情。……阳光在艳丽的颜色上安静地辉耀着。

他叙述了法西斯政治底历史基础和希特勒个人底性格、历史。在他描述着国会纵火的时候,由于他底活泼的讽刺,场内不绝地有掌声。

他停下来,微笑着,等待掌声过去。

"我们所检讨的是法西斯政治,它是资本主义底总危机,和德国的国民性与历史传统造成的。"他收敛了笑容,严肃地说,"希特勒对捷克,对波兰,对北非和东南欧的领土要求,是不能像现在这样对付,是决不能在资本主义底一切政治外交里获得解决的。这就是欧洲底秘密。如此,人类底痛苦将没有终止。"他用富于表情的低声说,看着场内。"如此看来,中国底事情也不是从它本身能够解决的。以帝国主义对帝国主义,以民族主义对民族主义——是完全不可能的!我们要从痛苦中走出来,我们就要看得更远,人类底渺茫的远方!"他以手指前面。"同时,力量就在我们心里。民族解放,是社会的解放!"他有力地说。

蒋少祖在鼓掌声中忧愁地、安静地走下了讲坛,好像无论他向这个世界表白了什么和取得了什么,他自己心里总另有着一个奇异的世界似的。群众站起来,涌出门,场内充满了纷扰。他在讲台边略略站了一站,皱着眉凝视着这种纷扰。

"啊,吃不消,吃不消!"他向朋友迅速地走来,笑着说。

陈景惠用一个爱抚的微笑迎着他。和走进会场时完全相反,现在,当场内纷扰起来的时候,她感到她是获得了解放,有了享受外面的春天的阳光的一切可能,——较之目前的这个使她紧张的世界,她是宁愿需要自然的、恬适的东西的。每次的鼓掌(这些掌声都是她所希望的)都使她漠然地不安,现在,这一切是过去了,于是她用那种朴素的微笑欢迎了蒋少祖。

这个微笑使蒋少祖幸福。那种休憩的安宁是来到了他底心里。他觉得很意外。他愉快地笑着,看了她一眼。

"我是真的明白了她底价值!"他想。

但当发现有几个年青的男女向他走来时,他重新露出了忧愁的、疑问的表情。这几个年青的男女,是属于喜欢保留名人底签字的一类的,他们要求蒋少祖签字。男学生们是直率而恭敬,但女孩们却露出那种热情的羞怯来,互相笑着,犹豫不前。陈景惠提着上衣站着,向她们笑着了解的、赞可的、优美的微笑,如在交际场中应做的,但她心里是愤恨和轻蔑。

"蒋先生,请你……"女学生说,笑着伸舌头。

"啊,啊,好的!"

蒋少祖匆促地说,接过她底美丽而精巧的签名簿来。

"你们学校里,有各种活动吗?"突然地,陈景惠走上前来,笑着高声问。

"我们学校里很不满意……"女学生严肃地回答。还想说什么,但止住了。

"啊!"陈景惠笑着点头。

"这些学生多么单纯可爱!"学生们走开后,她快乐地向蒋少祖说。

陈景惠,对这个世界,首先是希望,其次是恼恨。但因为随后一个小小的机缘,她感到她底姿影是依然在这个世界上辉耀着,对这个世界底色彩和价值得到了结论。在学生们走开后,望着空旷了的会场,她脸上有严肃的、兴奋的笑容,好像她极想跳跃起来攫住那摆在空旷里的,别人所不能看见的一切。

当他们走过廊道,经过会客室门口时,一个朋友从会客室出来,拦住了他们。一个盛妆的、满面笑容的年青的女子站在门内。朋友向这位女子介绍了蒋少祖夫妇。

蒋少祖露出一种踌躇来。陈景惠注意到这种踌躇,笑着走近这位女子。

在那种不安的、仇恨的情绪露出了征兆时,由于新的经验,陈景惠就兴高采烈地笑着,表现出贤淑的风韵来,走向这位女子。

"她怀疑我!可恶!"蒋少祖想,皱着眉头走进来。

他们拉开椅子在圆桌旁边坐下来。那位朋友,尽着上海的骑士的职责,替这位美丽的女性拉开了椅子。蒋少祖在桌上搓着手,皱着眉头听着陈景惠和这位女子底谈话。

陈景惠底寒暄,问话,和答话几乎占领了全部的时间。

这位女子,就是给蒋少祖写信来的那一位,她希望结识蒋少祖。她是那种在革命底潮流里流浪过的、糊涂的、但美丽而敏锐的女性里面的一个。她底女性的才能使人原谅她底一切愚顽。她底美丽浪漫使人们把她底小聪明当做无上的革命的智慧。人们可以看出来,在她底身世里,是有着无数的痛苦的,但由于反省能力底缺乏,她轻易地便忘记了这些。

她托着腮,笑着,不时看着蒋少祖,回答着陈景惠底问话。陈景惠底热情使她脸上有沉思的、严肃的表情。她不时用手巾擦嘴唇。她极注意嘴唇;对于一个修饰过的嘴唇能够表达什么和启发什么,她是有着极高的领悟的。她在笑的时候便垂下眼睛。她底整个的身体,是好像黏在什么一种看不见的东西上。而在这一切里面,在这种胶黏里面,是显露出一个拘束着的、经常的、严肃的冲动。这种东西感动了蒋少祖。

"这个女子有一种深沉……这种女子,适于做一个最好的听话者,适于那些艺术的、宗教的、哲学的谈话!她听着,一面注意着自己,微笑是含蓄的,并且她常常舐嘴唇!"蒋少祖想。愁闷地看着陈景惠。"她到底有什么价值?"他苦恼地想。

"蒋先生什么时候在日本?"这位女子笑着问。

"我们……"陈景惠说,但沉默了。

"那是四年以前。你去过日本吗?"蒋少祖问,快乐地笑着。

"没有。我很想去。"她轻轻地笑,舐着嘴唇。

"多么好的风度!完全看不出写那封信的热情,但是可以感到!我没有想到会是这样的!"蒋少祖想,同时,由于一种自觉,瞥了陈景惠一眼,露出了深重的忧愁。

"这个时代太令人苦闷了。"这位女子说。

"因此便要追求,我从你每一部份都看出来!"蒋少祖想,看着她感到锐利的愉快。

"也没有什么。"他严肃地说。"现在几点钟了?"他问陈景惠。

"十一点。"陈景惠看着表,冷淡地回答。

"好,再见。"蒋少祖说,有了澈底思索一切的要求,站了起来。

"好,再见。"这位女子笑着站起来,柔和地说,低下了眼睛。

在她底身体各部份,蒋少祖看出来一种拘束着的冲动。这种冲动,在一切条件具备的时候,就会冲破任何法律,而燃烧成狂炽的火焰。这位女子身上的一切都启示着这种火焰。蒋少祖有着快感、恐惧、和迷惑,从她身边走开。

"请您时常指教。"这位女子说。

"蒋先生当然要指教。"朋友愉快地说。

"哪里,太客气了。"陈景惠妩媚地笑着,说。

蒋少祖疑问地向陈景惠看了一眼,然后恭敬地向这位女子鞠躬,走了出来。

"我要思索这一切,这一切!"走到街上,他想。

"这位密斯杨很坦白,啊!"陈景惠说,挽住了他底手臂。

"是的!"

"今天我很高兴!"

"你不觉得疲倦吗?"蒋少祖突然用虚伪的、忧郁的声音说。"啊,你不疲倦,这样很好……我觉得,我们两个人,是孤独地在这个世界里斗争着,斗争着,现在又回来了!"他用那种特别忧郁的声音说。

第十一章

一

陆牧生失业了。依靠着岳母底积蓄和妻子底首饰,在他失业的时候,这个家庭度着苦恼的生活。

孤孀的岳母便在这上面建筑了她底权威。她用她底积蓄放债、典房子、上会——做南京底老人们所能做的一切。这些老人们,他们必需做这些才能维持生活。这些老人们,在南京社会里,是有着看不见的、可惊的势力,堂皇的、政治的南京就是在这些老人们底幽暗的生活经管里建筑起来的。但老人们自己对这个毫无知觉;他们都是前代的遗民。他们之中的煊赫者是金小川的一类,他们多半是可怜的、孤零的老人。

蒋家底姑母,从二十三岁起,便度着孤孀的生活,她底一切是极艰苦地建立起来的——特别因为她是一个软弱的女人。几十年来,在她心中的最强的渴望,便是老年的统治权。最近几年,她和女儿女婿不停地争吵,争取这个统治权。不时的,在这个家庭里,两种观念所燃起的火焰,扑击着。陆牧生夫妇认为老人应该退隐,但老人感到,在他们底生活里,她是真实的基础。

在陆牧生赋闲的第二个月里,夏天,大家的心情都坏,陆牧生和老人之间又起了一次激烈的争吵。陆牧生打碎房里一切磁器,出去了,三天没有回来。老人准备下乡看侄女,但沈丽英底哭泣和恳求留住了她。

和解了以后,又过了半个月。老人不愿因女婿底失业而放弃她底生活节目。她依然上会、收帐、打牌……

下乡以前,老人领孙儿陆明栋到夫子庙去找一个船户要债。

三年前,她借给了这个多少有点亲戚瓜葛的船户五百块钱。这个船户以前做生意,但被秦淮河底繁荣蛊惑,把生意丢掉,凑了足够建造一只大花船的钱,到河畔来碰运气了。但当他照着别人底样子,节衣缩食地,狼狈地过活着,把第一只花船放到河里去的时候,恰好在这个时候,市政府颁布了国难时期取缔娱乐的命令。接着河水发臭了。于是,这个可怜的冒险家,便陷到人们常常看到的那种不幸里面去了。花船,原是寄托了一切好梦的,是空虚地泊在河畔,泊在这个船夫底棚屋后面;当风雨摧毁了他底棚屋时,他便不得不把他底可怜的家迁到船里去,支起锅炉来。

如人们所常见的,这些简单的人,不冒险就要灭亡,而冒险,正直的冒险,仅仅才开始,就把一切全粉碎了。消耗了他们底最后的精力,他们便屈服了,于是被弃置在什么一个角落里,和这个喧骚闹动的世界除了债务以外没有别的联系,但给这个世界添了一个沉默的、静止的、骇人的洞窟。

蒋家底姑母已经有半年未来索债。最后一次的痛苦的印象使她退避了;与其说是她宽恕了这个不幸的冒险家,宁是她惧怕痛苦。但金钱的损失使她更痛苦。她决定在下乡前把这件公案——用她自己底话说——弄清楚。她带陆明栋同来,显然的,她企图使孙儿认识这件公案,而在将来继承她底事业。

但这个最后的审判对于秦淮河畔的沉默了的不幸者毫无影响。这个不幸者用骇人的沉默和麻木接待了她,像接待来自这个人间的任何事物一样。

是南京底酷热的天气。老人在夜里腹算了帐目,想了对方底穷苦和自己应该采取的态度,清早便动身。她答应陆明栋在要到钱——即使是一块钱——以后便上奇芳阁吃包子。她是的确期待着这个小小的欢宴的,因为,要到钱,即使是少数的钱,缓和了她底良心底痛苦和金钱的痛苦,那种愉快,她是熟悉的,是值得庆祝的。

她不愿惊扰别人,在巷口便下了车。内心底准备使她有着矜持的、刚愎的表情；但她底脚步是焦燥的。

她敲门，轻轻地呼唤着。她明白这种痛苦，想到在门内会有什么在等待着她，她就发慌；她低下了眼睛，眼里有泪水。"我这个人真太不中用！"她想，重新露出了刚愎的表情。

"天太热！太热！"她自语着。忽然她发觉，她在心里准备着的不是别的，而是啼哭的、悲哀的感情。

邻家的麻脸妇人向她摇手，又摇头，然后指示旁边的发臭的小巷，好像所指示的东西是不能用语言表达的。陆明栋扶着祖母走进了发臭的小巷。

他们看见墙壁已经坍倒。老人伸头向墙内看，同时听见了巷口有嘘嘘的声音。

刚才的那个妇人，因为一种难于说明的激动，走到巷口来，向老人神秘地做着手势指示着河边。

姑妈点头，又向破墙里面看。

"怎么弄成了这样？那些东西那里去了？……这还了得！"她惊吓地说，看着破墙里面的可怕的不幸。

"奶，臭得很！"陆明栋说，皱着眉。

"这还了得！"姑妈想，忘记了向巷口的妇人致谢，走过了巷子，看见了在太阳下浮着肮脏的泡沫的绿色的河，同时闻到了更重浊的臭气。姑妈掏出手帕来掩着鼻子，在看见晒成黑色的花船和船内的东西时站住了。那个邻家的麻脸妇人，因为好奇，走出了自家底后门，站在门前的阴影里。

酷烈的太阳蒸发着河上的臭气。从两岸的密集的房屋底腐蚀了的骨架下，经过垃圾堆，黑色的臭水向河里流着，在阳光下发亮。周围是深深的，夏日的寂静和困倦。河岸上奔跑着野狗。远处有剧场底锣鼓声；楣柱脱落的、旧朽的花船系在河边。

姑妈最初看见的，是窗内的一个赤裸的、焦黑的身体，它底右肩暴露在阳光里。从这个肩上望进去，姑妈看见了垂着的灰色的、破烂的布幅。船头上有着几片烂了的木板。此外再没有别的东西了。

姑妈踌躇地站着,觉得无力跨过面前的发臭的水塘。船上无动静;没有丝毫生命底表征。那个赤裸的、骨崚崚的、焦黑而弯曲的上身依然停在窗口,好像它是决不会再动一下的了。

邻妇发出了一个喊声。接着又叫了两声——用那种非常单调的声音。

最后,邻妇焦急起来,走到花船底踏板前,弯腰向着窗内。于是那个可怕的上身运动了,有一颗头发稀落的、沉重的头探出窗子来,向河岸瞥了一眼。

"周得福!"姑妈,鼓起了她底所有的勇气,叫。

"您老人家下来。"邻妇说,由于奇怪的理由,露出了敬畏的神情,走到旁边去。

周得福向姑妈凝望着。当他认出时,他底嘴——假若还能够叫做一张嘴的话——张开来,流下了涎水,而他底头颅,像木球在弹簧上一般,在他底细长的颈子上颤动着。长久地,这个周得福颤动着,流着涎水。他用那种可怕的、无表情的眼光注视着河岸,渐渐地有了激动,他底手开始在窗槛上抓扫。

姑妈发慌,全身流汗了。

"周得福……听说你,我来看你!"她喊。

"老人家,进来坐。"周得福发出声音来,说,于是缩进头去。姑妈看见窗口的那个上身在哮喘。

"他叫您老人家上去。"邻妇皱着眉,敬畏地说。

"不,请您转告,说我走了!"姑妈说,流泪了。

"也实在……"邻妇说,"周得福! 周得福!"她喊。

这次探出了一个女人底浮肿的脸来,脸上有做出来的笑容。

"沈三太太,您要是不嫌脏……"她,周得福在这个人间的法定的同盟者,谄媚地笑着,说。

当她移动时,姑妈看见她是同样的赤裸着,战栗了。

"不,不。……我来看看!"姑妈说,摸出了钱袋。"请您交给她——真是造孽。"

"请问您老太太是他们底什么人?"邻妇为难地,殷勤地笑着,问。

姑妈脸发白,踩到泥沟里去,摇幌了一下,向上面走去。

但陆明栋依然站着,满脸流汗,疑问地、苦闷地看花船,或者说,曾经是花船的这个骇人的洞窟。姑妈回头喊他。

陆明栋是被周得福底女人底那种样子骇住了。周得福底女人,当姑妈把钞票递给邻妇的时候,便火热地望视着,而且伸出赤裸的上身来。陆明栋感到了强大的苦闷。

"拿来,两块钱,我看见的!"这个赤裸着的女人叫。

邻妇底脸上有了痛苦和嫌恶,把钱交给陆明栋,转身走开去。

陆明栋,带着极大的虔敬,和极单纯的少年的谦逊,走上了踏板,把钱交给那只可怕地伸着的手。陆明栋看着这只手,觉得这只手有某种神圣,在心里怀着敬畏。交了钱,他站在踏板上,以闪灼的眼睛盼顾。他觉得这个世界是起了某种变化了。

"谢谢你,大少爷!"这个女人突然用假的、温柔的声音说,笑着像少女。

陆明栋咬着牙,勇毅地咬着牙,跳下了踏板。

"明栋,我叫你,听见了没有?"在巷口,苍白的、眩晕的姑妈厉声说。

"走,死囚!来要债反贴本!我是行善,人家晓得了又要说我不中用!不准告诉别人,知道不知道?"她愤怒地说,走出了巷子。

"但是,也的确想不到!"姑妈变了声音,自语着。"可怜原是好好的生意人,偏是心里一动,看上了秦淮河!说起来倒是我害了他!当初要是不借给他,他也不会造什么船的!可怜秦淮河当初那般光景,哪一天不花天酒地。但是害了多少性命啊!"她烦恼地说。

显然她心里有着苦闷。刚才的那一切是很可怕的,姑妈已经失去了那种准备哭泣的、悲哀的感情。她经历着那种苦闷,觉得在心里有什么东西没有弄清楚,并且不能忘掉,她恍惚地,烦恼地自语着。

"这还了得!"她想。她没有把这个思想用任何一种方式说出来,因为怕陆明栋知道她底弱点。她暂时不能明白这个思想底意义,但觉得对于这个人间,对于她自己,她必需经常存着严厉的警惕。

在来到那个河岸以前,姑妈为金钱和道德痛苦,在离开河岸后,她装做为金钱和道德痛苦,并自以为是真的——姑妈喜欢把一切都弄清楚——心里却有着渺茫的、不确定的苦闷。

她不能让这种苦闷继续下去,像一切老人一样,她不能让任何一种陌生的东西进到她底固定了的,清楚明白的心里来。于是,代替那个计划好了的,庆祝金钱的、道德的、凯旋的欢宴,她走进了夫子庙一家菜馆,要了香肠和酒。

陆明栋露出深沉的、勇毅的神情喝着酒。姑妈沉默地看着他,一点都不阻拦。

像每年一样,姑妈到龙潭乡间去作消夏的小住,享受单纯的亲戚关系所给予的温暖,权力,和我是存在着,生活着的这个信念——这些于姑妈都是必需的。用她自己底话说,她是去看姨侄女。她用兴奋的声音说这句话,脸上带着骄矜的、欢乐的光采,因为她在这句话里说明了别人用另一种方式说明的,强烈的东西。

人们时常看见孤零的老太婆,精明而兴奋地在街上走着,提着为老年人所特有的,使年青人感到苦恼的行李——白布包袱之类,而用大声和所遇见的一切熟人说:她是去看姨侄女。人们觉得这是无谓的——看姨侄女。老太婆们不能用另一个字眼来说。但老太婆们是在这里说明了她为它活着的那个强烈的,主要的东西。在这个世界上,沉默使人们距离,言语——人们只能使用自己底那一句话——也不能使人们互相交通。

在南京底有名的苦热里,老太婆不知疲倦,到处跑着。姑妈到龙潭去,安排好了应该遗忘什么,和应该得到什么。于是姑妈

355

果然就满足了。

姑妈很有做客的嗜好。姑妈有着做客的全套的语言和风致,有时还有眼泪,但姑妈正是在这一切里面才经历到可惊的真实和感动。当她带着假的笑容向她底姨侄女高声地夸张并假造一切生活底苦恼时,她眼里就有泪水;并且由于她所感到的"看姨侄女"的欢乐,她在心里真的哭了。

"这一年来,我老太婆是无时不在想你啊!秀英,我底儿子!你晓得老太爷是死了啊!"

姨侄女属于蒋家底支系。每个人的生涯里总有一段辛辣的故事吧,于是,在这些辛辣之后,穷困的秀英嫁到乡下来了。丈夫是很有趣的矮子,并且是勤劳的好人,叫做黄润福。五年前,龙潭底人们是不知道有叫做黄润福的这个竞争者的,但现在,由于命运底犒赏,黄润福夫妇就建立了他们底王国了。

黄润福是想不到人们为什么会进城的。姑妈底姨侄女,和从前生活过、梦想过的地方隔绝了,心里有着深深的寂寞。但她也能够被安慰,因为她觉得她是能够服从黄润福的。黄润福在龙潭街上有一栋房子,旧了;在小坡下有一座新建的、宽敞的草房,就住在草房里。现代的人们是没有这种享受了,在你看到这种草房,这种大的、发油亮的竹椅子,这种好客的主人,和属于这主人的周围的一切土地,一切山坡,一切稻子和一切瓜果时,你便知道这种享受是什么了。

黄润福和亲戚们没有来往,因为他们从前欺凌过他。他和什么人都不来往,但用一种可惊的礼节欢迎着拜访者。那种礼节底力量真是可惊的,因为,在你所没有注意的时间里,一切糖食、蜜饯、瓜果,都在污黑而发亮的大桌子上陈列出来了;就连那系在柳树下的驴子都动着蹄子和耳朵,并且温柔地嘶鸣着,表现出这种欢迎来了。但这些糖果和蜜饯,多半是黄润福自己吃掉的,他是非常好吃,有一个可惊的舌头和一个可惊的胃。

姑妈很安慰地感到,在这个乡间,在黄润福夫妇这里,一切都没有变化。姑妈感到,这两年来,她底一切全变化了,惟有这里没有变化。在这片领土里,她是依然享有着从前的一切:一切殷勤,一切客气,一切感情底夸张,和一切深远的情怀——寂静的、忧郁的、古旧的情怀。

姑妈领陆明栋和蒋纯祖同来。第一天,姑妈和侄女谈论苏州底事和自己底一切苦恼。第二天,黄润福把姑妈扶上驴子,大家到塘边去钓鱼。

在茅亭里,侄女替姑妈搥弯鱼钩,而从这个想起沈丽英和蒋淑珍来:她们,在三年以前,曾在这个茅亭里钓鱼,曾在这里把针搥弯,当作鱼钩。姑妈把鱼钩投到水里,看着水面大声地说着话,侄女脸上有安静的、忧郁的表情。黄润福卷着裤管坐在木凳上,从布袋里掏出花生和酸梅来——这个布袋是挂在驴子身上的,上面有着动物底骚气——吃着,同时凝神地听着姑妈。

驴子系在茅亭旁边。两位少年是投到远远的田地里去了。

"钓鱼要有耐性。"姑妈大声说,看着水面,"这一年,秀英,我是多么想你啊!我梦见你驮着稻草,又梦见你生了小孩子了。你什么时候就要生呀?"

侄女脸上有严肃的,特别严肃的笑容,看着水面。因为某种情绪,她底手动了一下。

"丽英怎样?"她问。

"她苦啊!她太软弱。为人不能太软弱。牧生这个人,把事情丢了——昨天我跟你说了的。秀英,在她们几个人里,到头来还是你好啊!"姑妈说,凄凉地笑着;而因为酷热的缘故,好久地保持着这个笑容。"鱼来了,看我这个老太婆!"她拉动鱼钩,又放下去。

"姑妈,您要放远……您请尝尝梅子。"黄润福甜蜜地笑着说。

"看,还叫姑妈,我知道你要吃光了!"秀英,向丈夫说,忧郁地笑着。

黄润福有罪地笑着,藏起了梅子,然后拍了几下衣服,站了起来。

"姑妈,看我来钓吧!"他说,甜蜜地笑着。接了钓杆,坐了下来,他就变得多话了。同时姑妈也多话:姑妈怜爱地笑着。于是,他们两个人就不停地、轮流地说着。秀英忧愁地笑着,听着他们。

"你想想啊,姑妈,从孙传芳过龙潭那年子起,我就只进过一次城! 秀英进过三次城,有一次,姑妈您过五十岁!……啊,鱼来吃了!"

"你动得太快了!"姑妈精明地说。"孙传芳打南京的时候,我们母女带明栋到龙潭来避难,那才避得巧啊! 山底下整夜地开火,……"姑妈说,看着辉煌的田野。"就是润福记性好! 那时候阿龙逃掉了,去当警察,还带着王家的姑娘,是吧?"姑妈向秀英说。"革命军进南京城的时候,大炮对着鼓楼开,又对着洋鬼子底教会开!……老太爷在苏州就急死了,淑媛她们相信教会呀!"

"提起你们苏州来嚜,真是,唉!"黄润福说,大声叹息,"以我乡下人看来,姑妈,不是说见外的话,我是不赞成那些小姐们的!"他说,但显然"苏州"使他感到荣耀。他看了秀英一眼,显然,在这里,这个固执的好人和他底妻子有着斗争。"不过,老太爷一生一世,那样大的一个家,又那样有钱,唉,天不公道啊!……鱼简直不吃了!"

"是啊,要是天公道,金素痕那样人家早就遭雷殛火烧了! 你想蔚祖……"姑妈停住了,发现秀英在流泪。

秀英向着水面,肩膀靠着亭柱,用衣角揩着眼泪,竭力压制着自己底激动。姑妈一静默,她就哭出声音来了。

"儿啊! 可怜,儿啊!"姑妈说。

秀英突然转过身子来,跌到坐椅里去,蒙着脸,抽咽着。

"我们底……老太爷啊!"她,这个"蒋家底女儿",哭着,说。

黄润福怜悯地看着她。显然这个好人一时不曾想到她底哭泣和自己有什么关系。

"唉,哭有什么用啊!"他难受地大声说。"……看,鱼来了!"

他站起来,提起了钓杆:他钓到了一条鱼。姑妈,正在揩着眼泪,向着鱼怜爱地笑了。

……

在暑热里面,田野里有着干枯的、灼烧的气息。蒋纯祖和陆明栋沿着稻田里面的弯屈的小路向茅亭走来。蒋纯祖是挟着两个很大的西瓜,陆明栋,手里拿着枝条,沿路鞭打着稻穗。他们两个人都兴奋、发赤、流着汗。

"你哪里弄来的西瓜啊!"黄润福耽心地叫。

"我们偷来的!"陆明栋回答,显然他觉得光荣。

"唉,我们自己有西瓜啊!"黄润福说,甜蜜地笑着。

"没有关系……"蒋纯祖说,但站住,而且脸红了。

秀英,他底陌生的、远房的姐姐,用泪湿的、悲凉的眼睛看着他,使他脸红了。他放下了西瓜,走到水边,有了眼泪。

"纯祖,我们钓到了鱼!"姑妈说。

"嗯。"他回答,看着水面。

在少年们底周围,一切都显得单纯、明朗、兴奋,铁道边有着最强大的兴奋,陆明栋有着对火车的狂热——特别有着对雄壮的机关车的狂热。一切都不明了,也来不及去明了,但一切都有意义。平原,绵延到天边的、金黄色的稻田,绿色的丘陵,和点缀在这中间的美丽的池沼。树丛,村庄,和在午后突然袭来的雄壮的雷雨。生命激动着,生命在突进。

从强烈的快感突然堕进痛灼的悲凉,从兴奋堕到沮丧,又从沮丧回到兴奋,年轻的生命好像浪潮。这一切激荡没有什么显著的理由,只是他们需要如此;他们在心里作着对这个世界的最初的,最灼痛的思索,永远觉得前面有一个声音在呼唤。

蒋纯祖更骄傲些,统治着陆明栋,要他服从他底热情的法律和不断的、强烈的奇想。陆明栋柔顺地服从他,对他有着一种奇特的爱情。蒋纯祖为这种爱情,这种情欲苦闷,并且嫉妒,于是和陆明栋吵架了。

年青人底尖锐的、突然的感情。突然经历到那种巨大的苦闷和颓丧。他们不知道怎样才能和周围的一切调和,他们觉得周围的一切只在参与他们底内心战争这一点上才有意义。他们常常恐怖地感到自己不洁净。

雷雨继续到黄昏。雷雨底全部时间里,他们站在门边,兴奋着,注视着激动的、灰暗的平原。雷雨止歇,没有吃晚饭,他们就跑开了。

他们穿过稻田,向远处的铁路走去。他们两个人,同样的,心里有澄明的、洁净的感情,并且十分温柔。云彩在天空化开,被夕照映成了红色。路边,稻穗垂着,滴着水。

蒋纯祖神圣地沉默着。陆明栋发出了尖锐的、欢悦的叫喊,于是蒋纯祖立刻就有了强烈的嫉妒:他觉得这种尖锐的欢悦正是他所神圣地藏匿在心中的。他觉得陆明栋不应该有这种感情,他感到强大的屈辱。内心底纯净和谐和立刻毁坏了。但他仍然沉默着。

蒋纯祖沉默着,有着深刻的内省与情感的计谋。

陆明栋,因为他底叫喊没有得到蒋纯祖底任何赞同,感到苦痛,于是又叫喊。他们穿过潮湿的,被夕照映成了红色的,美丽的稻田,走上丘陵,眺望着铁道。蒋纯祖沉默着,蓄藏着感情的残酷的阴谋。

"他不欢喜我了!"陆明栋痛苦地想。

他们站在草坡上。蒋纯祖以骄傲的、英雄的姿势站在潮湿的深草中,向着夕阳。蒋纯祖底表情宣布,面前的这激动心灵的伟大的一切,陆明栋不知道,也不应该知道。

陆明栋,在可怕的苦恼中,跑了两步,大声地向着坡下的吃着草的水牛喊叫起来。蒋纯祖露出了轻蔑的表情,在潮湿的草上坐了下来,抬头向着天空。

"他怎么会懂得这些?这些是我的!这一切全是我的!多么美,多么凄凉啊!多么悲哀,多么凄凉啊!"

蒋纯祖需要凄凉,于是有了凄凉。并且感到,陆明栋虽然分享了那种快乐,却分享不到这种凄凉。像人们争夺物质底财富一样,青年们残酷地争夺着感情底财富。

夕照消逝了。平原黯淡下来,寂静,深沉,四处有水流声,蒋纯祖觉得凄凉。近处有喊叫声,先是妇女底快乐的声音,接着是男子底快乐的声音。右边的庄院里传来了锣鼓声。左边,很孤零的,有小孩在田边啼哭着。火车发出轰声出现在远处。

可以看见,在灰黄的、丰满的、广漠的稻田里,五个以上的池塘闪着白光。

陆明栋,羞怯不安地在蒋纯祖身边坐下来,胆小地看着蒋纯祖。

"你为什么不说话?"他低声问,触了蒋纯祖底手。

"你先回去!我要到那边去!"蒋纯祖冷酷地说,站了起来。

"到哪里去?"

"铁路那边。"

他们听到了火车底轰声。

"为什么……不要我去呢?"陆明栋用要哭的声音说。那个被宣告了死刑的狂热的爱情,在他底声音里颤抖着。

"你回去!"蒋纯祖装出淡漠的样子来,说,手插在裤袋里。他吹了一下口哨,向坡下走去。

"我不回去!……你一个人怎么回来呢?"陆明栋可怜地说。

蒋纯祖傲慢地转过身来。

"我夜里回来。"他说。

"带我去吧!只要这一回带我去,我就一生都感激你,我要牺牲一切!一切!"陆明栋底怯弱的表情说。有了眼泪。

看见眼泪,蒋纯祖感到快乐。他把他底朋友们曾经加在他底身上的羞辱——他经常地蒙受这种可怕的羞辱——同样地加到陆明栋身上,感到快乐。

"你回去吧!"他说,冲下了草坡。

"他走了!我一个人了!"陆明栋想,突然哭出野兽般的声音来。

蒋纯祖,这个新兴的贵族,听见了他底奴隶底哭声,不回头,感到快乐。

"你这个不要脸的东西!你这个狗日的!无家可归的!"陆明栋叫骂。

蒋纯祖回头看着他。

"混账东西!"他战栗,大声喊。

陆明栋哭着向回跑。蒋纯祖站着,猛然感到可怕的失望和空虚。

火车发出骚乱的大声穿过平原。蒋纯祖回头,看见了车窗底灯光。

"停住!停住!"蒋纯祖在心里大声喊。

火车迅速地移动着。蒋纯祖凝视着,突然向火车狂奔。他感到周围像海洋。他感到周围浓黑,起伏着波涛,而火车像战舰,愤怒地驰过波涛。

火车驰过去了。车窗底灯光在黑暗中闪耀着,表征着人类底战斗,人类底最高的情热。并且蒋纯祖想像了车窗内的一切颜色和温柔,感到了迫切的渴慕。火车弯过丘陵,消失了,蒋纯祖跑到铁道上。他弯腰抚摸着铁道,铁道是热的,震动着。

周围突然有深沉的寂静。——蒋纯祖觉得如此。于是他坐在铁道上,想起了刚才和陆明栋底冲突。

"我为什么跑起来?刚才我做了什么事,一定做了什么事,我错了!但是刚才怎样?怎样?"他想,捧着头。"多么可怕啊!做一个人多么可怕啊!他是不明白的,他年轻!但是我也年轻!怎么办?我是没有家了,什么也没有!但是像鲁滨逊那样是最好的,那是多凄凉,多美,多么好啊!我要一个海岛,要一个海,要一支枪!……但是,他骂我没有关系,我刚才为什么骂他!他母亲是多么苦啊,所以我是这个世上最坏的、最坏的坏蛋!我没有希望了!"他唤醒了痛苦,在铁道上徘徊着,立刻便痛苦得打抖了——那种年青人底尖锐的痛苦。他打自己,撕着头发,虚伪地哭出声音来。"我要一个海岛,一个海,一支枪,要,要!这样才没有人知道我心里的坏想头！我不想读书,我不想！我要！要！我的！不是你们的！"他高声向自己说。并且伸手击打他底假想的仇敌。

"但是,周围多静啊！为什么人要说苦呢?"他站住,用温柔的低声向自己说。"该死！该死！为什么？好极了！"他温柔地笑着说,想像自己是最动人的少女。

忽然他听到陆明栋在近处用胆怯的低声喊他。

"什么事？我在这里！"他回答;声音有些颤抖。

"要你去吃饭,他们……"陆明栋走近来,用鼻音说,但没有说完,被一个从天空来的强烈的红光惊住了。

一颗巨大的陨星飞过低空,强烈的红光照亮了平原。极短促,极明亮,红色的光辉照亮地面的一切,陨星驰过低空。可以听到它底磨擦空气的响声,它落在南京底方向。

陆明栋跑向蒋纯祖。蒋纯祖向铁道外跑。周围腾起了惊异的喊声。

"小舅,落在南京,你看！"陆明栋细声叫。

陨星落下了,周围底惊异的喊声,却继续着——人们是被激动了,从平原底各处,从各自底巢穴里跑出来,喊叫着。特别因为这些喊声,蒋纯祖突然变冷静,作着强大的反省,意识地掩藏着自己心里的最神异的、最美的东西。蒋纯祖站着不动,注视着红光消失了的方向,听着喊声,感到这一切,证实了自己底动人的存在。感到陨星底红光所激发的自己底最好的、最美的东西,是别人所不能明了,并且是任何表情都不能传达的。他神圣地,带着一种奇特的冷静站着不动,好像表示他早就知道这个,并且他所等待的就是这个。

他轻蔑对这个陨星、也就是对他底俊美的心灵所发出的一切喊声,一切评论。他觉得他是对的,因为在这个精神底竞争上,他毫无嫉妒。他严肃地看着陆明栋。

"我们回去吧。他们在吃晚饭?"他轻柔地问,用这种声调抑制了陆明栋底兴奋。

陆明栋看着他,好像觉得,吃晚饭这件事,在这个世界上,是不可能的。

"我饿了,回去吧,明栋。"蒋纯祖轻柔地,带着自觉的、可爱的虚伪说。好像他企图证实,吃晚饭这件事,在今天,是特别优美动人的。

姑妈满足了,于是重新想起城里的一切,想到女儿,亲戚,马将牌,债务。想到拥挤的、石块铺成的街道,和每天下午的卖糖粥的担子;这个卖糖粥的熟识姑妈,像熟识街上的一切人一样。姑妈生了怀乡病;在姑妈,南京底夏天生活,是可以用卖糖粥的底那张瘦长的、淌汗的、严肃的脸来代表的。于是姑妈告辞了姨侄女,像每年一样,说:明年再来。

黎明时,姑妈骑着驴子,在驴子的屁股上系着大的蓝布包袱,里面有瓜果,鸡蛋,和其他一切,像每年一样,穿过田野向车站走去。两位少年走在前面,提着包裹。黄润福夫妇走在后面;黄润福敞着胸膛,卷着裤管,手里提着粗木杖。露珠在稻穗上闪耀着,空气新鲜、凉爽,姑妈严肃,心里有惆怅,但觉得威风。

姑妈昨夜跟少年们讲了她哥哥底故事和牛郎织女底故事。此刻大家都不再想起这些故事,但姑妈感到她昨夜讲了什么,不是讲了故事,而是讲了生活底悲惨。大家沉默地在田间前进着,姑妈看着远处,感到忧愁。这片寂静的、深沉的、美丽的,于姑妈是过于美丽的田野令姑妈凄凉,她不知道,坐在驴子上,她要到哪里去。今年的夏季是过去了;姑妈想。明年怎样呢?住在这里,也死在这里,不是很好么?

姑妈沉默着,看着经过身边的一棵孤独的、弯屈的、但丰满的柳树。

"这棵树!"姑妈突然说,严肃地笑了一笑。但大家不注意这棵树。姑妈无法说出她从这棵树所感到的,即这棵树是孤独的、弯屈的,然而丰满的;再过几年的时间,它,这棵树就要倒下了。

秀英微笑着,希望姑妈不要凄凉。

太阳升起来——赤红的火球,黄色的田野上照耀着淡红的、隆重的、威严的光辉;好像向这个光辉的、伟大的统治者致敬,广漠的田野里到处都闪起了水湿底光芒。有云彩从东方的地平线升起来。轻轻吹拂的风变成灼热的了。蝉在四处鸣叫着。

但人们看见,在树丛和小的山峦——江南的柔美的山峦——背后,依然割据着暗影。各处的庄院冒着烟。

田野深处,有忧郁的,男性的歌声唱出来了:低缓的、和平的、忧郁的、独自寻思的、无可安慰的,好像表示,对于这种庄严的早晨,他们,中国底继承祖先而生活着的人们,是已经经历过无数次了,虽然没有倦厌,却已经失望了。他们是不愿再受热情底欺骗了,他们是,和平地,忧郁地,独自寻思地,无可安慰地——在心里藏着梦幻。

"我说,姑妈啊!"黄润福,荣耀地走在驴子后面,说,听着田里的歌声。

"是的,是的,儿啊!"姑妈,在驴子上困难地斜过身子来,怜爱地笑着,说,姑妈很精明,但同时她也懂得黄润福底"我说"是指什么:姑妈精明地听了歌声。

"姑妈,我是说……"黄润福甜蜜地笑着,说,他底厚嘴唇有些颤抖了。"……在乡下,秀英是寂寞呢!……姑妈,说句笑话,她一直到今天都不会管家……"黄润福为难地笑着,说。

"但是,我是懂得她底心的啊!"黄润福说,变得严肃,听着田里的悲凉的歌声。

"是的,儿啊!"姑妈说,听着歌声。

…………

走进车站,秀英就向前面跑去。精明的姑妈立刻爬下了驴子,追了过去。她们抢着买票……秀英羞耻得红了脸,……最后,秀英看着蒋纯祖。

她招手唤蒋纯祖走到一边去。蒋纯祖心里激动而甜蜜:特别因为是美丽的夏日,他对这个安静的、单纯的女子有了那种强烈的爱情。他觉得羞耻,同时又觉得甜蜜,走到她底面前。

这个单纯的女人自己也羞耻得红了脸,并且有了眼泪。

"这个你拿着……"她小声说,塞过一个纸包来。蒋纯祖莫名其妙地拿着了,感到大的幸福。他企图拒绝,但没有勇气。他底羞耻的、恍惚的样子使秀英非常的痛苦。

"纯祖啊,……你回去跟淑珍姐姐,淑华姐姐她们说……"她慌乱地说,红着脸。"……你要她们……来玩!"

"好……"蒋纯祖单纯地说,畏惧地看了她一眼。"不过……这个……!"他抬了一下抓着纸包的手,说。

"哦,纯祖弟啊……不,不要紧的!"她说,揩着眼泪,低着头走了开去。

蒋纯祖皱着眉把纸包塞到口袋里去。他继续感到强大的幸福:他是在恋爱。火车开动时,黄润福扶秀英骑上了驴子,蒋纯祖就伤心得偷偷地哭起来了。

姑妈去了。秀英说:"一有空就来啊!"姑妈说:"一定来,放心,儿啊!"

第十二章

一

秋天，蒋淑华生了男孩，身体更坏了。蒋淑珍和沈丽英在冬天的时候又怀了孕。蒋少祖夫妇没有来南京，诉讼没有结果；老人们生着病，怀念一种说不明白的东西，好像是怀念故乡。这半年，蒋家底人们底唯一的兴奋便是蒋淑媛替妹妹蒋秀菊做媒，而被蒋秀菊拒绝了的事。蒋秀菊显得是毫不考虑就拒绝，在姐姐们和亲戚们里面惹起了长久的议论。

蒋秀菊看到了各个家庭底缺陷和不幸，认为自己，没有任何保留地，应该完全不同。教会女中底恋爱的风波，对她没有影响，同学们认为她头脑守旧，但她却认为没有一件恋爱是严肃而有意义的。父亲死后，她是突然地认识了金钱底力量和周围的堕落和丑恶。如人们在这种少女身上所常常看到的，蒋秀菊，在最初的朦胧的梦想之后，退了回来，着眼于严肃的实际了。她底原则是：她心里只有她自己。她觉得除非有钱，她不能恋爱，或结婚，而现在她没有钱。于是，那种绝对的高傲来到了她底心里。

她不大到姐姐们那里去了。但常去看发疯的哥哥。她想：孤独很好。

蒋蔚祖很可怜地惧怕一切人，憎恨一切人。但正因为惧怕，正因为他并不如人们所看到的那样冷酷，他不能脱离。因为金素痕还需要他，他不能脱离。将近过年的时候，他过活得极紧张。他异常诡密地侦察着：金素痕是否还需要他。

他证明金素痕不顶需要他。总之，他没有得到肯定的确证，也没有得到否定的。意志底缺乏就在于没有力量造成一种事实底确证或心灵底确证,在疯人更是这样。

蒋蔚祖养成了他底思索的习惯。他先在房里乱走,把一切东西都弄乱或破坏,然后不动地躺在这些凌乱的东西中间。在他有疑问的时候,他就又站起来,再弄乱。如此直到这种凌乱肯定了他底思想,或者说,他底思想肯定了这种凌乱的时候为止。

又是在阴雨的、严寒的夜里。昨夜金素痕在这里哭过,今天他,蒋蔚祖,在这里思索着。他把椅子翻倒,把被单和衣服拖到地上,肯定金素痕底悲哀是假的。但为什么要做假?他想,不能解答,于是把椅子推到床边去,把一件衣服撕破。六只蜡烛照耀着,苍白的蒋蔚祖殭直地躺在地板上。

他忽然搥地板,叫出两声野兽的声音。

遵照金素痕底嘱咐,佣人站在门外监视着。但到深夜时,她找到了可以安心的理由,下去睡了。

蒋蔚祖搥地板,叫出野兽的声音。

他站起来,把桌子翻倒,他坐在桌子上,举手蒙着脸,听见了风声和雨声。

"又是一年了! 爹爹底尸骨要烂了! 他也等得急了!"他想。

"来吧! 来吧! 这里来吧!"他觉得,在遥远的风声和江涛声里,有这样的一个声音在呼唤着他。这个声音一年来便呼唤着他,今夜显得特别亲切。

"我来了! 来了!"蒋蔚祖说,拉动地下的杂乱的被单,躺下去。

"昨天她说:'我们总要分离的,有什么关系!'怎样? 好极了! 那么我是否要杀死她?"他想,望着烛光。"不让她活着! 活着比死还难受,又有阿顺! 那么,我怎么办?"

在这个人间底深渊底极底下,深沉的寂静里,蒋蔚祖听见了远处的江涛底悲惨的吼声。

"不要想! 什么都不要! 我到苏州去! 到爹爹坟上去! 到寒山庙里去!"他说,于是站起来,吹熄了两只蜡烛,把地上的一切全踢乱。然后又躺下去,躺在冰冷的地板上。

"我把这个房子烧了!这样我就不会再留恋了!"他想。

他闭着眼睛躺了一会。然后站起来,紧张地把一件毛线衣加在身上,又打了一个包裹,数了数身上的钱。他挟着包裹,望着烛光。

"阿顺啊,我是不仁不义!"他说,取了一只蜡烛,但又放下,盼顾着。

"这个人间有何留恋!"他说,露出了冷酷的表情。

"是的,何所留恋! 不仁不义,男盗女娼!与其被人侮辱,当不如归去啊!"他说,拿起蜡烛来。

"啊,辞别了,这个人间!辞别了,可怜的素痕!"他大声说,凄凉地流着泪。

他底手颤抖着。他挟着包袱走到门前,打开了门,拿蜡烛向外面照了一下。然后他走回来,迅速地,强制着自己,点燃了帐子。他屏息地看着帐子燃烧。火焰冲到帐顶,他发出了野兽般的绝望的叫声。

蒋蔚祖明白了他所做的事情底意义,明白了火焰底意义,明白他是从此失去一切了。他恐怖地上前拉帐子,但屋顶底芦席已经着了火。他在烟里跑了几步,又叫了一声,怕被别人发觉,逃了出去。

跑到荒僻的街角时,他回头,看见火焰已经升在屋顶上。火焰冲到空中,在寒风里扑击着。旧朽的、孤独的屋子烧着了,蒋蔚祖底洞穴,蒋蔚祖底地狱和天堂烧着了。四近有了激动的人声。好像被什么力量支配着似地,蒋蔚祖战栗着跪了下来,向火焰叩了一个头。

在这个大的力量前面,蒋蔚祖屈服了。好像骄傲的青年屈服于爱情,这个人间底轻蔑者屈服于对人间的凄凉的栈恋,蒋蔚祖觉得自己是不可饶恕的,将来也不可饶恕。于是他没有力量回到故乡去了。为了寻求恩泽和饶恕,他走向毁灭,消失在南京底那一大批不幸的人们中间了;这些不幸的人们,是被南京当做它底渣滓而使用着的。

　　人们常常以为自己是因真理而冷酷有力的。疯人更觉得自己是因真理而冷酷有力的，直到最后，他才明白自己底可怜的恋情。蒋蔚祖流落到街头去了；最初和几个这种同伴住在和平门的破庙里，后来被赶走，逃到南京附近的板桥去。最后，在第二年春天，他又在南京出现，醉着，穿着乞丐的破衣，疲劳而怨毒，干着下贱的生业。

　　金素痕找寻了一些时，确信蒋蔚祖是死在什么地方了，确信自己，在这个人间，失去了往昔的寄托，明日的希望，主要的，疯狂的伴侣，是孤零了。这样地设想了、悲哭了以后，她就从这一场可怕的恶梦里醒来了。她在下关底另一间屋子里布置了蒋蔚祖底灵堂，好几天带着五岁的男孩在那里厮守着。法院开庭的时候，她，寡妇，带着阿顺去……她在庭上哭了。

　　接着，二月间，她就嫁给了一位年青的律师。

　　一面是灵堂，一面是婚礼。金素痕从这种悲剧中取得了她底生活权利。她确实是爱着那个不幸的书生，可怜的疯人的。她相信她是替蒋蔚祖底寡妇孤儿找寻出路，她心里非常悲哀。

　　金素痕，预见到这个结婚底完全的势利和冷酷，抓紧了这个悲哀。除了这个悲哀，她在人间是没有别的东西了。一种可怕的剧痛，预示了她底将来底不幸。于是，过去的一切，就被一种纯洁的光辉所照耀，变成了诗和图画。

　　她诚实地忏悔着，她底悲哀的热情吞噬了一切。在某一天早晨从恶梦里醒来的时候，蒋蔚祖就变成纯洁的天神活在她心里了。

　　"我有多少罪恶！"她想，带小孩上车，到下关底灵堂里来。

　　她沉默地走进灵堂，坐下来悲伤地望着蒋蔚祖底照片。她做手势叫佣人点蜡烛。

　　她做手势叫小孩叩头，小孩恐惧着。她站起来，把小孩按在地上，同时她哭了。

　　"阿顺，阿顺，爹爹去了！"她哭，说。

于是她望着照片。

"可怜的蔚祖归去了!"她说,低下头来。"留下了我们,受不尽的辛苦!……蔚祖!蔚祖!你总知道我底心!我是你底素痕,无论在这个人间,还是在……九泉!蔚祖,一切都完了,我们做了一场恶梦!我们在应该相爱的时候没有能够爱,现在你去了,而我也不久了,我是一个罪恶的女人! ……从此,我要在这个万恶的人间……啊,不,蔚祖,你什么都晓得,你不能就这样丢下我啊!"在痛灼的悲伤里,金素痕叫了起来。随即她倒在椅子里。

渐渐地,在时间底冲洗里,金素痕就得到了宁静的悲哀。用一种非常的力量,这个女人压下了可怕的迷乱,结了婚,照旧过活着。夜晚睡去,白天醒来,可怜的金素痕就觉得自己已经平安了。

三月中旬的一天,阳光照耀着的、新鲜的早晨,蒋秀菊经过中华路去看一个朋友。她是美丽、俊雅、新鲜,提着小巧的皮包,像每次一样,沉思着走着路。在中华路中段,当她过街时,她遇见了列队进城的军校底学生们。他们整齐地在道路中央前进着,唱着歌,并且喊口号。蒋秀菊皱着眉站下来,让他们通过。

这个严肃的、进行着的、年青的男子们底队伍,是突然地在蒋秀菊底沉静的心里惹起了一种混合着欢乐的恐惧。她庄严地站着,望着对面的屋檐:屋檐照在阳光里。她感到通过着她底身边的男子们都在看她;她在这些目光里,就像屋檐在阳光下。她突然地,恐惧而欢乐地,感到了这个春天的早晨底全部的美丽,并感到自己是年青、骄傲、美丽,在面前摆着一切。

军校底学生们通过着,唱着歌。

"他们到哪里去?这么早!"蒋秀菊轻蔑而又温柔地想,望着对面的屋檐。"但是我管他们到哪里去!"她想。

"我现在要出征,我爱人要同行……"军校底学生们通过空旷的道路,整齐地踏着皮鞋,由长官发了号令,以粗哑的、无表情的声音唱着歌。

"我现在要出征,我爱人要同行!"他们机械地摇摆着手臂,唱着歌;阳光辉耀着;在阳光里,站着一个娇美的女郎。好像只是为了这个,他们才列队到街上来,并且唱歌的。

蒋秀菊被吸引,不觉地看着他们。她接触到了几对明亮的、匆促的眼睛。有人红着脸,皱着眉,闭紧着嘴巴通过蒋秀菊面前,因为觉得一个这么大的男子在街上唱歌是可羞的,尤其在一个少女面前唱什么"爱人要同行"是可羞的。蒋秀菊脸红了,立刻转身沿人行道走去。

"啊,他们真有趣!"她想。"但是,我喜欢孤独!"她温柔地向自己说,看着面前的道路上的阳光。

"收复国土!"队伍继续通过,发出了咆哮。

蒋秀菊站下来重新看着他们。她觉得,在这个洪大的喊声下,她失去了什么。失去了什么细致的、温柔的东西。这个洪大的喊声占领了街道,于是街道、阳光、麻雀、兴奋的人们,遗忘了她,蒋秀菊。

队伍通过着。两旁停着车辆和人们,队伍流动着,像无波的、峻急的河流。

蒋秀菊几乎不可觉察地皱了眉,有了烦恼的表情,沿着屋檐走去。

"大家说中国要亡了。有谁负责这些人底命运?有谁负责我底命运呢?"她想。但心里感到,是这些人自己,负责这些人底命运,是她自己,负责她,蒋秀菊底命运。因为她,蒋秀菊,和这些人,都活着。因为是春天,并且阳光是这样的美。

"我应该安静,否则就不好了!"她在心里说;这是对瞬间前所感到的一切说的。像青年男子们不敢有过多的激情一样,少女们不敢有过多的春天、阳光、烦恼……她走进了石块铺成的街道。阳光在附近的玻璃窗上闪耀着,远处有喊声。

她听见了迎面来的锣声,看见了从十字街口向这边转弯的、激动着的人群,首先是褴褛的、叫嚣的孩子们。在人群上面,在阳光里卷垂着蓝色的、白色的幔帐和黄色的旗帜。因为道路太窄,她在一家店铺门前站了下来,以便让这个出丧的行列通过。

这个队伍,前面的一段是杂乱而纷扰的,展览着穷苦的人们。像一切出丧的队伍一样,只在最后面才出现那种必需的悲哀与庄严;在前面,幔帐和旗帜飘扬着或卷垂着,展览着富有,也展览着贫穷。敲锣的是一个粗野的老头子,他跑在最前面。其次是鞭炮,不绝的鞭炮;褴褛的孩子们钻到大人们底踏动着的脚下去,抢夺着鞭炮。街道两边站满了观众。

蒋秀菊,露出了那种高傲的、疲乏的样子,皱着眉站了下来。在这个热闹的街上,她充份地感到自己是教会女中底学生。她觉得这里一切都无聊。正因为这里的一切,她想起了自己底朋友们。在纷扰的、烦恼的城市里,高傲的人们惯于想到自己有些什么,以和各种引诱和刺激抗衡。

蒋秀菊不耐烦地注视着行列。她嫌恶那些鞭炮。想到将要看见孝子和棺材,她就震动了一下,低下了眼睛。

"多么讨厌!"教会女生想,望着前面:穷苦的人们抗着二十四孝。

二十四孝走近来了。看到那最前面的一个,蒋秀菊就惊吓起来,把皮包提到嘴边。她跑了一步又站下。随后她不顾一切地叫起来,冲了过去。

她所看到的,就是那个已经死了好几个月的蒋蔚祖!

蒋蔚祖麻木地,蹒跚地走着路,抗着"王祥卧冰"。他底头发那样长,他底脸上涂着泥污和鼻涕。他所穿的衣服——假若还能叫做衣服——在一个叫花子身上,是很适当的,但在蒋家底儿子身上,是骇人的。破布片垂着,胸部和肩头都露了出来;下身的布片垂到膝盖,露出了破烂的腿。

在他底疲倦的眼睛里,是有着一种沉醉的神情。他是什么也不看,生怕落后,蹒跚地走着路——拖着他底尸体。好像他并不是走在人群里,好像他是走在荒野里,因为目标还没到达,所以他还爬着。一个内心的目的,一点点埋藏在死灰里的微弱的火花,是可以拖着一个尸体在荒野里走这么多路的呀!

这个怨鬼,是以这样的姿态出现在南京,出现在他底妹妹面前了:为了赎罪,抗着二十四孝图!

蒋秀菊,在认出哥哥来的那瞬间,和惊吓一同,心里有恐惧的感情,觉得,一个教会女生,在这么多人面前,认一个乞丐做哥哥,是可怕的。所以她跑了一步又站下。

立刻她为这感情而感到空前的、燃烧般的痛苦。为了这个宿命的感情,她底洁白的生命是有了一个痛苦的创伤。人们时常看到,安静地生活着的人们,突然地、不为什么地就倦厌起来、痛苦起来,感到无可安慰,就是因为过去的秘密的伤口又在流血了的缘故。

当她如火焰一般地,在众人底骇异下跑上前去的时候,她底创痛是已经无可挽救了。为了消灭这个不洁的创痛,她抓住了这个乞丐,哭出声音来了。她底皮包落在地上。她以燃烧着的、恐怖的眼睛盼顾着。

蒋蔚祖麻木地看着她。为什么,他既是在荒野里行路,还会被人拉住呢?但妹妹底哭声和恐怖的眼睛使他颤抖了起来。他颤抖起来,好像要逃脱,但露出了无力的、乞怜的、小孩般的表情,二十四孝图跌下来了。

人们围成圈子。立刻有褴褛的小孩抢起了二十四孝图抗在肩上。出丧的行列照旧地前进着。

"阿哥,阿哥,阿哥呀!"蒋秀菊,带着所有的爱情和沉痛,大声叫。

在这个叫声下,那种消失了很久的人间的情感在蒋蔚祖心里苏醒了。他眼里有了泪水,他发白,晕过去,倒在蒋秀菊底勇敢的、迅速的手臂里。

"他是你什么人?"一个老头子轻轻地、冷淡地问。

"是我哥哥!"蒋秀菊严厉地回答,凝视着附近的玻璃窗上的闪耀的阳光。

二

蒋蔚祖被运到蒋淑珍家,而苏醒过来之后,怀孕的蒋淑珍,就坐在床边哭着。蒋秀菊苍白,带着严厉的表情——对于别人底,和她自己底错误她都不能饶恕——,坐在椅子里。

另一边房里,蒋淑媛和男子们在紧张地商量着这件事。第一,是不是要把金素痕结婚的事情告诉蒋蔚祖;第二,是不是应该把这个消息让金素痕知道。

傅蒲生和蒋淑珍一样,认为不能够告诉蒋蔚祖,因为显然的,蒋蔚祖是为了对金素痕的希望才活着的。蒋淑媛则认为能够告诉,她底理由是:假若还存着希望,蒋蔚祖便不会出走,而告诉他,就可以使他完全断念,这样就可以控诉金素痕重婚,而在诉讼上取得胜利。

至于"是否应该告诉金素痕",大家认为,首先应该决定是否应该告诉蒋蔚祖。大家低声争论了很久。蒋淑媛底独断的态度占了优势,傅蒲生摇手,沉默了。

"你们到底怎样想?"蒋淑媛带着不满足的表情,看着陆牧生,问。

大家觉得,她特别看着陆牧生,即在这个问题里不起作用的人,是有着特殊的意义的。

大家沉默着,因为对于蒋家事情,谁也不能负责。

"你们到底觉得怎样?"蒋淑媛问。

"看定和回来……"傅蒲生说,但发现了蒋淑媛脸上的烦闷的表情,就摇手,愤怒地沉默了。

蒋淑媛沉默地坐了一下,走出房去。她走到对面的门边,伸手招了蒋淑珍。

坐在椅子里的蒋秀菊,眼睛明亮,露出显著的仇恨,看着蒋淑媛。但蒋淑媛没有注意。

蒋淑珍走出来揉着眼睛。

"我想告诉蔚祖。"蒋淑媛冷静地说。

蒋淑珍同情地看着她,没有注意她底表情,也没有注意她说什么。因为对于她,除了可怕的痛苦以外,说别的,是不可能的。

　　"你怎样想?我告诉蔚祖。"

　　"他睡了。"蒋淑珍说,迷晕地、小心地看着房门。

　　蒋淑媛皱眉,拖她走到桌子前面。

　　"告诉蔚祖,叫他死心,说婊子嫁人了。"蒋淑媛恼怒地说,看着姐姐。

　　"啊……不,妹妹,你害死他——你要他命!你简直不是人!"蒋淑珍愤怒地小声叫,向妹妹投了怨毒的一眼,低声哭着,走进房去。

　　蒋淑媛靠在桌上,冷笑着看着门。

　　傅蒲生走出来,走着向蒋淑媛摇手,表示说:我们不谈。走进了蒋蔚祖睡着的房间。

　　"我非告诉不可!"蒋淑媛愤怒地说,走到门边。

　　蒋蔚祖睁着眼睛躺在床上。蒋淑珍唤他,他不答,他望着帐顶。他皱着眉,又奇怪地微笑。他底脸上露出了简单的、希望的表情。

　　"蔚祖!蔚祖!"蒋淑珍叫,哭着。

　　"大姐,你不要哭!"蒋秀菊清楚地、冷淡地说,看了门边的蒋淑媛一眼。

　　但蒋淑珍没有听见。

　　"蔚祖,你听我说,蔚祖,别人告诉你的话,你都不要信!蔚祖……"蒋淑珍哭着说。

　　蒋淑媛轻蔑地笑着,走进房来。傅蒲生又向她摇手,她避开,走到床边。蒋秀菊静静地看着她。

　　"蔚祖!"她喊。

　　蒋蔚祖无表情的眼睛向着她。

　　"淑媛!"蒋淑珍严厉地叫,颤抖着。

　　"蔚祖,你死心吧,素痕嫁人了!"蒋淑媛说,含着轻蔑的微笑。

蒋蔚祖看着她,又看着蒋淑珍,然后闭上了眼睛。

"你好好养病,病好了,我们替你再要人……!"蒋淑媛说。

"狼心狗肺!"蒋淑珍低声骂,走到后面去。

于是,蒋蔚祖睁开眼睛,以可怕的眼光,看着他们。

"哥哥,不要听她底话!"蒋秀菊愤怒地叫。

蒋蔚祖向她点头。

"没有关系,她当然要嫁人。"他低声说,含着凄凉的,柔弱的微笑。

蒋蔚祖重新逃跑了。逃跑的第二天底夜里,他找到了金素痕底住宅,来到田野里,站在她底楼下,仰头看着辉煌的窗户。

他穿着长衫,背着手,站在杂草里,仰头看着窗户。从窗户里送出留声机底歌声来。夜里有凉风,晴朗,下弦的月亮在城墙上面照耀着,荒弃了的田地被污浊的小河划断,各处点缀着低矮的茅屋和垃圾堆,野狗在中间奔驰嚎叫。月亮在城墙上照耀,城墙底阴沉的黑影在扩张着。污浊的小河闪着燐光。

面对着蒋蔚祖的,是四个明亮的窗户。左边一个窗户里有着麻将牌底声音和欢笑声。第二个窗户沉静着。第三个,蒋蔚祖所找到的金素痕底窗户,垂着粉红色的窗帘,传出留声机底尖利的歌声来。一个男子底声音在和着唱,接着又是一个。蒋蔚祖听见了均匀地踏在地板上的男子底脚步声。这个窗户底楼下,是弯屈的楼梯,从下面的窗户,蒋蔚祖看见一个女仆捧着东西奔跑着。

粉红色的窗帘被拉开了,泼下了一盆水来,水滴溅在蒋蔚祖底身上。接着,金素痕底上身出现在窗口,向着月亮。然后一个男子出现在她底身边,用手轻轻地敲她底肩膀。

金素痕沉默着。那个男子低声唱着什么,从窗口消失了。于是金素痕轻轻地拉了一下窗帘,转身向着房内。

那种复仇的感情,在蒋蔚祖心中燃烧起来,给他以最后的支持,使他总能够站着。现在是完全的绝望了——疯人明白——

因而是完全的复仇。

月亮升高了,蒋蔚祖在乱草里坐了下来,想着复仇。窗户里面已经安静了,灯光显得更明亮。蒋蔚祖看见那个穿西装的男子迅速地跑下了楼梯。……

窗里的灯光熄灭了。蒋蔚祖紧张地站了起来,于是听见了一声尖利的、恐怖的叫声。蒋蔚祖静静地抱着手,站住不动。

金素痕出现在窗口,认出了蒋蔚祖——他正在站起来——发出那个尖利的、恐怖的叫声。以后是完全的寂静。金素痕在窗口站住不动,望着下面。

从这个叫声,蒋蔚祖感到了难以说明的满足。他仰头看着金素痕;明白他底目的是达到了。于是他迅速地转身,在月光下踏着荒草走去。

金素痕发出了恐怖的、求救的喊声。蒋蔚祖回头看了一下,静静地踏着荒草走去。

⋯⋯⋯⋯⋯⋯

深夜两点钟,蒋蔚祖走出挹江门。

街道很静寂,警察在各处站着;不时有小包车射出强烈的电光来驰过街道。四围有稀落的灯光,街道两边,行道灯底整齐的电线在空中延长到远处,由疏而密,在远处的十字路口汇合成了繁密的星群。不可分辨的远处有沉重的、迟钝的马达声。

出城时,蒋蔚祖被警察拦住。蒋蔚祖安静地站下来,警察寂寞地走近来,在他底身上搜查。蒋蔚祖安静地看着警察肩上的发闪的枪刺。

"你夜里为什么在外面走?"警察疲乏地,严厉地问。

"我回家。"蒋蔚祖安静地回答。

蒋蔚祖扣好了衣服,走出城门,觉得离别了什么,回头,看见了矗立在远处的天空里美丽的、红色的霓虹灯。

他凝视着这个霓虹灯。于是在他底冰冷了的心里,第一次地,对这个城市有了一个完整的印象。在以前,在他燃烧着的时候,这个城市所展示给他的是腐烂的浓疮、痛苦的诱惑、欺凌和侮辱；但现在他明白了这个城市是一个整体的存在，那些灯光是它底生命，而那个沉重的、迟钝的马达声是它底呼吸。

他走到十字路口，向警卫台底绿灯看了一眼，转身沿江边走去，听见了江涛声——另一种呼吸。

从最近的码头，苦力们抗着货物向货仓走去。在蒙眬的灯光和月色下，移动着他们底沉重的、阴郁的身影。他们，在夜底寂静里，发出哼喘声和轻微的吭唷声来。

但蒋蔚祖对这一切是淡漠的，对那敷在城市上空薄薄的白光，他是淡漠的；对江涛底幽暗的闪光，他是淡漠的；对他底往昔的巢穴，那一片荒凉的废墟，他是淡漠的。因为这个世界已经不需要他了，他才觉得这个世界是完整的。因为他底呼吸已经不属于这个世界了——假若一切种类的仇恨和爱情，是这个世界底呼吸的话——他才觉得这个世界是完整的。

他在暖和的、沉寂的春夜里前行着。但他感到温暖，不感到沉寂——魅人的沉寂；不感到一切，他底思想，是淡漠的、烟影一般的、随便的。

"这里是我点火烧掉的。"走过废墟，他想，没有停留。"那一盏灯坏了，……我听见轮船的叫声……那个警察看着我，不许我回家……这里又是一个警察，那边却是没有人，一片荒凉了，……我回家！"

他走得快起来。在他走近荒凉的江边的时候，他是完全虚脱了，没有思想，望着在蒙眬的月光下发亮的峻急的江流，但不感到它底意义。他爬上了悬崖，望着底下的凶猛的旋涡。南京底沉重的呼吸声消失了，一切声音消失了，虽然江涛在下面怒吼，他却站在绝对的静寂中。对于他，一切都死寂、冷漠、无意义。

"那下面是多么亮！"他想。"我死了！"一个低的、冰冷的声音在他心里说。

迅速地，被某种巨大的力量压迫着，他蹲下来，跃下了悬崖，凶险的旋涡立刻就把他吞没了。

蒙眬的月色照着城市和江流。那个呼吸,人间底呼吸,沉重的、迟钝的、安静的,在深夜里继续着。

"是人,还是鬼?"金素痕昏迷地想。"是鬼!……我欠他的!"

她向床跑去,但碰在柜子上。她打开灯,又跑到窗边,蒋蔚祖已在迷茫的月色里消失了。她跑到房中央站下来,颤抖着,流着汗。

佣人走进来,问她什么事。金素痕被开门声惊吓,倒在沙发里,缩作一团。她脱下皮鞋来,向佣人摔去,然后举手捶自己的胸脯。

"你……看窗外……"她窒息着说,"水!水!……你带阿顺来……不,不要带他……你坐在这里……"她用微弱的声音断断续续地说。

她无声地蜷伏在沙发上颤抖了很久,眼睛望着前面,好像望着可怕的深渊。

然后她爬到床上去,未脱衣服,拖被盖盖上。她做手势叫佣人去找主人。佣人去后,她又跑到窗边,由于恐怖的幻觉,她发现蒋蔚祖仍然站在草地里。她颤抖着,猛力关上窗户。但即刻她觉得蒋蔚祖在她身后,她回头,看见蒋蔚祖在床边消失——她底新婚的床铺。她拚全力冲到门边,觉得颈项被扼住了。她冲在门上,发出了一声窒闷的喊叫。

她底丈夫回来的时候,她是伏在床上,用被盖蒙住头。听见响声,她颤抖起来,但不能移动。那个富有的年青的律师掀开被盖来,发现她底脸已经抓破。为了抵御怨鬼,金素痕是抓破了自己底脸,并且把手指咬出血来了。

金素痕恐怖地看着律师。

"让我死!让我死!"好久之后,她突然振作起来,叫,跑到窗边,推开了窗户。

"你这是干什么?……"年青的律师,他底惊吓已经过去了,向她走了一步,阴沉地说。

"滚开!滚开!"

"你这是为什么?……我们可以分离的。"律师嫉妒而仇恨,低声说,嘴边有轻蔑的笑纹,看着她。

这个男子,不觉地,从最初起,便肯定了金素痕底不洁。听见这种仇恨的声音,金素痕便疾速地回过头来。"他说我们可以分离?"她想。一种冷酷出现在她底脸上。这种冷酷使她镇压了她心中的怨鬼。这种人世的冷酷是镇压了阴间的恐怖。较之怨鬼,金素痕还是害怕人世。很可能的,假若人世能给予她一点点真诚和温柔的话,她便会追逐怨鬼,而死去的。但现在相反。

于是那种冷酷的镇定来到她心里了。假若活着已经是这么可怕,那么地狱便是无所谓的。她必须消灭,或隐藏这种人间的可怕,于是那种力量来到她底身上。无疑的,在她没有寻到或造成人间底温柔以前,她是不能去寻求或制造阴间底温柔的。她是为温柔而生的:任何一种温柔。她要活着。

她又看了一下窗外;没有东西,她叹息了,蒙住脸。

而且,她哭起来——为了人世底温柔。

"我刚才看见窗子外面有鬼!"她哭,说,"而这全是因为你……所以你要送我到上海去,我们到上海去!"

那个男子,肯定了她底不洁,轻蔑的笑纹依然留在嘴边。但终于,他显得温和,走向她。

"窗外根本没有东西,你看!"他说,向窗外看了一看。

"全是因为你!你跑出去打牌!"金素痕带着那种可爱的蛮横,叫。

"下次一定陪你了。……"律师颓唐地笑着,说。

金素痕推开了他。

"我们明天到上海去。"金素痕说,坐在沙发上。

"我不许!"年青的律师,带着那种官僚的严厉,说,因为金素痕刚才推开了他。

"你把窗子关上。我不和你争论,我要明天去!"金素痕冷冷地说。

"唉,蔚祖,你也饶了我吧。……"她在心里凄凉地说,一面穿上了拖鞋。律师觉得愁闷、无聊,又不想睡,于是重新打开了留声机。他和着留声机唱了起来,在房里徘徊着。……

金素痕几天后去上海了。农历三月间,观音菩萨生日的时候,她曾经从上海写信并汇钱给她底婶母,要她在神庙里替她敬香、布施。显然的,这个可怜的女人,觉得这样做是可以安慰她底创破的心的。蒋蔚祖曾经回到蒋家,第三天又逃走,从此失踪的消息,在她离开南京的前一天曾经被蒋秀菊带来,她不肯相信,但有着漠然的恐怖。于是以后她便一直未回南京。

蒋蔚祖从此就没有骚扰她了。她在上海买了房子,谨慎地过活着,直到一九三七年的空前的毁灭到来的时候。这个可怜的女人,她底生涯中的灿烂的时日,是过去了。她在南京和苏州所做的那些扰动,是变成传说了。人们很少能明白藏在这个传奇底下的痛苦和毁灭。金素痕,在往后的时日,是抓住了剩下来的东西——金钱,而小心地、顺从地过活了。

三

蒋蔚祖失踪以后,蒋家姊妹都处在恐怖中,她们互相争吵。蒋淑媛曾经派人到金素痕家去侦察,但没有结果。蒋淑珍病倒了。第四天早晨,即金素痕闹鬼的第三天,蒋秀菊来找金素痕。

她信仰她底诚实和哀痛,认为金素痕决不能抵御这种诚实和哀痛。她认为这种诚实和哀痛是超于一切利害关系的。她决心说出一切。她脸上有紧张的、严肃的、感动的表情。

她上楼,敲门,听见了回答,推开门。金素痕蹲在房间中央收拾着箱子,各处堆着衣物。瘦弱的、苍白的、惊惶的阿顺站在桌旁。桌上摆着糖果,但他不吃。

看见是蒋秀菊,金素痕就怀疑地站起来,笑了一笑。金素痕披着短的大衣,带子一直拖到地上。她底脸上贴着纱布。

蒋秀菊,在第一个瞬间,就决定了要做什么:她看住了不幸的小孩。她底目光变得严厉。她走向沙发坐下来。又看着小孩,皱着眉。

金素痕,显然有些慌乱,抛开了几件衣服,在桌前的椅子上坐了下来,遮住了蒋秀菊底射向小孩的视线。

"这样早。"她说,笑了笑。

"嫂嫂——我还是叫你嫂嫂,因为阿顺是我底侄子。"蒋秀菊严正地、高贵地说——一个年轻的、未出嫁的女子,她第一次用这种社会的、英勇的态度说话。明白她现在不是为自己说话,她心里就有力量,她感到她已经把金素痕抓在手中了。她看定了金素痕。"我问你,我很诚恳,一点都没有侮辱你的意思,你看得出——我问你,你知道我哥哥是真的死了,所以才结婚的吗?"

在金素痕心里,发生了一阵冰冷的战栗——她现在是弱者。

"他当然……"金素痕回答,停顿,想着什么,看着地面。

"我抓住她了!"蒋秀菊兴奋地想,轻轻地叹息了一声。

"那么他底尸首呢? 不,你听我说,我和你没有仇,别人和你有仇,我却同情你! ……也许你并不需要我底同情,不是吗?"她说,感到心里颤动着友情。

"你们找到……尸首吗?"金素痕嘴唇灰白,低声问,颓丧地看了她一眼。

"他没有死。"

"怎么? ——阿顺,你听,她们说爹爹没有死。"金素痕匆促地转过身子去低声向小孩说。

"他当了叫花子,好几个月,四天前他回来了,……我三姐告诉他你结婚了……"

"瞎说……"

"你听吧,三姐告诉他,于是第二天他就跑掉了。你不知道吗? 你凭良心说,真的一点都不知道吗?"

"他? 四天前?"金素痕说,一种恐怖来到她底脸上,她拉衣服,站起来又坐下。

"阿顺,她们说爹爹回来了。"她匆促地向小孩说,借以表明这一切是不可信的;但她底匆促的声音和动作证明了她底恐怖。

小孩,发出一种细弱的、窒闷的声音,哭了起来。

"他当了叫花子,人家出丧,他替人家抗二十四孝,我在中华路遇见……"蒋秀菊激动地说,但被金素痕打断了。

金素痕,被小孩底哭声刺激,猛然站起来,冷酷地看着小孩。

"哭什么?滚出去!"她向小孩叫。她以阴暗的眼睛凝视着窗外的明亮的阳光。

蒋秀菊,浸在她底纯洁的欢喜里,看着她,看着窗外。那种青春的自觉特别生动地来到她底心里,她想到,她将是正义的、纯洁的、良心平和的——在阳光下行走。

"我们大家都有罪……"她说,笑了笑,同时有了眼泪。

"蒋秀菊!"金素痕愤怒地叫,"我不听你们底谣言!我认不得你……"

蒋秀菊失望地看着金素痕。

"其实我很同情你……"她慢慢地低声说,垂下了眼睛,她底上唇颤动着。

"我不认识你!……阿顺,过来!"金素痕抱起小孩来,向衣柜走去。

"我不怕你侮辱,你总有一天明白你自己,而感谢我……"蒋秀菊说,激动地笑着,看着阿顺,感到美丽的阳光、空气、街道,感到一切颜色和一切声音,感到这些都属于自己,感到自己假若在这里蒙受侮辱,便必会在外面,在心里,在上帝那里得到报偿,于是又流泪。

"我底哥哥底可怜的一生,留下这一个孩子,而他那般爱你……有拿这样的忘恩负义报答爱情的吗?"她说,站着,哭了起来。

"你还太年轻,小姐。"金素痕轻轻地回答,没有转身。

"我希望你幸福!"蒋秀菊骄傲地说,活泼地摆了一下头,侧着上身走出门。

她走到街道上,站下来,望着蔚蓝的天空,觉得自己在这个天空底下,已经完成了一件最好的工作。

但她突然有悲哀。阳光照在玻璃窗上,照在车轮上,尘埃在嚣闹中飞扬——她突然有渺茫的悲哀。

"我刚才说了这些,这样说,这是从来没有过的,简直像一个社会上的女人!我是不是已经不纯洁了!是不是过去的一切都失去了!我并不假,那么我错不错?"她想。

她到生病的蒋淑华处来,向她述说刚才的一切——但没有说出自己所感觉,所思想的。

"我爽爽快快地问她,我又看着阿顺!我看出来她很害怕!'那么他底尸首呢,假若依你说,他死了!'我问她了。她很慌,我没有料到。"她兴奋地说,脸发红,"我说'我没有侮辱你的意思,我不是你的仇人!你是不会随随便便就结婚的吧。'好,在她发慌的时候,我一口气一起告诉了她。好久好久她坐着不动。后来她完全否认!当然她是要完全否认的,是不是?你想想看!她其实可怜的很!"她兴奋地,快乐地说,"这样看来,哥哥当然没有到她那里去了……"她停住了。"但是,究竟到哪里去了呢?"她小心地说。"阿顺可怜极了,将来不知怎样……"因刚才的快乐而不安,她加上说;但又觉得自己虚伪。因为她此刻心里毫无痛苦。第一次的严肃的、胜利的社会活动,是在她心里造成了那么大的快乐与兴奋。

她不安地看着蒋淑华。

蒋淑华躺在高枕头上,脸色苍白,眼里有阴沉的火焰,望着帐顶。

她拖白色的被单盖好手臂,嘴边有了不可觉察的笑纹。

"他死了。"她轻轻地说,凝望着窗外。

蒋秀菊觉得自己有罪,沉默着。

桌上有金鱼缸和牡丹花。窗上插着新剪的纸花。在柜子顶上,燃着的檀香在金色的、精致的圆香炉里悄悄地冒着烟,那种幽寂的、洁净的香气,散布在空气中。

阳光照在床边的地板上。从远处传来的市场底骚闹,给这个阳光以特殊的意义。

婴孩在摇篮里发出了哭声。蒋秀菊以谨慎的目光看着摇篮,突然地明白了什么,严肃地抱起裹在黄色的棉绸里的小孩来。

小孩伸动四肢,柔嫩的、粉红色的眉头打皱。

"不要把你身上弄脏。"蒋淑华说。唇上有同一的不可觉察的笑纹。

"不,没有关系。——我喜欢。"蒋秀菊严肃地低声说,抽开了小孩底尿布。她露出了抑制的欢喜,把尿布上的黄色的排泄拿给蒋淑华看:她底眼光请求蒋淑华饶恕什么,蒋淑华明白,向她微笑着。于是她严肃地、沉思地、熟稔地替小孩做着一切。

第十三章

一

从春天到冬天,有无数的事件刺激着南京底人们。汪精卫被刺,藏本失踪。燕子矶的日本军舰褪下了炮衣,人们传说:除了教导总队以外,南京没有军队。南京底市民们在兴奋和恐惧中生活着,在谣言中生活着,他们模糊地感觉到,城里和郊外,是在秘密地进行着军事的工程,因为各个险要的地方:雨花台、台城、紫金山……都封锁了。而在京沪线和苏嘉线,是建筑着所谓兴登堡防线。侵略者底铁骑迫近来了。

在上海、广州、北平,掀起了学生运动底怒潮:青年们要求政府领导抗日。

在这种巨大的兴奋里,冬天,蒋少祖离开了他底工作,到苏州来结束他底私人事务,这种紧张使他感到有清醒的必要,使他感到,划时代的伟大的事件即将到来,他应该找一个时间沉思一下,并且结束私人的事务。苏州底房契在他底手里,诉讼现在已不再妨碍这个房子底出卖,同时苏州有人愿意出相当的价钱买它。他觉得假若这个机会错过了,便又要延宕下去并且可能发生新的纠葛。于是腊月中旬他和陈景惠到苏州来。

到苏州的时候,他觉得奇异:为什么他恰恰在这个时候,在这个全中国都冒着烟的热烈的"前夜"和落着雪的严寒的冬天来苏州。但他想,暂时地离开那热烈而烦扰的一切,在落雪的古城里走着,清醒地意识着生命底自由,是快乐的。

他抱着小孩在雪里走出车站,意识到这个世界没有辜负他,他也没有辜负这个世界,心里有大的恬适。

陈景惠,穿着灰色的冬季的短大衣和男子的皮靴,手插在衣袋里,快乐地在雪里踏着;听着那种清醒的声音,有严肃的,感动的表情。

"我觉得满足,现在最好!"她带着这种表情说。

"是的!"蒋少祖回答。"你看那边,雪盖没了一切……"停了一下,他加上说。

发现陈景惠所想、所感到的,正是自己所想、所感到的,蒋少祖感动了。他们觉得现在最好,因为现在只有他们两个人,而他们两个人,又是这样的和谐。这是多时未曾有过的。因此那种新婚,那种蜜月,特别宽容地,又来到这对夫妇当中,颁给犒赏了——但他们都带着大的严肃,因为他们已经饱经风霜,明白人世;他们明白这些东西是不能轻易触动的。

他们在旅馆里住下来,然后出去找人接洽。下午,由介绍人领着,那个买主到旅馆里来了。

这个买主进来的时候,蒋少祖正躺在籐椅里看报,一面在考虑着自己底渴望故居的忧郁的心情。门被推开,蒋少祖放下报纸,吃惊了——他决未料到,要买这一座有名的房子的,是一个面孔呆涩的,穿得臃肿而破旧的乡下老头子。

介绍人认识蒋少祖,走进房,问了一句报纸上有什么消息,拿出一种小城里的人们对都会的人们的恭敬态度来,轻轻地坐下。但那个老头子,鼻涕挂在胡须上,却在门前站着。这个老头子,手抄在棉背心里,如人们在讽刺中国的漫画里常看见的,以一种呆钝的,不放心的眼光看了一下房内。从他底笨重的钉鞋上,雪和泥溶在一起,在地毯上淌着。

"进来……"介绍人,以一种命令的态度说。

陈景惠坐在炭火旁,怀疑地,恼怒地看着这个不敬的老头。

"是……蒋家二公子?"老头狐疑地走进房来,问。

"你底房子,我们家儿子要买。……是不是你做主?"他直率地问,没有坐下来。

"我们底房子!"陈景惠生气地回答。

她看了蒋少祖一眼,然后,有一种为干练的妇女们所有的谦逊的、快活的表情出现在她底画着假的眉毛的脸上。她站起来,倒茶,并且请老头坐下。

"上海人,多么能干啊!"那个穿着马褂的年青的介绍人底羡慕的表情说。

"这里的天气,冷得多哪!"陈景惠向介绍人说,笑着。"我刚才还以为他不是的……真料不到!"她说,看了老头一眼。那种活泼的精力流露在她底姿态上。

但老头,好像没有听见这句话似的,旁若无人地坐着不动。

陈景惠从皮夹里取出文契来——在她丈夫底事业上,她已站到一个重要的位置了。

"你看看。"她笑着递给老头,然后她拨火。

陈景惠,穿着精致的、绿色的拖鞋,在这个温暖的房间里非常自在地走动着,好像鱼在春季的水里;又取了什么,向着少祖低语着。蒋少祖严肃地点了头,然后拿起报纸来,遮住脸。

老头,在抓住文契的时候,眼睛发亮。并且手腕颤抖。他把纸张展开来,举到鼻子上面,看着,喉咙里发出感动的声音来。人们会觉得,他是抓住了一个王国。

陈景惠,好像这样的看法正是她所欢喜的,站在火旁,贤良地笑着。

看完文契,老头向蒋少祖投了一道感叹的、谴责的、锐利的目光。

"不肖的子孙呀!"这个目光说。

"是哇,是哇!……蒋捷三!"老头说,但即刻露出冷淡的表情来,左手抄进棉背心,看着火。

"要不要去看一看房子!"陈景惠笑着问。

"啊!啊!不要,用不着!早就看过……"老头着急地说。并且突然地涨红了脸。

于是老头就固执地盯着那个年青的介绍人,要他先开口。蒋少祖知道,这个介绍人,是一个一直在教私塾的,抽大烟的家伙,而这个冷酷的老头,则曾经是他底亡父底奴仆。蒋少祖记得有一次,他底亡父曾经在大厅里痛骂这个老头,因为他贪财、愚笨、在事务上做骗。蒋少祖时刻记起来,他底亡父曾经咆哮着向这个老头说:"各人底命是前生注定的!"把他赶了出去。想起了这个,并且想到了老头进门时所说的话——"我们家儿子要买!"——蒋少祖就非常地忧郁了。他目前并不需要钱,但他又怕房产会再起纠纷;他不知应该怎样才好。他忧郁地沉思着,同时老头已经和陈景惠开始谈判了。

老头所出的价钱是无可非议的。不过,在七千块钱的零头上,陈景惠和老头发生了争论。争论到最后,老头说,他是还记着"老太爷"的,因此还愿意再加一千。陈景惠想说什么,但没有能说出来;她脸红了,因为屈辱和愤怒,她流下了眼泪。

"你是买给你底儿子的吧!"蒋少祖丢了报纸,愤怒地说,看着老头。

"岂敢,岂敢!"老头说,卑贱地笑着,并且欠着腰站了起来。

"我们蒋家从来不懂得零头,要么是整数,要么就拉倒!"蒋少祖说,愤怒得颤抖着,重新拿起报纸来。

于是,在蒋少祖底这种高傲下,老头就屈服了。老头和介绍人出去以后,蒋少祖就丢下报纸,看着窗户。老头底屈服使他快乐,但同时他心里又非常的痛苦。

陈景惠谨慎地沉默着,走到窗边。已经黄昏了,院子里,山茶花红着,雪花密密地、沉重地飘落着。

"少祖,雪下大了。"陈景惠说。

"少祖……风雪夜归人啊!"她说,感动地笑着。

"是的!"蒋少祖说,站了起来。"为什么要做一个现代人?为什么要做一个中国人?"他说,走到壁前。

早晨,在一尺多厚的积雪里,在寒冷的西北风里,蒋少祖夫妇走进了他们底已经出卖了的、荒凉的家园。

大门已经堵死了,台阶上积着雪。于是他们绕到后面去。

旁门半掩着,蒋少祖轻轻地推开来,走了进去。他注意到门上的新补的木料;显然的,在这里,人类仍然生活着。

走进门,看不见路,站在雪里,蒋少祖夫妇接触到一个荒凉的、纯洁的、寂静的世界。近处,坍倒的仆役们底厨房的左边,一株山茶在白雪里崛起,放开着娇美的红花。靠近姨姨底楼房,站立着蒙雪的梅树,花开放着。楼房后面,假山石全部都埋在雪里——在各处,有黑色的、赤裸的、枯零的树木站立着。西北风在庭园里吹出一种凄凉的、怨怒的声音来。挂着枯叶的枯树在颤抖。一只孤独的麻雀,叫出了焦急的、哀怜的声音,在雪上飞着。

看见了这一切,蒋少祖便相信了这一切,当往昔的、儿时的图景在他心里闪耀起来的那个瞬间,他露出了那种严肃的、神圣的、英勇的态度,站立着。蒋少祖好久不能有思想,并且不能知觉,在他底心里此刻是有着怎样的感情,但他相信,他此刻的内心底一切是他过去所未曾有过的,并且是他一生中最好的。那种深沉的、反抗一切人生批评家底意见,但又服从目前的世界和命运的,丰富的表情,出现在他底脸上。

在过于年轻的时日,人们是常常玩忽而不敬的,因为人生是奢侈地陈列在他们底面前。但饱经心灵底忧患后,人们遇到了一种东西,立刻就觉得这种东西是过去所失去的——唱着挽歌——是将来所没有的——这个世界是充满了过错——是自己正在找寻的,而且,是启发正直的忏悔,衡量人格的。好像是,必需在凝视了这种东西,站在这种东西面前衡量了自己之后,人们才能有力量在罪恶和怯懦中重新站起来,在世界上行走。

"我相信,任何高贵的人,在遇到这个时,也是这样!"蒋少祖想。

陈景惠,睁大了惊异的、不安的眼睛,抱着小孩,望着面前的一切。无数代的中国人底命运,是在这一切里展现出来的。小孩,因肃静和寒冷而紧张,惊异地看着楼房。那上面,两扇玻璃窗斜斜地挂在窗柱上,它们底上面的一半盖着雪。

蒋少祖谨慎地用手杖探路，向楼房走去。他回顾他所踏出的、清晰的脚印。他注意到，在他底身边，有一棵倾倒了的树：当他经过的时候，这棵树底一根枝条轻悄地、但强韧地从雪里弹了起来，于是，泥土和草根底气息散播在空气中。

　　而在树底右边，有小的、凌乱的足印通到楼房里。显然是两个赤脚的小孩底足迹。

　　"哪里来的小孩呢？"蒋少祖想。"但是我把它卖了！不过过去的一切，是无可卖的，而在我心里，是正当的。幸而我来了，否则将是多么大的损失！……是的，那些松树更高，没有人动它们，但是将来会不会还存在呢？一根枝子弹起来，从雪里弹起来，虽然树倒了，枝条却弹起来，这就是生活，没有任何道德标准能够衡量我！但在这里，有一个衡量——而这种理性，是我底最好的，也是仅有的财产，经过罪恶、欺凌、偏见……无论怎样，我现在是多么安静！"他想。他看见，从侧面的楼房底敞开的门里，跑出了两个穷苦的、赤脚的小孩。他们每个在腋下挟着一些破烂的木板。显然，他们是捡了这些，回去烧火的。

　　看见蒋少祖夫妇，小孩们有恐惧的表情，站住不动了。

　　蒋少祖看着他们皱起了眉头，因为他们打断了他底思想，并且给他显示了他所不乐意的他自己底不幸，和别人底不幸。他向楼房走去，于是，有一种深沉的忧郁来袭击他，使他忘记了小孩。他预料着他将要在楼房里看见什么，预料着大量的不幸将要使他惊愕而悲痛。但看见，才是实现，他向楼房走去。这个楼房，是曾经整天地充满着一个女人底哭声的。

　　"到这里来的，一切希望都要放弃！"蒋少祖对自己说。但他所想的并不是他底真实。因为，在他底前面，是有着煊赫的道路……

　　两个小孩，看见他向门内走，便疾速地在雪上飞奔起来，逃开了。

　　"这就是蒋家！"他走进门，站住了。他观看着，惊异起来了，因为，除了左边一间房里堆着破烂的家器和木板外，其余的房间和他们所站立的中堂,是并不怎么肮脏的,显然几天前还有人打扫过。家具是没有了。但在楼梯口的墙壁旁,却有一张旧的椅子,上面放着两颗白菜。蒋少祖想起了冯家贵,不安起来。

"怎么他住在这边呢？不会的！但是小孩怎么不把白菜偷去？这个老人他在哪里？怎么生活的？"他想。他走到右边房门口,张望了一下,站了下来。

"少祖,没有人!"陈景惠惊异地说。

蒋少祖看着她,因为感到,在她底声音之后,有一种他所从未经历过的寂静在周围降落了下来。随即他屏息地向楼梯走去。他拿起一颗白菜来看了一看,皱着眉走上了楼梯。

"是了,一定的！但是他怎样生活的？怎么不知道有人偷东西？"他想,觉得像嗅到了一种气味:冯家贵底气味和人底生活底温暖而腐蚀的气味——然而,有一种寒冷,使他底背脊战栗。

当他升到了弯屈而雕花,但污黑了的栏杆旁边时,通过栏杆,他看见了在烟黑的墙壁旁有一个小的炉灶,而地上有灰烬和烧了一半的、焦黑的柴。显然老人住在这里,在这里煮食物的。他走上去,回头看了一眼陈景惠,走向炉灶。他发现,在炉灶后面,有一口破了边的小铁锅,里面承着一点水。

不自觉地,由于内心底声音,他低声地唤了冯家贵底名字,——像他小时候,在冤屈的时候总这么唤的。

他走上前去,怀着敬畏和恐惧——他很少对别人的生活有这种感情——轻轻地推开了房门。

房里,除了一张旧床以外,没有别的家器。冯家贵——老年的、苍白的、严峻的冯家贵躺在床上,盖着可怜的破棉絮;棉絮有一半落在地上。在地板中央,放着蒋家底打了补绽的、红字的大灯笼。从糊着纸的窗户,那种白色的、纯洁的、寒冷的光明透了进来。

蒋少祖走到床前,弯腰拉起地上的棉絮,但即刻站直,他发现——冯家贵死了。

冯家贵,苍白地、严峻地躺在纯洁、寒冷、而透明的白光里,显然死去不久,因为在床边的地板上,还放着一碗水。而且,蒋少祖觉得那种人底生活底腐蚀而温暖的气味仍然留在空气中。

冯家贵是冷峻、严厉,然而有安宁,所以蒋少祖看着他,觉得他是活着。陈景惠走到门边,看见了蒋少祖底姿势,耽心小孩,立刻避开了。大的沉寂降临了。蒋少祖内心寂静着。于是,好像恰恰是在等待着他似的,他觉得生活底腐蚀而温暖的气味散去了,冷的、死亡的气息从冯家贵发散了出来。

"二少爷,你到底来了,我一生毫无遗憾,我去了!"蒋少祖觉得冯家贵这样说。

怀着敬畏,蒋少祖轻轻地掀起破棉絮来。他看见冯家贵是整齐地穿着破烂的棉袄和棉裤,并且脚上有鞋子。显然的,老人是穿好了衣服才离开的。

蒋少祖底脸灰白、战栗,他觉得这种死寂是可怕的,并且觉得,在这个人间,他是孤零了,而孤零,特别是死寂无声——这种死寂把他也吞没——是可怕的,于是哭出了灼痛的、短促的声音来。

他抑住了哭声,猛力抬头,觉得周围改变了,觉得周围有了生活的、温暖的、进取的气息。

"我信仰理性!"他抬起脸来小声说。

"那么,冯家贵,我底父亲,让我埋葬你!我不愿再说别的,也不愿再想别的,因为在你底面前,我不敢虚伪!"

冯家贵苍白地、严峻地、安宁地躺着——他底死亡像他底生活一样简单。

"我埋葬了他!"黄昏时,蒋少祖离开了冯家贵底坟墓,想。掘墓的工人们已经离去了。遵照着中国人民底意志,蒋少祖是买了纸钱和鞭炮,自己提在手里,送冯家贵到山边来的。现在,纸钱还在冒烟。在积雪上散布着黑色的斑点。新的坟墓,黑色的土丘,在纯白的积雪里崛起着。坟墓后面,是盖着雪的矮的野枣树和蛮横的荆棘丛。

蒋少祖沉静地、阴郁地、看着棺材落下土坑,从工人手里拿过锄头来,第一个推土到坑里去……。工人离开以后,他在雪地上站着,看着身边的坟墓。这个坟墓是没有墓碑的。在他底两边,展开着雪的旷野,在他前面,房屋密集的、蒙雪的苏州城开始点上了灯火。

旷野底各处,有沼泽在闪光,有烟雾在凝聚,有庄院在冒烟。在左边,是运河支流底灰黄色的细线,春季和夏季,是可以看见远航来船底风帆的。更远的地方,和阴沉的天宇相接,看得见太湖底灰色的水线。

苏州城底灯火,在渐浓的黑暗里,明亮起来,并且繁密起来,白色的微光映在低空里了。站在荒凉里,任何人类村落底灯火,是给予温暖、凄凉、和安慰的。人们在初恋里,就经历到这种渴慕的感情。

蒋少祖,手插在衣袋里,在坟墓底近旁站立着。他是有着很多东西的,像一切人一样,他任何时候都把这些东西带在心里;但现在,他觉得这一切极不可信任,他是孤独而忧伤。

"……无论任何墓碑都不适于这个坟墓。告诉斯巴达,我们睡在这里?或者,我们生活过,工作过,现在安息了!又或者,这里睡着的,是一个勤劳的人?这个时代底唯一的错误,就在于忽略了无数的生命,而在他们终结时——找不到一个名称!啊,多么忧郁啊!这个人底一生,和我底一生,有什么不同?对了,这个人底一生,和我底一生,有什么不同?谁饶恕谁?谁有意义?谁是对的?"冯家贵底苦笑的、滑稽的面孔在他心里出现,向他说,"你看,二少爷,踢了我底腿呀!"——他皱眉,看着坟墓。他敬畏地、但怀疑地看着坟墓。

"他不在了,他什么时候不在的?这一切什么时候开始的?现在怎样了?"他想——突然站在巨大的空虚中。

于是蒋少祖,本能地逃避这种空虚,向坡下走去。

"我埋葬了他!"走到大路上的时候,蒋少祖想。"一切就是这样偶然。几千年的生活,到现在,连一个名称也没有!但是我明白这个时代底错误,我认为像这样的死,是高贵的!"逃避那种空虚,他想,"有谁能明白这种高贵?每个人都有他自己底意义!所以这个时代,这样的革命,是浸在可耻的偏见中!一个生命,就是一个丰富的世界,怎么能够机械地划一起来。而这种沉默的、微贱的死,是最高贵的!"他想,觉得很真实,然而心里又不信任。但他并未意识到这种不信任。

特别是爱好个人底英雄事业的人,在这种时候有这种思想,歌颂微贱的沉默。或者是因为他们早已远离了这种微贱的沉默,感到痛苦,或者是因为他们企图逃避痛苦。这种痛苦在近代是不能解释到良心上面,或任何道德情操上面去的,这种痛苦,是由于人们觉得,他们底生活有缺陷——他们想着微贱的沉默,逃避这种缺陷。

但他们心里又不能信任。他们在一切微贱的沉默旁边作这种思想,因为他们永远在战争,而惧怕失败。微贱的沉默,常常给自我的英雄们以慰藉;它使他们得到了一种武器。他们认为这种武器,对于当代,是致命的。但这里的所谓当代,是指他们底仇敌们而言,并不把他们自己抱括在内。他们,在心灵底最初的、丰富的感动以后,作着哲学底思辨,于是,尽可能地,把这种"微贱的沉默"的武器抓在手中。而因为这,他们更只觉得这个武器真实,而不去意识到自己心里的不信任。

"我们信仰理性,但也感到这种沉默的生和死底极其高贵的内容。"走进城门,看见温暖的灯火,和在雪上走着的稠密的行人,蒋少祖感到自己重新抓住了一切,于是他底思想活泼了起来,"人们是生活在偏见中,我也一样,但很明显的,一切意义并不因偏见而消灭。人们不能看见真正的人民生活——这种内容! 中国是太痛苦了,但正因此,我们不能抹杀一切梦想,一切慰藉,一切艺术和文化;在人民生活底深处,每一种都有诗和艺术,好像是神秘的! 革命要尊重诗! 每一种都是痛苦的,也是高贵的,没有质的分别,但在量上面,谁多些呢? 请你们明白我是对的!"他愤怒地想,走过故乡底街道。

"我们搭晚车到镇江去。"推开门,他忧郁地低声向陈景惠说。想到他和苏州已经再无瓜葛,冯家贵底苍白的脸便重新闪显在他底眼前,于是他刚才走过的旷野,街道,灯光,便在他底心里有了特殊的意义。他感到浓烈的凄凉。

"小寄睡了吗?我们要爱惜时间。"他振作起来,说,看着灯。

蒋少祖夫妇来到车站时,上海学生们底赴南京请愿的队伍正被阻拦在站上。车站底烛光完全熄灭了,好像,这个国家,是已经到临了戒严的、战争的状态。列车停在不远的站外,月台上、月台附近、和路轨上拥满了人,发出了噪杂的声音。蒋少祖夫妇走近车站时,警察正在用枪托驱赶月台上的人群。而从列车那边,雷鸣一般,发出了学生们底豪壮的歌声。

在积着雪的平原里,在呼吼的寒风里,黑压压的列车停着,从窗口伸出密密的旗帜来。旗帜挥动着,歌声突然爆发,站内的人群沉默了。警察们向列车跑去,发出了武器碰撞的声音。从路轨上,照出了两只手电底电光,于是,像开玩笑似的,有无数道的电光从列车向这两只手电射来,把两个警察可怜地暴露在强烈的白光中。

机关车是被学生们占领了的。他们拉响汽笛。随后,他们把车辆驶动——车辆慢慢地驶动,载着愤怒的歌声。警察们向天空鸣枪,于是车辆又停止。

学生们从列车向车站跑来。他们立刻就围住了警察们。最初是杂乱的叫嚷,最后,一个洪亮的、悲愤的声音镇压了一切。

"你们可以向我们放枪!可以向你们底兄弟姊妹们放枪,因为别人叫你们放枪!但是,同志,日本人也向我们放枪,向我们底兄弟姊妹们放枪,向你们放枪!"

"走开!走开!"警察叫。

"开过去!"从列车上面,发出了吼声。

"我们要死,也死在敌人底枪弹下!"那个青年在大风里发出了野兽一般的嚎叫。

"我们请你们让开!"一个女子底镇定的、勇敢的声音说。

在呼吼的寒风里,汽笛发出了挑战的尖叫。学生们跑回列车,车辆重新驶动,歌声再爆发。警察们向天空放枪,但列车镇定地驶进车站,驶过了车站。车头上的和窗口的旗帜在寒风里展开,激怒地扑打,招展着。

"我警告你们,前面有车子开来!"从月台上,一个严厉的声音叫。

"我警告你们,你们底生命握在日本人和汉奸手中!"从窗口,一个严厉的声音回答。

"你们底生命……!"月台上的那个官吏,以愤怒的、激越的大声叫,但突然顿住,愤怒地转身,经过蒋少祖身边走进了车站。

列车停住了,因为有人发觉前面的路轨已经被掘断了。从车头上,发出了叫喊的大声,于是请愿者们拥下了车辆。他们,沉默着,迎着尖利的寒风,向积雪的旷野跑去。车内,洪亮的歌声继续着。被这歌声所陶醉,在雪地里,沉默的一群向远处跑去。

歌声响着,一切声音都沉默了。除了大家所凝视的,那在雪地里向远处跑去的一群以外,一切动作都停止了。冬季底风暴在高空鸣响着。

即使人们在战乱的年代曾经看到过同样的英勇,也决未注意过这种画而,这种歌声,这种动作,这种巨大的沉默——风暴是在高空鸣响着。警察和群众,在月台上和路轨上站着,凝视着跑动的一群,可以看到,在白雪上,围巾和女性底旗袍翻飞着。

但很快地,有一种寒冷的东西,在不被注意的瞬间侵袭了车站。人们好像因那跑远去的一群而觉得孤单,因缺乏那种热情和意志而觉得孤单;警察们和官吏们,因不能执行任何一种战斗而觉得孤单。列车里面的人们觉得孤单,因为分离了他们底同志们,因为在歌唱中间,他们突然地感觉到,一切种类的生活,是难以动摇的。

蒋少祖看着列车,觉得孤单,觉得这个苏州,这片平原,以它底顽固的、平常的生活冷漠地对待着年青的人们底这种英勇。

蒋少祖,在走进人群底最初的瞬间,便获得了严肃的安静,他觉得他和这个新的世界的联系,是坚强的。这种孤单袭击他时,他有了温柔的怜悯的感情。

他想到,在罗马共和时代,有一个著名的哲学家,因了替一个无辜者向暴君抗辩的缘故——这种抗辩是轻率而热情的——而流亡了出去。他穿着单薄的衣裳走出了罗马,在身边除一本柏拉图底著作以外没有任何东西。他流浪到遥远的边域中去,受尽了侮辱与损害。但终于他回到罗马了,是带着光辉的劳绩回来的,走进了石筑的圆形剧场,当着皇帝,元老院,和公民们,发表了他底胜利的演说,教导从罪恶、偏见与无知中拯救人类。

"……我们终于要胜利,虽然现在遭受着侮辱与损害!我是看见了青年人底英勇了,但务必使他们感到他们不是孤独的!"他想,没有想到要做什么,走下了月台。

"我怎样帮助他们呢?"站在雪里,他想。那种光荣感在他心里颤动着,虽然他没有意识到。狂风摇动他,他站着,觉得自己坚强,安静,优美。

但在这时候,他听到了一个胜利的、尖锐的、狂喜的喊声。一位女子从路轨上跑了过来,在风暴里发出了这种喊声。

"我告诉你们……"她跑动着,举起了手臂,"我告诉你们,我们找到了!我们重新装好了!"她叫,狂跑着,好像只要叫完她所要叫的,她便可以死去。

一个警察发出了叫声。但车内底胜利的狂喊掩没了一切。

蒋少祖流泪了。

"我经历了我底生命底最好的时光!我告诉你们,我们找到了!"他向自己说。

从雪地里,那一群欢呼着跑回来,然后,列车驶动了。列车发出有节奏的、轻脆的、愉快的声音驶动着——在它加速时,这种有节奏的、轻脆的声音便变成了缓缓的、沉重的车辆声,好像地下有雷鸣。从永不疲倦的青年们,壮快的歌声爆发了出来。异常意外的,月台上的激动的人们发出了喊声。于是青年们发出了喊声,感谢这个虐待了他们的苏州。

在列车驰过去以后,月台上有了骚扰,灯光明亮了——在电话房里,人声噪杂着。这时,突然的,苏州底学生们涌进了车站——但他们来得太迟了。

他们犹豫了一下,紧张地噪杂着。他们是抬了食物来的,当他们下了决心时,他们便丢下食物,涌下了月台,向积雪底平原奔去,一面发出喊叫。

"傻子,他们追得上吗?"在蒋少祖身边,一位先生说。

"他们追得上的。"蒋少祖冷静地回答,看着跑去的一群,直到他们消失。

在月台上苦力们和小孩子们,抢夺着学生们丢下的馒头。警察驱赶着他们。在这种噪杂里,蒋少祖冷冷地站着不动。

风吹袭着,月台逐渐安静了。陈景惠抱着小孩走到蒋少祖身边。

"你听见那个女学生底声音没有?多好啊!"她说。

"听见的。"

"我觉得我不能够说什么!"使陈景惠意外,蒋少祖突然以尖细的、兴奋的声音说,"我说不出来我底感觉。请愿是不会成功的。能否到南京是一个问题——这个车子,要冲过这么多的阵线。但是这个行动,对于学生们自己,对于中国,是神圣的!人需要生长,热情需要试炼!我觉得安静,觉得美丽,觉得坚强!我并且能够觉得我是纯洁的!群众底行动就是民族底理性!"他把陈景惠当作他底热情的对象,兴奋地说着,但他忽然沉默了。

"她也想到这些么?"他想。

他又想到冯家贵。在善良的感情中,觉得自己有罪。

"我们到南京去吧。看看……把钱交给淑珍姐,由她替弟弟妹妹们保管——我决定给他们,因为我们不需要。"他温和地,但坚决地说,同时抱过小孩来,在仁爱的、善良的感情中,轻轻地吻着小孩——小孩睁着明亮的眼睛,看着灯光。……

二

"告诉我,什么事?你晓得,我总是说,高兴,就是不高兴;不高兴,就是高兴!快乐,就是不快乐,不快乐,就是快乐,懂得吗?"傅钟芬向陆积玉大声说。

除夕的夜晚,陆积玉在家里受了委屈,被那种简单的、牺牲一切的凄凉的思想所支配,走到落雪的、雾气朦胧的、响着鞭炮的街上来,并且走到蒋淑珍家里。看见傅钟芬底华美和活泼,她就默默地站下,觉得自己就是外面的那个蒙雾的落雪的暗夜,——觉得人生在冬天的夜里是特别的凄凉,流下了泪水。傅钟芬跑出,严肃地、感动地站下来,看着她,然后慢慢地挨近她,露出了坚决与友爱,向她说话。

蒋淑珍,忍受着一切黯澹的思想,站在桌旁看着少女们。听到傅钟芬底话,她眼里有光辉,同时一个嘲弄的、温柔而羞怯的微笑出现在她底干枯的嘴边。好像这些话很使她羞怯。……

她走过来,塞了一个红纸包在陆积玉手里。陆积玉脸红,失措,低下了头。

蒋淑珍安静,虔敬而严肃。在蜡烛底摇闪的、堂皇的光明下,她底黑缎皮袄闪着光辉,她自己感觉到这光辉。

"钟芬,送积玉姐姐回家——就要回来,叫舅舅来!"

"但是,我没有伞。我不要伞,妈妈!"

"我好比,笼中鸟,有翅难展……"喝醉了的傅蒲生在房里唱着,在客人们中间打着圈子。

"下雪,多么好!"走到街上,傅钟芬说,右手搂着陆积玉底颈子,左手提着袍角。她们走在雪里。

街道因除夕而荒凉,充满了烟雾。灯光照在匀整的、洁白的雪上。雪片轻轻地降落,各处有鞭炮声。一辆马车颠簸了过去,马跳跃着,喷着热气。少女们沿着新鲜的车辙行走。

"你看,大家都在过年!积玉,你这样!对了,这样!"傅钟芬强迫陆积玉搂住自己底颈子,"我想,这样子多好!要是没有过年,我就不想活了！我们明天要到夫子庙去,你去吗?"于是傅钟芬兴奋地沉默了。她听着自己底新皮鞋所踏出的清晰的声音。在这种声音里,她寄托了她底全部的幸福;假使有谁要妨碍这种声音,谁便不可饶恕。她严肃地,但任意地践踏了几下,试验着这声音,"啊,我怕时间过去！时间会过去！"她严肃地低声叫,于是又沉默。

陆积玉心思很繁重。她觉得脚冷,觉得胶鞋透水,想到假若自己有一双皮鞋的话……但她立刻又羞耻。然后,从她底恍惚的、烦闷的脸上,有一种忍从的、坚决的东西透露了出来。

"从明天起,我就十六岁了。要是不让我升学,我就死去。是的,就死,因为活地傅着①受罪,人总要死——假若在下雪的夜里,听见这些爆竹声,死去是多么好啊！好像所有的人都和你告别,你含着眼泪,大家跑到你底床前,你就不孤零了！"陆积玉想,未听见傅钟芬又说什么。

"他们说,日本人总有一天要打到南京来——我不相信。"傅钟芬摇头。"啊,我想起来了！"傅钟芬快乐地叫,"我底妈妈说,你底妈妈在小时候会在地上磕雪人！她说磕出来像的很！多好玩,你底妈妈在小时候！会磕雪人,多好玩！"傅钟芬反复地说,因为觉得,妈妈会磕雪人,是一件奇迹。

"她从前什么都爱闹。"陆积玉老成地说,在这个批评里,她感觉到一种亲爱的、凄切的、袒护的感情。女孩在这样地说到她们底妈妈时,女孩便长成大人了。陆积玉严肃地感到这个,而这种感觉增加了她所想像的死亡底意义。

她想到,广漠的世界上,从黑暗的天空里密密地落下雪来;在房内,有炉火,很多人低声哭着,然而已经迟了。

"多可怜,多可惜,从此去了！"她在心里摹仿着很多人底悲伤的声音,说。

"我们轻轻地走,轻轻地走,多好呀！"傅钟芬说。……"哦,我问你,我想——你奶奶会要我磕头吗?我顶讨厌磕头了,尤其

---

① 原文如此,初版书后附勘误表更正为"因为活着"。

过年的时候还要磕头!"傅钟芬嫌恶地说。

这时从她们后面叫出了一个尖利的、疯狂的声音来。她们惊吓地跳开来,于是那个偷听了好久的顽皮的陆明栋跑了过去,踢着雪,跳着,唱着歌。

"死东西呀!死囚呀!吓死我了呀!当兵挡炮子子的呀!"傅钟芬蹲下来,哭叫着。

陆积玉,因为自己底对悲伤的、美丽的死亡的想像,因为从黑暗的天空中是密密落着雪的缘故,宽恕了那个可恶的顽童,同时以悲伤的、温柔的眼睛看着傅钟芬。钟芬,在这个时间里,对于她是值得怜悯的,但同时是陌生的。十字街头燃放着鞭炮,后面的店家燃放着鞭炮,浓烟在雪上弥漫着。从深黑的天空里,大雪无声地降落,飘过安静的、甜美的灯光……

蒋淑珍送蒋少祖和蒋纯祖出门。在门口站下来,用眼光制止了蒋少祖。

"看见你们夫妇,看见小寄,看见你们兄弟,我就喜欢,我真是说不出来我这两天的喜欢,打个比方说,我觉得我底心又活了!"蒋淑珍热烈地可怜地低声说,抓住了蒋少祖底手臂。"在现在的中国,各人的生活是不同了,这是没有法子的事,但是我们为谁而活呢?所以一定要记挂我们,给我们信,又要小心危险,你做的事顶危险,你说那两个女学生惨不惨啊!"她提到了她几天前看到的、被两个警察侮辱了的女学生。"蔚祖的事,我总记在心里,当初我——对不起爹爹啊!我就希望他早日解脱!如今是一年了,好不容易又一年!可怜的蔚祖是在天堂里,他是纯洁的人啊!我总记在心里,我也不是想报仇!为什么要报仇呢?各人底苦都够了,我只想我们想个法子,从金素痕手里把阿顺要回来!再比方冯家贵,要不是你去苏州!少祖,你真好啊!"她沉默,望着街心。她原谅了弟弟底一切了。"告诉我,苏州怎样了呢?"蒋淑珍,流着泪,低声问。

蒋少祖有忧愁的、温柔的、顺从的笑容,像他少年时在这个姐姐面前常常有的。

"多么快的日子啊!想不到你们都长成这样了!"在一种幻梦的状态里,蒋淑珍说,嘴边有凄楚的微笑。

在蒋少祖脸上,出现了一种抗议的表情。——他不愿姐姐这样说。

"姐姐,你放心。"他说,笑着。

"在如今的中国,什么事能够放心呢?有谁管我们底命运呢?——但是我不该说多了!明天你来!那么,纯祖,明天早上你来!"她向严肃地站在旁边的蒋纯祖说。

"我来。"

"你想,读书问题解决了!你千万不要闹什么运动。"

蒋纯祖沉默着,嘲弄地笑着。

"好,弟弟,恭喜你们!"她说,走到街边,站在雪里。

"恭喜,姐姐。"蒋少祖回答,跨到街心去。

蒋淑珍站在雪里,叹息着,看着他们消失。觉得自己在这个世界上还有两个弟弟,并且觉得,在这个除夕的荒凉的街道上,只有她底两个弟弟在行走,她叹息着感谢神明。

蒋少祖和蒋纯祖好久沉默着。他们互相觉得陌生,怀着不安。蒋纯祖觉得,哥哥走在他旁边,妨碍了他底热烈而凄凉的孤独。他是好久便准备着在这个落雪的年夜里享受这种孤独的。他需要自由,深深地走到雪里去。蒋少祖和蒋纯祖脸上,同样地有着矜持的神情。

"你在课余的时候,读些什么书?"蒋少祖拘谨地问,拍去了肩上的雪。

"功课太繁重,什么书都不能读。"蒋纯祖回答,好像早已准备好了一样。"我想你在上海寄一点书给我——什么书都好!"他说,那种对一切人的亲爱的感情,对哥哥发生了出来,他眼里有虚荣的、满足的光辉。

"好的。多读一点书。"

"我想到上海去读书。"

蒋少祖沉默着。

"暂时不必去吧。"

"我们学校里,我们什么都得不到。我和几个同学在一起……"他说,兴奋地笑出声音来,没有能够说清楚。

"暂时,应该安心。"蒋少祖说,显然在想着别的。

蒋纯祖看了哥哥一眼,觉得自己底兴奋被冷淡,觉得自己底可耻已经被哥哥发现,那种对一切人的仇恨感情,对哥哥发生了出来。

"你到淑媛姐姐那边去吗?"走到十字路口,蒋少祖问。

"他讨厌我。"蒋纯祖屈辱地想。

"我去。"他说。他转身走开,但在街边站下来,看着哥哥消失。他有些凄凉,但同时觉得哥哥可怕。

"一个人,怎么能够变成那样呢?但是我懂得,他有凄凉藏在心里。是的,是的!但是,一个人,是不是应该骄傲而不仁慈?我多么孤零!"他向远处望去。街上迷茫着雪和雾,没有任何行人。于是他完全忘记了哥哥和一切人,只感觉着自己——热烈的生命。他觉得迷茫的雪和雾,远处的灯光,深邃的、深邃的天空,全为他而存在,具有特殊的意义。他解下大衣带,敞开大衣,在雪中走去。"我走、走、走,走到远远的地方去!我要找一片完全荒凉的地方,除了雪和天以外,只有我自己。"于是,为了从周围的现实的一切脱离,他用习惯的方法痛苦着自己,想着他底孤零,他底不幸,他底凄凉。最后,一种热情,带着一种欢悦,在他心中燃烧了起来。

他觉得他所看到的一切都是可爱的、美丽的、丰富的。一切都在颤动着,一切都在歌唱,他,蒋纯祖,在歌唱中光荣地行走,在雪中行走,像远处的那个神奇的、哀伤的、美丽的、穿着白色的大围裙的、捧着花束的少女。他想到,一束火柴在黑暗中擦亮了,照着白雪;在火柴将灭的时候,这位白衣的少女走了过去;火柴熄灭,天上降下了花朵。以后,这个少女在雪中奔跑,找寻一个人,当然,这个人是蒋纯祖。

"她跑得那般快!裙子飞扬起来,但是,我在这里!是的,我要忠心,要在她面前死去,血流在雪上!于是她把花朵堆在我身上。但是我看见窗户又亮了,照着雪,茫茫的雪!我听见了歌声,我走进了宫殿,我抽出了我底剑,像拿破仑底剑!我要拯救这个世界,而除非他们伏在我底脚下,我是决不饶恕!……多好啊!灯光多好啊!雪多好啊!世界多好啊!但是,她,从西伯利亚来,叫什么名字呢?对了,叫苏菲亚!啊,苏菲亚,我底苏菲亚!"他说,点着头。

他走上了大路。宽阔的街道、雪、烟雾、和灯光,给他造成了一个优美的、纯净的世界。他跳了一下,在雪上滑行起来。然后,大半由于故意的,他跌在雪里,在雪里滚动,伏在雪里。

"多么冷啊!好极了!"他想,伏在雪里望着远处的灯光。

"现在是深夜了!人们又过去一年了!还差几分钟,人们又送走一年了!在这一年内,他们做了些什么呢?将来,他们会怎样呢?"他凄恻地想,忘记了他底苏菲亚了。"天天啼哭、吵架、骂人、希望、柴米油盐,生活是这样吗?我将来也要这样过活吗?"他在雪里支着腮,想。"中国是充满危险了!很多人死去了!很多人为了他们底祖国,受尽了侮辱!暴风雨是要来了!我要永远离开这个地方,这些人!但是,怎样呢?我将要怎样过活,怎样死去呢?"他说,雪悄悄地落下来,盖在他底身上,他觉得幸福。"听着这些爆竹吧,啊,啊!到了,街上一个人也没有!爆竹是多么响!多么密!雪是多么密!而南京是多么大,多么大!夜是多么深啊!我终于要离开你们啊,但是有什么法子呢?南京!南京!南京!"他说,站了起来。

他走到街道中央去,用手比在嘴上吹着喇叭,并且唱着歌,大步地走着。

第十四章

一

一九三六年十二月十二日,发生了西安事变。

汪精卫在去年十一月国民党四届六中全会时被刺,然后出国,政权的斗争,也就是决定这个国家将被什么力量统一,并且象征的斗争,告了段落。学生运动底怒潮继续到一九三六年秋天,接着是七君子案件。觉醒了的人们,失去了故乡的人们,以及悲愤祖国的人们,对政府所要求的,是抵抗侵略者。这个强大的要求促成了在政治关系上颇为复杂的西安事变。

南京市民们,在汪精卫被刺时怜悯过;在藏本事件时慌乱过;在学生们冲破了无数的防线来到戒严的南京时悲哀过——他们觉得,和平,是不可企望了。但在根底上,他们依然销沉,对学生运动和汪精卫被刺同样的淡漠。

而在这一联串的斗争里,南京找到了可以依托的人物;中国底公民们,找到了他们底领袖。因此,西安事变,是在南京造成了空前的政治性的紧张。

蒋家底人们,忙碌着蒋秀菊底订婚;在订婚的早晨,传出了西安事变底消息。

对于蒋秀菊,如人们所常常经历的,那个被蒙眬地期待着的、并且骄傲地防御着的东西突然地到来了,于是一切都清楚明白了。"是的,我都想过了,应该是这样。"蒋秀菊想,走进了订婚底礼堂。

蒋秀菊在夏季毕业。毕业前后,她常常和朋友们到金陵大学去,在唱歌和基督教底讲习里,认识了一个神学学生。于是,那种忧郁病,那种幻想,便来袭击了;于是她便常常一个人去唱歌了。而且因为毕业后无处可去,她便徬徨起来了。

她觉得她现在很软弱,惧怕世界上的一切东西。她跟一个英国神父学习神学。一面想到,到洁净的修道院里去,是很好的。

她向蒋淑华表露过这些她自己也觉得是不可能的思想,企图证明它们是可能的。生病的蒋淑华激烈地讥笑了她。蒋家底姊妹们都认为蒋秀菊是已经到了抛开"鬼知道是什么把戏"的基督教的年龄了。蒋淑媛和沈丽英都是曾经——那还是孙传芳的时代——接近过这种"鬼知道是什么把戏"的基督教的。沈丽英快乐地说:"你看,什么基督教!"在说话的时候她看了自己底身体,向蒋秀菊证明,在她底身上,是没有什么基督教的。

蒋秀菊本能地看了她底身体,当然,她并不想在她身上找到基督教。在那油渍的、半截袖子的蓝布袍子上,是找不出基督教来的,在那张兴奋得发红,然而愁苦的,常常掩藏着羞耻的脸上,是找不出基督教来的;沈丽英自己觉得这是非常值得快活的,但蒋秀菊,在一种内心底感动下,呆呆地站住了。

"难道都是这样吗?"蒋秀菊非常忧郁地想。

"我还是想升学。"她坚决地说,走出了房间。沈丽英正在和大家谈论汪精卫,她们非常怜悯汪精卫,因为觉得流血是痛苦的。

"我觉得街上的人都在恨我,怎样办呢?一切都烦闷起来了!这几个月多烦闷,但是我要等待,我要慎重……其实,我不应该怀疑他!"蒋秀菊向自己说。

晚上,那个神学学生以喜悦的,但严肃的态度迎接了她,他们走到花园里去。这个神学学生,是慎重地考验着自己,而不曾感到蒋秀菊底一切思想的。除了觉得爱情底忠实在呼吸着,并给予温柔的果实以外,这个神学学生,甚至不曾想到蒋秀菊会有思想。恋爱的男子,时而沉醉着,时而充满实际的思想,忘记去想到,在身边走着的,是一个实际的生命。

他们走到槐树深处的石凳前。槐树开着花,从附近的楼房,灯光照在槐树上。那种恋爱的人们常常要想念的槐花底芳香,散播在夏夜底空气中。钢琴在楼房里奏着柔和的舞曲。另一座灯光辉煌的楼房里,传来了女性底兴奋的歌声。在花园里,很多恋人们缓缓地走动着。在这块土地上,主教们和神父们,是按照着他们欧洲底精神和生活观念建造起这个伊甸园来的。在这块土地上,中国底青年男女们是充份地感觉着这种俊美的。但他们是在外国底样式里思想着自己祖国底财宝的,在他们心里,是充满了他们底祖国底宝贝的一切。

比方,蒋秀菊,在惊异地、沉思地站在这里的时候,看见那些满足地走动着的恋人们,就想:"多么讨厌!多么不知耻!难道我也是这样吗?——他们好像多快乐!他们不知要做出什么事情来!怪不得姐姐们说我,多么可怕啊!"

但在蒋秀菊底记忆里,今天晚上,却是美丽的,完全美丽的。她永远记得槐树底芳香。

"你坐坐吗?"那个叫做王伦的神学学生殷勤地说。

蒋秀菊,因为发现周围的凳子上都坐着恋人们,觉得恋爱是完全散播在空气中了,觉得恋爱是太不秘密了,心里有着痛苦。"但是我不怕。"她想,坐了下来。"他一定也要坐下来,叫别人看见的!他为什么要坐下来!"蒋秀菊不满地想。她底惊异的、严肃的眼睛闪着光辉。

"你听那琴声多美啊!"王伦温柔地说,坐了下来。

但蒋秀菊不注意琴声,不觉得它美丽。

"我想告诉你,我对人生怎样想法。"王伦说,显然他已经严肃地思索过他所要说的,"在现在的中国,一个人应该有一个事业,而我们都是在这个范围以内……但是,我想问你……你答应我吗?"他以震颤的、不安的低声问,嘴边显出了痛苦的笑纹;同时,他找寻蒋秀菊底手。

蒋秀菊轻轻地避开了手,而以一个强烈的动作,举手蒙住

409

了脸。

他们沉默很久。钢琴奏着舞曲。……

"你答应我吗?"这个青年,投出希望的目光,动着嘴唇,问。

"我不知道。"蒋秀菊软弱地说,涌出了眼泪。但她心里有愤怒,有强烈的思想。"他说这个,难道就是这样吗?难道像别人一样,像这里坐着的这些人一样吗?我能不能控制他呢?能不能控制将来呢?是的,他有钱,我也有钱,我可以继续读书!那么是这样吗?能够担保吗?"

"你想什么?"王伦问。他只是理智地问一问。他不曾感到她会有思想。

"我想继续读书……"蒋秀菊垂着头说。

"那是当然的。"青年说,沉默了。"那么你答应了。"他温柔地说,但他心里是焦急和痛苦。"你知道我底信仰,我们共同的信仰,我们……底主。"他说,沉默,因为觉得说这个是虚伪的。"我们信仰……一个纯洁的理想,况且,一种事业……"他破碎地说。

"这里有风,多么香的花啊!"他说,振作起来;"在现在的世界上,是比不上古代了,像你所理想的,"他说,以为他底爱人理想古代。"在这个世界上,是金钱和利害关系统治着一切,我们虽然不想弄钱,不想统治,但我们总要注意把生活弄舒适,有了地位和安静的生活,然后才能从事工作,比方宗教的研究、哲学的研究!空想,是不成的!把身体去拼命,埋没在别人脚底下,固然算是忠实了,但是没有结果,也是不成的!永远的爱情,是精神的爱情,在古代,是那个样子,在现代,却是这个样子,……你觉得对吗?"他问,笑着抓住了蒋秀菊底手,她未避开。

"我觉得你像马丽底画片,看着我,真的!"这个青年,在卸去了思想底重担以后,活泼了起来,殷勤地笑着说。

蒋秀菊严肃地看着他。"我像吗?是的,我像。"想到了镜子里面的自己,她想,热情在她心里颤动着。

"那么,若瑟,你觉得我说的对吗?"

蒋秀菊点了一下头。

"那么,真好！年底毕业,我想先找点事做,然后出国,希洛神父帮助我——我并不想用我父亲底钱。我研究宗教哲学或者研究宗教史,还没有一定。你觉得哪一样好？"

"宗教史好。"蒋秀菊说,同时觉得自己应该有学识,觉得痛苦。

"那么,就是宗教史,"王伦盼顾,"My dear!"他说,迅速地吻了她。

蒋秀菊没有来得及防备,颤抖着。然后,她低下了头。

"你不应该这样！"她愤怒地说。

王伦顽皮地笑着,跳了起来,折下了槐花,把槐花撒在蒋秀菊底身上。蒋秀菊检起了一支槐花,轻轻地嗅着,听见了轻松的、圆润的舞曲。她叹息了。

"在人生底道路上,这是一个段落了！"她想。"为什么这样快？为什么不留住？……不过我是突然安静了！周围已经没有人了。……现在是多么好啊！为什么要怕别人底批评呢？现在是多么好啊！"

"生活是很美丽的,是不是？"王伦,站在她底面前,说,并且笑着向她伸手。

"啊！没有人了！"蒋秀菊警惕地想。琴声、歌声、夏夜底甜蜜的凉风和她心里的青春的热情使她战颤着。她逃开王伦,站了起来,走到面前的槐树下。在微弱的光线下,她底眼睛睁大,她脸上有严肃的、痴幻的表情。

"若瑟,若瑟,你怎么？"

"啊！多么安静！但是青春会失去吗？"她以痴幻的小声说。但同时觉得说得不对。

"……那么,享受吧,你,若瑟！"王伦热情地笑着,苦恼地说,向她伸出手来。

蒋秀菊,失去了控制自己的能力,觉得一切都好,一切都柔美、溶化,一切都犯罪；觉得有热的、潮湿的面庞压在自己底脸上。她轻轻地睁开眼睛,证实了什么,又闭上。钢琴室里的灯光熄灭了,他们站在黑暗中。

蒋秀菊没有地方诉说自己底软弱的、羞耻的、扰乱的感情,因此露出坚决的神情来。好久以后,她观察到一切人都是如此的,安心了。姐姐们底非议被她底冷淡的外表压伏了。但她内心很痛苦,觉得孤独;以前她觉得孤独很好,但现在,真的孤独,她觉得是可怕的。直到订婚的提议被对方底家长提给蒋淑珍以后,她底处境才改善。

一经对方的家长提议,蒋家姊妹们就乐意,多情地参与起这件事情来了,因为觉得,现在是正式的了。这个提议是蒋秀菊自己争取的,她觉得应该合法,她无力长久地承当犯罪的、痛苦的感觉。

订婚的前一天晚上,完全由自己底意志安排好了一切的蒋秀菊坐在姐姐们当中:那种欢乐的空气,是弥漫着。大家谈论订婚底仪式,主张这样,又主张那样——总之,主张她们自己所奉行过的样子,除了大花轿。蒋淑华以无力的,但讥讽的口吻问蒋秀菊,为什么要在平常的仪式以外,还要另外举行一个教会的仪式;并且问她这是不是对方底主意。

蒋淑华,秋天以来,便又生着病,今天第一次坐起来,包在皮袍里面,提着小手炉。说话的时候,她疲劳而激烈地笑着,一面摩擦着小手炉。很显著的,在她底讥讽的口吻下面,藏着冷酷的愤怒。

"要的,我们底信仰。还有人事关系。"蒋秀菊,以一种淡漠的、销沉的声音回答,同时轻轻地皱了眉。

"小姐,花花绿绿的玩意啊!"蒋淑华说,带着敌意的笑容转过头去。

"你不要说,年青的人总是喜欢的,不然,像我们这样子才喜欢吗?过去了,我们是!"沈丽英说,天真地笑着,希望蒋秀菊欢喜。

"要是爹爹在世……"蒋淑华说。

"爹爹不会干涉我的。"蒋秀菊回答,看着这个虚弱的、激烈的姐姐,好像企图使姐姐明白,提到爹爹,她是更有理由;并且,幸福和痛苦,是每个人自己的。

蒋淑华恍惚了一下,然后轻蔑地笑了。她懂得妹妹底暗示,她并且记得一切。

"她是多苦啊!"蒋秀菊,注意到了这个姐姐脸上的苍白和愁苦,吃惊地想。

"老顽固!老顽固!我们都是老顽固!"沈丽英笑着说,走向蒋淑华,又走向蒋淑珍,摇着头。"是吗,老顽固?"

"我们都老了。"蒋淑珍,悲哀地笑着,说。

"你们为什么这样说,难道我不会老吗?"蒋秀菊含着泪水,低着头,用战颤的声音说。她真的希望自己变老,她觉得,离开姐姐们,离开往昔的一切,是悲哀的。刚才的严肃和矜持都消失了,她是露出一种非常可怜的样子来,使姊姊们觉得,在这个世界上,她是需要帮助的小孩,并且使姐姐们觉得,掌握着金钱,出了那么多主意的,决不是她。……

清早,晴朗而寒冷,大家到教堂去。未婚夫妇是预备先到教堂接受颂词,然后再去安排世俗的欢宴的。街上是呈现着兴奋的、紧张的景象,但大家没有觉察。街边拥着很多的人在看报,冬天的发红的阳光照耀着,一种寂静统治着他们。这种特殊的寂静吸引了傅蒲生,他走近去,伸长颈子看了一下。立刻,大家发现他在颤抖,他挤进了阅报的人群。大家走了过去。

他挤出来,脸发红,哮喘着。一种强烈的笑容出现在他底脸上。他觉得笑是错误的,想忍住;但,好像小孩一样,他无法抵抗某种诱惑。他痉挛地张开了嘴,但没有声音。他拼命地和这个笑的情绪斗争着。

"订什么婚,完了!"他企图严厉,警察似地伸出了双手,但嘴皮牵动了起来,那个笑,在引诱着他。"委员长被扣了!张学良干的:完了!"他笑了两声,看着街心,变得严厉。

"什么,委员长!"

"他被关在西安了! 中国完了!"他摇动双手。

"啊,这还了得!"沈丽英叫,立刻跑向阅报处,但什么也没有看,又跑回来。

"我告诉过你! 我早就告诉过你!"陆牧生看报回来,面红耳赤地大声说,全街都听见。

"这还了得! 张学良!"

"张学良是什么人?"傅钟芬问。

"王八蛋,混账东西! 比猪狗不如! 跟婊子胡蝶跳舞,丢掉东三省! 不抵抗将军! 花花公子!"傅蒲生大声说,全街都听见。

傅钟芬严肃地点了一下头,明白了张学良是什么人。

少年们,在一种快乐的兴奋里,冲动地看着街道、行人、车辆、阳光,觉得这个沉闷的世界,是在突然之间变成新鲜而有意义的了;觉得不寻常的日子,悲哀和欢乐,是到来了。他们用神圣的、严重的、灼烧的眼光看着一切,在这样的目光下,南京假若突然陷下去,都不是奇异的。他们觉得每个人都在心里想哭着中国底命运。

陆牧生,露出傲岸的、愤怒的态度来,站着看着远处。

"丽英,我暂时不去——我到党部去!"他冷淡地大声说。有了眼泪,转过身子去。

"牧生,秀菊要不高兴的!"沈丽英,从她底政治热情中醒转来,尖声叫。

但陆牧生不回头。

"也罢,探探消息!——真是可怜!"她说,同情中国,流泪了。

"南京这么多生灵,就寄托在他一个人身上啊!"蒋淑珍凄凉地说。傅蒲生愤怒地看着她。

穿着黄色的缎袍和高跟鞋的、烫着头发的蒋秀菊没有被这些扰乱惊动,她是在专心地控制着她自己。她站在台下专心地、低声地回答着神父底问话,说,这件婚事,她是凭自己底心决定的,并且明白一切义务。神父在台上温和地、严肃地倾着身体,向订婚夫妇祝福。她垂下眼睛,看着手里的花束。

"他们刚才是在说蒋委员长被扣了吗?但是这与我没有关系,感谢上帝,我做得不错,而且,今天天气这样好!"她想。

同学们和信徒们拥上来围住了订婚夫妇,并且抛掷花朵。蒋秀菊,恰像一个中国底新娘,垂着眼睛,庄重地站着。在她身边,她底未婚夫笑着幸福的、有些傻气的笑。

神父走下讲坛,从袋里取出了报纸。很多人向报纸拥去。

"在这个美满的大地上,荣耀的主赐给了春天……"在混乱和喧嚷里,一个活泼的、画着眉毛的、挟着皮包的教会女生高声地唱。

"中国要亡了,为什么他们还唱歌?"陆明栋站在墙边,眼里有野兽的光芒,想。

蒋家姊妹们在墙边站着,笑着欣赏着蒋秀菊,并且想到,在这个老旧的教堂里,她们曾经有过的、青春的时日。她们高兴妹妹底出色的衣妆,高兴她底庄重,高兴神父底温和和窗上的鲜美的阳光,并且高兴她们心里有悲哀。而那种政治的热情,在沈丽英底脸上闪耀着,她不时看着讲坛边的读报的人们。

蒋秀菊庄重地向姐姐们走来,她底未婚夫笑着走在她底后面。

"若瑟!"蒋淑媛温柔地喊。

蒋秀菊站下来,严肃地看着她们。

"今天天气多好啊!"那个神学学生,快乐地、殷勤地,向大家说。

"小娘,告诉你,委员长被抓起来了!"傅钟芬大声说。

"是吗?"蒋秀菊说,沉默了。发现蒋少祖夫妇没有来,她非常的懊恼。

这时,成长了的、因西安事变而态度阴沉的蒋纯祖走进了教堂,向各处看了一眼,眼光落在一个兴奋地笑着的、美丽的女子身上,露出了轻微的惶惑,然后向这边走来。他走得轻悄而阴沉,显出了一种绝对的傲慢。因为,遵照着人类底教义,政治底情热和民族底悲愤是具有着绝对的权力来轻蔑青春底奢华和嬉戏的。

如蒋纯祖所看到的,这里是擦着口红,笑着,唱着歌的——虽然这一切使他秘密地烦恼——因此,这里是可憎恶的。

"弟弟,怎么才来呀?"蒋秀菊,露出赞美的表情,问,认为弟弟是小孩。

"她们照例这样问!连她也学会了!"蒋纯祖想。

"才来。"他说。

"车子很挤吗?"

"不怎么挤。"

"你怎么不高兴呀?"蒋淑媛问。

蒋纯祖不答。

"有什么事值得高兴呢?"停了一会,他回答,含着敌意看了未来的姐夫一眼,然后阴沉地向着窗外。

蒋秀菊温柔地笑着,表示她是了解这种不高兴的。"真的,有什么高兴呢?"忽然她想,但依然了解地笑着,看着弟弟。"是的,是什么时候!假若中国亡了,我昨天、今天、以及将来的一切不是都失去了吗?怎么我没有想到呢?刚才是怎样的?"她底笑容消失了,她转头看着窗外。在灿烂的冬季的阳光下,鸽子在低空里飞着。"为什么呢?这些人笑着,赞美我,也能帮助我吗?但是我从来就没有得到帮助!并且少祖哥不来,一定是看不起我!在这么多人面前,我只有笑!但是一切岂不是确定了吗?是的,从现在起,我不是失去自由了吗?像那些飞着的鸽子,那种自由……?"她想,露出忧郁的恍惚的表情。

"你想什么呀,若瑟?"蒋淑媛问,当着众人底面,不觉地对妹妹改换了称呼。

"弟弟,我问你,张学良把委员长扣起来,你知道详细的情形吗?"蒋秀菊,使大家觉得意外,忧郁地问。显然的,假如弟弟不赞同她,她便要觉得痛苦。

蒋纯祖看着她,感动得脸红。

"我听他们说……"他皱着眉,觉得自己在说谎。"他们说是共产党!"他看窗外,露出了深思的表情。他心里觉得很痛苦。

"是共产党吗?"那个神学学生快乐地问:他对蒋纯祖很有礼貌。

蒋纯祖陌生地看着他,不回答。

"好了,我们走了!大家等着!"蒋淑媛说。

"那么,弟弟,你要高兴一点。"蒋秀菊,落在大家后面,忧愁地向蒋纯祖说,并且微笑了。这微笑表示,既然知道了这件严重的不幸,既然大家都知道,因为大家都在生活着的缘故,弟弟应该快乐一点。他们拥在阳光下的、噪杂的街边,上了汽车。

在订婚的筵席里,五十个以上的客人,发生了关于时局的辩论。漂亮的订婚礼——蒋秀菊所安排的——变成了时局讨论会,很使蒋秀菊苦恼。她不明白何以她不曾感到时局,何以这个国家这样的欺凌她。她更强烈地觉得,不感到中国底忧患,是可羞的。

在这个争论里,教会底人们持着冷静的态度,蒋秀菊底未婚夫属于这一边,他们认为,无论中国怎样,他们总是有前途的。属于另一边,兴奋地争执着的,是官吏们和妇女们。

冷峻的、眼里闪着光芒的汪卓伦向大家低声地报告着他所得到的消息。

"……现在要组织讨逆军司令部,"他说,"何应钦任总司令;其次,现在要发动政治和外交,因为共产党站在背后,再后面,站着苏联。他们是要报仇的,所以有一个耽忧,就是发动进攻的话,他们就会杀死我们底领袖……"汪卓伦说,他沉默,无意中看着蒋秀菊。

"俄国……苏联为什么要干涉我们中国呢?"沈丽英锐声问,手握在胸前。

"那是他们底世界革命政策！他们是我们底仇人！"汪卓伦回答。

汪卓伦有着冷峻的、疲劳的神情。他脸上有深的皱纹，轻轻地颤动着。沈丽英耽心地看着他。

"上海非常混乱，半个月以前就弄得乌烟瘴气，蒋少祖这般人！他们要援助七君子！"王定和严厉地说，没有顾虑到在身边的、庆祝着青春的，是蒋少祖底姊妹们，"而对于中国，他们是澈底的破坏，澈底的！学生们就是他们闹起来的！我们固然要批评自己，但是今天我们要团结在一个旗帜底下！我个人年来遭遇太多。"他点烟，他底手腕颤抖着，"我个人从今天起，要站在祖国底立场上！下午我就回上海，我要和他们斗争到底，他们这般人，没有一个是有信实，有道德的！中国需要大屠杀！需要恐怖政策！需要任何人来屠杀！日本人来屠杀！"他愤怒地说，支着下巴，猛烈地吸着烟。

蒋纯祖，坐在狼藉着的杯盘前面，兴奋地、灼烧地看着他。

"假若空军去轰炸呢？"一个客人，大声问。

"要直接轰炸延安！"王伦坚决地说，然后微笑。

"为什么呢？难道我还是小孩子吗？难道我没有做出这一切来吗？难道今天我不是主人吗？难道……这样好，能够损失吗？"蒋秀菊苦恼地想，看着大家。

并且，在不被人注意的时候，她喝下两杯酒去。

"我想，我们这些人，是要和中国一同灭亡了！"她突然地说，脸发白，愤怒地、奇异地笑着。

大家看着她。但她，在悲愤和快乐相混合的奇特的情绪里，转身向着窗外。

"我说了！但是我们，只是我们，却要活下去！"她兴奋地想，觉得大家都在看着她，觉得她是胜利了。

她底未婚夫，赞美地笑着，看着她。

但在经过了疲劳的、混乱的白天——大家在男家打牌，开留声机和播音机，不停地谈论着——以后，晚上，蒋秀菊对蒋淑珍哭了。

"为什么我独独这样受欺,这样命苦呢?尤其二哥,为什么这样看不起我呢——你不要说,我知道!他狠心肠,我不感谢……他!自从大哥去后,我们是变成孤独的人了!在这个世界上,安慰是这么少!这么少!大家像以为我多快活的!我只有对你!对你!我觉得甚么都不能够挽回了……"底下的话是"我不自由了!"但她没有说,并且她即刻便谴责了这个思想。

"秀菊,秀菊!你底好日子!"蒋淑珍流泪,说。

"是的,姐姐,谢谢你,谢谢你!我知道的。"蒋秀菊温柔地、凄凉地回答。她静默了。这个大的静默给她启示,她必得忍受的人生底长途和苦重的、无穷的义务。

"是的,他们都这样说!难道谁有错吗?"蒋纯祖在离开筵席以后,走到院落里,在阳光下,想,他问谁有错,他并不肯定谁有错,但总觉得谁有错。"是的,是的,我明白!我要公正,我要好好的!——天啊,给我勇气!我一定要好好地做人!好好地,为了祖国,为了人类!"他向街上走去,走到阅报栏下面,带着年青人底善良的祝福,重新地把报纸看了一遍。

二

对于西安事变,蒋少祖持着激烈的阴沉的态度。在家里,他时常表现出单纯的乐观。他得到很多材料,紧张地注意着时局,并且活动着。十二月二十二日,他得到了两个特殊的材料,于是缓和了自己底活动。他判断这个事变将和平解决,他劝年青人说,应该乐观。

十二月二十五日,南京和上海底市民们狂欢着庆祝领袖底脱险,蒋少祖被一个中学邀请,作了一次讲演。他精细地分析了这个事件底各方面,判断说,和平解决,是中国统一底开始。但他自己心里却有着狐疑和苦恼。

"但何必把我们心里的毒药都分给纯洁的年青人呢?"他想。

他显出深深的忧郁与疲劳。他以前未曾有过这样的心境。他觉得他是被什么一个巨大无比的东西拖得太久了；他觉得他是受了希望底哄骗；他觉得，这样匆匆地、盲目的奔跑，是不必的；他觉得他已经经历过人类所有的一切了。他渴望安息，渴望一种不明白的东西。——就是说，他渴望人世底更大的赐予，这个赐予是不可能的。他想：拿破仑也未曾得到过这种东西。

人类底各种思潮，和内心底叛逆的感情，是智识者底弱点。蒋少祖觉得反抗当代底一切是他底义务，并且，是他底权利。蒋少祖活跃地参加政治，然而政治使他迷惑。他认为反抗文化底机械主义是他底使命，走到骄傲的神秘主义旁边，又走到正直的理性主义旁边去。同时在某些方面他又是保守的。他在内心反对着文字改革和年青人底对往昔的无知。有一些时候，他觉得他是神圣的，光明在他内心照耀。另一些时候，他觉得他是错误的，然而相信这种错误是为行动所必需的：他找到了更高的审判，摒绝了内心底审判。就在这些漩涡里，他匆促地生活了十年。中国没有替他铺好平坦的道路。

那种嫉妒的感情是燃烧着，即使在理性底旗帜下也燃烧着；并且，甜美的希望，是诱惑着，即使在内心底神秘的皈依下也诱惑着。他明白他底一切行为都是在这种燃烧和诱惑之下做出来的，虽然这些行为完成了公众底目的。

现在，他疲劳、忧郁、销沉，明白了这些。他觉得他应该宽恕仇敌，而去安静，发现自己。但想到仇敌，因为并非具体的、肉身的仇敌，他底嫉妒和憎恶又燃烧了起来。

"诚实地说，谁明白共产主义是什么？它是什么？它要给什么样的文化？并且，社会革命究竟是什么？把革命交给人民，人民是什么？那些无识的人，懂得理想吗？革命以后再启发理想吗？"西安事变后好几天，他想着——大半坐在火盆旁，"比方，对法国革命底评价，不是一般地太热情，因而虚伪了吗？对十月革命，不是也一样吗？造成了少数的特权阶级！在哪里？人们说，人类整体是不会错的！当然，因为一切批评都在人类范围以内，并且,'它就是如此!'所以,它不会错的!但为什么不承认超历史的批评法则?比方,假如伽太基战胜了罗马,那么人类会不会像今天这个样子?会有怎样的理想?很可能的,伽太基战胜了罗马!那么,我们底生命不是虚无的玩笑吗?是的,虚无的玩笑,匆促的年华、希望底欺骗!无穷的烦恼!什么暴风雨底时代,我明白你了!从去年这个时候在苏州到今天在上海,坐在这里!啊,我有些什么!我是厌倦了啊!我还要受骗吗,让别人去做官发财?"蒋少祖想。

"生活,不就是这样的生活吗?以后还不是这样吗?毁坏什么呢?又建设什么呢?有什么不同吗?我们都说反对封建,是的!然而生活自身是本然的!况且每一种权力都不能代表人民,人民永远和权力不相容,不是服从就是反抗——于是永远循环,而我们,空抛了年华,尘俗的事务!年来是疲倦了啊!……即使把权力给我,我也是只有服从权力底本质的!于是,在人类史上没有好的时代,永远不会有真正完全的时代!啊,人生,轻轻的、轻轻的,这种脚步呀!

"我不受暴风雨底欺骗了,然而我要心灵底平静和自由!持着这个,我公正地处理人生底事务!"蒋少祖想。

好几天他没有出门。他坐在桌前,翻出一切旧的东西来。他编好了他底文件和藏书。在某一本书里发现了王桂英在一·二八以前寄给他的一封信,他反复地看了好久,然后烧去。接着他把姐姐们寄给他的信统统烧去。一张儿时的照片,剃了光头,穿着大棉袍的,他看了很久,在背面题了这样的字:"二十年以后,我还能认识你。"然后藏了起来。蒋秀菊订婚底照片被他粗心地放到书籍一起去,但死去的哥哥底照片却被他珍藏了起来。然后他整理金钱。他坚持不让陈景惠参与他底这些工作。他在房里久久地徘徊着,感到安静、恬美和心灵底温柔。

人们是会在过去的生活里发现无穷的东西,以照耀目前的生活的。蒋少祖现在觉得过去是困苦的、无知的,因而是美丽的。他记得,在五年前,他曾经在风雨中跑了二十里路去看一个朋友。现在他已经不会有这样的热情了。并且那个朋友就在那一年便死去了。他想到，最近一年来，他从未想起过这个朋友。他觉得自己也会被一切人忘去，像这个朋友所遭遇的一样。对过去的凄凉的回忆肯定了他目前的忧郁与疲劳，并且在这种心情上照耀着一种严肃的光辉。

"耶稣是这样死去的——他没有看见天国，并且他知道了天国是不可能的!"他想。

新年的夜晚，为了避免朋友们扰乱，蒋少祖夫妇把小孩留给佣人照管，出去看戏。散场以后，他们在街上乱走，然后，为了避免遇到熟人，蒋少祖提议到跳舞场里去坐坐。陈景惠高兴这个提议，露出非常的兴奋来。

这还是一个和平的新年。人们不能知道明年的事。从一·二八以后，逐年地，上海狂热起来，特别对过年这件事狂热起来，因为，明天的事，是不能知道的。上海底寻乐的人们觉得现在是世纪末，应该寻求新奇的刺戟，而在颓唐和凄凉里，刺戟是特别甜美的。观察家们统计了上海妇女底衣妆，说是每年有三百二十四种样式发明出来：小报上并且讨论，妇女底大腿，还是赤裸好，还是不赤裸好。寻求刺戟的人们同时就大声地喊叫毁灭，要大家准备好头颅去给敌人砍掉了——这杯酒，也是很甜美的。中国底人民是在黑暗中讨生活；这般冒险家底感觉，是不错的：空前的毁灭即将到来!

走进门廊，在沉醉的、迷茫的灯光下陈景惠脱下了大衣，交给侍役。但蒋少祖拒绝了侍役，一个穿西装的、擦着胭脂的年青人——蒋少祖觉得他擦着胭脂。陈景惠迟疑了一下，考虑是否要取回大衣。她吩咐把大衣挂好，侍役优雅地鞠了躬。一些漂亮的男女们，挽着手跑过了门廊。蒋少祖夫妇听到了沉醉的、迷茫的、柔软的音乐声。蒋少祖露出了淡漠的、安静的表情。

"它再不能诱惑我! 但是我必需走下去!"他想，推开了弹簧门，在柔软的地毯上向咖啡厅走去。他们看见了在舞池里扰动着的丰富的、五采的、迷茫的漩涡。

"过去的失去了！明天的,又不能知道;现在不是最真实的吗？应该欢乐啊！怎样？"蒋少祖想,嘴边有嘲讽的笑纹。

"我们去跳吧。"他说,笑着。

"我根本就不会！我都忘记了！"陈景惠说,兴奋地、羞怯地笑着。蒋少祖觉得她特别可爱。

他们走了下去——卷入了那个扰动着的、五彩的、迷茫的漩涡。纸花、汽球、和垂花汽球下面的美丽的国旗,从顶上纷纷地落了下来,落在这个漩涡里。汽球浮动着,好像大的泡沫。人们底脸孔也好像泡沫。灯光逐渐暗澹,后来有了紫色和蓝色相混合的灯光——很凄惨的。后来有了粉红色的灯光,这是落日底光华。

有甜蜜的、浓郁的香气,有迷茫的、软弱的音乐,有那种好像笑的笑——有迷茫的软弱的肉体和灵魂,这个现世底宗教裁判所。那个异教徒的蒋少祖卷到漩涡里去了。没有多久他又漂漂了过来,他脸上有着激烈的、疲劳的神情,陈景惠则安宁地微笑着。他们又消失了,然后又浮了过来。在蒋少祖脸上,有了懒散的、迷茫的表情;长的、红色的纸条落在他底肩上。最后,就在那个蓝而紫的,很凄惨的灯光下面,他们带着一个汽球浮了过来。

突然灯光完全熄灭了。音乐继续着,显得嘹亮。这个迷茫的漩涡在黑暗中颤抖着。各处有接吻的声音。

蒋少祖吻了陈景惠。但同时有了剧烈的痛苦。

"为什么要在黑暗里面？"他想。

突然,在舞池正面,出现了四个血红色的大字：1937。音乐转成了疾速的旋律。在血红的光明下,人群发出了强大的欢声。各处有叫喊声,欢迎一九三七年。

"一九三七年万岁！"一个妇女底尖锐的声音喊。

"万岁！"

"万岁！"

音乐奏着："上帝把我们二人,造成了一个泥人,拥抱着……"那个五彩的、迷茫的漩涡在汽球、国旗、纸花底纷飞下作着更急疾的扰动。

陈景惠,在快乐的激动下发出了欢声,并且叫了万岁。但蒋少祖看着红字,有了激烈的笑容。

"一九三七!谁能知道一九三七?但生命并非儿戏!我要蹂躏你们,攻击你们,侮辱你们,走下去!……"在欢声中,他想,含着激烈的笑容。于是他带着强烈的、侮弄人世的快乐的心情被卷进了漩涡。他毫不怀疑地认为他是在侮弄着周围的一切和这个世上的一切;他毫不怀疑地认为他底快乐愈强,他便对周围底庸俗侮辱、攻击、蹂躏得愈凶。

"在我底周围,是荒野呢还是人类?是怎样的荒野啊!……啊,人生,轻轻的,轻轻的,这种脚步呀!"

第十五章

一

第二年春天，蒋家底母亲死去了。老人在最后的十年，活得无声无臭。她孤独地住在蒋淑珍家底后面的、陈老了的房间里，有半年没有出门，因生命底衰顿而放弃了一切嗜好，这些嗜好是：打牌、吃零食、骂人、摔东西。她孤独地坐在堆满了女儿们送来的糖食的房间里，整个冬天捧着水烟袋，以柔弱的，然而可怕的表情看着跑到她底门前来的孩子们——孩子们觉得她是可怕的。于是在春天，她睡倒，死去了。

七月间，蒋淑华病重了。汪卓伦有半个月没有去海军部，在家里看护着蒋淑华，并且照料小孩。七月初，部里对他有微言，他预备辞职，但在整理了自己所剩下来的财产以后，他忍耐了下去。汪卓伦，不知因为什么缘故，不会治理财产，并且他们夫妇都因为在求内心底幸福的缘故而对这个世界用了太多的感情，以至于仅仅四年，他们便弄光了蒋捷三给他们从苏州运来的一切东西。最初他们分给蒋秀菊，并且出钱打官司，后来他们分给在镇江底姨娘和她底可怜的儿女们；最后，他们分给一切赞美他们的人，分给蒋淑珍、蒋淑媛，和沈丽英。到一九三七年，老母亲底丧事以后，大家都叫穷。汪卓伦夫妇是落在贫穷里了。但直到汪卓伦准备辞职，整理了家务以后，他们才发现了他们底真实的处境。现在是假若汪卓伦不工作，他们便无法生活了。而且即使工作，他们也要严格地节省，因为小孩底出生增加了负担，并且蒋淑华底医药占去了薪水底大部份。蒋淑华病重时，汪卓伦做了十年来未曾做过的事：向蒋淑媛告贷了。

蒋淑华,一年来遭受着加重了的疾病折磨,并且在心里遭受着更大的折磨。她觉得自己孤独无依,觉得汪卓伦不理解她,虽然那般尊重她。蒋淑华觉得她底感情和思想不能和周围融洽,觉得周围的一切都远离了她。在姊妹间蒋淑华时而感伤,时而刻薄——沈丽英开玩笑叫她做林黛玉。在生病期间蒋淑华妒嫉一切人,刻薄一切人。

七月初的某天,她向汪卓伦说:不必再请医生——生和死都是一样的。

汪卓伦多夜未睡,失去了健康,显得恍惚、疲劳、颓唐。他照例温和地安慰了蒋淑华。但在离开床边以后,他晚上有了冷酷的表情。

一年来,这种冷酷的表情常常出现在他底脸上,代替了从前的单纯的、小孩般的温柔。他瘦弱、挺直、激烈而疲劳。他走到前房躺到椅子里去,举手遮住了眼睛。

"我是冷的,冰冷的!我已经没有了爱情!"汪卓伦想仰起脸来,凝视着屋顶。然后他闭上眼睛休息着。

佣人抱着小孩进房,他睁开了眼睛。他看了小孩很久。

"带他到外面去——阴凉的地方!"他用干燥的声音说。

但这句话被蒋淑华听见了。

"抱进来!外面大太阳……"她喘息,说。

汪卓伦皱着眉,抱小孩进房。

"他是我的!我……不许!"蒋淑华衰弱地说,但眼里有火焰。她伸手接过小孩去,汪卓伦注意到,她底手在颤抖。

"又是感情用事!"汪卓伦想,看着她。

"……他是我的……你看吧……我只要活着一天,我不许别人侮辱他!不许别人用那些方法教育他!把他变得愚蠢,变得呆板!变成吃饭的机器,不像人!"蒋淑华说,喘息着,强烈的仇恨在她底衰弱的脸上闪耀着。

"……在这个世界上,只剩下我和他,还想夺去吗,早知道如此……就不应该生,不应该有这些希望!不应该聚合!我觉得世界像沙漠,筵席早就散了!假若苏州还有我一点点,我就马上去……为什么不呢?"

"又是怀乡病!"汪卓伦想。

"……生和死在我是一样的!这世界没有情义。"她停顿,看着前面。"无论如何,我总是我爹爹底女儿,我是的!"她骄傲地说,然后恍惚地望着帐子。

汪卓伦突然发觉蒋淑华并没有把他和她联系起来,于是感到痛苦。他发觉她是在控诉他,当妒嫉和仇恨的情绪在他底心里刺痛起来的时候,他就从冷漠中醒转,笑了凄凉的笑。但他没有说什么,他怕激动蒋淑华。

"人生,凄凉的长梦啊!"蒋淑华说。

"我能够失去她吗?能够吗?失去她,我还有什么?那么,现在怎样办?"汪卓伦恐惧地想。

"是的,凄凉的长梦。"汪卓伦温柔地、凄凉地说,感到情爱复活了,感到不会失去她。

"但我们总要把这个梦做完。我们将来要安息。……淑华,你现在要安静,静养。"他弯了腰,扶住床栏,向她说。

"是的,我有……我不会失去……因为我只对她一个人才这样说话。"他想,温柔地笑着。

"我能够安静吗?我心里有一团火!"蒋淑华说。同时她问自己,"他能够理解我吗?他不假吗?"

"在人世,已经不能分辨真与假!"她说,嘴边也有凄凉的笑纹。

"淑华……"汪卓伦明白了她底意思。

"淑华,我汪卓伦用我底良心说……我是冷的!我已经冷了!"他改变了声调,流泪了,觉得自己是说了最可怕的话。"是的,我对人间已经冰冷!我自己很明白。"

蒋淑华凄凉地笑着看着他。突然笑容消失,露出了恐惧和怜悯相混合的严肃的表情。她用被单替汪卓伦揩眼泪,把小孩交给汪卓伦,然后垂下头去。

汪卓伦抱小孩走出来,脸上又有了冷酷的表情。

"为什么我要说呢?……欺骗不是更好吗?但是我有责任,有义务!"他想。

下午雷雨。蒋淑华昏沉地躺着。汪卓伦坐在床边的椅子里,手里抓着一本书,看着窗外的雷雨。他站起来,到前房去关窗户,然后去厨房看药。走回来的时候光线阴暗,雷雨猛烈,他脸上异常的激动。他坐下来看着昏沉的蒋淑华,然后通过窗户望着天空。

光线如黄昏。阴沉,然而激动。雷雨发出喊叫般的声音扑击了过来。闪电破裂重云,暴雷在低空滚过。窗外,蒋淑华所种植的洋槐树在风暴中摇曳,带着水滴击打着窗玻璃。人类的声音完全绝灭了。

汪卓伦感到自己是在海洋中。海洋阴沉而激怒,他底孤独的破船在作着绝望的飘流。雷雨使他遗忘了现实生活底一切困苦,悲壮和勇敢的情绪在他胸中抬头了。他含着悲哀的、激动的笑容看着窗外。小孩在床边啼哭,他抱起小孩来,抱在胸前,站在房的中央。

"在这个破船中间,我和她,我们要飘流到哪里去呢?"他想,严肃地看着天空。

"但是,我记得……"他想,望向雷雨深处,记起了在他和蒋淑华初次谈话的时候,也是下着雷雨。蒋淑华坐在桌前,玩弄着一朵白兰花,向他说,她喜欢乡村。他记得,听见这句话,那种强大的,几乎是不可信任的幸福在他心里颤动着,特别因为窗外是雷雨。他并且想起淋得透湿的蒋纯祖跑到窗前来,摇动槐树——也是这样的槐树。"是的,我完全记得……从那时候起,我们开始了飘流,我要做一个女人底最好的丈夫!但是我底飘流,我们底新的生命,我们底孩子,我们底一切,我们疲倦了,受尽了讥嘲,互相不理解!而现在她倒下了!我们要飘流到哪里去呢?谁替这个新的生命负责?把他交给谁呢?我是得到了我所应该得到的,我已经满足了,已经疲倦了,但是他呢?那么我要活下去！把这个破船渡到岸边……是的,他和她……我们!"他眼里有了泪水。他强烈地皱眉,吻了小孩。在他低头向小孩时,他觉得他底周围在摇荡——他底船在激怒的波涛中摇荡着。

蒋淑华发出了短促的、可怕的声音。他跑到床前,放下了小孩。

"淑华！淑华！"他痛苦地叫。

蒋淑华睁开眼睛,同时小孩啼哭。

"我去了！我要去……卓伦……我,"她用短促的、可怕的声音说。

汪卓伦跪下来。他觉得他底周围已经静止,不再摇荡了。

蒋淑华看着他,指窗外,然后指小孩。汪卓伦明白她底意思,尖锐的痛苦使他昏迷。

这对夫妇,他们没有力量分离。就在上午,他们还生活在他们底生活所造成的感情里面,那互相不满足,互相攻击,防御,他们是诚实得可惊,这种感情好像幽谷。但夜晚,蒋淑华病危,他们投在一起,用他们所有的力量表白他们不能分离。假若他们还能哭,他们便哭,假若他们还能说话,他们便说话。深夜里,汪卓伦觉得一切都错了；觉得他不该失去理智,不该表白,肯定那个可怕的东西。觉得不该使蒋淑华肯定一切已经无可挽回。他重新沉默,企图用最后的理智表露出一种信仰来。然后他觉得,因为他底错失,一切都迟了。但当蒋淑华死亡下去,又挣扎起来,重新要求表白时,他就跪在床前,悲痛地答复了一切,在内心底交战里产生了正视死亡的勇气。

姑妈和蒋家姊妹们来到汪卓伦家。她们最先坐在后房,然后退到前房,揩着眼泪,沉默着。她们无事做,同时觉得应该有事做；她们全心地替汪卓伦痛苦。这是一个很可怕的夜。当蒋淑华重新扰动,说话的时候,她们全体都来到后房。灯光明亮,汪卓伦跪在床前。

"我不相信！我不相信……"汪卓伦以单调的、孤独的声音喃喃地说。

蒋淑华,靠在枕头上,做着痛苦的手势。她好久不能表达清楚。她指前房,指姨姐们,然后她寂静。在寂静中,汪卓伦颤抖着。

"我对你……有罪。"蒋淑华衰弱地说。

"为什么想这些呢?我甘心,我觉得顶好,我幸福。相信我。要安静。"汪卓伦以单调的、孤独的声音说。"我这样说不是承认了吗?"汪卓伦恐怖地想。"没有这回事,没有,淑华!"他大声说,喉里有泪水。他底声音证明:他承认了那个可怕的东西。

"我害了你。……在最初,我就不该……你在,我去了,而困苦颤连的一生哟……我怎能丢下这颗心,我怎能够,卓伦!"蒋淑华挣扎着说。

汪卓伦颤抖着。他抓住床边,垂下头去。他冷酸地觉得痛苦已经达到了最大的限度,于是他抬头,用严肃的目光重新看着蒋淑华。

"接受我们底命运!这是每个人都有的!我不会再在这个世上寻找另外的东西,相信我!"他底目光说。在剧烈的内心斗争以后,他相信他们都无错;他承认了,并且承担了那个可怕的东西。严肃的勇气在他脸上出现了。

但蒋淑华,虽然说着、表现着她对那个可怕的东西的认识,却不愿相信;因此不愿明白汪卓伦底眼光。在恐怖和苦闷中,蒋淑华渴慕温柔。

她向着汪卓伦。

"难道他还不能明白我?是的,是的,我要看看。"她寂静了,于是觉得世界已经寂静了。她觉得周围落着黄色的雨,水滴传出单调的、寂寞的声音来。她觉得身上沾了污泥,她努力移动,想摆脱这污泥,但不可能,她感到大的苦闷。她听见有单调的、凄凉的钟声,最初好像是房内底钟声,后来就变成了不在什么地方却在空漠中响着的钟声。觉得是苏州的钟声时,她感到她所渴望的温柔;钟声——模糊的,然而确然存在的——在空漠中响着时,她心里突然安静。她觉得,她已经在没有注意的时间里摆脱了那可怕的污泥。她依然在凝视着汪卓伦。那种严肃来到她底脸上。她懂得了,并且承认了汪卓伦底眼光所说给她的。"是的,我不再说什么了!我一无遗憾。我丢得下这颗心!"她想。

"淑华!"汪卓伦,在蒋淑华底沉默里,有了恐怖,企图否认他所承认的,喊。

蒋淑华看着他。在嘴边露出了安静的笑纹。

"要水吗?"

蒋淑华看着他,不答。

"孩子,他睡了!"汪卓伦温柔地说。"我不会再寻找什么另外的东西的了,淑华,我不会的!"他加上说,回答着她底眼光——他以为她底眼光要求他回答这个。

蒋淑华明白他在喊她,轻轻地点了头,看着姊妹们。然后她软弱下去……

姊妹们走到床前。蒋淑华悄悄地死去了。于是大家悲痛地啼哭起来。但汪卓伦无声,他伸手盖住了蒋淑华底冷了的眼睛。证明了她确实已经离去,他在大家底哭声中站起来,走进了前房。他打开帐子,看着酣睡的小孩。

"现在她去了,我们什么也没有了,在这个世界上……"他想,突然哭出猛烈的、可怕的声音来。

蒋淑华死去的第三天,爆发了芦沟桥事变。汪卓伦埋葬了妻子,在七月十五号重新到部办公,不感觉到这个事变,这个席卷全国的猛烈的潮流有什么意义。从七月到八月,汪卓伦销沉地沉默地到部办公,晚上回来照护小孩,并整理蒋淑华底遗物。蒋家姊妹们和少数的几个朋友替他痛苦,常来看他,但他并不需要这个。他希望孤独。他希望一个人坐在房里,坐在灯下,坐到深夜。

他在考虑怎样消磨他底剩余的生命。他懊悔财产底散失,因为假若有钱他便可以一个人带小孩到什么一个乡间去。他记得蒋淑华底话:"我喜欢乡下。"——但现在他必需工作下去,偿还债务。在南京底普遍的扰动中,他淡漠、沉默,认为自己和这个世界除了金钱底债务和为父的债务以外再无牵联;但同时他高兴这个世界底扰动,高兴这个世界底普遍的不幸,高兴它底澈底的毁灭。

上海战争爆发,政府颁布了疏散令,南京陡然紧张,充满了预测和谣言。从七月到八月,人们是在怀疑中,怀疑战争是否会实现;但八月十三以后,人们就开始逃难,或准备逃难了。八月十五日,南京被轰炸:模范监狱、国府、和车站附近中弹,南京全城慌乱……

有人往乡间走,有人往内地走。最初是少数富有的人们,然后是公务员底家庭和一般的市民们。南京底人们三十年来逃亡过多次,一次是辛亥革命,一次是孙传芳渡江,一次是一·二八上海战争。但他们每次都又回来了,重新弥补、缔造他们底生活。在动乱的时代,他们除了自己以外,是不再信任任何事物了,因此,在八一三的最初,他们是不相信仇敌底决心和他们底民族底决心的;他们以为这次还是会和以前每次一样,不久就又回来,弥补剖破了的,缔造毁坏了的,照旧过活下去的。他们这样想是当然的,因为在他们底生活没有改变的时候,他们底心是不会改变的;直到遥远的后来,他们底心还是没有改变,以顽强的力量,他们在异乡缔造了临时的南京生活,他们以为是临时的。凡不是自愿从南京出走,凡是被迫从南京出走的人们,是直到生命底最后,还渴念着故乡,在怀念的柔和的光明中,把往昔的痛苦变成无上的欢乐的。从南京出走以后,青年们是占领这个世界了;在南京留下了惨澹地经营了的产业和祖坟的人们,是被剥夺了一切欢乐了。所以,在他们,这些惨澹地经营着生活的人们明白了——很快便明白了——这次的毁灭底巨大、持续、与顽强时,他们便明白了这次的离开南京是什么意义。半个月不到,老人们底论证,孙传芳时代底惨凄的暗影,从而希望和安慰,便被扫荡无遗了:被江南平原上的空前的激动所扫荡,被爱国的情绪所扫荡,被强烈的、孤注一掷的青年们所扫荡。

八月到九月,空军出动,军队出动,青年们出动;市民们不绝地向内地流亡。在中国展开了空前的局面。南京街道上通过着兵士,通过着车辆,通过着流徙的队伍,通过着青年们。政府被主张投降的汉奸们所包围,民族底领导者以顽强的力量克服这个包围;流徙的人们,出动的人们,普遍全国的新异的兴奋和坚强的意志支持着政府底领导者冲出了这个包围。从现在起,这个民族走上了英勇的、光明的道路……

八月廿一日,王定和来南京。二十二日,蒋少祖夫妇来南京。大家准备去汉口。但汪卓伦安静,淡漠,从未想到他有重新缔造生活的可能。他每天经过激动的街道,每天遇到向内地出发的熟人们,每天被蒋淑珍们苦苦地劝慰,但不想动:不觉得在他周围进行着的一切对他有意义;更没有想到他有被这个激动卷去的可能。他觉得现在有两个绝对对立的世界存在着。一个是他周围的一切,一个就是他自己。他是冷淡、轻蔑、虚无,站在激动的海洋中。

但八月二十一日,他奉到命令,调他代理某艘鱼雷舰底舰长,并且限三天以内到任,出发。他即刻上了辞呈。他底这个举措被斥为怯弱与临阵脱逃,没有被允许。但他并不以怯弱与临阵脱逃为羞,相反的,他觉得高兴。他很简单地觉得被这个世界如此斥责,就是证明了,他对蒋淑华的坚强的爱情——觉得高兴。晚上他经过激动的街道——炎热的街上挤满了人,在听播音机——回到家里。

他走进门,通过院落,轻轻地叹息着,解开了上衣,他发现房里有人在走动。在他走近房门时,蒋淑珍兴奋地跑了出来。

"我们等你多久!"她说,眼睛发光。但看见了汪卓伦底悲哀的微笑,她就沉默了。

王定和坐在椅子里,严肃地看着他。他向王定和点了头,把上衣摔到床上去。然后坐下来。

王定和和蒋淑珍沉默着,看着他,要求着他底声音或动作——他觉得是如此。但他很冷静,表明一切在他都不可能,并且坚决地相信,他们应该顺从他。

"你,还是不决定吗?"王定和以颤抖的低声问,欠着上身,烧着烟。"或者你决定,在危急的时候一定离开?"他问。

"我没有决定。"汪卓伦低声回答;涣散,无兴趣,不愿谈话。

"我今天早晨到南京,决定后天送淑媛到汉口去。我在上海的东西,是完全丢了,所以我自己也要到汉口去。……我全都光了。"王定和吸烟,冷静地说,但面颊突然强烈地颤抖。

汪卓伦叹息,看着他。

"这是清清楚楚的了。不止我们一两个人,我服从政府。"王定和说。"你们部里有新的消息吗?你不可以辞职,和我们一道去吗?牧生、蒲生,都准备走的,部里遣散……我们总可以另外想法子,你也来帮忙。"王定和说,看着他。

"我们是军事机关。"汪卓伦回答。

"卓伦,这样固执!张心如不也是海军部的!"蒋淑珍焦燥地说。

汪卓伦闭紧着嘴唇。

"逃到后方去?"他突然用怪异的声调问。

"避难啊,卓伦!"蒋淑珍说。

"是的,避难……"他说,停顿,凝视着地板。"但是,有的人是可以避难的,有的人却避不了难。我不想离开……"他说。他底意思是说,他喜欢灾难;因为在他底身上,再不能有更重的灾难了。同时他想到他辞职的事,想:假若批准的话,他到哪里去。在辞职的当时,他是并未想到他要到哪里去的;他很觉得,对这个世界,他底责任是冷漠地站在旁边。"那么,现在可以想想,我究竟应该怎样?但是因为我不希望一切东西,我留在南京。"他想。

"我留在南京。"他说。

"部里不许么?"

"部里是没有能力不许我的,要走,我还是可以走,但是我不走。"他停顿,以发亮的眼睛凝视着蒋淑珍。"……你们是应该走的,因为你们有家庭儿女,你们要过活。还有一些人是可以走的,因为他们根本是投机取巧,苟且偷生的东西,他们没有价值!"他说,露出激烈的嫉恨的微笑。"你们走了,他们走了,那么,留下这座南京城给我!不走的人要保卫这座南京城的!在南京,有我们底祖坟,几百代人生活下来的南京城!假若政府不能保卫南京城,就对不住祖先!假若是临阵脱逃,投机取巧的东西,就没有资格再在南京,将来也没有资格到南京!他们底儿女要替他们羞耻!……我在街上走,我就替他们羞耻!"他说,激烈而流汗,站起来向着窗外。

"我说了些什么?是的,是这样!"他想,"我什么都不需要!我服从命令!"

蒋淑珍觉得他在骂她,不安起来。

"是的……我们这些人是可怜的!但是有什么法子呢?"她羞愧地说,声音里有眼泪。

"我没有讲你,姐姐。"汪卓伦诚恳地喊,向着她:"我怎么能够讲你们呢?"

"我不同意你底话,你要知道实际情形:南京是守不住的。"王定和说。

"岂有祖坟是守不住的!我赞成战争延长!我赞成轰炸,轰炸,再轰炸!我赞成一个大大的毁灭,毁掉一切麻木不仁的东西!毁掉一切脏臭的东西,南京需要澈底的洗刷!中国人应该为儿孙着想!"他说,走到桌边,转身看着王定和。

他好久没有这样激动过了。他未曾想到这种激动是可能的,因为在蒋淑华死后,他所派给自己底以后的生涯,是销沉的、冷漠的生活。战争爆发以来,他从未想过这个战争有什么意义,但现在,在这种严厉和激动中,他明白了战争底意义;明白了轰炸、军队、流徙的人们,以及他昨天所接到的命令对于他有什么意义。

"我把孩子托给你们好不好?"他忧郁地问。接着他说了一切。

"那么,现在我决定去!"他说,"在平时,舰长是一个肥缺,但现在他们却用得着我!"他忧郁地笑,抬起头来。

"那么,你不是要去打仗么?"蒋淑珍问。

"是在打仗啊!"

"那么你怎么办?怎么办?"

"孩子托你,好吗?"汪卓伦温柔地、坚决地说。

"不是我私心,……你自己怎么办?怎么办?"蒋淑珍站起来走到桌边。

"去打仗啊!"

"你会打仗么?真的?不骗我!可怜要是淑华在,不会让你打仗……"蒋淑珍说,突然明白了他们所说的事情是什么意义,哭了起来。

汪卓伦下颔颤抖,怜悯地看着她。

"我自然会打仗的。"他嘲讽地、悲哀地说。

王定和长久地凝视着他,突然站起来,皱眉,眼里有泪水,脸打抖。

"我很惭愧,卓伦。我想到我丢掉一点,是值不得什么的,我不会忘记今天。"他说,难看地笑着。汪卓伦第一次看见,这个男子在眼泪中笑着这种痛苦的、真率的笑。

"我三天以内出发,孩子交给你们。……那么,我底生命便再无什么价值。"汪卓伦低声说,觉得一切都透明清楚;觉得自己明白了过去、现在、未来,并且明白人世底一切爱情、友谊、希望和失望。汪卓伦皱着眉,静穆地向着窗外。

二

沈丽英心情怆惶:没有钱,不知是否应该走。听见汪卓伦要向相反的方向出发,她就跑来看汪卓伦,然后姑妈追来看汪卓伦。汪卓伦冷静地安慰她们,劝她们离开南京。从汪卓伦处回家时,在人力车上,姑妈哭着;沈丽英惊叹,发痴,感到无论如何,不能明白这个世界。

"这怎么得了！我们应该怎样办！没有人管我们，各人底心是差得这样远，从此以后，我们怎样生活？"她想。

陆牧生已在家中，冷静、苍白。陆牧生向她说，已经弄到船票，她们明天得上船。

"钱呢？"沈丽英胆怯地问。

"钱，有。"

"你呢？"

"我暂时不走。政府底命令。"陆牧生忍耐地、冷静地回答，脸战栗着。儿女们严肃地站在旁边。

"可怜，淑华，你死得好！"沈丽英说，哭起来，走到床前。

"我不走！我老了，一生一世在南京！什么都在南京！也死在南京！我不能在外乡受罪！"姑妈大声叫，向楼梯走去。

"非走不可！"陆牧生严厉地低声说。

"妈！"沈丽英叫，"妈，女儿会孝敬你！你要走！我们都走！"

"炸死我也不走！"姑妈大声叫。

"要走……妈，要走！"沈丽英哭着大声说。

"不理她！她当然走！"陆牧生挥手，低声说，然后走出去。

姑妈到床上睡下来，想起了往昔，想起了故世的人们，哭着。大家劝慰她，她不理会，不肯起来。老人在悲苦的心情中，愿望就这样睡到要离开的人们都离开了，儿女们都离开了的时候，愿望他们离开以后孤独地在凄凉的家宅中死去，而使离开了的儿女们，永远地负着罪孽和悲凉。但在明白了这个希望底实际的可怕时，她企图把陆明栋摆在身边。

"你们问明栋，要是他走，我就走！明栋，儿啊，你不是不走吗？"她哭着说。

陆明栋高大，瘦削，严肃地站在床前。

"我走。"他愤怒地说，以轻蔑的目光看着祖母。

姑妈吃惊，看着他。

"忘恩负义的东西啊！异乡有财宝吗？"

"奶奶,我决不想再蹲南京一天!我讨厌南京!我讨厌我们住的这个地方;这不是人住的地方!我们隔壁有婊子!左边天天打架!为什么还要留恋?"年青人激烈地、严肃地说;这个年青人从未如此说过话。"这一点点财产也值得留恋吗?难道我们要葬在这个地方吗?所以我要走!"他说。

年青的人们,是在这种家宅里,感觉到腐烂底尖锐的痛苦的;那些淫秽的、卑污的事物是引诱着年青人,使他们处在苦闷中。当风暴袭来的时候,他们就严肃地站在风暴中,明白了什么是神圣的,甘愿毁灭了。当他们有了寄托,发现广漠的世界与无穷的未来时,他们就有力量走出苦闷,而严肃地宣言了。陆明栋就是这样地站着,流汗,脸红,流泪,发表了他底宣言。他说他不愿有财产,不愿再读书;他说学校是可恶的。他说他要离开:假若大家不离开,他便一个人离开。

但他又非常感伤了。未吃午饭他便走出去,晚上才回家。他走遍了他所熟悉的街道与风景,向它们凄凉地告了别。

沈丽英,被儿子底宣言感动,觉得这个地方的确不适宜生活,觉得在将来所受的痛苦里,也会有快乐,于是振作起来,收拾东西,准备食物,把大票子换成毛票——在这种忙碌里,一切是改变了;她是非去不可了。

蒋少祖夫妇,看过了姐姐们和汪卓伦,到她这里来的时候,她是站在凌乱的东西中间,衣袖高高地卷起,发红,流着汗。太阳照在敞开的箱笼上,房里扬着灰尘。

"啊,你们来了!"她叫,抛下了手里的衣服;"淑华去了,她去了!我们如今……!"她在箱笼间跨了一步,哭泣着像小孩。

陈景惠对这个不顶熟悉的表姐流泪,疾速抱着小孩进房。蒋少祖抓住草帽在手里,疲乏地、愉快地笑着,——战争使他愉快。姑妈冲下楼时,预见到姑妈要对他做什么,就露出了嘲讽的微笑。

"我们明天走了!"回答姑妈底激动,他说。

沈丽英坐下来,把小孩抱在膝上,特别因为安宁的生活已被破坏,她露出了满足的、严肃的神情。凌乱的房间,即将开始的逃亡,衬着沈丽英底抱着小孩的休憩的、严肃的神情——她明白这个休憩底短促和可贵——给予了动人的、特殊的印象。

"你知道卓伦要走么?"沈丽英爱抚着小孩,问。

"知道。去看过他。"蒋少祖回答,严肃地笑着。

"我们中间还出了这样一个人!……"沈丽英大声说,停顿了一下。"我是个女子!啊,我们是无用的人!……"她说,她底眼睛甜蜜地笑着,觉得这个短促的休憩是好的。她吻了小孩。

陈景惠搧着扇子,笑着说了什么,蒋少祖没有听清楚。蒋少祖疲乏地看着姑妈,她在翻箱子,又在揩眼泪。蒋少祖注意到箱子里面的旧式的、大红的绸衣。

"这个衣裳是你底么?"他忽然狡猾地问。

"是我底!该死!"沈丽英说,责备他,但看着他,希望他再说。

"是坐大花轿用的吧?"蒋少祖狡猾地皱着眼睛,问。

"没有出息!"沈丽英说,脸红了,快乐地笑着。

陈景惠拿起绸衣,把它抖开来,快乐地笑出了声音。沈丽英笑着看着绸衣。姑妈简单地笑着。太阳照在绸衣上,房里闪动着红光。

发胖的、弄得肮脏的陆积玉端水走进房来,看见展开着的红衣,站了下来。她看着母亲,又看着陈景惠,然后向洗脸架走去。蒋少祖笑着转身,碰在她底面盆上,水泼了下来。

"啊,对不起!"蒋少祖愉快地叫,但随即就怀疑地看着不笑的、严肃的陆积玉。

沈丽英皱眉看着女儿,用眼光提示她她应有的礼貌。

"没有关系……"陆积玉说,猛然脸红。她回头看了那件堆在箱子里的绸衣一眼,垂下了眼睑。沈丽英明白她底眼光底意义,感到痛苦。陆积玉深沉而细心,明白母亲底一切:常常的,母亲为自己底第二次的结婚而对女儿歉疚,感到痛苦。常常她为这个对女儿发怒。

439

"你不会让开一点走吗？"她皱着眉，压制住愤怒，说。

陆积玉迅速地往外走去。

"有什么希奇！马上什么东西都光了！"她低声抗议，看了那件发着光采的红衣裳一眼，走出房。

"尽讲些令人痛心的话！……"沈丽英说，突然哽咽了起来。

陈景惠接过小孩去。

"多么快：一刹那就是十年了，少祖！"沈丽英说。听见床上自己底小孩在哭，跑过去喂奶。蒋少祖疲乏地、严肃地看着她。

陆牧生喘息着走进房来。

"啊，你们来了！……船票又涨了！又涨了！战事吃紧……快！快！今天夜里十二点钟上船！"他大声说，走过去把每个箱子都闭起来，他底脸在打抖。

"你走么？"蒋少祖问。

"我不走，政府底命令。"陆牧生皱着眉头，不满地说。

"那么……汉口再见！"蒋少祖懒洋洋地笑着说。

沈丽英和姑妈跑到门边。

"汉口见……各人平安，少祖！"她说，又要哭。"忘记告诉你，纯祖不肯走！你一定要想法子，少祖！"她说。

陆明栋找到了他底最好的朋友——每个少年都有一个，并且只有一个最好的朋友——向他辞别；然后和这个朋友同去走马路，走北极阁和玄武湖，向南京辞别。陆明栋心里充满了感激，沿路向这个朋友低而热切地说着话；这个朋友也和他一样。他们很好吃，半天内吃了很多东西；他们说要吃光南京所有的他们最爱好的东西——但这范围也是很小的，没有越出莲蓬、豆沙馒头、冰棒等等的可怜的东西底界限。回到城内时，他们吃得发胀了，踌躇而忧郁；但陆明栋，不知道什么是限度，再次地要求那种激情。他把自己弄得忧郁而痛苦，不明白一切，他认为这个晚上是值得纪念的，他以后要永不忘却。他到处，在内心和外部找寻值得纪念的东西，因而弄得一团糟。

回来时,已经晚上八点钟。他非常悲伤——主要地因为他是这样混乱——慢慢地行走着。快到家时,他看见他所熟悉的那个卖豆腐的人家正在搬家,门前停着板车,很多女人围着大声说话。

"他们也要走了!从此我见不到他们了!"陆明栋想,站下来。明白了这里有值得纪念的东西。

板车堆满了东西,前面拴着一匹瘦小的马。板车流动了,于是周围暴发了告别的叫喊。

"来日见,邻居!"

"来日见!"躺在板车上的男子以深沉的大声回答,忧郁地笑着。

有一扇门打开了,露出灯光,奔出一个肥胖的女子来。

"你们走啦!这么快就走啦!"这个肥胖的女子冲到板车前,叫。

"我们下乡……各位邻居,来日见!"车上的抱着小孩的女子大声地叫,声音非常尖锐。大家站在街边叫喊,板车驰到街口,还在叫喊。板车在灯光明亮的地方转弯了,消失了。

陆明栋感到这一切是非常的,他因自己没有权利叫一声而苦恼。他确实记得,并且乐于记得,在他所经历的一切苦恼中,没有一件是和这种苦恼相同的。

"他们这些人多么相爱啊!"他想,沮丧地走进门。

全家都在焦急地等待他。行李和箱笼堆在台阶上,邻居们笑着站在小的院落中,各处有灯光。姑妈已经跑过了一切地方,告辞了她底南京。沈丽英已经藏好了钱——她要把丈夫留在南京,独自负担这个家庭向异乡流徙。陆积玉抱着奶儿,冷静地站在箱笼旁。

陆牧生走进来,兴奋着,说汽车已到了。在他后面跟着挑夫们。

陆积玉不放心挑夫,伸出空闲的右手提起一口箱子往外面走。陆明栋注意到她没有回头。陆明栋因犹豫——他想上楼去看看——而被斥责,提起了一件什么,张望着向外面走去。

陆积玉抱着小孩,站在汽车旁,冷静地指挥着挑夫安放行李。沈丽英会把一切弄乱,姑妈则更心慌,但陆积玉却专心而冷静,把一切弄得非常好。沈丽英站下来,叹息着,怕妨碍女儿,感激地看着女儿。

他们上汽车时,邻居们叫喊起来:祝一路平安。

"谢谢各位!"姑妈伸手,说,掏出手帕来准备流泪,但未流泪。

邻居们叫喊时,陆明栋感到窘迫。汽车驰动,陆明栋偷偷地叹息了。他把这个叫喊和刚才听见的叫喊比较,觉得不同,虽然说不出怎样不同。他未被这些叫喊感动。但感到窘迫,因为这些人熟悉他底一切,他也熟悉他们。他想着刚才的那只板车在灯光明亮的十字街口转弯的情景。汽车驰出小街,转弯向下关驰去。

陆明栋觉得他和旧的一切是永远分离了,这个汽车奔驰,他是去寻求新的城市,新的江流,和新的幸福。和尖锐地感觉着这些同时,那个转过十字路口的板车在他底面前闪耀着。

轮船还泊在江心。他们在码头上停下来。码头附近是像清晨的菜市一般拥挤。沈丽英焦躁、忧愁,催丈夫打听消息。陆牧生走开以后,沈丽英穿过街道去买东西,走回来时,在人行道边上,她看了迎着她来的一位妇人一眼,因为这位妇人正在看她。她继续走了两步,怀疑起来,回过头去,这位妇人也在回头看她。这位妇人是金素痕。

沈丽英站下来,流着汗,内心有欢喜和仇恨相混合的激动。在她右边,人们拥挤地通过着,在她左边,是码头底斜坡、灯光、和黑暗的江流。在她底激动里,她明白了身边的一切意义,觉得自己正直。

金素痕烫着发,穿着短袖的蓝绸袍,憔悴而苍白,眼睛陷凹。看着这个十年如一日的沈丽英时,她眼里有兴奋的表情。这兴奋在她底憔悴的脸上是特别地显著。但即刻这兴奋就消失了。

她走近了两步,疲乏地笑着。

沈丽英特别地注意到了她底疲乏,因为自己是这样的兴奋,因为自己和患难的蒋家一起生活了十年,像一天,最后,因为右边是南京,左边是江流——她一瞬间尖锐地感觉到这个,——她即将离去,再生活十年,像一天。

"你是丽英?"金素痕问。

"素痕!是的,你……"沈丽英兴奋地说。

"你们逃难么?"金素痕忧愁地问,有了恍惚的表情,好像在想什么。

"我们到汉口去!"沈丽英大声说,企图表明她并未忘记蒋家底仇恨。

"我也到汉口去……"金素痕犹豫着,忧愁地、恍惚地微笑着。金素痕不感觉到周围的一切。

"阿顺呢?"沈丽英,企图表白仇恨,怜悯地、轻蔑地问。

金素痕沉默,脸打抖;但即刻又恍惚地、忧愁地笑着。

"阿顺,他死了!"她低声说。她沉默,以那种坦白的眼光看着沈丽英,以至于沈丽英即刻便忘记了仇恨,悲悯了起来;她不能确知她为什么悲悯起来——是为那死去的、不幸的孩子还是为失去了孩子的金素痕,或者是为蒋家,为她们这些活着的人和那些死去的人!

"啊!啊!"沈丽英说,觉得明白了一切;明白了她们这些人,并且明白了金素痕。她受惊地看着金素痕。"你怎样难受?你说说看,说说看……"这个眼光说。

但这个凶悍的、锐利的、破坏了蒋家的金素痕站着不动,好像已经遗忘了一切,憔悴的脸上有淡淡的、忧郁的、难以说明的、可以叫做微笑的表情。

"妈妈死了!淑华也……去了,她死了!"沈丽英大声说,觉得金素痕是悲哀而失望的,觉得金素痕听到这个一定会悔恨而啼哭,像她曾经悔恨而啼哭一样。

"啊!"金素痕说,无意中迟钝地望着江心,那里,在轮船底明亮的灯火下,闪耀着沉重的波涛。"啊,淑华!"她说,显然在回忆。"那么你们还好吗,这两年?"

"我们还好!你呢?"

"我要到汉口去……"金素痕说,好像她所能知道的关于自己的事,只是她要到汉口去。

陆积玉找寻着母亲,拖着小孩跑了过来,认出了金素痕,严肃地站下。

"妈,要上船了!"她冷淡地说;她是对金素痕冷淡。

"那么我不耽误你们……"金素痕说,用同样的、不变的目光看着陆积玉怀中的小孩。"这是你底吗?"她问沈丽英。

"我底……素痕我问你。"沈丽英说,但沉默,动着嘴唇。

在她们身边,嘈杂的人们陆续地通过着。

"人生一场梦,丽英。"金素痕用不变的目光看着她,回答她要问的,说,有嘲讽的淡淡的笑容。

"是啊,人生一场梦!"沈丽英说,有了眼泪。

金素痕没有点头,没有表情,没有表示什么,又看了小孩一眼,向街心走去。沈丽英看着她。沈丽英高兴她在离开南京前最后遇到的熟人是金素痕;她觉得这个相遇使她幸福:她要再生活十年,像一天。

"你也知道了!可怜醒得太迟了!时候是来了,这一天是来了!"沈丽英向家人疾速地走去,低语着。

"快一点,上船了!"陆明栋愤怒地、尖锐地叫。

沈丽英跑向陆牧生。

"叫什么!我心跳!……牧生,妈,我看见那个鬼!"她喘息着,说。

"哪个?"

"金素痕!阿顺死了!她后悔了!(她觉得金素痕刚才曾经向她说:"我后悔了!")她瘦了,完全不像从前……"听见阿顺已死,姑妈哭了。沈丽英提起箱子跟着挑夫走,挤在人群里,继续大声地说话,使大家都听见:"也有这一天!这一天来了!十年的光阴,财产!……还是我们好,什么也没有……"她流泪,回头看南京。

"啊,可怜的南京!"她高声说。从眼泪里看出去,她看见南京蒙在热雾里,柔和而委屈;她可怜这个南京,可怜她们多年的生活。

"妈妈!"陆明栋,觉得羞耻,愤怒地叫。

蒋少祖在战争底兴奋中间离开了上海,计划着到武汉去展开工作,觉得多年来的暗澹的生活告了段落,严肃、轻松而安静。要不是这样的心情,他不会来看亲戚们的。但在看了汪卓伦以后,他有了暗澹的思想,并且怀念蒋淑华。汪卓伦底虚无的、冷静的面容惊扰了他,虽然在战争期间他从未想到自己有和这种虚无同感的可能。于是他想到,在情热底激流下面,有着一个冰冷的潮流。但他不能明白这个冰冷的潮流底确实的意义。

陆积玉底神情,和她走出房间时所说的话,使他更明白地看见了这个冰冷的潮流。

傅蒲生夫妇后天动身。蒋淑珍有很多事情要解决。晚上,蒋秀菊和蒋纯祖来傅蒲生家。蒋纯祖在春天的时候就因为打破了学校底后门出去喝酒而被学校开除,改进了一个私立中学;现在他是来向姐姐要钱,预备明天动身去上海参加工作的。蒋淑珍希望蒋少祖能够挽留他。她信仰蒋少祖有这个能力。在蒋纯祖到来以前,蒋少祖躺在房里看报,一面沉思着。

他问自己:这个战争能支持多久?摆在前面的,有哪几种可能?假若半途妥协了,中国底命运将怎样?

"……从不知什么时候开始,我个人底命运便和中国不可分离,从来没有休息!我们底目的是很单纯的,那么,现在我看见了这个民族战争,看见了无数的军队和青年表现了这种意志,于是现在的道路是,这个民族战争走向澈底……它必须毁坏一切回头底可能,像山岳党送掉路易十六。"他想。"是的,我们现在底工作……是的,那个冰冷的潮流就是这样的意义,它是自觉的,它是内发的,然而只能走一段路,那么,我们底工作就是毁坏一切回头底可能,领这个潮流走到它自己并未想到的地方去!"

"但另一面,从个人看,每一个时候都是过渡,人生并无真实的价值!"接着他想。"假若价值就是上面想的那个,是不可能的!"(他想到汪卓伦底冷静的眼光)"我们总要求一些东西:要求什么,我现在不知道;我现在究竟怎样,我也不知道。人生底赏罚是不公平的。怎样才叫赏罚,也很难说!那么,在这个荒凉的人生沙漠里,牺牲与不牺牲,也没有真实的标准。一种直观就是标准。按照世俗的标准说,我是不愿牺牲自己的——像汪卓伦那样因绝望而飘流,在直观的标准说,也不够牺牲;那么,亡故的人和飘零的人是一种,我是一种,我受着希望底欺骗,也还有别人对我的希望——骗着别人!是的,对战争我是热烈的,事实如此!我个人却是这样看的:一个民族是绝对的,个人却不是绝对的!那么,在这个荒淡的人世,我要抓住权力,为自己,骗自己,也就是为别人,骗别人——然而却并不骗这个民族的!是的,应该如此!难道还玩少年男女底把戏吗?"他想。

蒋淑珍抱着汪卓伦底小孩进房。他眼睛发红,显然刚刚哭过。但她勉强地笑着。

"他来了!阿静!阿静,抱抱!"她说,怜悯地看着蒋少祖。

"他爸爸呢?"

"他把东西都拿过来了!他明天早上动身了!"

"他没有说什么吗?"蒋少祖抱过小孩来,问,希望地看着姐姐。他希望汪卓伦曾经说过什么,关于将来的。

"……他叫我们不要耽心,一有机会,他就来汉口的。……他没有说什么!"蒋淑珍流泪,说,但悲哀地笑着。……"我不是怕累,……显见得我这个人没有良心!淑华假若……"她说,无力说下去,揩了眼泪。

蒋少祖避免看姐姐,内心有悲哀,并且感到温柔和孤零。蒋少祖眼睛湿润,吻了小孩,同时感到那在上海、南京和京沪沿线展开着的一切完全属于一个冰冷的潮流。小孩面孔温热,他感动地明白了这个冰冷的潮流。

"谢谢,这一次是澈底的!这一次是成功了!"他想。

蒋纯祖,在动乱中成长,早熟,有着毁灭的、孤独的、悲凉的思想。渴望从这孤独、悲凉、和毁灭底极底里得到荣誉和无所不容的爱情。他憎恶他所处的苦闷的现实生活;这种苦闷和憎恶,在最近半年是那样尖锐,使他濒于绝望——一个人底初期的绝望。南京底生活窒息青年们,蒋纯祖找不到思想和生活底出路,并且骄傲;六月初,他想到逃走,随后想到自杀。他在这种思想里沉缅了一个月;这种思想给他以激动和骄傲,所以他没有实行。学期完结时,他迷恋了一个女同学,但他怯弱而骄傲,没有表达。暑假开始时,这个女同学退学到汉口去了,于是整个七月间,蒋纯祖没有离开学校;他每天下午到附近的山上去,坐在一所庙宇底多苔的墙壁下,读书,秘密地写什么,或者凝视山下的在暑热中闪灼着的池塘。蒋淑华底死,深深地刺激了他,他在内心猛烈地做着工作,毁坏了一切。他的结论是:在人间,只有死才是真实的;但他无需去找死,因为他终于要死。

因此他做什么都可以,做什么都不必惧怕——不必惧怕良心和道德。但当他为自己底欲望开始做什么,以及做了什么时,他总有漠然的恐惧;不知恐惧什么,但觉得自己是不能再活下去了。

他后来明白,毁坏得如此澈底,于他是有益的。但现在他在恐怖和苦闷中生活,没有援助和依恃。"假若我自杀了,那么我是骄傲的,但是假若因为我不配做一个人而死了,那怎么办呢?我要找一个纯洁的时间去死!"他在日记里写。但他终于没有找到一个纯洁的时间。

上海战争爆发,蒋纯祖读到了几本关于这个民族战争的哲学的、政治的著作,狂热起来了。每个人都曾经在年青的时候读到过这样的著作,——他们以后再不会读到了。于是,从这几本著作,世界是改变了,世界是热烈的,焕发着光明;蒋纯祖觉得,现在他被拯救了,有了纯洁的时间。南京在战争中激动的时候,蒋纯祖是在狂喜的光明中,怀着大的虔敬注视着一切。他决意和一个同学一路去上海。

于是蒋纯祖迅速地脱开了过去的阴暗和苦闷。到姐姐家来,但不愿明白姐姐,不愿听清楚姐姐底任何话,恐怕再遇到那个阴暗和苦闷。觉得他家里的一切人都代表着这个阴暗和苦闷。

他冷静、戒备、最后一次地来姐姐家——他认为是最后一次。

蒋秀菊忧郁地坐在房中。蒋纯祖走进来,张望了一下。

"大姐呢?"不看蒋秀菊,他问。

"她在对面……姐姐,弟弟来了!"蒋秀菊站起来,高声喊。

"你是一定要去?"蒋秀菊,带着那种严肃与耽忧相混合的表情,问。

蒋纯祖看着她,不答。他决意努力忍受这个最后的阴暗。他听到背后有疾速的脚步声。他戒备地笑着转身。蒋淑珍,准备了那种悲切的、严重的感情,怕扰乱这感情,进门便站下,沉默地看着这个弟弟。

"我们决定后天走了!……"蒋淑珍说,呼吸急促,"你呢?"

"我只要一点点钱。"蒋纯祖冷静地说,走到桌边,怀疑地看着她。

蒋淑珍有愤怒的、焦急的表情。蒋少祖抱着小孩进房。蒋纯祖冷静地看了他,看了小孩。蒋纯祖怕阴暗,他底目光变得掩藏。

"你来了。"蒋少祖说。

"怎么阿静在这里?"蒋纯祖看了小孩,问,避免谈到本题。

"你不晓得么?他爹爹要到江阴去了!要去打仗……"蒋淑珍说,于是说了一切。"不过他是非去不可的,因为有命令……"蒋淑珍说,看着弟弟,使他明白。……"啊,你看阿静多乖,多可怜!没有哭一声!"她动情地说,求救于爱情,希望这种最善的感情能够打动弟弟。

蒋纯祖眼睛发光,没有听她,并且戒备着哥哥,他拍手,抱过小孩来,吻了小孩。

"你是要到上海去么?"蒋少祖问。

"是的。"

沉默了。

"你过来,我跟你谈谈。"蒋少祖说,点了烟,走出房。

蒋纯祖放开小孩,跟着哥哥。他知道姐姐在流泪,但假装没有看见。他皱着眉,脸上有假的笑容。

"看你说些什么?"他愤怒地想,同时想到了街上的光明和激动——他即刻就要去了!——跟着哥哥走进房。

傅钟芬跑进房。

"小舅!"她兴奋地喊。

"你出去一下。"蒋纯祖严肃地说。

"是的,你出去一下——你坐。"蒋少祖说。

蒋纯祖坐下来,向着窗外。

"你要去上海么?你去做什么?"蒋少祖问。

蒋纯祖坚决地看着他:他底目光回答了他去做什么。

"你上海有熟人么?"

"有。没有,也没有关系。"

"你知道上海有危险么?假若有危险,你怎么办?"

"那时再看吧。"

又沉默了。蒋少祖沉思地看着弟弟,心里有愤怒。他相信弟弟是没有理智的。蒋纯祖则冷静地看着哥哥,等待一个机会发泄自己底轻蔑与愤恨。每个人都知道自己底行动对自己有什么意义。蒋纯祖感到不满,他底被伤害了的自尊心在燃烧着。

"你这半年做些什么?那边为什么开除你?"蒋少祖以家长底态度问。

"他们要开除我,因为我不守他们底纪律!"蒋纯祖回答,极端轻蔑地说"他们底纪律"这几个字。

"你还有一年半就毕业了吧?到汉口继续读书不行么?你应该继续读书。"

"我猜到你要这样说,果然不错!"蒋纯祖兴奋地想。

"一个人,假若死了,还读什么书呢?"他以尖锐的声音回答,战栗着,不知道自己说什么,但感到说了极有意义的话。

他以为哥哥受惊动。但哥哥开了灯,冷静地看着他。

"他没有听见么?"他想。

"你明白你自己么?"蒋少祖问,轻轻地皱着眉。

"我明白我自己。"蒋纯祖回答。"我并且明白一切人!"他兴奋而轻蔑地加上说,不能抑制自己,说了这个,他感到他果然明白一切人,他们底悲哀和快乐,并且爱一切人。但他所爱的一切人里面现在没有了哥哥。他望着这个不可澈透的,冷淡的哥哥。

"浅薄的东西! 现在全是这样浅薄!"蒋少祖想。

"我有几句话要说,此外一切随便你。"他说,点烟。"要仔细考虑你底行动,因为别人不能替你负责;"他做手势阻拦弟弟,"别人可以引诱你,说得好听一点,领导你,但不能替你负责,一个人要有一个信仰,不能浅薄浮嚣地乱来!"他露出了严厉的、威胁的表情,"你有信仰么? 你信仰什么?"他愤怒地问。

"我信仰人民。"蒋纯祖被哥哥刺激着,骄傲地回答——像一切一九三七年的青年一样地回答。满意这个字:人民。

蒋少祖冷笑了一声。

"你从哪里学到这个信仰?"

"我从生活,从这些人底生活。"蒋纯祖回答——像一切一九三七年的青年一样地回答。满意这个字:生活。

"你看一些什么书?"

"没有看什么书!"蒋纯祖坚决地回答。

"你走上了一条道路,别人领你去做牺牲。"蒋少祖说,并不真的以为"人民"和"生活"是无辜牺牲底标志,但觉得弟弟的是被领去做牺牲的——他信仰他底这个感觉,因为觉得自己明白弟弟。他表面上安静、冷淡,心里却因了对弟弟的敌意而痛苦着。"你应该首先懂得,然后再信仰。你知道,我们都是吃这个亏的,现在轮到了你。"他微笑着,说。

"你吃过怎样的亏?"蒋纯祖怀疑起来,问。

有一种兴奋出现在蒋少祖底半闭的眼睛里,微笑留在他底脸上。

"人民是一个抽象的字眼,生活,又不是年青人所能明白的。"他说,弹着烟。"你要知道,假借人民底名义,各种势力在斗争,每一种势力都要吸收青年。当然,现在是除了汉奸以外每一种势力都支持战争,但这个世界你明白么?也许不能支持一年!那时候就全国分裂了,各种人都乘机取利,各种人都要抓取你们青年,各种人都说人民!……我讨厌那批恶棍的阴谋!"他说。

蒋纯祖沉默着。在长久的沉默中,突然地、无故地对哥哥亲切了起来。

"是的,我有一个时候想死,想死,想自杀。……啊,那样!"蒋纯祖热情地向哥哥说,同时感到说不清楚。他想了一想那种阴暗的苦闷——想到他常常坐在它下面的那座庙宇底潮湿的墙壁和山下的那个闪光的池塘。"我没有出路!我不愿受欺凌!假若他们开除我的话,那我是对的,我高兴!为什么不!而……"他说,在热情里战栗着,笑出声音来。

蒋少祖看着他,然后重新变得严肃而活泼。

"你去上海吗?"他问。

蒋纯祖感到一种冰冷的东西,困窘着,觉得自己有错。

"你去上海?"

"我去……我要去。"

蒋淑珍站在门口听了很久,蒋纯祖没有觉察。听到了这样的回答,蒋淑珍走了进来。

"弟弟啊!你不可怜我们吗?"蒋淑珍红着脸,大声问。

蒋纯祖站起来,看着姐姐。特别因为感到了那个冰冷的东西,觉得自己有错的缘故,蒋纯祖可怜姐姐。

蒋淑珍,明白这个机会,抓住了弟弟底手,用力地握紧。

"我们生死存亡——你不关心吗?"她用含泪的声音大声说。

"是的,我关心你们!"蒋纯祖想,流泪了。

"我要去上海!"蒋纯祖坚决地、动情地说;"我并不是不关心你们,但是我自己只有这样,你们无论如何不能知道,我也说不明白!……"他说。

蒋纯祖看入姐姐底含泪的眼睛。蒋淑珍怜悯而忧愁,相信着自己,不相信弟弟会违背自己,因此没有懂得弟弟底话。

"让他去吧。"蒋少祖愁闷地笑着,说,他站在旁边。

"唯独你一个人……唯独你一个人向上海去!"蒋淑珍说,哀愁地笑着,不明白自己说了什么,但觉得那个悲哀的东西是迫切了。

"让他去……不过战事一危急,你就来汉口!"

"是的。我准备这样。"蒋纯祖说,嘴唇焦渴地颤抖着。

因为蒋少祖也这样说,蒋淑珍就失去了主张,她想到了蒋纯祖底内心。她看着蒋少祖,好像问:"我不错吗?"她十年前失去一个弟弟,接着又失去了一个,现在是第三个了。她想到了弟弟底要求和快乐,她底眼光问:"我底希望是错的吗?"

"大姐,我去,啊!"蒋纯祖诚恳地说,看着她。

蒋淑珍哭了。

"你们都对!都对!都去!我们不能希望你们一点点,我不能担保我会不会……"

"大姐!"蒋少祖喊。

"我要随着爹爹妈妈去……在异乡就不能生活……"她坐下来,蒙住脸啼哭。

蒋纯祖凄凉地叹息,感到了那个苦闷的、暗澹的东西。

"你需要多少钱?"蒋少祖问。

蒋淑珍放开手,看着他们。她忍住哭泣,站起来,揉着胸脯,然后从衣袋里掏出纸包来。

"这个给你……"她说,哽咽着,打开了纸包;她底眼泪滴在灿烂的金饰上。她取一个大的指环递给了蒋纯祖。"你要懂得,从此以后,各人……"她说,一面打开了皮夹。

"我不要这个!"蒋纯祖说,露出了嫌恶的表情。但同时伸手接过指环来。指环潮湿而温热,蒋纯祖脸红,好像被别人捉住了的犯错的女孩。他看指环,看姐姐,又看指环。

"我不要……这个!"他以颤栗的、求饶的声音说。梦想的青年,在金钱上,经历着这种可怕的痛苦。他想拒绝,但又想留下;他底脸发白了。

但傅钟芬进房时,他迅速地藏起了指环。蒋淑珍在检查皮夹,他坐下来,抱住了头:这个暗澹的世界是试验了他,破坏了他底高傲的、庞大的热情。

蒋少祖和蒋淑珍走了出去。他觉得他们是去商量他。扎着小的绿结子的傅钟芬不安地在床边坐下,蒋秀菊走了进来。

蒋纯祖阴沉地抱着头,不看她们。

"弟弟,非走不可吗?"

蒋纯祖不答,蒋秀菊温和地微笑着。

"弟弟,要走吗?"她弯腰,问。

"要走。"蒋纯祖冷淡地回答。

"他当然要走!他丝毫不挂念我们!"傅钟芬愤恨地大声说。

"你知道什么!"蒋纯祖愤怒地说,站起来,走出房。

"要走吗?"傅蒲生走在门口,忧愁地小声问。好像谈论秘密。

蒋纯祖点头,看着院落对面的邻家的灯火。蒋淑珍从后面跑出来,站下,严肃地看着他。

"是不是一定要去?"她慢慢地,冷静地问。她闭上了眼睛。她底衰枯的脸悲哀而静穆。

"要去。"蒋纯祖回答,明白,并同情这种悲哀和静穆,看着邻家底灯火。

蒋淑珍脸部微微地牵动,看着弟弟。蒋淑珍贪婪地看着弟弟。但蒋纯祖没有看她。傅蒲生愁闷地笑着站在旁边。

"弟弟,大姐喊你!"蒋秀菊,以为姐姐在喊弟弟,不满弟弟底这种态度,愤怒地说。

蒋纯祖回头接住了蒋淑珍递给他的钞票,冷淡地看着蒋秀菊。

"弟弟你要记住这个大姐!"蒋秀菊,在那种道德底激动下,严厉地说。

蒋纯祖无表情,看着她。

"你要记住,这个大姐爱你——不是容易的!"蒋秀菊皱着眉说。

"你只晓得读《小妇人》!"蒋纯祖想,走了过去。

蒋淑珍有羞怯的、凄凉的、谦让的微笑。

"我算什么……弟弟啊!凡事要多想想……"她说。"我们在汉口等你,我们等你……"她说,温柔地笑着,又有了眼泪。

……

蒋纯祖离开姐姐家时,已经是夜深了。小街已经宁静,照着幽暗的灯光,有凉风吹着。像每个夏夜一样,每家屋檐下睡着赤膊的男子们:他们躺在椅子、竹床或门板上,显出各种粗笨的、难看的姿势,粗声地打着鼾——今年的南京底夏季是非常的热。大街同样的宁静,但不时有车辆驰过,扬起灰尘,在微风里,行道树底茂密的枝叶轻轻摇摆着。有的店铺亮着;黑暗的空中,霓虹闪耀着。在繁华的南京,这个深夜,普遍的是深沈的宁静,这种宁静使蒋纯祖觉得一切都不寻常。他觉得,这种宁静指挥、并且思索战争,并且预示暴风雨;这种宁静证实了他心里的最美好的、最坚强的东西——他刚才把这个最美、最强的东西永远从暗澹和苦闷里抢救了出来。

十字街口很多人拥挤着听播音机。播音机底女性的声音优美而嘹亮,人群静默着。蒋纯祖站下来,听见是胜利的消息,注意到了人们底大的静默,向前走去。南京静默着,看见,并且准备承担未来的艰苦和牺牲。

"中国,不幸的中国啊,让我们前进!"蒋纯祖说,在空旷的街上跨着大步。

一九四三年十一月。

(第一部完)

图书在版编目(CIP)数据

路翎全集.第五卷.上,长篇小说.1945/路翎著;张业松主编.--上海:复旦大学出版社,2025.2.
ISBN 978-7-309-17727-5
Ⅰ.I217.2
中国国家版本馆 CIP 数据核字第 2025GE8166 号